HEYNE
BÜCHER

Das Winter-Lesebuch

Geschichten für lange Winterabende

Ausgewählt und herausgegeben
von
Manfred Kluge

WILHELM HEYNE VERLAG
MÜNCHEN

HEYNE ALLGEMEINE REIHE
Nr. 01/6759

Inhalt

* Die mit einem Stern versehenen Titelformulierungen
stammen vom Herausgeber.

ROBERT WALSER

Winter

Im Winter machen sich die Nebel breit. Wer darin geht, spürt unwillkürlich ein Frösteln. Die Sonne beehrt uns mit ihrer Gegenwart nur selten. Man fühlt sich alsdann gewissermaßen begnadet, wie von dem Auftreten einer schönen Frau, die sich kostbar zu machen weiß.

Winter ragt durch die Kälte hervor. Hoffentlich sind alle Stuben geheizt, alle Mäntel übergeworfen. Pelze, Pantoffeln gewinnen an Wichtigkeit, Feuer an Reiz, Wärme an Nachfrage. Winter hat lange Nächte, kurze Tage und kahle Bäume. Kein grünes Blatt kommt mehr vor. Dagegen kommt vor, daß Seen und Flüsse gefrieren, was etwas sehr Angenehmes nach sich zieht, nämlich den Schlittschuhsport. Fällt Schnee, so kommt Schneebällewerfen in Frage. Dies ist ein Zeitvertreib für Kinder, während Erwachsene lieber einen Stumpen rauchen, am Tisch sitzen und Karten spielen oder an seriösen Gesprächen Geschmack finden. Nebenbei sei Schlitteln erwähnt, woran mancher Spaß hat.

Herrliche, sonnige Wintertage gibt's. Auf gefrornem Boden klirren die Schritte. Liegt Schnee, so ist alles weich, du gehst wie auf Teppichen. Schneelandschaften haben eine eigene Schönheit. Alles sieht feierlich, festlich aus. Weihnachtszeit ist namentlich für Kinder entzückend. Da strahlt der Weihnachtsbaum, d. h. mehr die Kerzen, die die Stube mit einem Frömmigkeits- und Schönheitsglanz erfüllen. Welcher Liebreiz! Die Tannzweige sind mit Naschwerk behängt. Zu nennen sind Engelchen aus Schokolade, zuckrige Würstchen, Basler Leckerli, in Silberpapier gewickelte Walnüsse, rotbackige Äpfel. Um den Baum sind die Familienglieder versammelt. Die Kinder sagen auswendiggelernte Gedichte auf. Nachher zeigen ihnen die Eltrn ihre Geschenke, etwa mit den Worten: »Bleibe brav, wie du es bisher warst«, und küssen das Kind, worauf das Kind die Eltern küßt und vielleicht alle, bei so schönen Umständen und tiefempfundenen Dingen, eine Zeitlang weinen und einander mit zitternder Stimme Dank sagen und kaum wissen, warum sie's tun, es aber richtig finden und glücklich sind. Sieh, wie mitten im Winter die Liebe strahlt, die Helligkeit lächelt, die Wärme glänzt, die Zärtlichkeit blitzt und alles Hoffenswerte und Gütige dir entgegenleuchtet.

Schnee fällt nicht Knall auf Fall, sondern langsam, d. h. nach und nach, will sagen flockenweise zur Erde. Das fliegt eins ums andere wie in Paris, wo es nicht so viel schneit wie z. B. in Moskau, von wo einst Napoleon seinen Rückzug antrat, weil er ihn für ratsam hielt. Auch in London schneit's, wo ehemals Shakespeare lebte, der das ›Wintermärchen‹ dichtete, ein von Lustigkeit und Ernst gleicherweise glitzerndes Stück, worin sich ein Wiederfinden abspielt, bei dem einer der Mitwirkenden dasteht, ›wie ein Brunnenbild von manches Königs Regierung her‹, wie es im Text heißt.

Ist Schneien nicht ein allerliebstes Schauspiel? Gelegentlich einmal eingeschneit zu werden, schadet sicher nicht viel. Vor Jahren erlebte ich eines Abends ein Schneegestöber in der Friedrichstraße zu Berlin, was mir stark in Erinnerung blieb.

Kürzlich träumte mir, ich flöge über eine runde, zarte Eisfläche, die dünn und durchsichtig war wie Fensterscheiben und sich auf- und niederbog wie gläserne Wellen. Unter dem Eise wuchsen Frühlingsblumen. Wie von einem Genius gehoben, schwebte ich hin und her und war über die ungezwungene Bewegung glücklich. In der Mitte des Sees war eine Insel, auf der ein Tempel stand, der sich als Wirtshaus entpuppte. Ich ging hinein, bestellte Kaffee und Kuchen und aß und trank und rauchte hierauf eine Zigarette. Als ich wieder hinausging und die Übung fortsetzte, brach der Spiegel, und ich sank in die Tiefe zu den Blumen, die mich freundlich aufnahmen.

Wie schön ist's, daß dem Winter jedesmal der Frühling folgt.

CONRAD AIKEN

Stiller Schnee,
Heimlicher Schnee

I

Es wäre ihm unmöglich gewesen zu sagen, und das war ganz natürlich, warum es eigentlich geschehen war oder warum es gerade zu jenem Zeitpunkt geschehen war; vielleicht wäre es ihm gar nicht einmal eingefallen, diese Frage zu stellen. Das Ganze war vor allen Dingen ein Geheimnis, etwas, das man strengstens vor Mutter und Vater verbergen mußte; und eben jenem Umstand verdankte es einen gewaltigen Teil seiner Köstlichkeit. Es glich einem eigenartigen schönen Kleinod, das man, ohne etwas darüber verlauten zu lasssen, in der Hosentasche herumschleppte – eine seltene Briefmarke, eine alte Münze, ein paar winzige zertretene goldene Kettenglieder, auf einem Parkweg gefunden, ein Karneolsteinchen, eine Muschel, die sich durch einen ungewöhnlichen Fleck oder Streifen von allen andern unterschied –, und so, als wäre es einer dieser Gegenstände, trug er, wohin er auch ging, ein warmes und beständiges, an Schönheit immer zunehmendes Besitzergefühl mit sich herum. Es war aber nicht nur ein Gefühl des Besitzes – es war ebensosehr ein Gefühl des Schutzes. Es war, als schaffe ihm sein Geheimnis auf wunderbare Weise eine Festung, einen Wall, hinter den er sich in himmlischer Abgeschiedenheit zurückziehen konnte. Und dies war nahezu das erste, was ihm daran aufgefallen war – abgesehen von der Seltsamkeit der Sache an sich –, und das war es, was ihm jetzt wieder, zum fünfzigstenmal, einfiel, während er in dem kleinen Schulzimmer saß. Es war die halbe Stunde, in der sie Geographieunterricht hatten. Miß Buell brachte mit einem Finger einen riesigen Erdglobus, der auf ihrem Tisch stand, zu langsamem Kreisen. Die grünen und gelben Kontinente flogen vorüber, kamen wieder, Fra-

11

gen wurden gestellt und beantwortet, und eben jetzt erhob sich das kleine Mädchen, das vor ihm saß, Deirdre, die ein lustiges kleines Sternbild aus Sommersprossen im Nacken hatte, es sah ganz so aus wie der Große Bär, und Deirdre sagte Miß Buell, der Äquator sei die Linie, die sich um die Mitte ziehe.

Miß Buells Gesicht, das alt und von leicht grauer Farbe und gütig war, mit grauen, steifen Locken, die an ihren Wangen herunterbaumelten, und Augen, die sehr leuchtend, wie kleine Elritzen, hinter dicken Gläsern schwammen, zerknitterte in ein ganzes Geflecht von Ergötzung.

»Ah! Ich verstehe. Die Erde trägt einen Gürtel oder eine Schärpe. Oder jemand hat eine Linie rundherum gezogen!«

»O nein – das nicht – ich meine –«

Er beteiligte sich nicht am allgemeinen Gelächter, oder jedenfalls nur ein klein wenig. Er dachte über die arktischen und antarktischen Regionen nach, die natürlich auf dem Globus weiß erschienen. Miß Buell erzählte ihnen jetzt von den Tropen, den Dschungeln, der dampfenden Hitze der Äquatorialsümpfe, wo die Vögel und Schmetterlinge, und sogar die Schlangen, lebendigen Juwelen glichen. Während er dem lauschte, schob er bereits mit einem Gefühl nur halber Anstrengung sein Geheimnis zwischen sich und die Worte. War es überhaupt wirklich eine Anstrengung? Denn Anstrengung schloß doch etwas von Absichtlichkeit ein, ja vielleicht sogar etwas, was man gar nicht richtig wollte; wohingegen dies hier sehr eindeutig angenehm war und nahezu gänzlich aus eigenem Antrieb in Erscheinung trat. Alles, was er tun mußte, war einzig, an jenen Morgen zu denken, den ersten Morgen, und dann an alle folgenden...

Aber es war alles so unsinnig einfach! Da war wirklich so wenig geschehen. Es war nichts, nur eine Idee – und warum es nun eigentlich so wunderbar geworden sein sollte, so beständig, das blieb ein Rätsel – ein sehr schönes, fraglos, aber ebensosehr und auf amüsante Weise ein närrisches. Nichtsdestoweniger rief er sich bereits seine Erinnerung an jenen ersten Morgen ins Gedächtnis zurück, ohne daß er aufgehört hätte, Miß Buell zuzuhören, die sich jetzt in die nördlichen gemäßigten Zonen hinaufbewegt hatte. Es war nur einen oder zwei Augenblicke nach seinem Erwachen – oder vielleicht im Augenblick des Erwachens selbst. Aber gab es da, genaugenommen, einen genauen Augenblick? War man mit einemmal wach? Oder geschah es allmählich? Jedenfalls war es geschehen, nachdem er mit lässiger Hand hinauf zur Querstange des Kopfendes gegriffen und gegähnt und sich dann, um so dankbarer, da es ein Dezembermorgen war, noch einmal unter den warmen Decken ausgestreckt hatte. Plötzlich, ohne besonderen Grund, hatte er an den Briefträger gedacht, war ihm der Briefträger eingefallen. Vielleicht war daran gar nichts so Besonderes. Schließlich hörte er den Briefträger fast an jedem Morgen seines Lebens – man konnte seine schweren Stiefel schon am oberen Ende der kleinen gepflasterten Hügelstraße um die Ecke trampeln hören, und dann, immer näher, immer lauter, das zweimalige Klopfen an der Tür, das Überqueren und Zurücküberqueren der Straße, bis schließlich die schwerfälligen Tritte zur eigenen Tür hinüberstolperten und das gewaltige Klopfen kam, von dem das ganze Haus erzitterte.

(Miß Buell sagte: Riesige Weizenanbaugebiete in Nordamerika und Sibirien.«

Deirdre hatte einen Augenblick lang ihre linke Hand in den Nacken gelegt.)

Aber an jenem besonderen Morgen, dem ersten Morgen, hatte er aus irgendeinem Grund, während er mit geschlossenen Augen dalag, auf den Briefträger *gewartet*. Er wollte hören, wie er um die Ecke kam.

Und genau da lag der Witz – er hörte ihn nicht. Er kam nicht. Er war nie mehr – *um die Ecke* – gekommen. Denn als schließlich die Schritte hörbar *wurden*, waren sie, das wußte er ganz sicher, schon ein wenig weiter unten am Hügel gewesen, beim ersten Haus; und selbst dann waren die Schritte seltsam verändert – sie waren weicher, sie hatten eine neue Heimlichkeit an sich, sie waren erstickt und undeutlich; und während ihr Rhythmus der gleiche geblieben war, sagte er jetzt etwas Neues – er sagte Frieden, er sagte Abgeschiedenheit, er sagte Kälte, er sagte Schlaf. Und er hatte die Lage sofort erfaßt – nichts hätte einfacher sein können –: es hatte in der Nacht geschneit, so wie er es sich den ganzen Winter über gewünscht hatte; und das war es, was die ersten Schritte des Briefträgers unhörbar gemacht hatte und die späteren schwach. Natürlich! Wie herrlich! Und selbst jetzt noch mußte es schneien – es würde ein verschneiter Tag werden –, die langen weißen, unregelmäßigen Fäden trieben und stäubten über die Straße, über die Fassaden der alten Häuser, flüsternd und einlullend, kleine weiße Dreiecke zwischen den Pflastersteinen bildend, ein wenig schäumend, wenn der Wind sie über den Boden und aufwehend in eine Ecke hintrieb; und so würde es den ganzen Tag über gehen, tiefer und tiefer werden und stiller und stiller.

(Miß Buell sagte gerade: »Das Land des ewigen Schnees.«)

Natürlich hatte er die ganze Zeit über (während er im Bett lag) seine Augen geschlossen gehalten und auf das Näherkommen des Briefträgers gelauscht, die erstickten Tritte, die auf den schneeverhüllten Pflastersteinen pochten und glitschten; und alle anderen Geräusche – das zweimalige Klopfen, eine oder zwei frostige, weit entfernte Stimmen, eine Glocke, die dünn und sanft bimmelte, wie unter einer Decke von Eis – hatten die gleiche Unwirklichkeit, so, als wären sie um einen Grad von der Wirklichkeit entfernt worden – als ob alles und jedes auf der Welt vom Schnee isoliert worden wäre. Doch als er endlich zufrieden seine Augen öffnete und dem Fenster zuwandte, um sein langersehntes und nun so klar imaginiertes Wunder zu betrachten – da sah er vielmehr strahlendes Sonnenlicht auf einem Dach; und als er verwundert aus dem Bett sprang und hinunter auf die Straße starrte in der Erwartung, die Pflastersteine vom Schnee ausgelöscht zu sehen, sah er nichts als eben die nackten, glänzenden Pflastersteine.

Diese außergewöhnliche Überraschung hatte eine sonderbare Wirkung auf ihn gehabt – während des ganzen Morgens hatte ihn das Gefühl nicht verlassen, als falle Schnee rund um ihn her, ein heimlicher Vorhang frischgefallenen Schnees zwischen ihm und der Welt. Wenn er das Ganze nicht geträumt hatte – und wie konnte er es geträumt haben, während er doch wach war? –, wie anders konnte man es dann erklären? In jedem Fall war die Vorstellung so lebhaft gewesen, daß sie sein ganzes Verhalten beeinflußte. Er konnte sich jetzt nicht mehr genau besinnen, ob es am ersten oder am zweiten Morgen gewesen war – oder vielleicht gar erst am dritten? –, daß seiner Mutter eine gewisse Seltsamkeit in seinem Benehmen aufgefallen war.

»Aber Liebling« – hatte sie am Frühstückstisch gesagt – »was ist denn in dich gefahren? Du scheinst überhaupt nicht zuzuhören...«

Und wie oft war genau das seither geschehen!

(Miß Buell fragte jetzt, ob jemand den Unterschied zwischen dem Nordpol und dem Magnetpol kenne. Deirdre fuchtelte mit ihrer braunen Hand in der Luft herum, und er konnte die vier weißen Grübchen sehen, die an ihren Knöcheln saßen.)

Vielleicht auch war es weder der zweite noch der dritte Morgen gewesen – noch selbst der vierte oder fünfte. Wie konnte er es genau wissen? Wie konnte er sicher sein, wann genau diese köstliche *Entwicklung* deutlich geworden war? Wann genau sie wirklich *begonnen* hatte? Die Intervalle waren nicht sehr deutlich. Alles, was er wußte, war, daß er an irgendeinem Punkt bemerkt hatte – vielleicht am zweiten Tag, vielleicht auch am sechsten –, daß die Gegenwart des Schnees ein wenig stärker fühlbar war, das Geräusch seines Fallens deutlicher; und umgekehrt die Schritte des Briefträgers undeutlicher. Nicht nur, daß er die Schritte nicht mehr um die Ecke kommen hörte, er hörte sie nicht einmal mehr beim ersten Haus. Er hörte sie unterhalb des ersten Hauses; und dann, ein paar Tage später, waren sie unterhalb des zweiten Hauses, als er sie hörte; und wieder ein paar Tage später unterhalb des dritten. Allmählich, ganz allmählich wurde der Schnee lastender, das Geräusch seines Rieselns lauter, die Pflastersteine mehr und mehr verhüllt. Wenn er allmorgendlich nach dem Ritual des Lauschens zum Fenster ging und feststellte, daß Dächer und Pflastersteine so blank waren wie immer, machte das keinen Unterschied. Schließlich war es nur das, was ihn belohnte: Das Ganze war sein eigen, gehörte niemandem sonst. Niemand sonst wußte darum, nicht einmal Mutter und Vater. Dort draußen waren die blanken Pflastersteine; und hier drinnen war der Schnee. Schnee, der jeden Tag lastender wurde, die Welt einhüllte,

das Häßliche verbarg und zunehmend – und dies vor allem –
die Schritte des Briefträgers dämpfte.

»Aber Liebling« – hatte sie beim Mittagessen gesagt – »was
ist nur in dich gefahren? Du scheinst überhaupt nicht zuzuhören, wenn man mit dir spricht. Ich habe dich schon dreimal gebeten, mir deinen Teller zu reichen...«

Wie sollte man das der Mutter erklären? oder dem Vater?
Da war natürlich gar nichts zu machen: nichts. Alles, was
man tun konnte, war, verlegen zu lachen, so zu tun, als sei
man ein wenig beschämt, sich zu entschuldigen und ein
plötzliches und einigermaßen unaufrichtiges Interesse an
dem zu zeigen, was gerade getan oder gesagt wurde. Der Ka-
ter war die ganze Nacht über ausgeblieben. Er hatte eine seltsame Prellung auf der linken Backe – vielleicht hat ihm jemand einen Tritt versetzt, oder ein Stein hatte ihn getroffen.
Mrs. Kempton kam zum Tee oder auch nicht. Das Haus
würde am Mittwoch statt am Freitag geputzt, beziehungsweise ›auf den Kopf gestellt‹ werden.

Eine neue Lampe für seine abendlichen Schularbeiten
wurde beschafft – vielleicht war es eine Überanstrengung der
Augen, die für seine plötzliche und so eigenartige Zerstreut-
heit verantwortlich war –, Mutter sah ihn belustigt an, als sie
das sagte, doch es lag noch etwas anderes in ihrem Blick. Eine
neue Lampe? Eine neue Lampe. Ja, Mutter, nein, Mutter, ja,
Mutter. In der Schule geht alles gut. Geometrie ist sehr leicht.
Geschichte ist langweilig. Geographie ist sehr interessant –
insbesondere, wenn wir zum Nordpol reisen. Warum der
Nordpol? Nun ja, es würde Spaß machen, ein Entdecker zu
sein. So wie Peary oder Scott oder Shackleton. Und dann war
unvermittelt sein Interese an der Unterhaltung erschöpft, er
starrte den Pudding auf seinem Teller an, lauschte, wartete
und begann aufs neue – ach, wie himmlisch auch diese ersten
Anfänge – zu hören oder zu fühlen – denn konnte er es wirklich hören? –, wie der stille Schnee, der heimliche Schnee fiel.

(Miß Buell erzählte von der Suche nach der Nordwestpassage, von Hendrik Hudson, dem *Halbmond*.)

Dies war in der Tat der einzige betrübliche Punkt der
neuen Erfahrung gewesen: der Umstand, daß sie in so zu-
nehmendem Maße eine Art stummen Mißverstehens oder

sogar Konflikts zwischen ihm und seinen Eltern herauf-
beschworen hatte. Es war, als versuche er, ein Doppelleben
zu führen. Auf der einen Seite mußte er Paul Hasleman sein
und den Anschein aufrechterhalten, diese Person zu sein –
sich anziehen, waschen und vernünftig antworten, wenn
man zu ihm sprach –; auf der anderen Seite mußte er diese
neue Welt entdecken, die sich vor ihm aufgetan hatte. Auch
konnte nicht der geringste Zweifel daran bestehen – nicht der
geringste –, daß diese neue Welt die tiefere und wunderba-
rere war. Sie war unwiderstehlich. Sie war wundervoll. Ihre
Schönheit übertraf einfach alles – war Worten wie Gedanken
gleich unzugänglich – gänzlich unmitteilbar. Wie aber sollte
er dann zwischen den beiden Welten, deren er sich so unaufhörlich bewußt war, ein Gleichgewicht aufrechterhalten?
Man mußte aufstehen, man mußte frühstücken, man mußte
sich mit Mutter unterhalten, zur Schule gehen, die Aufgaben
machen – und bei alledem versuchen, nicht zu sehr wie ein
Dummkopf zu erscheinen. Doch wenn man die ganze Zeit
über gleichermaßen bemüht war, einer anderen und völlig
getrennten Existenz ihre ganze Köstlichkeit abzugewinnen,
einer Existenz, von der man nicht leicht sprechen konnte
(wenn überhaupt) – wie sollte es einem da gelingen? Wie
sollte man es erklären? Konnte man es riskieren, es zu erklären? Würde es absurd sein? Würde es nur bedeuten, daß er
sich selbst in irgendwelche ungeahnten Schwierigkeiten
brächte?

Diese Gedanken kamen und gingen, kamen und gingen,
so still und heimlich wie der Schnee; sie waren nicht eigentlich beunruhigend, vielleicht erfreuten sie ihn sogar; er liebte
diese Gedanken; ihre Gegenwart war nahezu greifbar, etwas, das er mit der Hand streicheln konnte, ohne die Augen
zu schließen und ohne daß er aufgehört hätte, Miß Buell und
das Klassenzimmer und den Globus und die Sommersprossen auf Deirdres Nacken zu sehen; nichtsdestoweniger hörte
er in gewissem Sinn auf zu sehen, die sichtbare äußere Welt
zu sehen, und setzte an die Stelle ihres Bildes das Bild des
Schnees, den Laut des Schnees und das langsame, nahezu
geräuschlose Näherkommen des Briefträgers. Gestern war es
erst beim sechsten Haus gewesen, daß der Briefträger hörbar

wurde; der Schnee lag jetzt viel höher, er fiel schneller und schwerer, der Laut seines Rieselns war deutlicher, beruhigender, nachhaltiger. Und an diesem Morgen war es – soweit er das abschätzen konnte – unmittelbar oberhalb des siebenten Hauses gewesen – vielleicht nur einen oder zwei Schritte höher, er hatte höchstens zwei oder drei Fußtritte gehört, ehe das Klopfen ertönte... Und es war seltsam, wie stark sich mit jeder solchen Einengung des Umkreises, jedem Näherrücken der Grenze, an der der Briefträger zum erstenmal hörbar wurde, das Maß von Illusion vergrößerte, das man in das gewöhnliche Geschäft des täglichen Lebens hinübernehmen mußte. Jeden Tag wurde es schwerer, aus dem Bett aufzustehen, ans Fenster zu gehen, auf die – wie gewöhnlich – vollkommen leere und schneelose Straße hinauszusehen. Jeden Tag war es mühsamer, beim Frühstück die oberflächlichen Gesten der Begrüßung von Mutter und Vater zu vollziehen, auf ihre Fragen zu antworten, die Schulbücher zusammenzusuchen und zur Schule zu gehen. Und in der Schule, wie außerordentlich schwer, mit Erfolg gleichzeitig das öffentliche Leben zu führen und jenes Leben, das sein Geheimnis war! Es gab Zeiten, wo er danach verlangte – sich geradezu schmerzlich danach sehnte –, aller Welt davon zu erzählen – damit herauszuplatzen –, doch nur, um nahezu augenblicklich davor zurückzuschrecken in dem entfernten Gefühl einer leisen Absurdität, die ihm anhaftete – aber *war* es absurd? –, und entscheidender, im Bewußtsein einer geheimnisvollen Macht, die in eben dieser Heimlichkeit lag. Ja; es mußte geheimgehalten werden. Das wurde immer deutlicher. Ganz gleich, welchen Preis es ihn kosten, welchen Schmerz es andern verursachen mochte –

(Miß Buell sah ihn voll an, lächelte und sagte: »Vielleicht sollten wir Paul fragen. Ich bin sicher, Paul wird lange genug aus seinem Tagtraum auftauchen, um es uns sagen zu können. Nicht wahr, Paul?« Er kam langsam von seinem Stuhl hoch und starrte, die Hand auf das spiegelnd polierte Pult gelegt, bedächtig durch den Schnee zur Tafel. Es war eine Anstrengung, aber es war amüsant, sie auf sich zu nehmen. »Ja«, sagte er langsam, »es war der heutige Hudson River. Er glaubte, es sei die Nordwestpassage. Er war enttäuscht.« Er setzte sich wieder hin, und während er das tat, wandte sich Deirdre halb um auf ihrem Stuhl und schenkte ihm ein schüchternes Lächeln der Zustimmung und der Bewunderung.) Welchen Schmerz es andern verursachen mochte.

Diese Seite war sehr verwirrend, sehr verwirrend. Mutter war sehr lieb und Vater auch. Ja, das stimmte freilich schon. Er wollte nett zu ihnen sein, ihnen alles erzählen – und doch, war es wirklich unrecht von ihm, sich einen heimlichen Ort zu wünschen, der nur ihm allein gehörte?

Am Abend zuvor, als es Zeit war, zu Bett zu gehen, hatte Mutter gesagt: »Wenn das so weitergeht, mein Junge, werden wir einen Arzt aufsuchen müssen, das steht fest! Wir können nicht zulassen, daß unser Junge –« Doch was war es, das sie gesagt hatte? »In einer anderen Welt lebt?« – »So meilenfern lebt?« Das Wort ›fern‹ war vorgekommen, dessen war er sicher, und dann hatte Mutter ihre Zeitschriften wieder aufgenomen und ein wenig gelacht, doch mit einem Ausdruck, der nicht fröhlich war. Sie hatte ihm leid getan...

Die Glocke läutete zum Schulschluß. Der Klang erreichte ihn durch lange gekrümmte Parallelen fallenden Schnees. Er sah, wie Deirdre aufstand, und kam fast ebenso schnell hoch – doch nicht ganz ebenso schnell – wie sie.

II

Auf dem Heimweg, der nicht an Zeit gebunden war, machte es ihm Freude, durch die Begleitung oder den Kontrapunkt des Schnees hindurch die Einzelheiten der reinen Außenwelt, an denen er vorbeikam, zu sehen. Es gab die verschiedensten Arten von Steinen in den Gehsteigen, und sie waren in vielen verschiedenen Mustern verlegt. Auch die Begrenzungen der Gärten waren vielfältig, teils Lattenzäune, teils verputzte Mauern, teils aus Steinen geschichtet. Büsche neigten ihre Zweige über die Mauern: die kleinen harten grünen Winterknospen des Flieders auf grauen Stengeln, umhüllt und üppig; andere Zweige sehr dünn und zart und schwarz und ausgedörrt. Schmutzige Spatzen drängten sich in den Büschen zusammen, so stumpf in der Farbe wie tote

Früchte, vergessen in entlaubten Bäumen. Ein einsamer Star knarrte auf einer Wetterfahne. Im Rinnstein neben einem Kanalloch schwamm ein Fetzen einer zerrissenen und schmutzigen Zeitung, gefangen in einem kleinen Delta von Schmutz; das Wort Ekzem prangte in Großbuchstaben, und darunter stand ein Brief von Mrs. Amelia D. Cravath, 2100 Pine Street, Fort Worth, Texas, der besagte, daß sie nach jahrelangem Leiden durch Caleys Salbe geheilt worden war. Neben dem fächerförmigen und von tiefen Rinnen durchzogenen Kontinent braunen Schlamms fanden sich in dem kleinen Delta verlorene Zweige, von ihren Stammbäumen abgefallen, abgebrannte Zündhölzer, eine rostfarbene Roßkastanienschale, eine kleine Ansammlung von Eierschalen, ein Streifen gelben Sägemehls, das naß gewesen und jetzt trocken und klumpig war, ein brauner Kieselstein und eine geknickte Feder. Ein Stück weiter war ein zementierter Gehweg, in geometrische Parallelogramme aufgeteilt und mit einer in Messingbuchstaben eingelegten Schrift auf der einen Seite, die das Andenken der Baufirma feierte, und, auf halbem Wege quer darüber hinlaufend, einer irregulären und zufälligen Serie von Hundespuren, in synthetischem Stein verewigt. Er kannte sie genau und setzte immer seine Füße genau darauf; es hatte ihm immer ein sonderbares Vergnügen bereitet, die kleinen Löcher mit seinem Fuß zu bedecken; heute tat er es von neuem, aber nachlässig und unbeteiligt, die ganze Zeit über dachte er an etwas anderes. Es war ein Hund, der sich da vor langer Zeit geirrt hatte und über den noch feuchten Zement gelaufen war. Wahrscheinlich hatte er mit dem Schwanz gewedelt, aber das war nicht festgehalten worden. Und jetzt überquerte Paul Hasleman, zwölf Jahre alt, auf seinem Heimweg von der Schule denselben Fluß, der inzwischen zu Fels gefroren war. Heimwärts durch den Schnee, den Schnee, der in strahlendem Sonnenlicht fiel. Heimwärts?

Dann kam das Tor mit den zwei Pfosten, die von eiförmigen Steinen bekrönt waren; man hatte sie kunstvoll auf der Spitze ausbalanciert, so, als hätte es Kolumbus getan, und in ebendiesem Akt der Balance mit Mörtel befestigt. Eine Quelle unaufhörlichen Erstaunens. Auf der Backsteinmauer gleich nebenan war der Buchstabe H mit Schablone aufgemalt, höchstwahrscheinlich in einer bestimmten Absicht. H? H.

Der grüne Hydrant, dessen messingner Schraubkopf mit einer kleinen grünangestrichenen Kette befestigt war. Die Ulme mit der großen grauen Wunde in der Rinde, die nierenförmig aussah und in die er immer seine Hand legte – um das kalte, aber lebende Holz zu spüren. Er war überzeugt gewesen, daß die Verletzung vom Knabbern eines angebundenen Pferdes herrührte. Jetzt aber hatte sie nur Anspruch auf eine darüberstreichende Handfläche – einen kaum mehr als nachsichtigen Blick. Es gab wichtigere Dinge. Wunder. Einem jenseitigeren Bereich angehörend als die Gedanken an Bäume, gewöhnliche Ulmen. Einem jenseitigeren Bereich als die Gedanken an Gehsteige, gewöhnlichen Stein, gewöhnliche Backsteine, gewöhnlichen Zement. Einem jenseitigeren Bereich als selbst die Gedanken an seine eigenen Schuhe, die gehorsam diese Gehsteige entlangtrotteten und – weit oberhalb – eine Last vollendeten Geheimnisses trugen. Er sah ihnen ganz genau zu. Sie waren nicht sehr gut geputzt; er hatte sie vernachlässigt, aus einem sehr guten Grund: Sie waren ein Teil jener vielfältigen, ständig zunehmenden Schwierigkeit täglicher Rückkehr in das Alltagsleben, des morgendlichen Kampfes. Aufzustehen, nachdem man endlich die Augen aufgebracht hatte, ans Fenster zu gehen und keinen Schnee zu entdecken, sich zu waschen, anzuziehen, die gewundene Treppe zum Frühstück hinunterzusteigen –

Welchen Schmerz es auch andern verursachen mochte, man mußte dennoch auf der Trennung beharren, da das Nichtmitteilbare des Erlebnisses es gebot. Natürlich war es wünschenswert, daß man nett zu Mutter und Vater war, insbesondere, da sie beunruhigt schienen, aber es war ebenso wünschenswert, standhaft zu bleiben. Wenn sie sich dazu entschließen sollten – was wahrscheinlich schien –, den Arzt zu konsultieren, Doktor Howells, und Paul untersuchen zu lassen, sein Herz durch eine Art Diktaphon abhören zu lassen, seine Lungen, seinen Magen – nun ja, das war in Ordnung. Er würde es durchstehen. Er würde ihnen auch Rede und Antwort stehen – vielleicht solche Antworten geben, wie sie sie nicht erwarteten? Nein. Das würde nicht angehen.

Denn die geheime Welt mußte um jeden Preis bewahrt werden.

Das Vogelhaus im Apfelbaum war leer – es war nicht die Jahreszeit für Zaunkönige. Die kleine runde schwarze Tür hatte ihre Anziehungskraft verloren. Die Zaunkönige zogen andere Behausungen vor, andere Nester, entferntere Bäume. Aber auch das war ein Gedanke, dem er nur unbestimmt und flüchtig nachhing – so, als ob er ihn im Augenblick nur an seinem äußersten Rand berühre; dahinter lag etwas, das bereits größere Bedeutung gewann; etwas, das sich bereits in seine Augenwinkel eindrängte, gleichzeitig einen Winkel seines Verstandes bedrängte. Es war belustigend, sich vorzustellen, daß er ebendies so sehr wünschte, so sehr darauf wartete – und sich doch dabei ertappte, wie er diese flüchtige Tändelei mit dem Vogelhaus genoß als ein ganz bewußtes Hinausschieben und Verstärken des bevorstehenden Vergnügens. Er war sich seines Zögerns bewußt, seines lächelnden und unbeteiligten und nun nahezu verständnislosen Starrens auf das kleine Vogelhaus; er wußte, wohin sein Blick als nächstes fallen würde: es war seine eigene kleine gepflasterte Hügelstraße, sein eigenes Haus, das Flüßchen am Fuße des Hügels, der Kolonialwarenladen mit dem Pappdeckelmann im Schaufenster – und jetzt, während er an all dies dachte, wandte er den Kopf, immer noch lächelnd, und blickte schnell nach rechts und links durch das schneeschwere Sonnenlicht.

Und der Nebel von Schnee lag noch darüber, wie er es vorausgesehen hatte – ein Geisterschnee, in strahlendem Sonnenlicht fallend, weich und beständig fließend und wirbelnd und innehaltend, sich lautlos dem Schnee vereinend, der wie eine durchsichtige Fata Morgana die nackten glänzenden Pflastersteine bedeckte. Er war entzückt – er stand ganz still vor Entzücken. Die Schönheit dieses Anblicks war bannend – sie lag jenseits aller Worte, jeder Erfahrung, jeden Traumes. Keines der Märchen, die er je gelesen, ließ sich damit vergleichen – in keinem von ihnen hatte er je diese außerordentliche Verbindung von himmlischer Schönheit mit jenem anderen gefunden, etwas Unnennbarem, das nur ganz leise und auf köstliche Art erschreckend war. Was war dieses Etwas?

Während er darüber nachdachte, sah er zu seinem Schlaf-
zimmerfenster hinauf, das offenstand – und es war, als blicke
er geradewegs in das Zimmer und sähe sich selbst halbwach
im Bett liegen. Und er war dort – in eben diesem Augenbllick
war er vielleicht wirklich noch dort –, wahrhafter dort als hier
am Rande der gepflasterten Hügelstraße, die eine Hand erhoben, um seine Augen vor der Schneesonne zu schützen.
Hatte er tatsächlich in all dieser Zeit sein Zimmer überhaupt
verlassen? seit jenem allerersten Morgen? Spielte sich die
ganze Entwicklung immer noch dort ab, war es noch immer
derselbe Morgen und er selbst noch nicht ganz erwacht? Und
war in ebendiesem Augenblick der Briefträger noch nicht um
die Ecke gebogen? . . .

Diese Vorstellung belustigte ihn, und während er es noch
dachte, wandte er automatisch den Kopf und blickte zur
Spitze des Hügels hinauf. Da war natürlich nichts – nichts
und niemand. Die Straße lag leer und still. Und gerade weil
sie so leer war, fiel es ihm ein, die Häuser zu zählen – etwas,
an das er, seltsam genug, zuvor nie gedacht hatte. Natürlich
hatte er gewußt, daß es nicht viele waren – viele auf seiner eigenen Seite der Straße heißt das, eben diejenigen, die für das
Näherkommen des Briefträgers zählten – nichtsdestoweniger aber war es eine Art Schock, festzustellen, daß es genau
sechs oberhalb seines Hauses waren – sein Haus war das siebente.

Sechs!

Erstaunt sah er sein eigenes Haus an – sah die Tür an, die
die Nummer 13 trug, und vergegenwärtigte sich, daß das
Ganze genau und logisch und absurd das war, was er hätte
wissen sollen. Gleichwohl löste diese Vergegenwärtigung in
ihm plötzlich und sogar ein wenig erschreckend das Gefühl
aus, in Eile zu sein. Er wurde gedrängt – er wurde getrieben.
Denn – und er furchte die Stirn – er konnte sich nicht irren –
es war genau oberhalb des *siebenten* Hauses, *seines* Hauses,
daß er den Briefträger an eben diesem Morgen zuerst gehört
hatte. Aber bedeutete das in diesem Fall – in diesem Fall –,
daß er morgen nichts hören würde? Das Klopfen, das er gehört hatte, mußte das Klopfen an ihrer eigenen Tür gewesen
sein. Bedeutete das – und es war ein Gedanke, der ihm wirk-

lich ein außerordentliches Gefühl von Überraschung gab –, daß er den Briefträger nie wieder hören würde? – daß morgen der Briefträger schon am Haus vorbeigegangen sein würde, in so tiefem Schnee, daß seine Fußtritte völlig unhörbar wären? Daß er so lautlos, so im geheimen über die schneebedeckte Straße herangekommen sein würde, daß er, Paul Hasleman, der da im Bett lag, nicht rechtzeitig aufgewacht sein würde oder, erwachend, nichts gehört haben würde?

Doch wie konnte das sein? Wenn nicht sogar der Klopfer in Schnee eingehüllt war – festgefroren vielleicht? . . . Doch in diesem Fall –

Ein unbestimmtes Gefühl der Enttäuschung überfiel ihn; eine unbestimmte Traurigkeit, als fühle er sich um etwas betrogen, auf das er sich lange gefreut hatte, etwas sehr Kostbares. Nach alldem, dieser ganzen wunderbaren Entwicklung, dem langsamen, köstlichen Näherkommen des Briefträgers durch den stillen und heimlichen Schnee, nachdem das Klopfen täglich näher geschlichen war, die Fußtritte näher herangekommen waren, sich der hörbare Bereich der Welt auf diese Weise täglich verengt hatte, verengt, verengt, und während der Schnee wohltuend und schön vordrang und tiefer wurde, sollte er nach alledem um das Eine betrogen werden, das er sich so sehr gewünscht hatte – um die Fähigkeit, sozusagen die letzten zwei oder drei feierlichen Fußtritte zu zählen, wenn sie sich endlich der eigenen Tür näherten? Sollte alles am Schluß so plötzlich vor sich gehen? oder war es tatsächlich schon geschehen? ohne allmähliche und feine Abstufungen der Bedrohung, in denen er schwelgen konnte?

Er starrte wieder nach oben, hinauf zu seinem Fenster, das in der Sonne blitzte; und diesmal fast mit dem Gefühl, daß es besser wäre, wenn er wirklich noch immer im Bett läge, in jenem Zimmer; denn in diesem Fall mußte es noch der erste Morgen sein, und es würden sechs weitere bevorstehen – oder, was das betrifft, sieben oder acht oder neun – wie konnte er es sicher wissen? – oder sogar noch mehr.

III

Nach dem Abendessen begann die hochnotpeinliche Unter-
suchung. Er stand vor dem Arzt, unter der Lampe, und ergab
sich stumm in das Knuffen und Klopfen.

»Jetzt sag bitte mal ›Ah‹.«

»Ah!«

»Noch einmal, bitte, wenn du so nett sein willst.«

»Ah.«

»Sag es langsam und dehne es, so lange du kannst ––«

»A-h-h-h-h ––«

»Gut.«

Wie albern das alles war. Als ob es irgend etwas mit seinem
Hals zu tun hätte! Oder seinem Herzen oder seiner Lunge!

Seinen Mund entspannend, in dessen Winkeln er nach all
diesem absurden Strecken ein unangenehmes Gefühl hatte,
vermied er den Blick des Arztes und starrte zum Kamin hin,
vorbei an den Füßen seiner Mutter (in grauen Pantoffeln), die
vom grünen Stuhl vorsprangen, und den Füßen seines Vaters (in braunen Pantoffeln), die ordentlich nebeneinander
auf dem Kaminvorleger standen.

»Hm. Jedenfalls alles in Ordnung da...«

Er fühlte den Blick des Arztes auf sich gerichtet und gab
ihn, so, als wolle er lediglich höflich sein, zurück, jedoch mit
einem Gefühl gerechtfertigten Ausweichens.

»Nun sag mir mal, junger Mann – fühlst du dich ganz gesund?«

»Ja, Doktor, ganz gesund.«

»Kein Kopfweh? Kein Schwindelgefühl?«

»Nein, nicht daß ich wüßte.«

»Wollen mal sehen. Laß uns ein Buch nehmen, wenn's dir
recht ist – ja, danke, das eignet sich ausgezeichnet – und jetzt,
Paul, brauchst du nur einfach zu lesen und es dabei so zu halten, wie du es normalerweise halten würdest –«

Er nahm das Buch und las:

»Andres edelstes Lob, Mutter Athen, darf ich annoch als
großen Gottes Geschenk sagen von dir: unseres Reichs stol-
zeste Zierde, das rassige Roß – Reitermacht zur Seemacht!
Sohn des Kronos, zu solcher Höh erhobst uns *du*, unser Herr

Poseidon, der den Rossen zuerst zähmenden Zügel in *diesem* Gau lehrte aufzuzwingen. So auch, staunenswert schnell, treiben das Schiff Ruder, den Händen wohl angepaßt – Ringsum tanzt Nereidenschar hundertfüßigen Reigen... O Land, so über alles hochgelobt, es gilt, daß dieser Worte Glanz du wahr machst in Gefahr!«

Er hielt versuchsweise inne und ließ das schwere Buch sinken.

»Nein – ganz wie ich dachte – es gibt zweifellos kein oberflächliches Anzeichen für eine Überanstrengung der Augen.«

Schweigen füllte den Raum, und er spürte die forschend konzentrierte Aufmerksamkeit in den Blicken der drei Menschen, denen er gegenüberstand...

»Wir könnten seine Augen untersuchen lassen – doch ich glaube, es ist etwas anderes.«

»Was könnte es sein?« Das war die Stimme seines Vaters.

»Es ist nur diese seltsame Geistesabwesenheit –« Das war die Stimme seiner Mutter.

In Gegenwart des Arztes schienen sie beide auf irritierende Weise um Entschuldigung bemüht.

»Ich glaube, daß es etwas anderes ist. Also Paul – ich würde dir gern ein paar Fragen stellen. Du wirst sie mir beantworten, nicht wahr – du weißt, ich bin ein guter alter Freund der Familie, he? Das ist also abgemacht, ja?«

Die fette Faust des Doktors beklopfte zweimal seinen Rücken – dann grinste ihm der Arzt mit falscher Freundlichkeit zu, während er mit dem Fingernagel den obersten Knopf seiner Weste kratzte.

Hinter der Schulter des Arztes war das Feuer, die Flammenfinger vollführten leuchtende Zauberkunststücke vor dem rußigen Kaminhintergrund, und der sanfte Laut ihres ziellosen Züngelns war das einzige Geräusch.

»Ich wüßte gern – ist da etwas, was dich bedrückt?«

Wieder lächelte der Arzt, die Augenlider tief über die kleinen schwarzen Pupillen gesenkt, in denen je eine kleine weiße Lichtperle glänzte. Warum ihm Antwort geben? Warum ihm überhaupt antworten? ›Welchen Schmerz auch immer es andern verursachen mochte‹ – doch es war eine

Plage, dies alles, die Notwendigkeit, Widerstand zu leisten, die Notwendigkeit, aufmerksam zu sein; es war, als sei man auf eine strahlend erhellte Bühne gestellt worden, unter den großen flammenden Lichtkreis eines Scheinwerfers; so, als sei man nichts weiter als ein dressierter Seehund oder ein abgerichteter Hund oder ein Fisch, aus dem Aquarium gezogen und am Schwanzende hochgehalten. Es würde ihnen recht geschehen, wenn er ganz einfach nur bellte oder knurrte. Und inzwischen sollte er diese letzten paar kostbaren Stunden verlieren, diese Stunden, von denen jede Minute schöner war als die vergangene, bedrohlicher –! Er blickte noch immer wie aus großer Entfernung auf die Lichtperlen in den Augen des Arztes, auf das starre falsche Lächeln, dann weiter, noch einmal zu den Pantoffeln der Mutter hin, den Pantoffeln seines Vaters, dem sanften Züngeln des Feuers. Selbst hier noch, selbst inmitten dieser feindlichen Gesellschaft und in diesem künstlich arrangierten Licht konnte er den Schnee sehen, hörte ihn – er lag in den Ecken des Zimmers, wo die Schatten am tiefsten waren, unter dem Sofa, hinter der halbgeöffneten Tür, die ins Eßzimmer führte. Er war weicher hier drinnen, sanfter, sein Rieseln ein kaum hörbares Flüstern, so, als habe er mit Rücksicht auf ein Wohnzimmer mit voller Absicht seine besten ›Manieren‹ hervorgekehrt. Er verbarg sich selbst, löschte sich selbst aus, doch mit dem deutlich hörbaren Unterton: ›Warte nur! Warte, bis wir beide allein sind! Dann werde ich anfangen, dir etwas Neues zu erzählen! Etwas Weißes! Etwas Kaltes! Etwas voll Schlaf! Etwas von Aufhören und Frieden und der langen leuchtenden Krümmung des Raums! Sag ihnen, sie sollen weggehen. Schick sie fort. Weigere dich zu sprechen. Laß sie allein, geh in dein Zimmer hinauf, dreh das Licht aus und leg dich ins Bett – ich werde mit dir kommen, ich werde auf dich warten, ich werde dir eine bessere Geschichte erzählen als die vom kleinen Kay oder die vom Schneegeist – ich werde rings um dein Bett sein, ich werde die Fenster verschließen, eine tiefe Wehe zur Tür hin aufhäufen, so daß niemand jemals mehr hineinkönnen wird. Sprich zu ihnen!...‹ Es schien, als käme die kleine, zischende Stimme aus einer langsamen weißen Spirale fallender Flocken in der Ecke beim Fenster zur Straße – doch er konnte es nicht sicher sagen. Da fühlte er, wie er lächelte, und er sagte zum Arzt, doch ohne ihn anzusehen, noch immer an ihm vorbeisehend –

»O nein, ich glaube nicht –«

»Doch bist du sicher, mein Junge?«

Dann kam sanft und kühl die Stimme seines Vaters, die vertraute Stimme seidiger Warnung.

»Du mußt nicht sofort antworten, Paul – vergiß nicht, daß wir versuchen, dir zu helfen – denke noch einmal nach und antworte erst, wenn du ganz sicher bist.«

Wieder fühlte er, wie er lächelte bei der Vorstellung, er solle sich ganz sicher sein. Was für ein Witz! Als ob er sich nicht so sicher wäre, daß erneute Versicherung nicht länger nötig war und dieses ganze Kreuzverhör eine lächerliche Farce, eine groteske Parodie! Was konnten sie schon davon wissen? Diese stumpfen Geister, diese langweiligen Seelen, die so gebunden waren an das Übliche, das Durchschnittliche? Unmöglich, zu ihnen davon zu sprechen! Wahrhaftig, selbst jetzt, selbst jetzt, wo doch der Beweis in so reichem Maß, so gewaltig, so drohend, so schrecklich in eben diesem Zimmer sichtbar war, konnten sie es selbst jetzt glauben? – Konnte auch nur seine Mutter es glauben? Nein – es war nur zu deutlich, daß sie ungläubig sein würden, wenn das mindeste darüber verlautete, der geringste Hinweis gegeben würde – lachen würden sie – »Absurd!« würden sie sagen – Dinge über ihn denken, die nicht stimmten...

»Nein, wirklich, mich bedrückt nichts – warum auch?«

Er sah jetzt unmittelbar in die unter tiefen Lidern liegenden Augen des Arztes, blickte von einem zum andern, von einer Lichtperle zur andern, und er lachte ein wenig.

Das schien den Arzt aus der Fassung zu bringen. Er lehnte sich im Stuhl zurück, eine fette weiße Hand auf jedes Knie gelegt. Langsam schwand das Lächeln aus seinem Gesicht.

»Nun, Paul!« sagte er und hielt bedeutungsvoll inne, »ich glaube, du nimmst die Sache nicht ernst genug. Ich glaube, du bist dir nicht ganz klar darüber – nicht ganz klar darüber –« Er atmete einmal tief und rasch ein und wandte sich, wie hilflos, wie auf der Suche nach dem rechten Wort, an die andern. Doch Mutter und Vater schwiegen beide – niemand kam ihm zu Hilfe.

»Du weißt sicherlich, bist dir bewußt, daß du in letzter Zeit nicht ganz du selbst gewesen bist? Oder weißt du das vielleicht nicht? . . . «

Es war belustigend zu sehen, wie der Arzt neuerlich ein Lächeln versuchte, eine seltsame, aufgelöste Miene, die vertrauliche Verlegenheit auszudrücken schien.

»Ich fühle mich ganz in Ordnung, Doktor«, sagte er und lachte wieder das kleine Lachen.

»Und wir versuchen, dir zu helfen.« Der Ton des Arztes wurde schärfer.

»Ja, Doktor, ich weiß. Aber warum? Ich bin gesund. Ich *denke* einfach *nach*, das ist alles.«

Seine Mutter machte eine schnelle Bewegung nach vorn, legte ihre Hand auf die Rückenlehne des Stuhls, in dem der Arzt saß.

»Du denkst nach?« sagte sie. »Aber worüber denn, Liebling?« Dies war eine direkte Herausforderung – und er würde ihr direkt begegnen müssen. Doch bevor er ihr begegnete, sah er noch einmal in die Ecke bei der Tür, als wolle er sich erneut Gewißheit verschaffen. Wieder lächelte er über das, was er sah, über das, was er hörte. Die kleine Spirale war noch da, noch immer weich wirbelnd, wie der Geist eines weißen Kätzchens, das den Geist eines weißen Schwanzes zu haschen versuchte, und während sie das tat, verursachte sie ein ganz schwaches Flüstern. Es war alles in Ordnung! Wenn er nur fest zu bleiben vermochte, würde alles in Ordnung kommen.

»Oh, über alles mögliche, über nichts – eben wie du es doch auch tust!«

»Du meinst – träumen?«

»O nein – nachdenken!«

»Aber über *was* denkst du nach?«

»Über alles mögliche.«

Er lachte zum drittenmal – doch diesmal sah er dabei zufällig auf, seiner Mutter ins Gesicht, und er erschrak sehr über die Wirkung, die sein Lachen auf sie zu haben schien. Ihr Mund hatte sich mit einem Ausdruck des Entsetzens geöffnet... Das war ja schlimm! Höchst bedauerlich! Er hatte gewußt, daß es Schmerzen verursachen würde, natürlich – doch er hatte nicht erwartet, daß es so schlimm sein würde. Vielleicht – vielleicht, wenn er ihnen nur einen winzigen schimmernden Fingerzeig gäbe ––?

»Über den Schnee«, sagte er.

»Was, zum Teufel?« Das war die Stimme seines Vaters. Die braunen Pantoffeln auf dem Kaminvorleger rückten einen Schritt näher.

»Aber was meinst du damit, mein Liebling?« Das war die Stimme seiner Mutter.

Der Arzt starrte nur vor sich hin.

»Einfach *Schnee*, das ist alles. Ich denke gern darüber nach.«

»Erzähl uns mehr davon, mein Junge.«

»Aber das ist schon alles. Es gibt nichts zu erzählen. *Du* weißt, was Schnee ist?«

Er sagte das fast ärgerlich, denn er fühlte, daß sie versuchten, ihn in die Enge zu treiben. Er wandte sich zur Seite, um nicht länger den Arzt ansehen zu müssen und um so besser das Stückchen Schwärze zwischen dem Fensterbrett und dem herabgelassenen Vorhang zu sehen – das kalte Stückchen lockender und köstlicher Nacht. Und sofort fühlte er sich besser, sicherer.

»Kann ich jetzt ins Bett gehen, Mutter, bitte? Ich habe Kopfweh.«

»Aber ich dachte, du hast gesagt –«

»Es kam gerade jetzt. Von all diesen Fragen –! Darf ich, Mutter?«

»Du kannst gehen, sobald der Doktor fertig ist.«

»Findest du nicht, daß wir der Geschichte auf den Grund gehen sollten, und zwar *jetzt*?« Das war Vaters Stimme. Wieder rückten die braunen Pantoffeln einen Schritt näher, die Stimme war die wohlbekannte ›Straf‹-Stimme, laut und hart.

»Aber was hat das für einen Sinn, Norman –«

Ganz plötzlich schwiegen sie alle. Und ohne sie direkt anzusehen, war er sich doch bewußt, daß alle drei ihn mit ungewöhnlicher Aufmerksamkeit beobachteten – ihn unverwandt anstarrten – so, als habe er etwas Ungeheuerliches getan oder sei selbst eine Art Ungeheuer. Er hörte das sanfte ziellose Züngeln der Flammen; das Tick-tack-tick-tack der Uhr; weit entfernt und schwach ein unvermitteltes zweimaliges Auflachen von der Küche her, so schnell erstickt, wie es aufgeklungen war; ein Murmeln des Wassers in den Röhren; und dann schien die Stille sich zu vertiefen, sich auszubreiten, so lang zu werden wie die Welt, so weit wie die Welt, zeitlos zu werden und gestaltlos, um sich dann unbeirrbar und folgerichtig, mit langsamer und träumerischer, doch gewaltiger Konzentration aller Kraft um den Ursprung eines neuen Lauts zu sammeln.

Er wußte nur zu gut, was dieser neue Laut sein würde. Er mochte mit einem Zischen beginnen, aber er würde mit einem Tosen enden – es war keine Zeit zu verlieren – er mußte entfliehen. Es durfte nicht hier geschehen ––

Wortlos wandte er sich um und rannte die Treppe hinauf.

IV

Keinen Augenblick zu früh. Die Dunkelheit kam in langen weißen Wogen. Ein langanhaltendes Zischen erfüllte die Nacht – ein mächtiges unendliches Brausen fuhr mit wilder Gewalt jäh darüber hin – ein frostiges tiefes Summen ließ die Fensterscheiben erzittern. Er schloß die Tür und warf im Dunkeln die Kleider von sich. Der kahle schwarze Fußboden war wie ein kleines Floß, in Wogen von Schnee umhergeworfen, beinah versinkend, weiß überspült, wieder auftauchend, eingehüllt in tanzende Federwogen. Der Schnee lachte; er sprach von allen Seiten zugleich; er drängte sich näher an ihn, während er lief und jauchzend in sein Bett sprang.

»Hör uns zu!« sagte er. »Hör zu! Wir sind gekommen, um dir die Geschichte zu erzählen, die wir dir versprochen haben. Du erinnerst dich? Leg dich hin. Schließ jetzt die Augen – du wirst nicht mehr viel sehen – wer könnte sehen in dieser weißen Dunkelheit, oder es auch nur wollen? Wir werden den Platz aller Dinge einnehmen... Höre –«

Im Vordergrund des Zimmers hob ein wundervoller, mannigfaltiger Schneetanz an, kam näher und wich zurück, glättete sich am Boden hin, stieg dann wie der Strahl eines Springbrunnens zur Decke auf, wiegte sich, verstärkte sich mit einem neuen Flockenstrom, der lachend durch das summende Fenster hereinströmte, kam wieder vorwärts, hob lange weiße Arme. Frieden sagte es, Abgeschiedenheit sagte es, Kälte sagte es – es sagte –

Doch dann schnitt roh ein Streifen unerträglichen Lichts messergleich durch die geöffnete Tür ins Zimmer – der Schnee zog sich zischend zurück – etwas Fremdes war ins Zimmer gekommen – etwas Feindliches. Dieses Etwas stürzte zu ihm, packte ihn, schüttelte ihn – und er war nicht nur entsetzt, ihn erfüllte nie gekannter Abscheu. Was war das? diese grausame Störung? dieser Akt aus Zorn und Haß? Es war, als müsse er mit einer Hand in eine andere Welt hinauflangen, um nur ein weniges davon zu begreifen – eine Anstrengung, deren er kaum mehr fähig war. Doch erinnerte er sich jener anderen Welt noch eben genug, um die Worte der Austreibung zu finden. Sie rissen sich unvermittelt aus seinem anderen Leben los –

»Mutter! Mutter! Geh weg! Ich hasse dich!«

Und mit jener Anstrengung war alles gelöst, alles wurde so, wie es sein sollte: Das unendliche Zischen näherte sich wieder, die langen weißen schwebenden Linien hoben und senkten sich wie ungeheure flüsternde Meereswogen, das Flüstern wurde lauter, das Lachen vielfältiger.

»Höre!« sagte es. »Wir werden dir die letzte, die allerschönste und heimlichste Geschichte erzählen – schließe die Augen – es ist eine sehr kleine Geschichte – eine Geschichte, die immer kleiner wird – sie geht nach innen, anstatt sich wie eine Blume zu öffnen – sie ist eine Blume, die zum Samen wird – ein kleiner kalter Samen – hörst du uns? Wir schmiegen uns enger an dich –«

Das Zischen verwandelte sich in ein Tosen – die ganze Welt war ein riesiger gleitender Vorhang aus Schnee – aber selbst jetzt sagte es Frieden, sagte Abgeschiedenheit, sagte Kälte, sagte Schlaf.

Der Schneesturm

Gegen sieben Uhr abends verließ ich, nachdem ich Tee getrunken hatte, die Poststation, deren Name mir entfallen ist; ich weiß nur, daß es im Gebiet der Donkosaken, irgendwo in der Nähe von Nowotscherkask war. Als ich mich, in Pelz und Wagendecke gehüllt, neben Aljoschka in den Schlitten setzte, war es schon dunkel. Hinter dem Stationsgebäude schien es warm und windstill. Obwohl es gar nicht schneite, war kein einziger Stern zu sehen, und der Himmel schien im Vergleich mit der weißen Schneefläche, die vor uns lag, ungewöhnlich tief und schwarz.

Als wir die dunklen Silhouetten der Windmühlen, von denen die eine unbeholfen ihre großen Flügel bewegte, und das Dorf hinter uns hatten, bemerkte ich, daß der Weg beschwerlicher und schneereicher wurde; der Wind begann mir heftiger in die linke Seite zu blasen, die Mähnen und die Schweife der Pferde auf die Seite zu wehen und den von den Kufen und Hufen aufgewühlten Schnee trotzig emporzuwirbeln und davonzutragen. Das Schellengeläute klang leiser, ein kalter Luftstrom drang mir durch irgendeine Öffnung im Ärmel in den Rücken, und ich mußte an den Rat des Postmeisters denken, heute lieber nicht zu fahren, um nicht die ganze Nacht ohne Weg umherzuirren und vielleicht noch zu erfrieren.

»Daß wir uns nur nicht verirren!« sagte ich zu dem Postkutscher. Da er mir aber keine Antwort gab, stellte ich meine Frage deutlicher: »Werden wir die Station erreichen, Kutscher? Werden wir uns nicht verirren?«

»Gott weiß!« antwortete er, ohne den Kopf zu wenden. »Sie sehen ja selbst, was für ein Schneesturm da kommt: vom Weg ist nichts zu sehen. Herrgott!«

»Sag mir doch lieber, ob du mich zur nächsten Station zu bringen hoffst oder nicht«, fragte ich weiter. »Werden wir hinkommen?«

»Wir werden wohl hinkommen müssen«, sagte der Kutscher; er sprach noch weiter, ich konnte ihn aber im Winde nicht verstehen.

Ich hatte keine Lust umzukehren; doch auch die Aussicht, die ganze Nacht bei Frost und Schneesturm in diesem Teil des Donkosakenlandes, einer völlig nackten Steppe, umherzuirren, schien mir wenig verlockend. Außerdem gefiel mir mein Kutscher nicht recht, obwohl ich ihn im Finstern nicht genau sehen konnte, und ich hatte zu ihm kein Vertrauen. Er saß genau in der Mitte des Bocks und nicht seitwärts, wie Kutscher sonst zu sitzen pflegen; er war von übermäßigem Wuchs, seine Stimme klang träge, und auf dem Kopf hatte er keine richtige Kutschermütze, sondern eine ihm viel zu große, die immer hin und her rutschte; auch kutschierte er nicht auf die richtige Art: er hielt die Zügel mit beiden Händen wie ein Lakai, der sich an Stelle des Kutschers auf den Bock gesetzt hat; doch der Hauptgrund meines Mißtrauens war, daß er sich ein Tuch um die Ohren gebunden hatte. Mit einem Wort: der ernste, gekrümmte Rücken, der vor mir aufragte, wollte mir nicht gefallen und verhieß mir nichts Gutes.

»Ich bin dafür, daß wir umkehren«, sagte Aljoschka, »es ist gar nicht so lustig, sich in der Steppe zu verirren!«

»Gott im Himmel! Dieses Schneegestöber! Ich kann den Weg nicht sehen, der Schnee hat mir die Augen verklebt... Gott im Himmel!« brummte der Kutscher.

Wir waren noch keine Viertelstunde gefahren, als der Kutscher die Pferde anhielt, die Zügel Aljoschka übergab, die Beine mit großer Mühe aus dem Schlitten herauszog und sich auf die Suche nach dem Weg machte; unter seinen schweren Stiefeln knirschte der Schnee.

»Was gibt's? Wo gehst du hin? Haben wir etwa den Weg verloren?« fragte ich; der Kutscher gab mir aber keine Antwort: er hielt den Kopf vom Wind, der ihm in die Augen peitschte, weggewandt und entfernte sich vom Schlitten.

»Nun, hast du den Weg gefunden?« fragte ich, als er zurückgekehrt war.

»Nein, nichts«, sagte er unwirsch und ärgerlich, als ob ich schuld daran wäre, daß er den Weg verloren hatte; er steckte seine langen Beine wieder langsam in den Vorderteil des

Schlittens und ergriff mit seinen hartgefrorenen Handschuhen die Zügel.

»Was werden wir nun tun?« fragte ich, als der Schlitten sich wieder in Bewegung gesetzt hatte.

»Was wir tun sollen? Wir werden aufs Geratewohl weiterfahren.«

Nun fuhren wir in kurzem Trab weiter, offenbar ganz ohne Weg, bald durch tiefen Pulverschnee, in dem der Schlitten zu einem Viertel versank, bald über eine spröde, nackte Eisdekke.

Obwohl es recht kalt war, schmolz der Schnee auf meinem Mantelkragen sehr rasch; das Gestöber über der Erde wurde immer stärker, und von oben begann es einzelne trockene Flocken zu schneien.

Es war klar, daß wir, Gott weiß wohin, fuhren; denn als wir auch noch eine weitere Viertelstunde gefahren waren, hatten wir keinen einzigen Werstpfahl gesehen.

»Nun, was glaubst du«, fragte ich wieder den Kutscher, »werden wir die Station erreichen?«

»Welche Station? Zurück werden wir wohl kommen können, wenn wir die Pferde frei laufen lassen: sie werden uns schon zurückbringen; doch auf die nächste Station werden wir kaum kommen... Wir werden dabei höchstens umkommen.«

»Wir wollen dann doch lieber umkehren«, sagte ich. »Was sollen wir auch riskieren...«

»Soll ich umkehren?« wiederholte der Kutscher.

»Ja, gewiß, kehre nur um!«

Der Kutscher ließ die Zügel los. Die Pferde begannen schneller zu laufen. Obwohl ich gar nicht gesehen hatte, wie wir umgekehrt waren, merkte ich doch, daß der Wind auf einmal von einer anderen Seite blies; bald konnte ich schon durch das Schneegestöber hindurch die Windmühlen erkennen. Der Kutscher faßte neuen Mut und wurde gesprächig.

»Neulich fuhren sie mit Retourschlitten von der anderen Station im Schneesturm heim; sie mußten in Heuschobern übernachten und kamen erst am Morgen nach Hause. Es war noch ein Glück, daß sie auf die Heuschober stießen, denn sonst wären sie wohl alle erfroren – der Frost war stark. Der eine hat sich auch wirklich die Beine erfroren; nach drei Wochen ist er daran gestorben.«

»Jetzt ist es aber gar nicht so kalt, auch der Sturm hat sich etwas gelegt«, sagte ich. »Werden wir vielleicht doch weiterfahren?«

»Warm ist's schon, aber der Schneesturm! Weil wir jetzt zurückfahren, scheint's uns nicht so arg; es stürmt aber ordentlich! Ich würde schon weiterfahren, wenn ich einen Kurier zu fahren hätte, oder auf eigene Gefahr... So kann mir aber der Fahrgast erfrieren, und das ist wirklich kein Spaß! Wie kann ich für Euer Gnaden die Verantwortung tragen?«

2

In diesem Augenblick erklang hinter uns das Schellengeläute mehrerer Troikas, die uns rasch einholten.

»Es ist die Glocke der Kuriertroika«, sagte mein Kutscher, »es gibt auf der ganzen Station nur *ein* solches Geläute.«

Das Geläute der vorderen Troika, das im Winde deutlich wahrnehmbar war, klang außerordentlich schön: es war ein reiner, tiefer, etwas klirrender Ton. Wie ich später erfuhr, war dieses Geläute eine besondere Liebhaberei des Posthalters: es waren im ganzen drei Glocken – die größte in der Mitte mit dem sogenannten tiefroten Ton und zwei kleinere, die auf eine Terz abgestimmt waren. Diese Terz und die klirrende Quinte, die in der Luft widerhallten, klangen in der öden, einsamen Steppe ungemein überraschend und wunderbar schön.

»Das ist die Post«, sagte mein Kutscher, als die erste der drei Troikas uns einholte. »Wie ist der Weg? Kann man durchkommen?« rief er dem Kutscher der letzten Troika zu; aber der feuerte nur seine Pferde an und gab keine Antwort.

Kaum hatte uns die Post überholt, als auch schon das Schellengeläute schnell im Winde verhallte.

Mein Kutscher schämte sich wohl ein wenig.

»Wollen wir doch weiterfahren, Herr?« sagte er. »Die Leute sind eben vorbeigefahren, und ihre Spur ist noch frisch.«

Ich war einverstanden; wir wendeten wieder gegen den Wind und schleppten uns durch den tiefen Schnee weiter. Ich blickte immer von der Seite auf den Weg, um die Spuren der Troikas nicht zu verlieren. Etwa zwei Werst waren die Spuren gut sichtbar; dann konnte ich nur eine leichte Unebenheit unter den Kufen wahrnehmen; schließlich konnte ich nicht mehr unterscheiden, ob ich die Spur oder eine vom Wind aufgewühlte Schneefurche vor mir hatte. Meine Augen wurden bald so müde, daß sie die unaufhörlich unter den Kufen dahingleitende Schneefläche nicht weiter verfolgen konnten, und ich begann geradeaus zu schauen. Den dritten Werstpfahl sahen wir noch, doch den vierten konnten wir nicht mehr finden; wir fuhren wie vorhin bald mit dem Wind, bald gegen den Wind, bald nach rechts, bald nach links und waren endlich so weit, daß der Kutscher behauptete, wir seien vom richtigen Wege nach rechts abgeschweift, ich erklärte, nach links, und Aljoschka meinte, daß wir überhaupt zurückführen. Wir blieben wieder einigemal stehen, der Kutscher streckte seine langen Beine aus dem Schlitten heraus und machte sich auf die Suche nach dem Wege; doch alles war umsonst. Ich stieg auch einmal aus, um festzustellen, ob das, was dort vor meinen Augen flimmerte, wirklich der Weg sei; aber kaum war ich mit großer Mühe etwa sechs Schritt gegen den Wind gegangen und hatte mich überzeugt, daß überall die gleiche eintönige weiße Schneefläche lag und daß der Weg nur in meiner Einbildung existierte, als ich plötzlich den Schlitten nicht mehr sah. Ich schrie: »Kutscher! Aljoschka!«, doch ich fühlte, wie der Wind mir meine Stimme vom Munde wegriß und sie im Nu davontrug. Ich ging zu der Stelle, wo eben erst der Schlitten gestanden hatte, doch der Schlitten war nicht mehr da; ich ging nach rechts und fand ihn wieder nicht. Ich schäme mich noch heute, wenn ich daran denke, wie durchdringend, laut, beinah verzweifelt ich dann geschrien habe: »Kutscher!«, während er zwei Schritt vor mir stand. Seine dunkle Gestalt mit der Peitsche in der Hand und der auf die Seite gerutschten großen Mütze war ganz plötzlich vor mir aufgetaucht. Er führte mich zum Schlitten. »Es ist noch ein Glück, daß es warm ist«, sagte er zu mir. »Wenn ein richtiger Frost kommt, sind wir verloren!... Gütiger Gott im Himmel!«

»Laß die Zügel los, mögen uns die Pferde wieder zurückführen«, sagte ich, nachdem ich wieder im Schlitten Platz genommen hatte. »Werden sie uns auch zurückführen? Was meinst du, Kutscher?«

»Sie müssen es wohl.«

Er ließ die Zügel locker, hieb das Mittelpferd einige Male mit der Peitsche auf den Rücken, und wir fuhren wieder irgendwohin. Wir fuhren etwa eine halbe Stunde. Plötzlich erklang vor uns wieder das mir bekannte Schellengeläute, daneben bimmelten noch zwei andere Glocken; jetzt kamen sie uns aber entgegen. Es waren die gleichen drei Troikas, die ihre Post bereits abgeliefert hatten und nun mit den Retourpferden, die hinten angebunden waren, auf ihre Station zurückkehrten. Die mit kräftigen, großen Pferden bespannte Kuriertroika mit dem Liebhabergeläute fuhr schnell vor den anderen her. Der Kutscher saß allein auf dem Schlittenrand und trieb munter die Pferde an. In den beiden anderen Schlitten saßen je zwei Kutscher; ich hörte sie laut und lustig miteinander sprechen. Einer von ihnen rauchte eine Pfeife; ein Funke, der im Winde aufflog, beleuchtete einen Teil seines Gesichts.

Als ich sie sah, schämte ich mich, daß ich mich vorhin gefürchtet hatte weiterzufahren; mein Kutscher hatte wohl das gleiche Gefühl, denn wir sagten wie aus einem Munde: »Wir wollen ihnen nachfahren!«

3

Bevor noch die letzte Troika an uns vorbeigefahren war, begann mein Kutscher seinen Schlitten umzuwenden; er machte es sehr ungeschickt und geriet mit der Deichsel mitten in die hinter den Troikas angebundenen Pferde. Ein Dreigespann scheute, riß sich los und lief davon.

»Du schieläugiger Teufel! siehst gar nicht, wohin du wendest: mitten in die Leute hinein! Zum Teufel!« schimpfte mit heiserer, zitternder Stimme einer der Kutscher, ein kleiner alter Mann, soviel ich aus seiner Stimme und Gestalt schließen konnte, der in der letzten Troika saß; er sprang rasch aus seinem Schlitten und lief den Pferden nach, wobei er immer wieder roh und derb auf meinen Kutscher schimpfte.

Die Pferde ließen sich aber nicht einfangen. Der Kutscher lief ihnen nach, und im Nu waren Pferde und Kutscher im weißen Nebel des Schneesturms verschwunden.

»Wassilij, bring den Falben her! Ich kann sie sonst gar nicht einfangen«, hörte man seine Stimme.

Einer von den Kutschern, ein auffallend großer Kerl, sprang aus seinem Schlitten, band schweigend sein Dreigespann los, stieg über den Umlaufriemen auf eines der Pferde, sprengte über den knirschenden Schnee in kurzem Galopp davon und verschwand in der gleichen Richtung.

Wir fuhren mit den beiden anderen Troikas dem Kurierschlitten nach, der mit Schellengeläute in vollem Trab vorauslief.

»Der glaubt wohl, daß er sie einfängt!« sagte mein Kutscher von dem, der den Pferden nachgeeilt war. »Wenn es nicht sofort zu den anderen Pferden gegangen ist, so ist es ein übermütiges Pferd; es kann den Mann so weit forttragen, daß er nicht mehr zurückfindet.«

Als mein Kutscher nun hinter den anderen fuhr, schien er auf einmal lustiger und gesprächiger, was ich, da ich noch nicht schlafen wollte, selbstverständlich gehörig ausnützte. Ich begann ihn auszufragen, woher er stamme und wer er sei. Ich erfuhr bald, daß er ein Landsmann von mir war, aus der Tulaer Gegend, ein Leibeigener aus dem Dorf Kirpitschnoje, daß sie sehr wenig Land hatten und das Getreide seit der Cholera gar nicht mehr gedieh; daß zwei Brüder zu Hause lebten, während der dritte zu den Soldaten gegangen war. Dann erzählte er, das Brot reiche nicht einmal bis Weihnachten, und deshalb müßten sie sich ihren Unterhalt verdienen; der jüngere Bruder sei der Herr im Hause, weil er Familie habe; er selbst sei Witwer; aus seinem Dorfe ginge jeden Winter eine Artel* von Kutschern in diese Gegend; er selbst sei zwar noch nie Kutscher gewesen, habe aber doch den

---

* Eine Artel (Betonung der zweiten Silbe) ist eine Arbeitsgenossenschaft.

Dienst bei der Post angenommen, um den Bruder unterstützen zu können; hier bekomme er, Gott sei Dank, hundertzwanzig Rubel im Jahr, von denen er hundert nach Hause schicke; das Leben hier sei sonst ganz gut, wenn die Kuriere nur nicht so wild wären und das Volk nicht so fürchterlich fluchte.

»Warum hat nur dieser Kutscher so furchtbar geflucht? Mein Gott! Habe ich denn absichtlich die Pferde losgerissen? Will ich denn jemand etwas Böses antun? Und warum ist er ihnen nachgesprungen? Sie wären schon von selbst zurückgekommen; aber so hetzt er nur die Pferde zu Tode und kommt selber um«, sagte der gottesfürchtige Bauer.

»Was ist das Schwarze dort?« fragte ich, als ich einige dunkle Silhouetten vor uns sah.

»Ein Wagenzug. – Das ist wirklich ein angenehmes Fahren!« fügte er hinzu, als wir die riesengroße, mit Bastmatten bedeckten Wagen, die einer hinter dem andern daherrollten, eingeholt hatten. »Schauen Sie nur hin, kein Mensch ist zu sehen, alle schlafen. Die klugen Pferde kennen den Weg und lassen sich davon nicht abbringen... Wir sind auch mit Wagenzügen gefahren«, sagte er nach einer Pause, »wir kennen das.«

Die riesengroßen Wagen, die von den Rädern bis zu den Bastmatten hinauf mit Schnee bedeckt waren und sich ganz von selbst fortzubewegen schienen, boten wirklich einen seltsamen Anblick. Erst als unsere Schellen dicht neben den Wagen erklangen, hob sich im vordersten Winkel etwa zwei Finger hoch die schneeverwehte Matte, und eine Mütze lugte für einen Augenblick heraus. Ein großer scheckiger Gaul mit gestrecktem Hals und gespanntem Rücken schritt gleichmäßig über den gänzlich verwehten Weg; er schaukelte im Takt seinen zottigen Kopf unter dem verschneiten Krummholz und spitzte das eine verschneite Ohr, als wir ihn einholten.

Nach einer weiteren halben Stunde wandte sich der Kutscher wieder zu mir: »Was glauben Sie, Herr, fahren wir richtig?«

»Ich weiß es nicht«, antwortete ich.

»Der Wind kam früher von dorther, und jetzt fahren wir

mit dem Wind. Nein, wir fahren sicher falsch. Wir haben uns wieder verirrt«, schloß er mit großer Ruhe.

Obwohl er eigentlich recht furchtsam war, hatte er sich, wie ich sah, vollkommen beruhigt, seit wir in Gesellschaft fuhren und er nicht mehr die Führung und die Verantwortung hatte: gemeinsames Unglück läßt sich eben leichter ertragen. Er machte kaltblütig Bemerkungen über die Fehler des Kutschers, der vorn fuhr, als ob ihn das Ganze nicht im geringsten anginge. Ich merkte auch wirklich, daß die vordere Troika uns bald die linke und bald die rechte Seite zukehrte; ich hatte den Eindruck, als ob wir uns auf einer sehr kleinen Fläche immer im Kreise drehten. Es konnte übrigens auch eine Sinnestäuschung sein, wie es mir zuweilen auch vorkam, als ob die erste Troika bald bergauf und bald bergab fahre, während die Steppe nach allen Seiten vollkommen eben war.

Nachdem wir noch einige Zeit so gefahren waren, glaubte ich fern am Horizont einen langen, schwarzen, sich fortbewegenden Streifen zu sehen; doch schon im nächsten Augenblick wurde mir klar, daß es dieselben Lastfuhren waren, die wir schon einmal überholt hatten. Die knarrenden Räder, von denen sich einige gar nicht mehr drehten, waren wie vorhin mit Schnee bedeckt; die Leute schliefen noch immer unter den Bastmatten, und das scheckige Pferd vor der ersten Fuhre blähte wie vorhin die Nüstern, beschnupperte den Weg und spitzte die Ohren.

»Nun sehen Sie es selbst: wir haben uns so lange gedreht, bis wir wieder zu denselben Lastfuhren zurückgekommen sind!« sagte mein Kutscher ärgerlich. »Die Kurierpferde sind kräftig und können etwas vertragen; deshalb kann er sie auch so abhetzen; wenn wir aber auch so die ganze Nacht herumfahren wollten, würden unsere Pferde bald stehenbleiben.«

Er hüstelte.

»Wollen wir doch lieber umkehren, Herr, damit es kein Unglück gibt?«

»Warum? Wir werden doch irgendwohin kommen.«

»Wohin können wir kommen? Es wird uns nichts anderes übrigbleiben, als in der Steppe zu übernachten. Wie das stürmt... Herrgott im Himmel!«

Obwohl ich mich wunderte, daß der Kutscher in der ersten Troika, der offenbar Weg und Richtung verloren hatte, gar nicht versuchte den Weg zu finden, sondern mit lustigem Geschrei in vollem Trab weiterfuhr, wollte ich doch nicht mehr hinter den anderen Schlitten zurückbleiben.

»Fahr ihnen nach!« sagte ich.

Der Kutscher folgte ihnen, trieb aber die Pferde noch mißmutiger an als vorhin und sprach nicht mehr mit mir.

4

Der Schneesturm wütete immer schlimmer, und von oben fiel feiner, trockener Schnee; es begann anscheinend zu frieren: Nase und Wangen schmerzten mir immer mehr vor Kälte, und immer öfter kam mir ein kalter Luftstrom unter den Pelz, den ich vorn fest zusammenhalten mußte. Zuweilen polterten die Schlitten über die nackte, vereiste Erde, von der der Schnee weggeweht war. Da ich schon beinahe sechshundert Werst zurückgelegt hatte, ohne irgendwo zu übernachten, schloß ich unwillkürlich die Augen und nickte ein, obwohl mich der Ausgang unserer Irrfahrt aufs höchste interessierte. Als ich einmal wieder die Augen öffnete, war ich ganz erstaunt: die weiße Ebene war, wie es mir im ersten Augenblick schien, von einem grellen Licht überflutet; der Horizont hatte sich bedeutend erweitert, der niedrige schwarze Himmel war verschwunden, von allen Seiten sah man die weißen, schrägen Linien des fallenden Schnees, die Umrisse der vorderen Troikas waren deutlicher sichtbar, und als ich die Augen hob, schien mir im ersten Augenblick, daß die Wolken sich verzogen hätten und der Himmel nur vom fallenden Schnee verdeckt sei. Während ich geschlafen hatte, war der Mond aufgegangen; nun warf er sein kaltes, grelles Licht durch das zerrissene Gewölk auf den fallenden Schnee. Alles, was ich deutlich sehen könnte, war mein Schlitten mit den Pferden und dem Kutscher und die drei Troikas vor uns: zuerst kam der Kurierschlitten, auf dessen Bock noch immer der eine Kutscher saß, der die Pferde zu scharfem Trab antrieb; im zweiten Schlitten saßen zwei Kutscher, die die Zügel locker gelassen, sich aus einem Mantel einen Windschutz gemacht hatten und unaufhörlich ihre Pfeifchen rauchten, was man an den Funken, die ab und zu aufflackerten, erkennen konnte; im dritten Schlitten war niemand zu sehen: der Kutscher schlief wohl mitten im Schlitten. Seitdem ich wach war, hielt der erste Kutscher ab und zu seine Pferde an und sah sich nach dem Weg um. Wenn wir stehenblieben, hörten wir den Wind noch deutlicher heulen und sahen die erstaunlichen Schneemassen, die durch die Luft wirbelten. Im Mondlicht, das vom Schneegestöber verdunkelt wurde, konnte ich sehen, wie der kleine Postkutscher sich in dem hellen Nebel hin und her bewegte, mit dem Peitschenstiel den Schnee vor sich abtastete, dann wieder zum Schlitten zurückkehrte und von der Seite auf den Bock sprang; ich hörte durch das eintönige Pfeifen des Windes die lauten Rufe des Kutschers und das Bimmeln der Schellen. Sooft der erste Kutscher aus dem Schlitten stieg, um sich nach dem Wege oder nach Heuschobern umzuschauen, hörte ich aus dem zweiten Schlitten die muntere und selbstbewußte Stimme eines der Kutscher, der dem vorderen zurief:

»Hör doch, Ignaschka! Wir sind ja zu weit nach links abgekommen! Du mußt mehr nach rechts halten, dem Wetter entgegen!« Oder: »Was drehst du dich im Kreis herum wie nicht gescheit? Richte dich nach dem Schnee, wie er daliegt, dann kommst du sicher auf den Weg.« – Oder: »Nach rechts, nach rechts, Bruder! Siehst du, dort steht etwas Schwarzes, ich glaube, es ist ein Werstpfahl.« – Oder: »Was irrst du denn herum? Spann doch den Schecken aus und laß ihn vorauslaufen: er wird dich gleich auf den Weg bringen. So geht's doch am besten!«

Der Mann, der diese Ratschläge erteilte, war nicht nur zu faul, das Nebenpferd auszuspannen oder den Weg im Schnee zu suchen, sondern auch, die Nase aus seinem Mantelkragen herauszustecken; Ignaschka rief ihm auf einen seiner Ratschläge zu, er möchte doch selbst vorausfahren, wenn er so gut wisse, wohin man fahren solle; der Ratgeber antwortete, daß er gern vorausfahren und leicht den richtigen Weg finden würde, wenn er nur die Kurierpferde hätte. »Meine Pferde werden bei diesem Sturm nicht vorauslaufen wollen«, schrie er, »denn es sind nicht solche Pferde.«

»Dann rede auch nichts drein!« antwortete ihm Ignaschka und pfiff munter seinen Pferden zu.

Der andere Kutscher, der mit dem Ratgeber im gleichen Schlitten saß, sagte nichts zu Ignaschka und mischte sich überhaupt nicht in diese Sache, obgleich er noch nicht schlief: Sein Pfeifchen glomm ununterbrochen, und sooft wir hielten, hörte ich seine eintönige Stimme. Er erzählte ein Märchen. Einmal nur, als Ignaschka zum sechsten oder siebenten Male hielt, ärgerte er sich wohl darüber, daß die Fahrt, die ihm solches Vergnügen machte, unterbrochen wurde, und schrie ihm zu:

»Nun, was stehst du schon wieder? Er will, scheint es, wirklich den Weg finden! Du weißt doch, daß Schneesturm ist! Jetzt würde nicht einmal der Feldmesser den Weg finden. Fahr lieber vorwärts, solange die Pferde noch ziehen. Wir werden schon nicht erfrieren... los, fahr zu!«

»Was? Im vorigen Jahre ist ja ein Postillion erfroren!« mischte sich mein Kutscher ein.

Der Kutscher in der dritten Troika hatte die ganze Zeit über geschlafen. Als wir einmal hielten, rief ihm der Ratgeber zu: »Philipp! He, Philipp!« Und als er keine Antwort bekam, bemerkte er: »Er wird doch nicht erfroren sein? Geh doch hin, Ignaschka, und schau nach!«

Ignaschka, der alles tun mußte, ging auf den hinteren Schlitten zu und begann den Schlafenden zu rütteln.

»Sieh einer, von einem Viertel Schnaps ist er schon umgefallen! Wenn du erfroren bist, so sag's!« rief er und schüttelte ihn derb.

Der Schläfer brummte etwas in den Bart und begann zu schimpfen.

»Er lebt noch, Brüder!« sagte Ignaschka und lief wieder voraus. Wir fuhren weiter und sogar so schnell, daß das kleine braune Nebenpferd, das mein Kutscher ununterbrochen mit der Peitsche schlug, zuweilen in einen ungeschickten Galopp fiel.

5

Es wird Mitternacht gewesen sein, als der alte Kutscher und Wassilij, die den davongelaufenen Pferden nachgeeilt waren, zu uns zurückkamen. Sie hatten die Pferde eingefangen und uns eingeholt; wie sie uns aber im finsteren, undurchdringlichen Schneesturm in der kahlen Steppe gefunden hatten, blieb mir für immer ein Rätsel. Der Alte ritt, mit Ellbogen und Beinen schlenkernd, auf dem Mittelpferd (die beiden anderen Pferde waren an dem Kummet angebunden: im Schneesturm darf man die Pferde nicht frei laufen lassen). Als er meinen Schlitten erreichte, begann er von neuem auf meinen Kutscher zu schimpfen:

»So ein schieläugiger Teufel! Wirklich...«

»Seht doch: da ist ja Onkel Mitritsch!« rief der Märchenerzähler aus dem zweiten Schlitten. »Lebst du noch? Komm zu uns herein!«

Der Alte gab ihm keine Antwort und fuhr fort zu fluchen. Als er glaubte, es sei genug, ritt er an den zweiten Schlitten heran.

»Hast du alle eingefangen?« fragte man ihn aus dem Schlitten.

»Was denn sonst?«

Und seine gedrungene Gestalt wälzte sich mitten im Trab mit der Brust auf den Rücken des Pferdes, sprang dann in den Schnee, lief, ohne auch nur einen Augenblick stehenzubleiben, um den Schlitten herum und schwang sich von hinten hinein, wobei die Beine über den hinteren Schlittenrand hoch in die Luft ragten. Der große Wassilij setzte sich schweigend auf seinen früheren Platz im vorderen Schlitten zu Ignaschka und begann mit ihm zusammen den Weg zu suchen.

»Hör nur, wie der flucht... Herrgott im Himmel!« murmelte mein Kutscher vor sich hin.

Dann fuhren wir lange, ohne haltzumachen, über die weiße Wüste im kalten, durchsichtigen und schwankenden Lichtschein des Schneesturmes. Wenn ich die Augen öffne, sehe ich immer dieselbe plumpe Mütze und denselben beschneiten Rücken vor mir ragen, denselben Kopf des Mittelpferdes mit der schwarzen, vom Winde gleichmäßig zur Seite gewehten Mähne unter dem niedrigen Krummholz zwischen den straff gespannten Zugriemen auf und nieder wippen; hinter dem Kutscherrücken sehe ich dasselbe braune rechte Nebenpferd mit dem kurz aufgebundenen Schweif und dem Strangholz, das ab und zu gegen die Vorderwand des Schlittens klopft. Blicke ich nach unten, so sehe ich denselben Pulverschnee; die Kufen wühlen ihn auf, und der Wind wirbelt ihn unaufhörlich empor und trägt ihn immer in der gleichen Richtung fort. Vor mir gleiten immer im gleichen Abstand voneinander die drei anderen Troikas; rechts und links flimmert es weiß. Vergeblich sucht das Auge nach einem neuen Gegenstand: weder Werstpfahl noch Heuschober, noch Zaun – nichts ist zu sehen. Ringsum ist alles weiß, weiß und beweglich: bald erscheint der Horizont unendlich weit, bald von allen Seiten eingeengt und kaum zwei Schritt breit; bald türmt sich zur Rechten eine hohe weiße Mauer auf und läuft mit uns mit, dann verschwindet sie und taucht nach einer Weile vor uns auf, um eine Zeitlang vor uns herzulaufen und dann wieder zu verschwinden. Wenn ich hinaufschaue, erscheint mir der Himmel im ersten Augenblick ganz hell, und ich sehe durch den Nebel die Sterne; die Sterne fliehen aber vor meinem Blick in die Höhe und entschwinden, und ich sehe nichts als den Schnee, der an meinen Augen vorüber auf mein Gesicht und meinen Pelzkragen fällt; der Himmel ist überall gleichmäßig hell, gleichmäßig weiß, farblos, eintönig und in steter Bewegung. Der Wind scheint jeden Augenblick die Richtung zu wechseln: bald bläst er mir ins Gesicht und verklebt mir die Augen mit Schnee, bald wirft er mir, um mich zu ärgern, den Pelzkragen von der Seite über den Kopf und schlägt ihn mir spöttisch ins Gesicht, bald brummt er von hinten durch irgendein Loch. Ich höre das leise, unaufhörliche Knirschen der Kufen und Hufe im Schnee und das Klingen der Schellen; es verhallt, sooft wir in tiefen Schnee geraten. Nur ganz selten, wenn wir über Eiskrusten und gegen den Wind fahren, dringt das energische Pfeifen Ignats und das muntere Läuten des Glöckchens mit der widerhallenden zitternden Quinte an mein Ohr; diese Töne stören so unerwartet und so angenehm die düstere

Stimmung der Wüste; dann klingt wieder eintönig, mit unerträglicher Genauigkeit immer dieselbe Melodie, die ich mir unwillkürlich vorstelle. Mir beginnt der eine Fuß zu frieren, und wenn ich mich umwende, um mich besser einzuhüllen, gleitet mir der Schnee, der sich auf Kragen und Mütze angesammelt hat, in den Hals und läßt mich erschauern; im allgemeinen aber fühle ich mich in meinem erwärmten Pelz recht wohlig, und ich nicke ein.

6

Erinnerungen und Vorstellungen ziehen in raschem Wechsel an meinem Geiste vorüber.

»Was mag wohl der Ratgeber, der immer aus dem zweiten Schlitten herüberschreit, für ein Mann sein? Wahrscheinlich ist er rothaarig, stämmig und kurzbeinig«, denke ich mir, »vom selben Schlage wie unser früherer Küchenmeister Fjodor Filipytsch.« Und da sehe ich plötzlich die Treppe unseres großen Hauses und fünf Mann von der leibeigenen Dienerschaft, die, schwer einhertappend, auf Tragtüchern ein Klavier aus dem Seitengebäude herüberschleppen; ich sehe auch Fjodor Filipytsch, wie er die Ärmel seines Nankingrocks aufgekrempelt hat, mit einem Pedal in der Hand vorausläuft, die Riegel öffnet, hier an einem der Tragtücher zieht, dort etwas nachschiebt, zwischen den Beinen der Träger durchkriecht, allen im Wege ist und mit besorgter Stimme kommandiert:

»Nimm doch die vorderen Beine mehr auf dich, die vorderen! So, mit dem Schwanzende hinauf, noch mehr hinauf! In die Tür hinein! So ist's recht!«

»Erlauben Sie, Fjodor Filipytsch! Wir werden schon allein fertig«, wendet schüchtern der Gärtner ein, der, an das Treppengeländer gedrückt, über und über rot vor Anstrengung, mit den letzten Kräften das eine Ende des Klaviers festhält. Aber Fjodor Filipytsch will sich nicht beruhigen.

»Was hat er eigentlich?« frage ich mich. »Hält er sich wirklich für so nützlich und unentbehrlich, oder freut er sich einfach darüber, daß Gott ihm diese selbstbewußte und überzeugende Beredsamkeit gegeben hat, die er nun mit solchem Genuß verschwendet? Das muß wohl so sein.« Und da sehe ich plötzlich den Teich, die müden Hofknechte, die bis ans Knie im Wasser stehen und ein großes Netz ziehen, während Fjodor Filipytsch mit einer Gießkanne in der Hand am Ufer hin- und herrennt, alle anschreit und sich nur von Zeit zu Zeit dem Wasser nähert, um das trübe Wasser aus der Kanne zu gießen und frisches nachzufüllen, wobei er die golden schimmernden Karauschen mit der einen Hand festhält. – Und dann ist es ein Julimittag. Ich gehe irgendwohin über das frisch gemähte Gras des Gartens unter den brennenden senkrechten Sonnenstrahlen; ich bin noch sehr jung, mir fehlt etwas, ich sehne mich nach etwas. Ich gehe zum Teich, an meine Lieblingsstelle zwischen den Heckenrosen und der Birkenallee, und lege mich schlafen. Ich kann mich noch gut an das Gefühl erinnern, mit dem ich im Liegen durch die roten, stachligen Stämme der Heckenrosen auf das schwarze, trockene, körnige Erdreich und den schimmernden grellblauen Spiegel des Teiches blickte. Es war das Gefühl einer naiven Selbstzufriedenheit und Wehmut. Alles um mich her war so schön, und diese Schönheit wirkte auf mich so stark ein, daß es mir schien, ich sei auch selbst schön und gut; das einzige, was mich ärgerte, war, daß mich niemand bewunderte. – Es ist heiß. Ich will einschlafen, um mich zu trösten; aber die Fliegen, die unausstehlichen Fliegen lassen mich auch hier nicht in Ruhe: sie sammeln sich um mich und hüpfen unaufhörlich, hart wie Kirschkerne, von meiner Stirn auf die Hände. In meiner Nähe summt in der Sonnenglut eine Biene; Schmetterlinge mit gelben Flügeln flattern träge von Halm zu Halm. Ich blicke hinauf, die Augen schmerzen mir – die Sonne scheint zu grell durch das hellgrüne Laub der lockigen Birke, die hoch über mir ganz leise ihre Zweige bewegt –, und die Sonnenglut scheint mir noch unerträglicher. Ich bedecke mir das Gesicht mit einem Tuch; nun wird es mir heiß, und die Fliegen kleben mir förmlich an den schwitzenden Händen. Im Dickicht der Heckenrosen machen sich Sperlinge zu schaffen. Einer von ihnen springt einen Schritt vor mir entfernt auf die Erde, tut einigemal so, als picke er energisch die Erde, und fliegt lustig zwitschernd und in den

Zweigen raschelnd aus dem Gebüsch; dann springt ein zweiter Sperling herab, bewegt das Schwänzchen, schaut sich um und fliegt wie ein Pfeil unter lebhaftem Gezwitscher dem ersten nach. Vom Teich her höre ich die Schläge des Waschholzes auf die nasse Wäsche; diese Schläge hallen tief unten über dem Wasserspiegel nach. Ich höre das Lachen, Sprechen und Plätschern von Badenden. Ein Windstoß rauscht in den Wipfeln der Birken, zuerst fern von mir, kommt dann immer näher; ich höre, wie er das Gras bewegt; nun sehe ich, wie die Blätter der Heckenrosenbüsche sich auf ihren Zweigen hin und her wiegen; nun lüftet ein frischer Windhauch einen Zipfel des Tuches, mit dem ich mich bedeckt habe, und kitzelt mein schweißbedecktes Gesicht. Eine Fliege schlüpft unter das Tuch, wo es der Wind gelüftet hat, und schwirrt erschrocken um meine feuchten Lippen herum. Ein trockener Ast drückt mich in den Rücken. Nein, ich will nicht länger liegen, ich will baden gehen. Da höre ich ganz nahe an dem Beet eilende Schritte und erschrockene Frauenstimmen:

»Ach Gott! Was soll man nur tun? Und kein Mann in der Nähe!«

»Was ist denn los?« frage ich, in die Sonnne hinaustretend, eine Dienstmagd, die jammernd an mir vorüberläuft. Sie blickt sich nur um, fuchtelt mit den Händen und rennt weiter. Da läuft auch schon die siebzigjährige Matrjona; sie hält mit der einen Hand das Tuch fest, das ihr immer vom Kopf rutscht, und humpelt, den einen Fuß im wollenen Strumpf mühselig nachschleppend, zum Teich. Zwei kleine Mädchen laufen Hand in Hand; ein zehnjähriger Junge im Rock seines Vaters folgt ihnen im Laufschritt, sich am hanfleinenen Kleid eines der Mädchen festhaltend.

»Was ist geschehen?« frage ich sie.

»Ein Bauer ist ertrunken.«

»Wo?«

»Im Teich.«

»Wer ist's? Einer von den Unsrigen?«

»Nein, ein Fremder.«

Der Kutscher Iwan rennt, mit seinen großen Stiefeln beständig im gemähten Gras ausrutschend, zum Teich; auch der dicke Verwalter Jakow läuft ganz außer Atem, und ich laufe mit.

Ich kann mich noch an das Gefühl erinnern, das mir sagte: »Spring ins Wasser, zieh den Bauern heraus, und alle werden dich bewundern«, und das wünschte ich mir ja.

»Wo ist es denn, wo?« frage ich die Leute, die sich am Ufer drängen.

»Dort, gerade am Strudel, mehr am anderen Ufer, beinahe an der Badehütte«, sagt die Wäscherin, indem sie die nasse Wäsche auf das Tragholz auflädt. Ich sehe, wie er versinkt, dann zeigt er sich und verschwindet, taucht wieder auf und schreit: »Mein Gott, ich ertrinke!« und geht wieder unter, nur Blasen steigen noch auf. Da begreife ich erst, daß der Mann ertrinkt, und schreie: »Leute, ein Mann ertrinkt!« Die Wäscherin legt sich das Tragholz auf die Schulter und geht, sich in den Hüften wiegend, über den Fußpfad vom Teich weg.

»Dieses Pech!« sagt der Verwalter Jakow Iwanow ganz verzweifelt. »Was das jetzt für Schererein mit dem Gericht geben wird! Das wird kein Ende nehmen!«

Ein Bauer mit einer Sense drängt sich durch die Menge der Weiber, Kinder und Greise, die auf dem andern Ufer stehen, vor, hängt die Sense an einen Weidenast und zieht sich langsam die Bastschuhe aus.

»Wo ist es denn? Wo ist er ertrunken?« frage ich in einem fort, vom Wunsche beseelt, ins Wasser zu springen und irgend etwas Außergewöhnliches zu vollbringen.

Man zeigt mir nur die glatte Wasserfläche, die sich ab und zu im leisen Winde kräuselt. Ich kann unmöglich begreifen, daß er ertrunken ist; das Wasser steht so glatt, schön und gleichgültig über ihm und schimmert golden in der Mittagssonne, und ich muß einsehen, daß ich nichts tun kann und niemand in Erstaunen versetzen werde, besonders da ich sehr schlecht schwimme; der Bauer hat sich aber schon das Hemd über den Kopf gezogen und ist bereit, ins Wasser zu springen. Alle blicken voller Hoffnung auf ihn und halten den Atem an; doch als der Bauer so weit gelangt ist, daß das Wasser ihm bis an die Schultern reicht, kehrt er langsam zurück und zieht sein Hemd wieder an: er kann gar nicht schwimmen.

Es kommen immer mehr Leute herbei, die Menge wächst an, die Weiber klammern sich aneinander, doch niemand bringt Hilfe. Die Neuangekommenen geben gute Ratschläge, jammern, und ihre Blicke drücken Entsetzen und Verzweiflung aus; einige von denen, die schon früher da waren, sind vom Stehen müde und setzen sich ins Gras, andere gehen nach Hause. Die alte Matrjona fragt ihre Tochter, ob sie nicht vergessen habe, daheim den Ofen zu schließen; der Junge mit dem Rock seines Vaters wirft eifrig Steine ins Wasser.

Doch da kommt Tresor, Fjodor Filipytschs Hund, vom Haus den Berg heruntergelaufen und sieht sich verständnislos um; dann taucht hinter der Rosenhecke Fjodor Filipytsch selbst auf; er rennt den Abhang herunter und schreit.

»Was steht ihr denn herum?« schreit er, sich im Laufen seinen Rock ausziehend. »Ein Mensch ist ertrunken, und sie stehen so da! Einen Strick her!«

Alle blicken mit banger Hoffnung auf Fjodor Filipytsch, während er, sich mit der Hand auf die Schulter eines dienstfertig herbeigesprungenen Knechtes stützend, mit der Spitze des linken Stiefels den rechten herunterzerrt.

»Es ist dort, wo die Leute stehen, rechts von der Weide, Fjodor Filipytsch, dort ist es!« sagt ihm jemand.

»Ich weiß schon«, antwortet er. Er zieht die Brauen zusammen – wohl als Antwort auf die Zeichen von Schamhaftigkeit, die die Weiber äußern –, zieht sich das Hemd aus, nimmt sich das Kreuz vom Hals, übergibt es dem Gärtnerjungen, der ehrerbietig vor ihm steht, und nähert sich, energisch über das gemähte Gras schreitend, dem Teich.

Tresor, der gar nicht begreifen kann, was diese ungewöhnlich schnellen Bewegungen seines Herrn bedeuten, bleibt vor dem Menschenhaufen stehen, rupft sich einige Hälmchen am Ufer, wirft einen fragenden Blick auf seinen Herrn und springt plötzlich, vergnügt winselnd, mit dem Herrn ins Wasser. Im ersten Augenblick sieht man nichts als Schaum und Wasserstaub, der bis zu uns herüberspritzt; da sieht man aber schon Fjodor Filipytsch in kräftigen Zügen zum anderen Ufer schwimmen; er rudert graziös mit den Armen und hebt und senkt gleichmäßig den Rücken. Tresor, der etwas Wasser geschluckt hat, kehrt rasch um, schüttelt sich in der Nähe des Menschenhaufens das Wasser aus dem Fell und wälzt sich am Ufer auf dem Rücken. In dem Augenblick, als Fjodor Filipytsch das andere Ufer erreicht, erscheinen bei der Weide zwei Kutscher mit einem zusammengerollten Fischernetz. Fjodor Filipytsch wirft, man weiß nicht, warum, die Arme in die Höhe, taucht unter, einmal, zweimal, dreimal, wobei er jedesmal einen Wasserstrahl aus dem Munde bläst, schüttelt anmutig die Haare und antwortet auf keine der Fragen, mit denen man ihn von allen Seiten bestürmt. Endlich steigt er ans Ufer und übernimmt, soviel ich sehe, nur die Oberleitung beim Auswerfen des Netzes. Das Netz wird herausgezogen, doch es enthält nichts als Schlamm, in dem einige kleine Karauschen zappeln. Während das Netz von neuem ausgeworfen wird, gehe ich ans andere Ufer hinüber.

Man hört nur die Kommandorufe Fjodor Filipytschs, das Plätschern des feuchten Strickes im Wasser und Seufzer des Entsetzens. Der nasse Strick, der an den rechten Flügel des Netzes gebunden ist, kommt, immer mehr mit Wasserpflanzen bedeckt, weiter und weiter aus dem Wasser hervor.

»So, jetzt! Zieht alle zusammen, zieht doch!« dröhnt Fjodor Filipytschs Stimme.

»Es ist was drin! Es geht so schwer, Brüder!« sagt eine Stimme.

Nun kommen auch beide Flügel des Netzes, in denen zwei, drei kleine Karauschen zappeln, das Gras niederdrükkend und befeuchtend, an das Ufer. Durch die dünne, schwankende Schicht des getrübten Wassers schimmert im gespannten Netz etwas Weißes. In der Menge ertönt ein leiser, doch in der Totenstille erstaunlich deutlich wahrnehmbarer Seufzer des Entsetzens.

»Zieht heraus, alle auf einmal! Aufs Trockene!« hört man Fjodor Filipytschs energische Stimme, und der Ertrunkene wird über die Stoppeln der abgemähten Kletten und Lattiche zur Weide gezogen.

Und ich sehe meine gute alte Tante in ihrem seidenen Kleid, ich sehe ihren lila Sonnenschirm, der unten eine Franse hat und so wenig zu diesem in seiner Einfachheit schrecklichen Bilde des Todes paßt, und ihr Gesicht, das in Tränen ausbrechen möchte. Ich erinnere mich noch an den

Ausdruck von Enttäuschung auf diesem Gesicht, daß man in diesem Falle keine Arnika anwenden kann, und an das schmerzliche Gefühl, das mich überkam, als sie mit ihrem naiven Egoismus der Liebe zu mir sagte: »Komm, mein Kind! Ach, es ist so schrecklich! Und du badest und schwimmst immer allein!«

Ich weiß noch, wie grell und glühend die Sonne auf die trockene, lockere Erde brannte; wie sie auf dem Spiegel des Teiches spielte; wie munter am Ufer große Karpfen umherschwammen, während in der Mitte des Teiches Schwärme winziger Fische den glatten Wasserspiegel kräuselten; wie hoch am Himmel ein Habicht über den jungen Enten kreiste, die plätschernd und lärmend durch das Schilf in die Mitte des Teiches hinausschwammen; wie sich weiße, flockige Gewitterwolken am Horizont zusammenballten; wie der vom Netz ans Ufer gebrachte Schlamm sich allmählich wieder im Wasser verlor, wie ich über den Damm ging und von neuem die Schläge des Waschbleuels hörte, die über den Teich hallten.

Doch das Waschholz klingt so, als ob zwei Waschhölzer in einer Terz zusammenklängen, und dieser Klang quält und peinigt mich, um so mehr, als ich weiß, daß das Waschholz eigentlich eine Glocke ist, die Fjodor Filipytsch nicht zum Schweigen bringen will. Und dieses Waschholz preßt mir wie ein Folterwerkzeug meinen frierenden Fuß zusammen – und ich schlafe ein.

Ich erwachte, weil wir, wie mir schien, sehr schnell fuhren und weil zwei Stimmen dicht neben mir sprachen:

»Ignat! Hör, Ignat!« sagt die Stimme meines Kutschers. »Nimm meinen Fahrgast zu dir hinüber – du mußt ja sowieso fahren, was soll ich aber umsonst meine Pferde abhetzen? Nimm ihn doch!«

Ignats Stimme antwortet dicht neben mir: »Glaubst du, daß es mir Vergnügen macht, für deinen Fahrgast zu sorgen?... Spendierst du mir einen Halben dafür?«

»Was, einen Halben?... Ein Achtel, wenn's sein muß.«

»Was – ein Achtel!« ruft eine andere Stimme dazwischen. »Für ein Achtel soll man die Pferde abhetzen?«

Ich öffne die Augen. Vor meinen Augen flimmert noch immer derselbe unerträgliche wirbelnde Schnee, ich sehe die-

selben Kutscher und Pferde, doch neben mir fährt ein fremder Schlitten. Mein Kutscher hat Ignat eingeholt, und wir
fahren längere Zeit nebeneinander. Obgleich die Stimme aus
dem hinter uns fahrenden Schlitten empfiehlt, es nicht billiger als für einen Halben zu tun, hält Ignat doch plötzlich
seine Troika an.

»Lade ihn um, in Gottes Namen! Du hast Glück. Das Achtel wirst du mir morgen, wenn wir ankommen, spendieren.
Ist viel Gepäck dabei, he?«

Mein Kutscher springt mit einer ihm gar nicht eigenen Be-
hendigkeit in den Schnee und bittet mich unter Verbeugungen, zu Ignat umzusteigen. Ich bin damit vollkommen einverstanden; der gottesfürchtige Bauer ist offenbar außer sich
vor Glück und muß seiner Freude und Dankbarkeit in einem
ganzen Wortschwall Ausdruck geben: unter fortwährenden
Verbeugungen bedankt er sich bei mir, Aljoschka und Ignat.

»Nun, Gott sei Dank! Wie wäre es denn sonst, du lieber
Gott! Die halbe Nacht fahren wir schon und wissen selbst
nicht, wohin. Er wird Sie schon hinbringen, Väterchen;
meine Pferde können nicht mehr.«

Und er beginnt mit großem Eifer mein Gepäck abzuladen.
Während sie das Gepäck umluden, ging ich mit dem Wind,
der mich förmlich trug, zum zweiten Schlitten. Er war – besonders von der Seite, wo sich die beiden Kutscher zum
Schutz gegen den Wind über ihren Köpfen den Mantel aufgespannt hatten, zu einem Viertel verschneit; aber hinter dem
Mantel war es windstill und behaglich. Der Alte lag noch immer mit heraushängenden Beinen da, und der Märchenerzähler fuhr in seiner Erzählung fort: »Zu derselben Zeit, als
der General also im Namen des Königs zu Maria ins Gefängnis kommt, zu derselben Zeit sagt also Maria zu ihm: ›General! Ich brauche dich nicht und kann dich nicht lieben, du bist
also nicht mein Geliebter; denn mein Geliebter ist jener
Prinz...‹«

»Zu derselben Zeit...« fuhr er fort; doch als er mich sah,
hielt er inne und fachte sein Pfeifchen an.

»Nun, Herr, sind Sie auch hergekommen, um das Märchen mit anzuhören?« fragte der andere, den ich den Ratgeber genannt habe.

»Bei euch ist es ja so gemütlich und lustig!« sagte ich.

»Was fängt man nicht alles aus Langeweile an! So macht man sich wenigstens keine Gedanken.«

»Wißt ihr vielleicht, wo wir jetzt sind?«

Diese Frage schien den Kutschern nicht zu gefallen.

»Wer soll sich da auskennen, wo wir sind! Vielleicht sind wir gar zu den Kalmücken geraten«, antwortete der Ratgeber.

»Was sollen wir denn machen?«

»Was wir machen sollen? Wir fahren ja, vielleicht kommen wir noch irgendwo heraus«, sagte er mit verdrießlicher Stimme.

»Und wenn wir nicht herauskommen und die Pferde im Schnee steckenbleiben, was dann?«

»Was soll dann sein?! Nichts.«

»Wir können ja erfrieren.«

»Gewiß können wir das: es sind ja weit und breit keine Heuschober zu sehen – also sind wir wirklich zu den Kalmücken geraten. Wir müssen uns vor allen Dingen nach dem Schnee richten.«

»Du fürchtest wohl, daß du erfrierst, Herr?« fragte der Alte mit zitternder Stimme.

Obwohl er sich anscheinend über mich lustig machte, sah ich ihm an, daß er bis auf die Knochen durchgefroren war.

»Ja, es wird bitter kalt«, sagte ich.

»Ach, Herr! Mach's doch wie ich: steig ab und zu mal aus und lauf ein Stück, dann wird dir warm.«

»Am besten läufst du hinter dem Schlitten her«, sagte der Ratgeber.

7

»Jetzt können Sie kommen: alles fertig!« rief mir Aljoschka aus dem vorderen Schlitten zu.

Der Sturm war so stark, daß ich nur mit großer Mühe, ganz vornübergebeugt und mit beiden Händen die Schöße des Pelzmantels festhaltend, über den lockeren Schnee, den der Wind unter meinen Füßen aufwirbelte, die wenigen Schritte, die mich vom Schlitten trennten, zurücklegen konnte. Mein früherer Kutscher kniete bereits in der Mitte des leeren Schlittens; als er mich sah, zog er seine große Mütze, wobei der Wind wütend seine Haare packte und in die Höhe wehte, und bat mich um ein Trinkgeld. Er hatte wohl gar nicht erwartet, daß ich ihm eins geben würde, denn meine abschlägige Antwort betrübte ihn nicht im geringsten. Er dankte mir trotzdem, setzte seine Mütze wieder auf und sagte: »Vergelt's Gott, Herr...« Dann zog er die Zügel an, schmatzte mit den Lippen und fuhr an uns vorbei. Gleich darauf gab sich auch Ignaschka einen Ruck und rief die Pferde an. Wieder wurde das Heulen des Windes, das besonders laut zu hören war, wenn wir hielten, vom Knirschen des Schnees unter den Hufen, den Zurufen der Kutscher und dem Schellengeläute abgelöst.

Nach dem Umsteigen blieb ich etwa eine Viertelstunde wach und vertrieb mir die Zeit damit, daß ich die Gestalt meines neuen Kutschers und seine Pferde studierte. Ignaschka saß auf dem Bock wie ein Held, hüpfte immer auf und nieder, schwang die Hand mit der herabhängenden Peitsche über den Pferden, stieß kurze Schreie aus, schlug einen Fuß an den andern und beugte sich jeden Augenblick vor, um den Schwanzriemen des Mittelpferdes geradezurichten, der immer nach rechts hinüberrutschte. Ignaschka war nicht sehr groß, schien aber gut gebaut. Über dem kurzen Pelzrock trug er einen weiten Mantel ohne Gürtel; der Mantelkragen war fast ganz zurückgeschlagen und ließ den Hals frei; er trug keine Filz-, sondern Lederstiefel und eine kleine Mütze, die er jeden Augenblick abnahm und geraderückte. Die Ohren waren nur durch die Haare geschützt. Alle seine Bewegungen zeugten weniger von Energie als von dem Bestreben, sich zur Energie anzuspornen. Doch je länger wir fuhren, um so öfter sprang er empor, rückte auf dem Bock hin und her, schlug einen Fuß an den andern und zog mich oder Aljoschka ins Gespräch; ich hatte den Eindruck, daß er fürchtete, den Mut zu verlieren. Er hatte auch allen Grund dazu. Seine Pferde waren zwar gut, doch der Weg wurde mit jedem Schritt beschwerlicher, und man sah, daß die Pferde immer weniger Lust zum Laufen hatten: er mußte sie schon ab und zu mit Peitschenhieben ermuntern, und das Mittelpferd, ein kräftiger, großer, zottiger Gaul, war schon einige Male gestolpert; es zog aber jedesmal vor Schreck mit starkem Ruck wieder an und warf den zottigen Kopf so hoch empor, daß er beinahe die Schellen berührte. Das rechte Nebenpferd, das ich unwillkürlich beobachtete, ließ zugleich mit der langen Quaste des Schwanzriemens, die an der Feldseite baumelte und hin und her sprang, merklich die Stränge hängen und verlangte nach der Peitsche; da es aber doch ein gutes, sogar feuriges Pferd war, ärgerte es sich anscheinend über seine eigene Schwäche und hob und senkte unwillig den Kopf, als wollte es, daß man die Zügel fester anziehe. Es war wirklich unheimlich anzusehen, wie Schneesturm und Frost immer stärker, die Pferde immer schwächer wurden und der Weg immer schlechter und wir gar nicht wußten, wo wir uns befanden und wohin wir fahren sollten, zur Station oder zu irgendeinem Obdach; es war komisch und zugleich seltsam zu hören, wie die Glöckchen trotzdem unentwegt und heiter bimmelten, wie munter und keck Ignaschka die Pferde anschrie, als ob wir an einem frostklaren, sonnigen Feiertag im Januar auf der Dorfstraße spazierenführen; am seltsamsten war jedoch der Gedanke, daß wir ununterbrochen und in schnellster Fahrt von der Stelle kamen. Ignaschka stimmte ein Lied an; er sang zwar mit ziemlich widerwärtiger Fistelstimme, aber so laut und mit so häufigen Pausen, die er mit Pfeifen ausfüllte, daß es beinahe unmöglich war, ängstlich zu werden, wenn man ihm zuhörte.

»He! He! Was brüllst du so, Ignat?« erklang die Stimme des Ratgebers. »Halt eine Weile!«

»Was?«

»Haaalt!«

Ignat hielt an. Wieder begann der Wind zu heulen und zu pfeifen, während die anderen Laute verstummten und immer mehr Schnee in den Schlitten wirbelte. Der Ratgeber kam zu uns heran.

»Was gibt's denn?«

»Was es gibt? Wohin fahren wir eigentlich?«

»Wer weiß wohin!«

»Sind dir die Beine erfroren, daß du so trampelst?«

»Sie sind ganz steif.«

»Geh doch mal dorthin: da schimmert etwas, vielleicht ist's ein Kalmückenlager. Geh doch, da kannst du dir auch die Füße warmlaufen.«

»Gut. Halt inzwischen die Pferde, hier sind die Zügel...«
Und Ignat lief in der angegebenen Richtung fort.

»Man muß immer aufpassen und ab und zu auch ein bißchen gehen; dann findet man auch was. Wozu denn einfach drauflosfahren?« wandte sich der Ratgeber an mich. »Sieh nur, wie er die Pferde in Schweiß gejagt hat!«

Während Ignat auf der Suche war – und das dauerte so lange, daß ich schon fürchtete, er habe sich verirrt –, erzählte mir der Ratgeber in selbstbewußtem, ruhigem Tone, wie man sich bei einem Schneesturm zu verhalten habe: man müßte das Pferd ausspannen und laufen lassen, es würde einen, so wahr Gott lebt, auf den richtigen Weg bringen; man könnte sich auch nach den Sternen richten, und wir wären schon längst auf der Station, wenn er und nicht Ignat auf dem vorderen Schlitten gesessen hätte.

»Na, hast du was gefunden?« fragte er Ignat, der gerade zurückkehrte und mit Mühe durch den kniehohen Schnee watete.

»Es ist wirklich etwas wie ein Kalmückenlager zu sehen«, antwortete Ignat ganz atemlos; »man weiß aber nicht, was für eines es ist. Ich glaube, wir sind ganz nahe an der Datscha von Prolgow. Wir müssen uns mehr links halten...«

»Was redest du für Unsinn! Das sind ja die Kalmückenlager, die hinter unserm Dorf liegen«, entgegnete der Ratgeber.

»Ach was!«

»Mir genügt ein Blick. Ich weiß schon, daß es doch so ist; und wenn nicht, dann ist es Tamyschewskoje. Wir müssen mehr nach rechts halten, wir kommen dann gerade an der großen Brücke bei der achten Werst heraus.«

»Ich sage dir doch, daß es nicht stimmt! Ich hab's ja gesehen!« rief Ignat ärgerlich.

»Ach, Bruder! Und du willst Postkutscher sein!«

»Jawohl! Geh doch selber mal hin!«

»Wozu soll ich gehen? Ich weiß es auch so.«

Ignat wurde offenbar böse; ohne zu antworten, sprang er auf den Bock und trieb die Pferde an.

»Meine Füße sind ganz erstarrt, sie werden gar nicht mehr warm«, sagte er zu Aljoschka, wobei er immer öfter die Beine aneinanderschlug und den Schnee, der sich in seinen Stiefelschäften angesammelt hatte, herausholte und abschüttelte. Ich war todmüde und wollte schrecklich gern schlafen.

8

»Erfriere ich denn schon ?« dachte ich im Einschlafen. »Es heißt, das Erfrieren beginne immer damit, daß man einschläft. Ich möchte schon lieber ertrinken als erfrieren – mag man mich dann mit dem Netz herausziehen; übrigens ist es mir einerlei, ob ich erfriere oder ertrinke, wenn mich nur nicht dieser Stock, oder was es ist, im Rücken drückte, und wenn ich sanft einschlummern könnte.«

Ich nickte für ein paar Sekunden ein.

»Doch wie wird das alles enden?« sage ich mir plötzlich, öffne für eine Minute die Augen und blicke in den weißen Raum hinaus. »Wie wird das alles enden? Wenn wir keine Heuschober finden und wenn die Pferde stehenbleiben, was anscheinend bald geschehen wird, werden wir wohl alle erfrieren.« Ich fürchtete mich zwar ein wenig, aber ich muß gestehen, daß der Wunsch, etwas Außergewöhnliches und Tragisches zu erleben, doch stärker war als meine nicht allzu große Furcht. Ich dachte, daß es gar nicht so übel wäre, wenn die Pferde uns in halberfrorenem Zustand gegen Morgen in irgendein fernes, unbekanntes Dorf brächten und wenn einige von uns schon ganz erfroren wären. Solche und ähnliche Gedanken gingen mir mit ungewöhnlicher Klarheit und Schnelligkeit durch den Kopf. Die Pferde blieben stehen, der Schnee türmte sich höher und höher auf, und nun kann man von den Pferden nur die Ohren und die Krummhölzer sehen. Plötzlich erscheint irgendwo oben Ignaschka mit seiner Troika und fährt an uns vorüber. Wir flehen ihn an und schreien, daß er uns mitnehmen möchte, doch der Wind trägt unsere Stimmen fort, und sie verhallen ungehört. Ignaschka lacht, schreit seinen Pferden etwas zu, pfeift und verschwindet in einem tiefen, schneeverwehten Graben. Der Alte springt auf ein Pferd, rudert mit den Ellenbogen und will davonsprengen, kann sich aber nicht von der Stelle rühren; mein früherer Kutscher mit der großen Mütze fällt über ihn her, zerrt ihn vom Pferd herunter und tritt ihn in den Schnee. »Du bist ein Hexenmeister!« schreit er ihm zu. »Du kannst gotteslästerlich fluchen! Laß uns zusammen herumirren!« Doch der Alte arbeitet sich mit dem Kopf aus dem Schneehaufen heraus; es ist nun aber nicht mehr der alte, sondern ein Hase, und er rennt von uns weg. Alle Hunde jagen ihm nach. Der Ratgeber, der eigentlich Fjodor Filipytsch ist, sagt, wir sollten uns alle in einem Kreis herumsetzen, es mache nichts, wenn der Schnee uns zudecken würde, wir würden es dann wärmer haben. Es ist uns wirklich warm und gemütlich, nur haben wir Durst. Ich hole meine Reisetasche hervor, gebe allen Rum mit Zucker zu trinken und trinke auch selbst mit großem Behagen. Der Märchenerzähler erzählt irgendein Märchen vom Regenbogen, und da wölbt sich schon über uns eine Decke aus Schnee und ein Regenbogen. »Jetzt soll sich jeder im Schnee eine Kammer bauen, und dann wollen wir schlafen!« sage ich. Der Schnee ist weich und warm wie Pelzwerk. Ich baue mir eine Kammer und will hineingehen; doch Fjodor Filipytsch, der in der Reisetasche mein Geld bemerkt hat, sagt: »Wart! Gib dein Geld her! Mußt ja sowieso sterben!« und mit diesen Worten packt er mich am Bein. Ich gebe ihm mein ganzes Geld und bitte nur, man möchte mich loslassen; sie glauben mir aber nicht, daß das mein ganzes Geld sei, und wollen mich totschlagen. Ich ergreife die Hand des Alten und beginne sie mit unsagbarer Wonne zu küssen: die Hand ist zart und süß. Er will sie mir zuerst entreißen, überläßt sie mir aber dann und beginnt mich sogar mit der anderen Hand zu liebkosen. Doch da naht schon Fjodor Filipytsch und droht mir. Ich laufe in mein Zimmer; es ist aber kein Zimmer, sondern ein langer weißer Korridor, und jemand hält mich an den Beinen fest. Ich reiße mich los. In der Hand dessen, der mich festhält, bleibt meine Kleidung und ein Teil meiner Haut zurück; doch ich empfinde nur Kälte und Scham – ich schäme mich um so mehr, als mir meine Tante mit dem Sonnenschirm und ihrer homöopathischen Apotheke, Arm in Arm mit dem Ertrunkenen, entgegenkommt. Sie lachen und verstehen die Zeichen nicht, die ich ihnen mache. Ich werfe mich in den Schlitten, meine Beine schleifen im Schnee nach, doch der Alte rennt, mit den Ellenbogen schlenkernd, hinterher. Er hat mich schon beinahe erreicht; aber da höre ich vor mir zwei Glocken läuten, und ich weiß, daß ich gerettet bin, wenn ich sie erreiche. Die Glocken tönen immer lauter und lauter; doch der Alte hat mich bereits eingeholt und ist mit dem Bauch über mein Gesicht gefallen, so daß ich das Glockengeläute kaum noch hören kann. Ich ergreife wieder seine Hand und beginne sie zu küsen; aber der Alte ist nicht mehr der Alte, sondern der Ertrunkene, und er schreit: »Ignaschka! Halt! Ich glaube, da sind schon die Heuschober von Achmetka! Geh mal hin und schau nach!« Das ist allzu schrecklich. Nein, ich will lieber erwachen...

Ich öffne die Augen. Der Wind hat mir den Schoß von Aljoschkas Mantel übers Gesicht geworfen, und eines meiner Knie ist unbedeckt; wir fahren über eine nackte Eiskruste, und die Terz der Schellen mit der klirrenden Quinte tönt ungemein hell durch die Luft.

Ich schaue nach den Heuschobern; doch statt ihrer sehe ich, schon im Wachen, ein Haus mit einem Balkon und eine zackige Festungsmauer. Das Haus und die Festung interessieren mich recht wenig: ich möchte viel lieber wieder den weißen Korridor sehen, durch den ich gelaufen bin, die Kirchenglocken hören und die Hand des Alten küssen. Ich schließe wieder die Augen und schlafe ein.

9

Ich schlief fest, doch hörte ich die ganze Zeit hindurch die Terz der Schellen, und sie erschien mir im Schlafe bald als ein Hund, der sich bellend auf mich stürzte, bald als eine Orgel, in der ich eine der Pfeifen war, bald als ein französisches Gedicht, das ich verfaßte. Bald erschien sie mir als ein Marterwerkzeug, mit dem mir jemand unaufhörlich die rechte Ferse zusammenpreßte. Der Schmerz war so stark, daß ich erwachte, die Augen öffnete und mir den Fuß rieb. Er begann bereits zu erfrieren. Um mich her war noch immer dieselbe helle, trübe weiße Nacht. Der Schlitten rüttelte noch immer im selben Takt; derselbe Ignaschka saß seitwärts auf dem Bock und schlug die Beine aneinander; dasselbe Nebenpferd lief mit gestrecktem Hals, mit Mühe die Beine hebend, im Trab durch den tiefen Schnee; die Quaste am Schwanzriemen sprang auf und nieder und schlug an den Bauch des Pferdes. Der Kopf des Mittelpferdes mit der im Winde flatternden Mähne wippte gleichmäßig auf und nieder, die an das Krummholz gebundenen Zügel bald spannend und bald locker lassend. Doch alles war noch mehr als früher vom Schnee verweht. Der Schnee wirbelte vorn, verschüttete rechts und links die Schlittenkufen und die Pferdebeine bis an die Knie und fiel von oben auf unsere Kragen und Mützen. Der Wind kam bald von rechts, bald von links, spielte mit meinem Kragen, mit den Schößen von Ignaschkas Mantel, mit der Mähne des Nebenpferdes und fuhr heulend durch das Krummholz und zwischen die Deichseln.

Es wurde entsetzlich kalt, und sobald ich den Kopf aus dem Mantelkragen herausstreckte, fuhr mir der trockene, eisige Schnee wirbelnd in Wimpern, Nase und Mund und sprang mir in den Nacken; ringsum war alles weiß, hell und schneeig, nichts als trübes Licht und Schnee. Ich bekam ernstlich Angst. Aljoschka schlief zu meinen Füßen auf dem Boden des Schlittens; sein ganzer Rücken war von einer dikken Schneeschicht bedeckt. Ignaschka ließ den Mut nicht sinken: er riß an den Zügeln, stieß kurze Schreie aus und schlug die Beine aneinander. Die Schellen klangen noch immer wundervoll. Die Pferde schnaubten; sie stolperten immer öfter, liefen aber weiter, wenn auch etwas langsamer. Ignaschka sprang wieder auf, fuchtelte mit einem Handschuh herum und stimmte mit seiner dünnen Fistelstimme ein Lied an. Ohne das Lied zu Ende zu singen, hielt er plötzlich die Troika an, warf die Zügel über den Vorderteil des Schlittens und stieg aus. Der Wind heulte wütend; unglaubliche Schneemengen fielen auf unsere Mäntel. Ich blickte zurück: die dritte Troika war nicht mehr hinter uns (sie war irgendwo zurückgeblieben). Ich konnte durch den Schneenebel sehen, wie der Alte am zweiten Schlitten von einem Fuß auf den andern hüpfte. Ignaschka ging etwa drei Schritt zur Seite, setzte sich in den Schnee, löste seinen Gürtel und begann sich die Stiefel auszuziehen.

»Was machst du da?« fragte ich ihn.

»Ich muß die Fußlappen wechseln, denn mir sind beinahe die Füße abgefroren«, antwortete er mir, in seiner Beschäftigung fortfahrend.

Es war mir zu kalt, den Hals aus dem Kragen herauszustrecken, um zu sehen, wie er das machte. Ich saß gerade da und sah auf das Seitenpferd, das ein Bein vorgestellt hatte und müde den aufgebundenen schneebedeckten Schweif bewegte. Der Stoß, den Ignat dem Schlitten versetzte, als er auf den Bock sprang, weckte mich.

»Was gibt's, wo sind wir jetzt?« fragte ich; »werden wir noch vor Tagesanbruch ankommen?«

»Machen Sie sich keine Sorgen, wir werden Sie schon hinbringen«, antwortete er. »Meine Füße sind jetzt ganz warm, weil ich die Fußlappen gewechselt habe.«

Er fuhr los, die Schellen erklangen, der Schlitten begann wieder zu schwanken, und der Wind heulte unter den Kufen. Und wir segelten weiter über das endlose Schneemeer.

10

Ich war fest eingeschlafen. Als Aljoschka mich weckte, indem er mich mit dem Fuß anstieß, und ich die Augen öffnete, war es schon Morgen. Es schien noch kälter zu sein als in der Nacht. Von oben schneite es nicht mehr, doch der heftige trockene Wind wirbelte noch immer den Schneestaub im Feld empor, besonders unter den Hufen der Pferde und den Schlittenkufen. Auf der rechten Seite, im Osten, hatte der Himmel eine bleigraue Farbe, aber am Horizont traten grelle rotgelbe schräge Streifen immer deutlicher hervor, über meinem Kopf sah ich zwischen den dahineilenden weißen, vom Morgenrot gefärbten Wolken ein blasses Blau; links waren die Wolken hell, leicht und beweglich. Ringsumher, so weit das Auge reichte, lag in der Steppe weißer, in scharf begrenzten Schichten aufgewehter, tiefer Schnee. Hier und da ragte ein grauer Erdhügel empor, über den unaufhörlich feiner, trockener Schneestaub hinwegflog. Nirgends war eine Spur zu sehen, weder die eines Schlittens noch eines Menschen, noch eines Tieres. Die Umrisse und die Farben des Kutscherrückens und der Pferde hoben sich klar und scharf von dem weißen Hintergrund ab... Der Rand von Ignaschkas dunkelblauer Mütze, sein Kragen, seine Haare und sogar seine Stiefel waren weiß. Der Schlitten war vollständig zugeschneit. Kopf und Mähne des grauen Mittelpferdes waren auf der rechten Seite mit einer dicken Schneekruste bedeckt, bei meinem Seitenpferd waren die Beine bis an die Knie verschneit und das ganze vom Schweiß zottig gewordene Hinterteil rechts mit Schnee beklebt. Die Quaste hüpfte auf und nieder im Takt jeder Melodie, die mir gerade einfiel, und auch das Nebenpferd lief im gleichen Takt; man konnte nur an seinem eingefallenen Bauch, der sich oft hob und senkte, und an den herabhängenden Ohren erkennen, wie abgehetzt es war. Ein einziger neuer Gegenstand lenkte meine Aufmerksamkeit auf sich: ein Werstpfahl, von dem der Schnee auf die Erde herabfiel; der Wind hatte an seiner rechten Seite einen ganzen Berg angehäuft und warf noch immer den Pulverschnee von der einen Seite auf die andere. Es wunderte mich sehr, daß wir eine ganze Nacht, volle zwölf Stunden lang, mit denselben Pferden gefahren waren, ohne zu wissen, wohin, und ohne stehenzubleiben – und schließlich doch irgendwo angelangt waren. Unsere Schellen schienen lustiger zu klingen. Ignat schlug seinen Mantel übereinander und schrie die Pferde an; hinter uns schnaubten die Pferde und tönten die Schellen der Troika des Alten und des Ratgebers; doch den Kutscher, der geschlafen hatte, hatten wir endgültig hinter uns verloren. Nachdem wir noch eine halbe Werst weitergefahren waren, stießen wir auf die frische, noch kaum verwehte Spur einer Troika; hier und da waren auf dem Schnee hellrote Blutflecken zu sehen, wahrscheinlich von einem Pferd, das sich verletzt hatte.

»Das muß Philipp sein! Sieh mal an, er ist doch noch früher angekommen als wir!« sagte Ignaschka.

Da taucht auch schon mitten im Schnee ein einsames

Häuschen mit einem Schild auf; es ist fast bis an das Dach und an die Fenster verweht. Vor der Schenke steht ein Dreigespann von Grauschimmeln; sie sind von Schweiß zottig geworden und stehen mit gespreizten Beinen und traurig gesenkten Köpfen da. Vor der Tür ist gefegt; auch eine Schaufel steht da; doch der heulende Wind weht und wirbelt vom Dach immer neuen Schnee herab.

Auf unser Schellengeläut erscheint vor der Tür ein großer, rothaariger Kutscher mit einem Glas Branntwein in der Hand und ruft uns etwas zu. Ignaschka wendet sich zu mir um und bittet um Erlaubnis, zu halten. Da sehe ich zum ersten Male seine Fratze.

11

Sein Gesicht war gar nicht dunkel, hart und gradnasig, wie ich es nach seinem Haar und seiner Figur erwartet hatte. Es war eine runde, lustige, stumpfnasige Fratze mit großem Mund und hellblauen, runden Augen. Die Wangen und der Hals waren so rot, als wären sie mit einem Tuchlappen poliert worden; die Augenbrauen, die langen Wimpern und der Flaum, der gleichmäßig den unteren Teil seines Gesichts bedeckte, waren von Schnee verklebt und über und über weiß. Wir hatten bis zur Station nur noch eine halbe Werst zu fahren; wir hielten an.

»Aber schnell!« sagte ich.

»In einer Minute«, antwortete Ignaschka, sprang vom Bock und ging zu Philipp.

»Gib her, Bruder!« sagte er, den rechten Handschuh und die Peitsche in den Schnee werfend. Dann warf er den Kopf zurück und stürzte in einem Zuge das Glas Schnaps hinunter, das ihm Philipp gereicht hatte.

Der Schankwirt, anscheinend ein verabschiedeter Kosak, trat mit einer Schnapsflasche in der Hand aus der Tür.

»Wem soll ich einschenken?« fragte er.

Der lange Wassilij, ein hagerer, blonder Kerl mit einem Ziegenbart, und der Ratgeber, ein dicker, mit weißen Wimpern und Augenbrauen und dichtem weißem Vollbart, der sein rotes Gesicht umrahmte, traten vor und tranken jeder ein Glas. Auch der Alte ging auf die Trinkenden zu, man schenkte ihm aber nicht ein; er ging zu seinen hinter dem Schlitten angebundenen Pferden und streichelte eines von ihnen über Rücken und Hinterteil.

Der Alte sah genauso aus, wie ich ihn mir vorgestellt hatte: klein, hager, mit einem runzligen, blau angelaufenen Gesicht, einem dünnen Bärtchen, einer spitzen Nase und stumpfen gelben Zähnen. Er trug eine nagelneue Kutschermütze und dabei einen abgeschabten, mit Teer beschmierten und auf den Schultern und an den Schößen zerrissenen Halbpelz, der nicht einmal seine Knie und die hanfleinenen Unterhosen bedeckte, die in riesengroßen Filzstiefeln steckten. Er war ganz zusammengeschrumpft, zog ein finsteres Gesicht und machte sich, an allen Gliedern zitternd, am Schlitten zu schaffen, anscheinend, um sich zu erwärmen.

»Nun, Mitritsch, kauf dir doch ein Viertel! Das wird dich ordentlich wärmen«, sagte der Ratgeber zu ihm.

Mitritsch zuckte zusammen. Er rückte den Schwanzriemen seines Pferdes und das Krummholz zurecht und ging auf mich zu.

»Nun, wie wär's, Herr?« sagte er zu mir, nahm die Mütze von seinem grauen Kopf und verneigte sich tief. »Wir sind ja die ganze Nacht zusammen umhergeirrt, haben den Weg gesucht – ein Viertel könnten Sie schon spendieren. Wirklich, Väterchen, Durchlaucht! Ich habe ja nichts, um mich zu erwärmen«, fügte er mit unterwürfigem Lächeln hinzu.

Ich schenkte ihm fünfundzwanzig Kopeken. Der Wirt brachte ein Viertel Schnaps und reichte es dem Alten. Er zog sich einen Handschuh aus, legte die Peitsche weg und streckte seine kleine dunkle, rauhe, etwas blau angelaufene Hand nach dem Glas aus; doch sein Daumen wollte ihm nicht gehorchen: er konnte das Glas nicht halten, ließ es fallen, und der Schnaps floß in den Schnee.

Alle Kutscher brachen in schallendes Gelächter aus.

»Seht doch, der Mitritsch ist so erfroren, daß er nicht einmal den Schnaps halten kann!«

Mitritsch war sehr traurig darüber, daß er den Schnaps verschüttet hatte.

Man schenkte ihm aber ein zweites Glas ein und goß es ihm in den Mund. Er wurde sofort lustig, lief in die Schenke, zündete sich die Pfeife an und begann mit seinen gelben, stumpfen Zähnen zu grinsen und bei jedem Wort, das er sprach, unflätig zu schimpfen. Nachdem das letzte Viertel Schnaps ausgetrunken war, gingen die Kutscher zu ihren Troikas, und wir fuhren weiter.

Der Schnee wurde immer weißer und greller, so daß einem die Augen weh taten, wenn man ihn ansah. Die orangefarbenen und roten Streifen am Himmel stiegen immer höher und höher und wurden immer greller und greller; da kam auch schon am Horizont hinter den graublauen Wolken die rote Sonnenscheibe zum Vorschein, und das Blau wurde leuchtender und dunkler. Vor dem Dorf waren auf der Landstraße deutliche gelbliche Schlittenspuren zu sehen; stellenweise war der Weg ausgefahren und schlecht. In der frostigen, herben Luft spürte ich eine eigentümliche angenehme Leichtigkeit und Frische.

Meine Troika lief sehr schnell. Der Kopf und der Hals des Mittelpferdes mit der um das Krummholz flatternden Mähne wippte schnell, fast immer genau an der gleichen Stelle, unterhalb der Liebhaberschellen, deren Zünglein an den Wandungen nicht mehr anschlugen, sondern nur schabten. Die kräftigen Seitenpferde hatten die hartgefrorenen, schiefen Stränge angezogen und liefen energisch vorwärts; die Riemenquaste schlug gegen Bauch und Schwanzriemen. Zuweilen geriet eines der Seitenpferde von der eingefahrenen Straße in einen Schneehaufen und arbeitete sich geschickt heraus, wobei es uns den Schnee in die Augen schleuderte. Ignaschka schrie mit seiner lustigen Tenorstimme die Pferde an; der trockene Frost knirschte unter den Kufen; hinter uns klangen hell und festlich die Schellen und die betrunkenen Schreie der Kutscher. Ich blickte mich um: die grauen, struppigen Seitenpferde sprangen mit gestrecktem Hals, den Atem gleichmäßig verhaltend, mit verhängten Zügeln durch den Schnee. Philipp schwang die Peitsche und rückte seine Mütze zurecht; der Alte lag noch immer mit hochgezogenen Beinen mitten im Schlitten.

Nach zwei Minuten knirschte der Schlitten über die vom

Schnee gesäuberten Bretter der Stationsauffahrt; Ignaschka wandte mir sein schneeverwehtes, frostatmendes, lustiges Gesicht zu und sagte:

»Nun haben wir Sie doch an Ort und Stelle gebracht, Herr!«

Kannibalismus auf der Eisenbahn

Kürzlich war ich in St. Louis, und nachdem ich auf meinem Weg nach Westen in Terre Hauté, Indiana, umgestiegen war, stieg auf einem kleinen Bahnhof ein freundlicher, wohlwollend aussehender Herr von ungefähr fünfundvierzig oder vielleicht fünfzig zu und setzte sich neben mich. Etwa eine Stunde unterhielten wir uns angenehm über verschiedenes, und ich fand ihn äußerst intelligent und ergötzlich. Als er hörte, daß ich aus Washington war, begann er sofort, mich nach mehreren Männern der Öffentlichkeit und Angelegenheiten des Kongresses zu fragen; ich bemerkte sehr bald, daß ich mit jemandem sprach, der mit allen Windungen des politischen Lebens der Regierungshauptstadt bis zu den Gewohnheiten, Sitten und Verfahrensweisen von Senatoren und Abgeordneten in den Häusern der gesetzgebenden Körperschaften vertraut war.

Kurz darauf blieben zwei Männer einen Augenblick neben uns stehen, und einer sagte zum anderen: »Harris, wenn du das für mich tust, werde ich dich nie vergessen, mein Junge.«

Die Augen meines neuen Gefährten leuchteten vergnügt auf. Die Worte hatten, glaube ich, eine erfreuliche Erinnerung geweckt. Dann machte er ein nachdenkliches, fast düsteres Gesicht. Er wandte sich zu mir und sagte:

»Ich will Ihnen eine Geschichte erzählen; ich will Ihnen ein geheimes Kapitel meines Lebens eröffnen – ein Kapitel, das von mir noch nie berührt worden ist, seit sich das Begebnis ereignete. Hören Sie geduldig zu, und versprechen Sie, daß Sie mich nicht unterbrechen werden.«

Ich sagte, ich wolle ihn nicht unterbrechen, und er erzählte das folgende seltsame Abenteuer, indem er manchmal lebhaft, manchmal schwermütig sprach, doch immer mit Gefühl und Ernst.

»Am 19. Dezember 1853 nahm ich in St. Louis den Abendzug

nach Chicago. Es waren insgesamt nur vierundzwanzig Fahrgäste. Frauen und Kinder befanden sich nicht darunter. Es herrschte eine ausgezeichnete Stimmung, und bald wurden angenehme Bekanntschaften geschlossen. Die Reise versprach eine glückliche zu werden, und kein einziges Mitglied der Gesellschaft hatte, glaube ich, auch nur die leiseste Ahnung von den Schrecken, die wir bald auszustehen haben sollten.

Um dreiundzwanzig Uhr begann es stark zu schneien. Gleich nach Verlassen der kleinen Stadt Welden kamen wir in die ungeheure Einsamkeit der großen Ebene, deren Meilen um Meilen häuserloser Einöde sich weit hinaus bis nach den Jubilee Settlements erstrecken. Ohne von Bäumen oder Hügeln oder auch von verstreuten Felsen aufgehalten zu werden, heulte der Wind ungestüm über die ebene Wüste und trieb den fallenden Schnee vor sich her wie die Gischt von den Wellenkämmen der stürmischen See. Schnell wurde der Schnee höher, und an der abnehmenden Geschwindigkeit des Zuges erkannten wir, daß sich die Lokomotive mit ständig wachsender Mühe hindurchpflügte. Sie kam tatsächlich manchmal in großen Schneewehen, die sich wie kolossale Grabhügel quer über die Schienen türmten, richtig zum Stehen. Die Unterhaltung erlahmte. Die Heiterkeit wich ernster Besorgnis. Die Möglichkeit, vom Schnee eingeschlossen zu werden, in der kahlen Prärie, fünfzig Meilen vom nächsten Haus, drang in jedermanns Vorstellung und erstreckte ihren niederdrückenden Einfluß auf eines jeden Geist.

Um zwei Uhr morgens wurde ich durch das Aufhören aller Bewegung um mich aus unruhigem Schlaf geweckt. Sofort fuhr mir die entsetzliche Wahrheit in den Sinn: Wir steckten in einer Schneewehe fest! ›Alle Mann zu Hilfe!‹ Jeder folgte schnell dem Ruf. In dem Bewußtsein, daß ein einziger verlorener Augenblick allen das Leben kosten konnte, sprang jeder von uns in die wilde Nacht, die pechschwarze Dunkelheit, in den wogenden Schnee, den wütenden Sturm. Schaufeln, Hände, Bretter – alles und jedes, womit man Schnee räumen kann, wurde sofort eingesetzt. Es war ein geisterhaftes Bild, die kleine Gesellschaft Verzweifelter, die gegen den sich häufenden Schnee ankämpfte, halb im schwärzesten

Schatten und halb in dem düsteren Schein, den die Lampe der Lokomotive warf.

Eine knappe Stunde genügte, um die absolute Zwecklosigkeit unserer Anstrengungen zu beweisen. Während wir eine Schneewehe wegschaufelten, verbarrikadierte der Sturm die Strecke mit einem Dutzend neuer Wehen. Und schlimmer noch, man entdeckte, daß beim letzten großen Ansturm, den die Maschine auf den Feind unternommen hatte, die Antriebsachse gebrochen war. Selbst wenn die Strecke vor uns frei gewesen wäre, hätten wir hilflos dagesessen. Abgekämpft von der Arbeit und voll drückender Sorgen, stiegen wir wieder in den Zug. Wir scharten uns um die Öfen und erörterten ernst die Lage. Lebensmittel besaßen wir überhaupt keine – das war unser größter Kummer. Erfrieren konnten wir nicht, denn im Tender befand sich ein reichlicher Vorrat an Holz. Das war unser einziger Trost. Die Aussprache endete schließlich damit, daß wir die beklemmende Feststellung des Schaffners akzeptierten, die besagte, daß es eines jeden Tod wäre zu versuchen, fünfzig Meilen durch solchen Schnee zu Fuß zurückzulegen; wir konnte nicht nach Hilfe schicken, und selbst wenn wir das gekonnt hätten, wäre sie nicht imstande gewesen, zu uns zu gelangen; wir mußten uns fügen und warten, so geduldig wie nur möglich – Hilfe oder Hungertod! Ich glaube, als diese Worte fielen, überrieselte auch die stärksten Herzen ein flüchtiger Schauer.

In der gleichen Stunde verebbte die Unterhaltung zu einem leisen Murmeln, das man sporadisch zwischen dem Anschwellen und Abflauen der Windstöße hier und da im Wagen vernahm; der Schein der Lampen wurde schwächer, und die meisten der Gestrandeten ließen sich in den flackernden Schatten nieder, um nachzudenken – um die Gegenwart zu vergessen, wenn sie es vermochten – um zu schlafen, wenn sie konnten.

Die ewige Nacht – uns schien sie bestimmt ewig – ließ ihre zaudernden Stunden endlich verstreichen, und die kalte graue Dämmerung brach im Osten an. Als es heller wurde, begann ein Reisender nach dem anderen sich zu rühren und Lebenszeichen von sich zu geben, und der Reihe nach schoben sie den Schlapphut aus der Stirn, streckten die steifen

Glieder und guckten aus dem Fenster auf die trostlose Landschaft. Sie war wirklich trostlos! Nirgends ein lebendes Wesen zu sehen, keine menschliche Behausung, nichts als eine unermeßliche weiße Wüste, ganze Schneefelder, die vom Winde hochgehoben und hierhin und dahin getrieben wurden, eine Welt wirbelnder Flocken, die das Firmament oben dem Blick verbargen.

Den ganzen Tag bliesen wir in den Wagen Trübsal, sprachen wenig, grübelten viel. Eine neue dahinschleichende düstere Nacht – und Hunger.

Eine neue Dämmerung, ein neuer Tag des Schweigens, der Kümmernis, des zehrenden Hungers und der hoffnungslosen Ausschau nach Hilfe, die nicht kommen konnte. Eine Nacht unruhigen Schlafes mit Träumen von Festgelagen – mit wachen Stunden, die der quälende Hunger zur Pein machte.

Der vierte Tag kam und ging – und der fünfte. Fünf Tage furchtbarer Gefangenschaft! In jedem Auge stierte wilder Hunger. Er trug Anzeichen von entsetzlicher Bedeutung – die Vorahnung von etwas, das verschwommen in eines jeden Vorstellung Gestalt annahm, etwas, das noch keine Zunge in Worte zu fassen wagte.

Der sechste Tag ging vorüber – der siebente brach über eine so dürre, abgehärmte und hoffnungslose Gesellschaft von Menschen herein, wie sie nur je im Schatten des Todes stand. Es mußte heraus! Dieses Etwas, das in jedermanns Vorstellung herangereift war, drängte sich endlich jedem auf die Lippen! Man hatte der Natur das Äußerste abverlangt – sie mußte unterliegen. Richard H. Gaston aus Minnesota, groß, totenblaß, erhob sich. Alle wußten, was nun kam. Alle waren bereit – jede Gemütsbewegung, jeder Anschein von Erregung waren erstickt, nur ein ruhiger, nachdenklicher Ernst erschien in den Augen, die eben noch so wild blickten.

›Meine Herren – es kann nicht länger aufgeschoben werden! Die Zeit ist da! Wir müssen bestimmen, wer von uns sterben soll, um die übrigen mit Nahrung zu versorgen!‹

Mr. John J. Williams aus Illinois erhob sich und sagte: ›Meine Herren, ich schlage Hochwürden James Sawyer aus Tennessee als Kandidaten vor.‹

Mr. Wm. R. Adams aus Indiana sagte: ›Ich schlage Mr. Daniel Slote aus New York als Kandidaten vor.‹

Mr. Charles J. Langdon: ›Ich schlage Mr. Samuel A. Bowen aus St. Louis als Kandidaten vor.‹

Mr. Slote: ›Meine Herren, ich möchte zurücktreten zugunsten von Mr. John A. Van Nostrand jr. aus New Jersey.‹

Mr. Gaston: ›Wenn niemand Einspruch erhebt, wird dem Wunsche des Herrn entsprochen.‹

Da Mr. Van Nostrand Einspruch erhob, wurde das Rücktrittsgesuch Mr. Slotes abgelehnt. Rücktrittsgesuche wurden auch von den Kandidaten Sawyer und Bowen eingebracht und aus denselben Gründen abgelehnt.

Mr. A. L. Bascom aus Ohio: ›Ich beantrage, daß die Kandidatenliste abgeschlossen wird und das Haus zur geheimen Abstimmung schreitet.‹

Mr. Sawyer: ›Meine Herren, ich erhebe scharfen Protest gegen dieses Verfahren. Es ist in jeder Hinsicht ordnungswidrig und unziemlich. Ich möchte höflichst beantragen, daß es eingestellt wird und daß wir einen Vorsitzenden der Verhandlung und geeignete Beamte zu seiner Unterstützung wählen, und dann können wir in der vorliegenden Sache verständig fortfahren.‹

Mr. Bell aus Iowa: ›Meine Herren, ich erhebe Einspruch. Dies ist keine Zeit, sich auf Formen und die Einhaltung des Zeremoniells zu versteifen. Mehr als sieben Tage sind wir ohne Nahrung. Jeder Augenblick, den wir mit müßiger Erörterung verlieren, vergrößert unser Elend. Ich billige die Nominierung, die hier vorgenommen wurde – jeder der anwesenden Herren billigt sie, glaube ich –, und was mich betrifft, so sehe ich keinen Grund, weshalb wir nicht sofort dazu übergehen sollten, einen oder mehrere der Kandidaten zu wählen. Ich möchte eine Resolution einbringen...‹

Mr. Gaston: ›Es würde Einspruch dagegen erhoben werden, und sie müßte gemäß Satzung einen Tag liegenbleiben, was genau zu der Verzögerung führen würde, die Sie zu vermeiden wünschen. Der Herr aus New Jersey...‹

Mr. Van Nostrand: ›Meine Herren, ich bin Ihnen fremd; ich habe die Auszeichnung nicht begehrt, die mir zuteil geworden ist, und mein Zartgefühl...‹

Mr. Morgan aus Alabama (ihn unterbrechend): ›Ich unterstütze den vorhergehenden Antrag.‹

Der Antrag wurde angenommen und eine weitere Debatte natürlich abgeschnitten. Der Antrag, einen Vorstand zu wählen, kam durch, und dabei wurden dann Mr. Gaston zum Vorsitzenden gewählt, Mr. Blake zum Sekretär und die Herren Holcomb, Dyer und Baldwin als Nominierungsausschuß und Mr. R. M. Howland zum Proviantmeister, der den Ausschuß bei der Auswahl unterstützen sollte.

Die Sitzung wurde dann eine halbe Stunde vertagt, und es folgte ein bißchen Agitation zur Vorbereitung der Wahl. Mit dem Klopfen des Hammers traten die Mitglieder wieder zusammen, und der Ausschuß gab seinen Bericht, in dem er sich für die Herren George Ferguson aus Kentucky, Lucien Herman aus Louisiana und W. Messick aus Colorado als Kandidaten aussprach. Der Bericht wurde angenommen.

Mr. Rogers aus Missouri: ›Herr Präsident! Da der Bericht dem Hause nunmehr ordnungsgemäß vorliegt, beantrage ich eine Änderung, indem man statt des Namens von Mr. Herman den von Mr. Lucius Harris aus St. Louis einsetzt, der uns allen gut als ehrenhaft bekannt ist. Ich möchte nicht so verstanden werden, als wolle ich auch nur im geringsten ein schlechtes Licht auf den Ruf und das hohe Ansehen des Herrn aus Louisiana werfen – weit davon entfernt. Ich schätze und achte ihn so sehr, wie ihn jeder hier anwesende Herr möglicherweise nur schätzen kann; aber niemand von uns kann die Tatsache übersehen, daß er in der Woche, die wir hier liegen, mehr Fleisch verloren hat als jeder andere; niemand von uns kann die Tatsache übersehen, daß der Ausschuß seine Pflicht verletzte, sei es aus Fahrlässigkeit oder einem schwereren Vergehen, wenn es uns einen Herrn zur Abstimmung darbietet, der, so lauter seine eigenen Beweggründe auch sein mögen, wirklich weniger Nährstoff enthält...‹

Der Vorsitzende: ›Der Herr aus Missouri möchte Platz nehmen. Der Vorsitzende kann es nicht zulassen, daß die Integrität des Ausschusses angezweifelt wird, es sei denn durch ein ordentliches Verfahren gemäß Satzung. Welche Schritte will das Haus in bezug auf den Antrag dieses Herrn unternehmen?‹

Mr. Halliday aus Virginia: ›Ich stelle einen weiteren Antrag, den Bericht zu ändern, indem man Mr. Messick durch Mr. Harvey Davis aus Oregon ersetzt. Es mag von den Herren vorgebracht werden, daß die Strapazen und Entbehrungen des Lebens an der Grenze Mr. Davis zäh gemacht haben; aber, meine Herren, ist das der richtige Zeitpunkt über Zähigkeit zu nörgeln? Ist das der richtige Zeitpunkt, in Kleinigkeiten wählerisch zu sein? Nein, meine Herren, Masse ist es, was wir wünschen, Substanz, Gewicht, Masse – das sind jetzt die allerersten Erfordernisse, und nicht Talent, nicht geniale Begabung, nicht Bildung. Ich bestehe auf meinem Antrag.‹

Mr. Morgan (erregt): ›Herr Vorsitzender – gegen diese Änderung erhebe ich schärfsten Einspruch. Der Herr aus Oregon ist alt, und überdies machen nur die Knochen seine Masse aus – nicht das Fleisch. Ich frage den Herrn aus Virginia, ob wir etwa Suppe wollen anstelle fester Nahrung? Ob er uns mit Schatten täuschen will? Ob er unser Leiden mit einem Gespenst aus Oregon verhöhnen will? Ich frage ihn: Wenn er sich einmal umschaut und sich die bekümmerten Gesichter ansieht, wenn er einmal in unsere traurigen Augen blickt, wenn er einmal dem Pochen unserer erwartungsvollen Herzen lauscht – ob er uns dann noch den vom Hunger gezeichneten Betrug andrehen will? Ich frage ihn: Wenn er einmal unsere Verlassenheit, unseren vergangenen Schmerz und unsere dunkle Zukunft bedenkt – ob er uns dann noch erbarmungslos mit diesem Wrack, dieser Ruine, diesem schwankenden Schwindel, diesem knorrigen, verdorbenen und saftlosen Vagabunden aus Oregons ungastlichen Gefilden anschmieren will? Niemals!‹ (Beifall.)

Nach heftiger Debatte wurde der Abänderungsantrag zur Abstimmung gebracht und abgelehnt. Dem ersten Abänderungsantrag gemäß wurde Mr. Harris eingesetzt. Dann begann die Wahl. Fünf Wahlgänge verliefen ohne Ergebnis. Im sechsten wurde Mr. Harris gewählt, wobei alle außer ihm selbst für ihn stimmten. Es wurde dann beantragt, daß seine

Wahl durch Akklamation ratifiziert werden solle, was erfolglos war, da er wieder gegen sich stimmte.

Mr. Radway stellte den Antrag, daß sich das Haus nun mit den übrigen Kandidaten befassen und eine Wahl für das Frühstück durchführen solle. Dem wurde zugestimmt.

Im ersten Wahlgang gab es eine Stimmengleichheit, da die Hälfte der Mitglieder den einen Kandidaten wegen seiner Jugend, die andere Hälfte den anderen wegen seiner überragenden Größe unterstützte. Der Präsident gab seine entscheidende Stimme dem letzteren, Mr. Messick. Unter den Freunden Mr. Fergusons, des unterlegenen Kandidaten, rief das eine beträchtliche Unzufriedenheit hervor, und man redete davon, daß man einen neuen Wahlgang fordern wolle; mittendrin wurde jedoch einem Antrag auf Vertagung stattgegeben, und die Versammlung ging sofort auseinander.

Die Vorbereitungen zum Abendessen lenkten die Aufmerksamkeit der Ferguson-Partei eine ganze Weile von der Erörterung ihrer Beschwerde ab, und als sie die Diskussion wiederaufnehmen wollte, schlug die freudige Bekanntmachung, daß Mr. Harris fertig sei, alle Gedanken daran in den Wind.

Wir richteten provisorisch Tische her, indem wir die Lehnen der Sitze hochklappten, und setzten uns dankbaren Herzens zu dem feinsten Abendessen nieder, das sieben quälende Tage lang unsere Träume beglückt hatte. Wie umgewandelt wir waren gegenüber unserem Zustand wenige Stunden zuvor! Hoffnungslosigkeit, trübäugiges Elend, Hunger, fieberndes Verlangen, Verzweiflung – und nun Dankbarkeit, Gelassenheit, eine Freude, die zu groß war, um Ausdruck zu finden. Ich weiß, dies war die froheste Stunde meines ereignisreichen Lebens. Der Wind heulte und trieb den Schnee wild um unser Gefängnis, aber er hatte keine Macht, uns noch in Trübsal zu stürzen.

Mir gefiel Harris. Vielleicht hätte man ihn besser zubereiten können, aber ich bin bereit zu sagen, daß mir niemals jemand besser bekommen ist als Harris oder mir in einem solchen Maße Befriedigung gewährte. Messick war zwar sehr gut, obwohl ziemlich stark gewürzt, aber was unverfälschte Nahrhaftigkeit und die Zartheit der Fasern betrifft, da lobe ich mir Harris. Messick hatte seine guten Seiten – ich versuche nicht, das zu leugnen, und will es auch gar nicht leugnen –, aber er paßte zum Frühstück ebensowenig wie eine Mumie, Sir – ganz genausowenig. Mager? – du meine Güte! – und zäh? Oh, der war zäh! Sie machen sich kein Bild – Sie machen sich ja überhaupt kein Bild davon.«

»Wollen Sie mir etwa erzählen, daß...«

»Unterbrechen Sie mich bitte nicht. Nach dem Frühstück wählten wir einen Mann namens Walker aus Detroit zum Abendbrot. Er war sehr gut. Später schrieb ich das seiner Frau. Ihm gebührt jedes Lob. Ich werde Walker niemals vergessen. Er war nicht ganz durch, aber sonst sehr gut. Und am nächsten Morgen hatten wir dann Morgan aus Alabama zum Frühstück. Das war einer der feinsten Männer, über die ich mich je hergemacht habe – ansehnlich, gebildet, vornehm, sprach mehrere Sprachen fließend, ein vollendeter Gentleman – er war ein vollendeter Gentleman und ungewöhnlich saftig.

Zum Abendbrot hatten wir diesen Mummelgreis aus Oregon, und das *war* ein Betrug, da gibt es gar keine Frage – alt, dürr, zäh, das kann sich niemand ausmalen. Schließlich sagte ich: ›Meine Herren, Sie können machen, was Sie wollen, aber ich werde auf die nächste Wahl warten.‹

Und Grimes aus Illinois sagte: ›Meine Herren, auch ich werde warten. Wenn Sie jemanden wählen, der auch nur etwas hat, das für ihn spricht, wird es mir angenehm sein, Ihnen wieder Gesellschaft zu leisten.‹

Bald wurde offensichtlich, daß mit Davis aus Oregon allgemeine Unzufriedenheit herrschte; um das gegenseitige Wohlwollen zu erhalten, das sich so erfreulich durchsetzte, nachdem wir Harris gehabt hatten, wurde also zur Wahl gerufen, mit dem Ergebnis, daß Baker aus Georgia gewählt wurde. Er war prächtig. Nun, danach hatten wir Doolittle, Hawkins und McElroy (es gab einige Beschwerden über McElroy, denn er war ungewöhnlich klein und dünn) und Penrod, zwei Smiths und Bailey (Bailey hatte ein Holzbein, was ein klarer Ausfall war, aber sonst war er gut) und einen Indianerjungen, einen Leierkastenmann und einen Herrn namens Buckminster – einen armseligen langweiligen Vagabunden, der zur Gesellschaft nicht taugte und als Frühstück nichts wert war. Wir waren froh, daß wir ihn noch wählen konnten, bevor wir befreit wurden.«

»So kam also die glückliche Befreiung doch noch?«

»Ja, sie kam eines strahlenden, sonnigen Morgens kurz nach der Wahl. Die fiel auf John Murphy, und es gab keinen Besseren, das will ich gern bestätigen, aber in dem Zug, der uns zu Hilfe kam, fuhr John Murphy mit uns nach Hause und blieb am Leben, um die Witwe Harris zu heiraten...«

»Die Witwe des...«

»Die Witwe unseres zuerst Gewählten. Er hat sie geheiratet und ist immer noch glücklich und angesehen und gedeiht wohl. Oh, es war wie ein Roman, Sir, es war wie ein Abenteuerroman. Das ist meine Station, Sir, ich muß mich verabschieden. Wenn es Ihnen einmal gelegen sein sollte, einen Tag oder zwei bei mir zu verbringen, so wird es mich jederzeit freuen, Sie zu empfangen. Sie gefallen mir, Sir; ich habe eine Zuneigung zu Ihnen gefaßt. Sie könnten mir so sehr gefallen, wie mir Harris selbst gefiel, Sir. Guten Tag, Sir, und angenehme Reise.«

Er war weg. In meinem ganzen Leben habe ich mich nie so niedergeschmettert, so elend, so durcheinander gefühlt. Doch im Innersten war ich froh, daß er weg war. Trotz all der Sanftheit seines Benehmens und seiner weichen Stimme hatte ich immer geschaudert, wenn er sein hungriges Auge auf mich richtete; und als ich hörte, ich hätte seine gefährliche Zuneigung gewonnen und stünde in seiner Wertschätzung fast neben dem verstorbenen Harris, da stockte mir ganz und gar das Herz!

Ich war über alle Beschreibung verwirrt. An seinen Worten zweifelte ich nicht; an einem Bericht, der solchermaßen vom Eifer der Wahrheit geprägt war, konnte ich nicht einen einzigen Punkt in Frage stellen; doch überwältigten mich die schrecklichen Einzelheiten und warfen meine Gedanken hoffnungslos durcheinander. Ich sah, wie mich der Schaffner anschaute. »Wer war dieser Mann?« fragte ich.

»Er war früher Kongreßmitglied, und zwar ein gutes. Doch er blieb einmal mit dem Zug in einer Schneewehe stecken und wäre beinahe Hungers gestorben. Er holte sich solche Erfrierungen und fror dermaßen ein und war so erschöpft aus Mangel an Nahrung, daß er danach zwei oder drei Monate krank und nicht mehr ganz richtig war. Jetzt ist er wieder in Ordnung, nur hat er eine Zwangsvorstellung, und wenn er auf das alte Thema zu sprechen kommt, hört er nicht eher auf, bis er die ganze Wagenladung von Leuten verspeist hat, von denen er redet. Er wäre inzwischen mit der Gesellschaft fertig geworden, nur mußte er aussteigen. Wie das Abc hat er ihre Namen zur Hand. Wenn er sie alle außer sich selbst aufgegessen hat, sagt er immer: ›Als dann die Stunde der üblichen Wahl zum Frühstück gekommen war und es keine Opposition gab, wurde ich ordnungsgemäß gewählt, worauf ich, da kein Einspruch erhoben wurde, zurücktrat. Und so bin ich hier.‹«

Ich fühlte mich unbeschreiblich erleichtert, als ich erfuhr, daß ich nur den harmlosen Hirngespinsten eines Verrückten zugehört hatte und nicht den authentischen Erfahrungen eines blutrünstigen Kannibalen.

Der Schnee

Es hatte wieder dicht zu schneien begonnen. Man wußte nicht mehr, in welcher Stadt man war, ob überhaupt in einer Stadt. Ein dickes weißes Tuch hatte sich über alles gebreitet, und die Menschen hätten einen Zipfel dieses Tuches lüpfen müssen, um zu wissen, was sich darunter befand. Aber wie soll man ein so dickes weißes Tuch aufheben, das so dicht und zäh am Boden klebte?

Unter der weißen Oberfläche war noch eine Eisschicht von beachtlicher Dicke. Zehn, auch zwanzig Zentimeter sagten sie, vielleicht auch siebzig, keiner wußte es genau. Da müßte man erst die flaumige Schneedecke aufheben und dann das Eis zerstoßen, um den Durchmesser errechnen zu können. Und wem gelang es schon, eine so dichte Schneeschicht zu lüpfen?

Da war einer, man weiß nicht wo, auf dieser unendlichen weißen Fläche, der gern gewußt hätte, in welchem Teil von Europa er sich befand.

»Ich könnte in Mailand sein oder in Paris, vielleicht auch in Udine«, sagte er, »wer weiß, was für eine Stadt hier darunter ist. Alle Wegweiser sind zugeschneit, die Verkehrszeichen unter einer Eiskruste versteckt. Man kann rechts oder links abbiegen, wie man will, es gibt keine Einbahnstraßen und keine Stoppschilder mehr.«

Wer übrigens hielt bei diesem Schnee schon an? Es war auch nicht ratsam. Da blieb einer stehen und konnte dann nicht mehr anfahren. Ettore sank ein, und Federico rutschte. Ottorino fuhr, aber der Schnee nahm ihm die Sicht.

So klein kann ein Ding gar nicht sein, daß es nicht vom Schnee verdeckt wäre.

Rinaldo zog seinen Handschuh aus und streckte die Hand vor. Die weißen Flocken legten sich auf seinen Handrücken, und auch die Hand verschwand unter einer Schneeschicht.

Besser, man schüttelte den Schnee ab, zog den Handschuh wieder an und steckte die Hand in die Tasche.

Die zu Hause Gebliebenen waren im Warmen, sahen den Schnee jenseits der Fenster auf die Straße fallen. Die Gehsteige waren verschwunden, und der Platz war nur mehr eine einzige, glatte Fläche: die Beete und Sträucher waren zugeschneit, nur die Pfosten der Bänke, die wie mit weißen Wollfäden verbunden zu sein schienen, ragten aus den Schneemassen. Wie Stricknadeln, auf denen sich die Wolle durcheinanderschlingt.

Solange wir uns in unseren Häusern befanden, wußten wir, daß wir in unserer Stadt waren. Im Haus war alles so, wie es im letzten Herbst war und wie es im nächsten Frühling sein würde. Die gleichen Möbel, die gleichen Wände, aber vom Fenster her drang weißes Licht ein, das alle uns umgebenden Dinge verblaßt erscheinen ließ.

Solange wir zu Hause waren, befanden wir uns in Mailand, aber wir mußten zur Porta Venezia. Wir schauten zum Fenster hinaus, hinunter auf die verwaiste Straße. Ein Mann überquerte sie und hinterließ seine Spuren in dem weißen Tuch.

Wir mußten die Expedition gut organisieren.

»Wir sind nicht besonders gut ausgerüstet«, sagte Serafino, »aber vielleicht können wir trotzdem die Überquerung vorbereiten. Wir haben Wollsachen und Bergschuhe. Etwas Warmes müssen wir uns auch mitnehmen. Ich habe ein altes Zelt aus meiner Militärzeit.«

Wir richteten unsere Rucksäcke her und verabschiedeten uns von unserer Familie. Unter dem Haustor zogen wir den Stadtplan zu Rate, auf dem unsere Stadt allerdings ganz anders aussah. »Wir müssen nach Süden vordringen und dann nach fünfhundert Metern gegen Südwest abbiegen.«

Wir warfen uns ins Schneegestöber und arbeiteten uns mühsam vorwärts. Es gelang uns, die gegenüberliegende Straßenseite zu erreichen. Immerhin waren wir schon an die zwanzig Meter ohne Unfall vorwärtsgekommen und legten jetzt eine Verschnaufpause ein. Wir schauten uns um. Man sah keine lebende Seele, und einer von uns fand unser Unternehmen zu waghalsig. Nicht einmal ein Übertragungsgerät hatten wir mit uns. Macht nichts, wir wollten den Mut nicht verlieren. Wir gehörten nicht zu denen, die auf halbem Weg umkehren.

Sehr langsam rückten wir zur Straßenecke vor. Serafino bildete die Spitze, Tommaso die Nachhut. Wir hätten uns anseilen können, aber dazu war es noch zu früh. Als wir an der Ecke waren, überfiel uns ein heftiger Windstoß.

Trotzdem bewältigten wir die Ecke, und vor uns zeigte sich die Allee in ihrer ganzen Trostlosigkeit. In der Straßenmitte bemerkten wir zwei Männer in Not. Wir hielten eine Beratung ab. Man mußte ihnen zu Hilfe kommen. Serafino wagte als erster den Übergang, und wir hielten dicht hinter ihm. Wir seilten uns an, weil wir ja nicht wissen konnten, ob unter der Eisschicht tatsächlich Asphalt war. Man hatte uns gestern erzählt, daß ein Passant im Stadtzentrum im Eis eingebrochen war und ins Wasser fiel. Wer wußte, ob hier unten nicht auch ein See war.

Wir brauchten dreiviertel Stunden, um zu den Verunglückten zu gelangen. Ihre Stimmen leiteten uns, und wir erreichten sie nach Bewältigung einer hohen Schneewehe.

Sie waren halb erfroren, aber es gelang uns, ihnen den Hals unserer Kognakflasche zwischen die Zähne zu schieben. Sie erholten sich schnell und erzählten uns ihr Abenteuer.

»Wir warteten auf die Tram«, sagte der am schnellsten wieder zu Kräften Gekommene, »das ist eine Haltestelle der Sechzehner.« Wir sahen uns um. Es schien unmöglich, aber es war tatsächlich eine Haltestelle, nur kam die Tram nicht mehr bis hierher durch. Die Geleise waren unter einer dicken Schnee- und Eisschicht verborgen. Wir stocherten ein wenig im Schnee und bekamen auch ein ganz kleines Geleisstück frei. Die Hoffnung kehrte für einen Augenblick bei uns ein, verschwand aber ebenso schnell wieder. Wir mußten ans Ende der Allee gelangen, wo sich hinter einigen Schneehaufen eine Häuserfront abzeichnete. Vielleicht waren wir dort etwas vor den Unbilden des Wetters geschützt. Die beiden auf dem Rücken tragend, erreichten wir endlich die Hausmauer. Dort richteten wir unser Zelt auf und machten ein kleines Feuer. Das Holz hatten wir im Rucksack mitgenommen. Die Wärme tat uns gut, und nach einer Stunde konnten wir den Weg fortsetzen.

Wir dachten an unsere Familien, die sicher in Sorge waren um uns. Seit drei Stunden waren wir unterwegs und konnten ihnen noch keine Nachricht geben. Hinter einem Parterrefenster bemerkten wir einen Mann, der uns entgegensah. Wir signalisierten ihm unser Kommen und gaben ihm dann unsere Telefonnummer. Wir baten ihn, zu Hause anzurufen, es ginge uns gut, und wir wären außer Gefahr.

Der Marsch ging weiter. Wenn sie in den nächsten drei Stunden ohne Nachricht von uns blieben, würden sie eine Hilfsexpedition ausrüsten und uns entgegenkommen. Wir würden gern unsere Spuren im Schnee zurücklassen, aber er fiel so dicht, daß er sie sofort wieder zudeckte.

Die zwei Passanten, die wir an der Tramhaltestelle aufgelesen hatten, schlossen sich uns an, und der Vormarsch ging weiter. Einen Taxistand erkannten wir an der Telefonsäule, die aus dem Schnee ragte, aber wir konnten nicht feststellen, ob ein Taxi dastand. Auf der weißen Fläche hatte sich eine leichte Kräuselung gebildet, aber wir hatten keine Zeit, uns zu vergewissern, ob sich darunter ein Taxi befand. Unter unmenschlichen Anstrengungen setzten wir unseren Weg fort und sahen auf einmal zwischen dem Flockengewirbel eine dunkle Masse auftauchen und auf ihr einige gestikulierende Menschen. Wir hörten auch Hilferufe. Wir hielten direkt auf diese Unglücklichen zu, und beim Näherkommen entpuppte sich die dunkle Masse als Schneeräummaschine außer Betrieb.

Die Maschine war fast vollständig im Schnee versunken, und die Bedienungsmannschaft hatte sich auf dem höchsten Punkt zusammengedrängt und rief um Hilfe. Wir retteten auch sie und flüchteten uns dann in einen Tabakladen.

Wir wärmten uns auf, bis unser Blutkreislauf wieder einigermaßen normal war. Wir waren genau auf halbem Weg zur Porta Venezia. In einer kleinen Sitzung besprachen wir, ob weiteres Vordringen einen Sinn hatte, und Serafino behauptete, daß es heller Wahnsinn wäre, weiterzugehen.

Wir riefen zu Hause an und beruhigten unsere Familien. Wir hatten beschlossen, hierzubleiben und im Tabakladen zu überwintern. Wir schauten aus dem Fenster und sahen, daß der Schnee nach wie vor fiel.

Wir konnten ebensogut in Kopenhagen, Berlin, Turin oder Paris sein. Man müßte den weißen Mantel aufheben können, um zu sehen, was darunter war.

Um unseren Geist völlig zu verwirren, war der Nordpol über uns gekommen. Wir warteten nun auf den Frühling, der unserer Stadt wieder ihr Gesicht geben würde, daß es wieder unsere Stadt wird, wie sie immer war.

Duell in kurzem Schafspelz

Stanislaw Griegull, mein Onkelchen, ein ernsthafter Mensch mit langen dünnen Beinen, wurde heimgesucht von einem Unglück ganz besonderer Art. Dies Unglück, um zu geben einen Eindruck von seiner Bedeutung, bestand darin, daß Stanislaw Griegull Geld bekommen sollte – eine Aussicht, die ihn zutiefst bekümmerte, oder, sagen wir mal, fislig machte. Er konnte nicht mehr, wie es seine Gewohnheit war, den Tag verdruseln, er nahm nichts Geräuchertes mehr zu sich, unterhielt sich wenig, grüßte nicht mehr so ausgiebig – mit einem Wort, der bevorstehende Reichtum, wie er's wohl zu tun pflegt, hatte ihn vorzeitig benommen gemacht. Ganz Suleyken, um nicht zu sagen: der ganze Kreis Oletzko, nahm grübelnden Anteil an seinem Mißgeschick, man erwog und überlegte, riet und verwarf, aber der Reichtum war nicht abzuwenden.

Dieser Reichtum, meine Güte, er war gekommen auf einem Weg, den Stanislaw Griegull, mein Onkelchen, nicht übersehen konnte. Er hatte, bitte sehr, nichts Schlimmeres getan als mit einem Viehhändler gewettet über die Vornamen Napoleons, und da die Tatsachen, hol sie der Teufel, Stanislaw Griegull recht gaben, mußte der Viehhändler zahlen.

Als der Tag, an dem der Reichtum hereinbrechen sollte, begann, legte sich Stanislaw Griegull ins Bett und beobachtete, rechtschaffen traurig, den Schneefall. Er lag so, der arme Mann, einen qualvollen Vormittag, als der Briefträger, ein ewig verfrorner Mensch namens Zappka, zu ihm hereinkam, in höflicher Trauer die Geldtasche öffnete und Stanislaw Griegull, meinem Onkelchen, das Geld vorzählte. Er tat es schweigend, in nachdenklicher Bekümmerung, und als er fertig war, trat er ans Bett heran, drückte dem Leidenden die Hand und sprach folgendermaßen:

»Niemand«, sprach er, »Stanislaw Griegull, bleibt auf dieser Welt verschont. Nehmen wir, nur zum Beispiel, den Hasen. Bleibt er verschont? Oder nehmen wir, auch nur zum Beispiel, das Reh. Bleibt es verschont? Und schon gar nicht zu reden von den wilden Schweinen. Es ist, Gevatterchen, ein einziges Leiden in der Welt.«

Stanislaw Griegull, mein Onkelchen, hörte sich die Rede einigermaßen ergriffen an und antwortete so: »Du hast, Hugo Zappka, wunderbar gesprochen. Aber nimm, nur zum Beispiel, den Hasen. Er wird, Gevatterchen, nicht verschont vom Hunger. Aber sein Hunger, bitte schön, bleibt nicht ewig. Der Reichtum, hingegen, er bleibt. Darum werde ich, Ehrenwort, nicht mehr aufstehen.« Nach solchen Worten drehte er sich zur Wand, zog die Decke über den Kopf und schwieg.

Hugo Zappka, in Trauer verbunden, überlegte angestrengt, und während er so überlegte, las er ein Kärtchen nach dem anderen, das er noch auszutragen hatte, und wahrhaftig: die Lektüre inspirierte ihn. Plötzlich, beinahe triumphierend, warf er die Kärtchen in seinen Ledersack, kniff den Leidenden in die Schulter und sagte so: »Ich heiße«, sagte er, »nicht Dr. Sobottka. Darum bin ich kein Kreisphysikus. Aber heilen, Stanislaw Griegull, kann ich dich wie er. Du hast, auf dem Tisch ist's nicht zu sehen, einhundertachtzig Mark, das ist die Krankheit.«

»Sie bleibt«, stöhnte Stanislaw Griegull, mein Onkelchen, und warf sich seufzend herum.

»Das ist«, sagte Zappka, »die Frage. Man könnte so, nur zum Beispiel, für das unerwünschte Geld Bienen einhandeln. Die summen angenehm im Sommer und produzieren Honig.«

»Sie stechen«, rief Stanislaw Griegull.

»Gut«, sagte Zappka, »ich meinte auch nur zum Beispiel. Aber wie wär's, sozusagen, mit einigen Ziegen?«

»Sie stinken«, rief der Kranke.

»Gut, schon gut«, beschwichtigte der Briefträger, sah ratlos durchs Fenster, und unvermutet, in Gedanken an seinen schwierigen Weg, kam ihm die Erleuchtung. Er wies auf den lockeren Schneefall und sprach: »Um diese Zeit«, sprach er, »Stanislaw Griegull, gibt es kein größeres Glück, als mit einem Schlitten und einem Pferdchen dazu, vielleicht für alt gekauft, durch die Wälder zu fahren. Es ist still, man freut sich, die Wege sind hübsch verlassen. – Nun, wie steht es?«

Stanislaw Griegull, nachdem er das gehört hatte, genas augenblicklich, schnappte den Reichtum und genehmigte sich Schlitten und Pferdchen. Die Summe, man wird es schon gemerkt haben, langte natürlich nicht hin, aber ein Mensch namens Schwalgun, der Verkäufer, war bereit, auf den Rest bis zum Sommer zu warten. So spannte Stanislaw Griegull, über die Maßen zufrieden, das alte nickende Pferd an, stieg in den kurzen Schafspelz und fuhr, sagen wir mal: zur Erholung, den schmalen Waldweg hinauf. Geriet vor Freude natürlich gleich ins Singen, das Onkelchen, sang mal in diese Richtung, mal in jene, hielt Ansprachen vor gewissen Bäumen und lauschte hingegeben dem angenehmen Knirschen der Schlittenkufen.

Na, er fuhr so mindestens ein ganzes Weilchen, bis das alte Pferd nickend stehenblieb, und als Stanislaw Griegull, ziemlich überrascht, nach vorn sah, bemerkte er, unmittelbar vor sich, einen entgegenkommenden Schlitten auf dem engen Weg. Er bemerkte außerdem, daß in dem anderen Schlitten der Viehhändler Kukielka aus Schissomir saß, welchen in der Wette besiegt zu haben er die Ehre hatte. Sie standen sich also, wie gesagt, auf dem sehr schmalen Weg gegenüber, und der erste, der sich ein Wort faßte, war Kukielka. Und er faßte es so: »Ich hoffe, Stanislaw Griegull, das Geld ist angekommen.« Worauf sich mein Onkelchen bemüßigt fühlte zu sagen: »Es fährt bereits spazieren, Heinrich Kukielka. Und, wie man sieht, gleitet es nicht übel.«

Kukielka, ein Gnurpel von Wuchs: worunter zu verstehen ist ein kümmerlicher Mensch, stieg vom Schlitten herab, und ein gleiches tat Stanislaw Griegull. Man gab sich höflich die Hand, plauderte angemessen, begutachtete Kufen und Beschläge, und dann erstieg jeder seinen Kutschbock. Die Herren sahen sich an, kreuzten über den Rücken ihrer Pferde einen gespannten Blick und warteten. Sie warteten, wie man richtig vermutet hat, darauf, daß der andere langsam zurückfahren werde, denn vorbeifahren, das war bei der Enge des Waldwegs unmöglich.

Schließlich rief Heinrich Kukielka: »Das Rückwärtsfahren, Stanislaw Griegull, ist gar nicht so schwer. Man muß die Zügel nur trennen, dann geht es langsam und sicher.«

»Ich bin«, rief Stanislaw Griegull, mein Onkelchen, »erfreut, daß du dich auskennst. Dann kannst du, wenn ich bitten darf, gleich anfangen, rückwärts zu fahren. Ich komme ganz langsam nach.«

Kukielka dachte nach, und dann sprach er so: »Ich habe«, sprach er, »die Wette ehrlich bezahlt. Daher kann ich wohl bitten, daß du rückwärts fährst und mir Platz machst.«

»Und ich«, sagte Stanislaw Griegull, ohne nachzudenken, »ich habe, wie sich's gezeigt hat, die Wette gewonnen. Daher kann ich wohl, ohne daß man gnaddrig wird, beanspruchen, daß man mir Platz macht.«

»Also«, sprach der Gnurpel Kukielka, »bleiben wir hier.« Hatte auch gleich, der verkümmerte Mensch, eine Zeitung zur Hand, schlug auf und blätterte angeregt, und dann kniffte er sie wie ein geübter Leser und vertiefte sich in einen Text.

Onkel Stanislaw, wer wird es schon anders erwarten, suchte auch nach etwas Lesbarem, und als er, was vorherzusehen war, nichts fand, räusperte er sich mehrfach und begann, um sich die Zeit zu vertreiben, laut zu singen. So sang und las man sich an; man fühlte sich wohl unter kurzem Schafspelz und zeigte Geduld.

Die Herren saßen so, singend und lesend, einige Stunden, als, durch den intensiven Gesang angelockt, zwei Waldarbeiter erschienen. Da sie aus Suleyken stammten, war Stanislaw Griegull ihnen wohlbekannt. Sie traten an ihn heran, begrüßten ihn und ließen sich erzählen, worum es hier ging. Und nachdem sie alles erfahren hatten, beschworen sie, wie man sagt, Onkel Stanislaw und erklärten, daß, wenn er den Weg freigäbe, Suleyken eine komplette Schlacht verloren habe. Er solle Mut zeigen und Geduld, man werde ihm beistehen. Das sagten die Waldarbeiter, und dann trollten sie sich.

Unterdessen, wie könnte es anders sein, erschien ein grünbejoppter Mensch auf der Gegenseite, erschien und war niemand anderes als der Forstgehilfe von Schissomir. Natürlich hatte das Herrchen nichts zu tun, ließ sich also ausgedehnt aufklären von dem Gnurpel Kukielka und empfahl ihm zum Schluß, Geduld zu zeigen. Schissomir, sagte er lauthin, sei reich. Man werde ihm Zeitungen schicken und Käse und, wo es vonnöten sein sollte, ein eisernes Öfchen mit Koks.

Was sich im folgenden herausstellte, war das, was jeder Masure erhält als Wiegengeschenk: also Treue. Denn kaum war verflossen die übliche Zeit, als hüben und drüben blubbernde Menschen ankamen. Ganz Suleyken umringte Stanislaw Griegull, das Onkelchen, ganz Schissomir Kukielka, den Gnurpel.

Alle, die gekommen waren, trugen was in den Händen: getrocknetes Obst, Rauchfleisch, Gläser mit Gurken und Honig, Gesalzenes, Töpfe mit Sauerkohl, Bohnen, Johannisbeermarmelade, kalte Plinsen, Erbsen und Kohlrouladen. Und Seite und Gegenseite fütterte ihren Liebling und Helden, streichelte und massierte ihn, drückte ihm die Hand und empfahl, keinen Meter nachzugeben. Auch die Pferde, versteht sich, wurden nicht vergessen, erhielten Hafer und Fußlappen und nahmen nickend zahllose Liebkosungen zur Kenntnis.

Nachts, selbstverständlich, kehrten die aus Schissomir und die aus Suleyken zurück zu ihren Familien, und auf der Walstatt der Geduld hob erneutes Ringen an. Einer las, der andere sang. Gelegentlich – je länger der Kampf dauerte, desto öfter – verfiel man ins Plaudern, tauschte Leckerbissen aus, die der sorgende Nachschub gebracht hatte, und munterte sich beredsam auf, falls einer von ihnen nachgeben wollte.

Und die Kämpfer der Geduld harrten aus.

Sie standen so – na, wie lange werden sie gestanden haben? – Genaues kann niemand sagen. Aber gewonnen hat eigentlich keiner. Viel später, wie man hörte, wurde quer über die Walstatt eine Kleinbahn gelegt, und bei dieser Gelegenheit, Ehrenwort, wurden die Herren mit einem Kran fortgeschafft, doch selbst dabei, wie verbürgt ist, baten sie sich aus, nicht rückwärts fortgeschafft zu werden. Und die Kleinbahn, über die noch allerhand zu sagen sein wird, konnte sich nicht genug tun, diesen Wunsch zu respektieren.

Schnee überm Land

Der Wagen der Drahtseilbahn ruckte noch einmal und hielt dann. Es ging nicht weiter. Dichter Schnee trieb über die Gleise. Der Sturm, der über die ungeschützte Oberfläche des Berges dahinjagte, hatte die Schneeoberfläche zu einer krustigen Schanze zusammengefegt. Nick wachste seine Skier im Gepäckabteil, stieß die Stiefelspitzen in die Bindung und zog die Spanner fest. Er sprang seitwärts aus dem Zug auf die harte Schanze, sprang um und fuhr in der Hocke, die Stöcke hinter sich her schleifend, in Schußfahrt den Abhang hinunter.

Auf dem Weißen tiefer unten tauchte George hinab, kam hoch und tauchte außer Sicht. Das Runtersausen und das plötzliche Niederschießen, als er einen welligen Steilhang der Bergwand Schuß fuhr, schalteten Nicks Denken aus und ließen nur das herrliche Gefühl von Fliegen und Fallen in seinem Körper. Er tauchte auf einer kleinen Anhöhe wieder auf, und dann schien der Schnee unter ihm wegzufallen, als er abfuhr, hinab, hinab, schneller, schneller in einem Schwung den letzten, langen, steilen Abhang hinab. In der Hocke, so daß er beinahe auf seinen Skiern saß, um seinen Schwerpunkt möglichst tiefzulegen, fühlte er, als der Schnee wie ein Sandsturm ihn umbrauste, daß er zu starkes Tempo fuhr. Aber er hielt es. Er wollte nicht lockerlassen und umschmeißen. Dann schmiß ihn eine Stelle weichen Schnees um, die der Wind in einer Vertiefung gelassen hatte, er überschlug sich skiklappernd wieder und wieder, fühlte sich wie ein angeschossenes Kaninchen, dann war er festgekeilt, mit gekreuzten Beinen, seine Skier kerzengerade in der Luft und Nase und Ohren voller Schnee.

George stand etwas weiter unten am Abhang und klopfte mit großen Klapsen den Schnee von seiner Windjacke.

»Das war 'ne fabelhafte Abfahrt, Mike«, rief er Nick zu.

»Das da ist lausig weicher Schnee. Hat mich genauso hinge-hauen.«

»Wie ist es denn jenseits der Mulde?« Nick stieß, auf dem Rücken liegend, seine Skier herum und stand auf.

»Man muß sich links halten. Es ist eine schöne, steile Ab-fahrt, und unten ein Christi wegen eines Zauns.«

»Wart einen Moment, wir wollen zusammen abfahren.«

»Nein, mach los. Fahr du zuerst. Ich möchte sehen, wie du die Mulden nimmst.«

Nick Adams fuhr an George vorbei, breiter Rücken, blon-der Kopf, noch ein bißchen voll Schnee; dann kamen seine Skier am Rand ins Gleiten, und er schoß hinunter, zischend in dem kristallischen Pulverschnee, und er schien hinauf-zuschweben und hinabzusinken, als er die wogenden Mul-den rauf und runter fuhr. Er hielt sich links, und zum Schluß, als er mit fest zusammengepreßten Knien auf den Zaun zu-sauste und seinen Körper eindrehte, als ob er eine Schraube anzog, brachte er seine Skier in dem aufstäubenden Schnee scharf nach rechts herum und verlangsamte die Geschwin-digkeit parallel zu Berghang und Drahtzaun.

Er sah den Berg hinauf. George kam kniend in Telemark-stellung herunter, ein Bein vor und gebeugt, das andere nach sich ziehend; seine Stöcke hingen wie die dünnen Beine ir-gendeines Insekts und wirbelten beim Berühren der Oberflä-che Schneewölkchen auf, und schließlich kam die ganze kniende, schleifende Gestalt in einem wunderbaren Rechts-bogen tief in der Hocke herum, ging in Ausfallstellung, der Körper lehnte sich nach außen über, die Stöcke betonten den Bogen wie Interpunktionszeichen aus Licht, alles in einer wilden Wolke von Schnee.

»Ich hatte Angst mit 'nem Christi«, sagte George. »Der Schnee war mir zu tief. Deiner war fabelhaft.«

»Ich kann mit meinem Bein keinen Telemark machen«, sagte Nick.

Nick drückte den obersten Draht des Zauns mit seinem Skier herunter, und George glitt darüber weg. Nick folgte ihm hinunter auf die Landstraße. Sie stakten mit weichen Knien die Landstraße entlang in einen Tannenwald hinein. Die Straße wurde zu poliertem Eis, orange und tabakgelb gefleckt von den Gespannen, die Baumstämme schleppten. Die Skiläufer hielten sich auf dem Schneestreifen am Rand. Die Straße senkte sich scharf einem Fluß zu und lief dann gerade bergauf. Durch den Wald hindurch sahen sie ein langgestrecktes, tiefdachiges, verwittertes Gebäude. Durch die Bäume sah es blaßgelb aus. Näher dran waren die Fensterladen grün gestrichen. Die Farbe blätterte ab. Nick schlug mit einem seiner Skistöcke die Spanner auf und schüttelte die Skier ab.

»Wir können sie hier geradesogut tragen«, sagte er.

Er kletterte den steilen Weg mit den Skiern auf der Schulter bergan und schlug die Absatznägel in den vereisten Boden. Er hörte George dicht hinter sich atmen und seine Absätze einschlagen. Sie lehnten die Skier gegen die Mauer des Gasthauses, klopften sich gegenseitig den Schnee von den Hosen, stampften ihn von den Stiefeln ab und gingen hinein.

Drinnen war es ganz dunkel. Ein großer Kachelofen glänzte in der Ecke des Zimmers. Es hatte eine niedrige Decke. Glatte Bänke standen hinter dunklen, weinfleckigen Tischen an den Wänden entlang. Zwei Schweizer saßen über ihren Pfeifen und zwei Schoppen trüben jungen Weins dicht am Ofen. Die Jungen zogen ihre Jacken aus und setzten sich an die Wand auf der anderen Seite des Ofens. Eine Stimme im Nebenzimmer hörte auf zu singen, und ein Mädchen in einer blauen Schürze kam durch die Tür herein, um zu hören, was sie trinken wollten.

»Eine Flasche Sion«, sagte Nick. «Ist dir das recht, Gidge?«

»Natürlich«, sagte George. »Du verstehst mehr vom Wein als ich. Ich trink alles gern.«

Das Mädchen ging hinaus.

»Ans Skilaufen kommt doch nichts heran, findest du nicht?« sagte Nick. »Das Gefühl so zuerst, wenn man lossaust.«

»Hach«, sagte George, »das läßt sich gar nicht in Worte fassen.«

Das Mädchen brachte den Wein, und sie hatten Mühe mit dem Korken. Endlich bekam Nick die Flasche auf. Das Mädchen ging hinaus, und sie hörten sie im Nebenzimmer ein deutsches Lied singen.

»Die kleinen Korkstückchen darin schaden nichts«, sagte Nick.

»Ob sie wohl Kuchen hat?«

»Wir wollen mal fragen.«

Das Mädchen kam herein, und Nick sah, daß ihre Schürze schwellend ihre Schwangerschaft bedeckte. Warum ich das wohl nicht bemerkt habe, als sie zum erstenmal hereinkam, dachte Nick.

»Was sangen Sie eben?« fragte er sie.

»Oper, deutsche Oper.« Sie hatte keine Lust, das Thema zu erörtern. »Wir haben Apfelstrudel, wenn Sie den wollen.«

»Ist nicht so freundlich, nicht wahr?« sagte George.

»Na, schließlich kennt sie uns ja nicht, und vielleicht dachte sie, daß wir sie wegen ihres Singens aufziehen wollten. Wahrscheinlich kommt sie von dort oben, wo sie Deutsch sprechen, und sie ist gereizt, weil sie hiersein muß, und dann erwartet sie ein Kind und ist nicht verheiratet, und dann ist sie eben gereizt.«

»Woher weißt du denn, daß sie nicht verheiratet ist?«

»Keinen Ring. Teufel noch mal, hier heiratet kein Mädchen, bevor sie nicht schwanger ist.«

Die Tür öffnete sich, und ein Trupp Holzfäller kam von der Landstraße herein; sie stampften ihre Stiefel ab und dampften in der Stube. Die Kellnerin brachte drei Liter jungen Wein für die Bande, und sie saßen rauchend und schweigsam an den beiden Tischen; sie hatten die Hüte abgenommen und lehnten sich rückwärts gegen die Wand oder vornüber auf den Tisch. Draußen hörte man von Zeit zu Zeit ein scharfes Glockengeklirr, wenn die Pferde vor den Holzschlitten die Köpfe hin und her warfen.

George und Nick waren glücklich. Sie mochten einander gern. Sie wußten, daß sie noch die Abfahrt nach Hause vor sich hatten.

»Wann mußt du wieder zurück in die Schule?« fragte Nick.

»Heute abend«, antwortete George. »Ich muß den 10 Uhr 40 von Montreux kriegen.«

»Ich wünschte, du könntest bleiben, und wir könnten morgen den Dent du Lys machen.«

»Muß mich bilden«, sagte George. »Gott, Nick, wär's nicht

herrlich, wenn wir einfach so rumstrolchen könnten? Unsere Skier nehmen und uns auf die Bahn setzen und aussteigen, wo's 'ne gute Abfahrt gibt, und dann weiter, in Kneipen kampieren und durchs ganze Oberland wandern und das Valais rauf und durchs ganze Engadin und nur Reparaturzeug und Reservesweater und Pyjamas in unseren Rucksäkken mitnehmen, und uns den Teufel um die ganze Schule oder sonst was kümmern.«

»Ja, und dann so durch den Schwarzwald laufen. Mensch, all die tollen Orte.«

»Da warst du vorigen Sommer angeln, nicht wahr?«

»Ja.«

Sie aßen den Strudel und tranken den Wein aus.

George lehnte sich gegen die Wand zurück und schloß die Augen.

»Vom Wein fühl ich mich immer so«, sagte er.

»Fühlst du dich schlecht?« fragte Nick.

»Nein, gut, aber komisch.«

»Ich weiß«, sagte Nick.

»Sicher«, sagte George.

»Wollen wir noch 'ne Flasche bestellen?« fragte Nick.

»Nicht für mich«, sagte George.

Sie saßen da, Nick hatte die Ellbogen auf den Tisch gestützt, und George fläzte sich gegen die Wand.

»Erwartet Helen ein Baby?« fragte George und kippte von der Wand an den Tisch zurück.

»Ja.«

»Wann?«

»Im Spätsommer.«

»Freust du dich?«

»Ja, jetzt ja.«

»Wirst du nach Amerika zurückgehen?«

»Wahrscheinlich.«

»Möchtest du?«

»Nein.«

»Möchte Helen?«

»Nein.«

George saß schweigend da. Er sah auf die leere Flasche und die leeren Gläser.

»Zu gemein, nicht?« sagte er.

»Nein, doch nicht ganz«, sagte Nick.

»Wieso nicht?«

»Ich weiß nicht«, sagte Nick.

»Ob ihr je in Amerika zusammen Ski laufen werdet?« sagte George.

»Ich weiß nicht«, sagte Nick.

»Die Berge taugen nicht viel«, sagte George.

»Nein«, sagte Nick, »sie sind zu felsig. Es gibt zuviel Wald, und sie sind zu weit weg.«

»Ja«, sagte George, »genauso ist es in Kalifornien.«

»Ja«, sagte Nick, »so ist es eigentlich überall, wo ich war.«

»Ja«, sagte George, »das stimmt.«

Die Schweizer standen auf, zahlten und gingen hinaus.

»Ich wünschte, wir wären Schweizer«, sagte George.

»Haben alle Kröpfe«, sagte Nick.

»Das glaube ich nicht«, sagte George.

»Ich auch nicht«, sagte Nick.

Sie lachten.

»Kann sein, daß wir nie wieder zusammen Ski laufen werden, Nick«, sagte George.

»Wir müssen, unbedingt«, sagte Nick. »Ohne lohnt ja das Ganze nicht.«

»Wir werden, bestimmt«, sagte George.

»Ja, wir müssen«, stimmte Nick zu.

»Ich wünschte, wir könnten einen Eid darauf ablegen«, sagte George.

Nick stand auf. Er zog den Gürtel seiner Windjacke fest zu. Er beugte sich über George und nahm die beiden Skistöcke von der Wand. Den einen Stock stieß er in den Fußboden.

»Hat keinen Sinn, einen Eid abzulegen«, sagte er.

Sie öffneten die Tür und gingen hinaus. Es war sehr kalt. Der Schnee war stark verharscht. Die Landstraße führte den Hügel hinauf in den Tannenwald.

Sie nahmen ihre Skier, die gegen die Mauer des Gasthauses lehnten. Nick zog seine Handschuhe an. George ging schon mit den Skiern auf der Schulter die Straße hinauf. Jetzt hatten sie noch die gemeinsame Abfahrt nach Hause vor sich.

D. H. LAWRENCE

Winterlicher Pfau

Feiner, trockener Schnee lag auf dem Boden, der Himmel war blau, der Wind war sehr kalt, und die Luft war klar. Die Bauern waren gerade dabei, ihre Kühe über Mittag auf etwa eine Stunde ins Freie zu treiben, und als ich nach Tible kam, war der Geruch aus den Kuhställen unerträglich. Mir fielen die Eschenzweige auf, die sich blaß und leuchtend vom Himmel abhoben und ins Blau reckten. Und dann sah ich die Pfauen. Dicht vor mir auf der Landstraße waren sie, drei Stück, braune, gesprenkelte Tiere ohne Schweif, mit dunkelblauem Hals und zerzauster Krone. Sie trippelten vorsichtig über das Filigranmuster des Schnees, und ihre Körper rückten wie kleine, leichte Flachboote in langsamen Bewegungen voran. Ich bewunderte sie, sie waren eigenartig. Dann wurden sie von einem Windstoß erwischt: er stieß gegen sie, als wären sie drei zerbrechliche Boote, und plusterte ihre Federn wie zerzauste Segel auf. Sie hopsten und hüpften mühsam, um dem Durchzug zu entrinnen. Und dann, im Windschutz der Mauern, nahmen sie ihre vorsichtigen, winterlichen Bewegungen wieder auf, gleichmütig, leicht jetzt und unbelastet, da ihr Schweif ja fehlte. Auch meine Anwesenheit war ihnen gleichgültig. Ich hätte sie berühren können. Sie bogen vom Weg ab, in den Schutz eines offenen Schuppens.

Als ich am Ende des oberen Hauses vorbeikam, sah ich eine junge Frau, die gerade aus der Hoftür trat. Im Sommer hatte ich mit ihr gesprochen. Sie erkannte mich sofort und winkte mir zu. Sie trug einen Eimer und hatte eine weiße Schürze umgebunden, die länger als ihr lächerlich kurzer Rock war; auf dem Kopf hatte sie eine baumwollne Haube. Ich zog den Hut vor ihr und ging weiter. Doch sie setzte den Eimer ab und lief mit einer flinken, verstohlenen Gebärde hinter mir her.

»Macht's Ihnen etwas aus, eine Minute zu warten?« fragte sie mich. »Ich bin in einer Minute wieder hier!«

Sie warf mir ein leises, eigentümliches Lächeln zu und rannte weg. Ihr Gesicht war länglich und blaß, und ihre Nase war ziemlich rot. Doch ihre düsteren schwarzen Augen wurden mir zuliebe eine Sekunde lang schmeichlerisch sanft: es war jene flüchtige Demut, die einen Mann zum Herren der Welt macht.

Ich stand auf der Landstraße und betrachtete die zottigen dunkelroten Kälber, die muhten und mich anzubelfern schienen. Anscheinend waren es zufriedene, muntere Rinder, ein wenig dreist vielleicht, und entweder entschlossen, in den warmen Stall zurückzukehren, oder entschlossen, nicht zurückzukehren: ich konnte nicht feststellen, welches von beidem.

Dann kam die Frau wieder zum Vorschein: den Kopf hielt sie ziemlich geduckt. Aber sie sah zu mir auf und lächelte wieder mit der eigentümlichen, unmittelbaren Vertrautheit, die etwas Circenhaftes und Unwirkliches an sich hat.

»Es tut mir leid, daß ich Sie warten ließ«, sagte sie. »Wollen wir uns hier in den Wagenschuppen stellen? – da sind wir eher vor dem Wind geschützt.«

Wir stellten uns also zwischen die Deichseln im offenen Wagenschuppen, der auf die Landstraße blickte. Dann sah sie zu Boden, ein bißchen seitlich, und mir fiel auf, daß sie die Brauen ziemlich düster zusammengezogen hatte. Sie schien einen Augenblick nachzusinnen. Dann blickte sie mir voll in die Augen, so daß ich blinzelte und mein Gesicht abwenden wollte. Sie suchte etwas in meinen Gesichtszügen, und ihr Gesicht kam mir zu nahe. Ihre kühne blasse Stirn war noch immer in Falten gelegt.

»Können Sie Französisch?« fragte sie mich plötzlich.

»So halbwegs«, antwortete ich.

»Ich habe es angeblich in der Schule gelernt«, sagte sie. »Aber ich kann kein Wort!« Sie duckte den Kopf und lachte, schnitt eine häßliche kleine Grimasse und rollte mit den schwarzen Augen.

»Es hat keinen Sinn, lauter Sprachbrocken im Kopf zu behalten«, antwortete ich.

Aber sie hatte ihr blasses, längliches Gesicht abgewandt und hörte nicht, was ich sagte. Plötzlich sah sie mir wieder ins Gesicht. Sie musterte mich. Und gleichzeitig lächelte sie mich an, und ihre Augen schauten wieder sanft und dunkel mit unendlich sanfter Demut in meine Augen. Sie wollte mir schmeicheln.

»Würde es Ihnen etwas ausmachen, mir einen französischen Brief vorzulesen«, fragte sie, und ihr Gesicht sah im Nú düster und verbittert aus. Sie blickte mich an und zog die Brauen zusammen.

»Durchaus nicht«, sagte ich.

»Es ist ein Brief an meinen Mann«, sagte sie, mich noch immer musternd. Sie schaute mir zu tief in die Augen, mein Kopf war nicht mehr klar. Sie blickte sich um. Dann sah sie mich verschmitzt an. Sie zog einen Brief aus der Tasche und reichte ihn mir. Er stammte aus Frankreich und war an den Obergefreiten Goyte in Tible gerichtet. Ich holte den Briefbogen heraus und begann zu lesen – lediglich die Worte. ›Mon cher Alfred . . .‹ Es hätte ein bißchen von einer zerrissenen Zeitung sein können. Ich hielt mich also an das Geschriebene: die abgedroschenen Phrasen aus dem Brief eines Französisch sprechenden Mädchens an einen englischen Soldaten. »Ich denke immer an dich, immer! Denkst du manchmal an mich?« Und dann begriff ich dunkel, daß ich die private Korrespondenz eines Mannes las. Und doch – wie konnte man diese banalen, glatten französischen Phrasen als ›privat‹ ansehen? Nichts in der Welt konnte banaler und alltäglicher sein als ein solcher Liebesbrief – keine Zeitung war so banal.

Daher las ich den Erguß des belgischen Fräuleins mit ungerührtem Herzen. Doch dann ermahnte ich mich zur Aufmerksamkeit. Denn der Brief ging weiter: ›Notre cher petit bébé – unser liebes kleines Baby wurde vor einer Woche geboren. Ich bin vor Kummer fast gestorben, weil du so weit weg warst und vielleicht nicht mehr an die Frucht unserer wunderbaren Liebe dachtest. Aber der Gedanke an das Kind hat mich getröstet. Es hat die lachenden Augen und das männliche Aussehen seines englischen Vaters. Ich bete zur Mutter Gottes, mir den lieben Vater meines Kindes zu schicken, damit ich ihn mit meinem Kind auf seinen Armen sehen kann und damit wir in heiliger Familienliebe vereint sein können. Ach, mein Alfred, könnte ich dir doch sagen, wie sehr du mir fehlst und wie ich um dich weine! Meine Gedanken sind immer bei dir, ich denke an nichts als an dich, ich lebe für nichts als dich und unser liebes Baby. Wenn du nicht bald wieder zu mir kommst, muß ich sterben, und unser Kind muß sterben. Aber nein, du kannst ja nicht zu mir kommen! Doch ich kann zu dir kommen, ich kann mit unserm Kind nach England kommen. Wenn du mich nicht deinen guten Eltern vorstellen willst, könntest du mich in irgendeinem Ort und irgendeiner Stadt treffen, denn ich werde mich so fürchten, wenn ich mit meinem Kind allein in England bin und keiner da ist, der sich um uns kümmert. Aber ich muß zu dir kommen, ich muß mein Kind, meinen kleinen Alfred, zu seinem Vater bringen, zu dem großen, schönen Alfred, den ich so sehr liebe. Oh, schreibe doch und sage mir, wohin ich fahren soll! Ich habe etwas Geld, ich bin nicht mittellos. Ich habe Geld für mich und mein liebes Baby...‹

Ich las den Brief bis zu Ende. Unterschrieben war er: ›Deine sehr glückliche und noch viel unglücklichere Elise.‹ Wahrscheinlich habe ich gelächelt.

»Wie ich sehe, bringt er Sie zum Lachen!« sagte Mrs. Goyte höhnisch. Ich blickte zu ihr auf.

»Es ist ein Liebesbrief, das weiß ich«, sagte sie. »Es sind zu viele ›Alfreds‹ drin!«

»Einer zuviel!« murmelte ich.

»O ja! Und was schreibt sie da, die Eliza? Wir wissen, daß sie Eliza heißt, das ist der zweite Punkt.« Sie schnitt eine Grimasse und sah plötzlich lächelnd zu mir auf.

»Woher haben Sie den Brief?« fragte ich.

»Der Briefträger hat ihn mir vorige Woche gegeben.«

»Und ist Ihr Mann zu Hause?«

»Ich erwarte ihn heute abend. Er wurde nämlich verwundet, und wir haben ein Gesuch gestellt, daß er nach Hause darf. Er war vor ungefähr sechs Wochen zu Hause – seitdem ist er in Schottland gewesen. Er ist am Bein verwundet worden. Ja, er ist gesund, ein großer, starker Mann. Aber er ist lahm, er hinkt ein bißchen. Er hofft, daß sie ihn entlassen, aber ich glaube nicht dran. Ob wir verheiratet sind? Seit sechs Jahren sind wir verheiratet, und gleich am ersten Kriegstag ist er eingerückt. Oh, er hat geglaubt, daß ihm das Leben gefallen würde. Er hat den Krieg in Südafrika mitgemacht. Nein, er hatte es satt, er war's leid. Ich lebe bei seinem Vater und seiner Mutter – ich habe jetzt kein eigenes Zuhause mehr. Meine Familie hatte eine große Farm – über tausend Morgen – in Oxfordshire. Nicht so wie hier, nein. Oh, sie sind sehr gut zu mir, sein Vater und seine Mutter. O ja, sie könnten gar nicht besser sein. Sie denken mehr an mich als an ihre eigene Tochter. Aber es ist nicht das gleiche, wie wenn man was hat, was einem gehört, nicht wahr? Dort kann man *wirklich* tun, was man will. Nein, hier zu Hause sind nur sein Vater und seine Mutter und ich. Vor dem Krieg? Oh, da wàr er alles mögliche. Er hat gute Schulen besucht – aber das Farmen gefällt ihm besser. Chauffeur war er auch mal – von daher kann er Französisch. Er war lange Zeit in Frankreich Chauffeur...«

In diesem Augenblick kamen die Pfauen, von einem Windstoß getragen, um die Ecke.

»Hallo, Joey!« rief sie, und einer von den drei Pfauen kam auf zierlichen Beinen näher. Sein grau gesprenkelter Rücken war sehr elegant, und während er auf sie zuging, rollte er seinen vollen dunkelblauen Hals. Sie kauerte sich nieder. »Joey, Lieber!« rief sie mit eigentümlicher, traurig-schmeichelnder Stimme, »du findest mich immer, was?« Sie streckte das Gesicht vor, und der Pfau rollte seinen Hals in die Länge und berührte ihr Gesicht beinah mit seinem Schnabel, wie wenn er sie küßte.

»Er liebt Sie!« sagte ich.

Sie warf den Kopf zurück und blickte lachend zu mir auf. »Ja«, sagte sie, »er liebt mich, der Joey!« Und dann, zum Pfau gewandt, fuhr sie fort: »Und ich liebe Joey, jawohl! Ja, ja, ich liebe Joey!« Einen Augenblick glättete sie seine Federn. Dann stand sie auf und sagte: »Es ist ein sehr zärtliches Tier.«

Ich lächelte, weil sie das ›r‹ in ›Tie-rr‹ so gurrte.

»Doch, doch, das ist er!« erklärte sie. »Vor sieben Jahren habe ich ihn von meinem Zuhause mitgebracht. Die anderen sind Nachkommen von ihm – aber sie sind nicht wie Joey – *nicht wahr, mein Lie-berrr*?« Ihre Stimme hob sich, als sie mit diesem circenhaften Ruf endete.

Dann vergaß sie das Tier im Wagenschuppen und wandte sich wieder dem Ernst des Lebens zu.

»Wollen Sie mir den Brief nicht vorlesen?« fragte sie. »Lesen Sie ihn vor, damit ich weiß, was drinsteht!«

»Wir tun es eigentlich hinter seinem Rücken«, meinte ich.

«Oh, kümmern Sie sich nicht um ihn!« rief sie. »Er hat lange genug hinter meinem Rücken gelebt – all die vier Jahre! Wenn er nichts Schlimmeres hinter meinem Rücken getan hat als ich hinter seinem, dann hat er keine Ursache, mit mir zu brummen. Lesen Sie mir vor, was drinsteht!«

Jetzt spürte ich eine ausgesprochene Abneigung, zu tun, um was sie mich bat, und doch begann ich: »Mein lieber Alfred...«

»Das hab ich schon erraten«, sagte sie. »Elizas lieber Alfred!« Sie lachte. »Wie heißt das auf Französisch – Eliza?«

Ich sagte es ihr, und sie wiederholte den Namen äußerst verächtlich: »Elise!«

»Weiter!« sagte sie. »Lesen Sie doch!«

Ich begann also: »...ich habe manchmal an Sie gedacht – haben Sie an mich gedacht?«

»Und an mehrere andre außerdem, könnt ich wetten«, sagte Mrs. Goyte.

»Wahrscheinlich nicht«, sagte ich und fuhr fort: »Vor einer Woche wurde hier ein liebes kleines Baby geboren. Oh, ich kann Ihnen meine Gefühle nicht beschreiben, wenn ich meinen süßen kleinen Bruder auf den Arm nehme...«

»Ich wette, daß es *seins* ist!« rief Mrs. Goyte.

»Nein«, sagte ich. »Es ist das Baby ihrer Mutter.«

»Denken Sie bloß das nicht!« rief sie. »Sie vertuscht es. Glauben Sie mir: es ist bestimmt ihr eigenes – und seins!«

»Nein«, erwiderte ich, »es ist das Baby ihrer Mutter. – Es hat liebe, lachende Augen, aber nicht wie Ihre herrlichen englischen Augen...«

Mit einer wilden Gebärde schlug sie plötzlich mit der Hand auf ihren Rock, bog sich vornüber und krümmte sich vor Lachen. Dann richtete sie sich auf und bedeckte das Gesicht mit der Hand.

»Ich muß einfach lachen über die herrlichen englischen Augen«, sagte sie.

»Sind seine Augen denn nicht herrlich?« fragte ich.

»Oh, doch, bestimmt! Aber weiter! – *Joey, lieber, lieberrr Joey!*« lockte sie den Pfau.

»... hm ... Sie fehlen uns sehr. Sie fehlen uns allen. Wir wünschten, Sie wären hier und könnten sich das süße Baby anschauen. Oh, Alfred, wie glücklich waren wir, als Sie bei uns wohnten! Wir hatten Sie alle furchtbar gern. Meine Mutter möchte das Baby Alfred nennen, damit wir Sie nie vergessen...«

»Natürlich ist es seins, das ist ganz klar«, rief Mrs. Goyte.

»Nein«, sagte ich, »es ist das Baby ihrer Mutter... hm... Meiner Mutter geht es sehr gut. Mein Vater kam gestern nach Hause, auf Urlaub. Er ist begeistert über seinen Sohn, meinen kleinen Bruder, und möchte auch, daß wir ihm Ihren Namen geben, weil Sie damals in der schrecklichen Zeit so gut zu uns allen waren, und das werde ich nie vergessen. Wenn ich daran denke, muß ich jetzt noch weinen. Aber nun sind Sie weit weg, in England, und vielleicht werde ich Sie nie wiedersehen. Wie haben Sie Ihre lieben Eltern vorgefunden? Ich bin froh, daß Ihre Wunde besser ist und daß Sie beinah laufen können...«

»Und wie hat er seine liebe *Frau* vorgefunden?« rief Mrs. Goyte. »Er hat ihr nie erzählt, daß er eine Frau hat. Stellen Sie sich vor, wie er das arme Ding hereingelegt hat!«

»Wir freuen uns so, wenn Sie uns schreiben. Aber da Sie jetzt in England sind, werden Sie die Familie vergessen, der Sie so sehr geholfen haben...«

»Ein bißchen zu sehr, was, *Joey*?« rief Alfreds Frau.

»Wenn Sie nicht gewesen wären, würden wir nicht mehr am Leben sein, um uns in diesem Dasein, das so schwer für uns ist, zu grämen und zu freuen. Aber wir wurden für einige unsrer Verluste entschädigt und leiden nicht mehr so sehr unter drückender Armut. Der kleine Alfred ist mir ein großer Trost. Ich drücke ihn an meine Brust und denke an den großen, guten Alfred, und ich muß weinen, wenn ich denke, daß die Zeiten unseres großen Kummers vielleicht Zeiten eines großen Glücks waren, das auf immer entschwunden ist.«

»Oh, ist es nicht eine Schande, das arme Mädchen so hereinzulegen!« rief Mrs. Goyte. »Nie zu verraten, daß er verheiratet ist, und ihr Hoffnungen zu machen – das nenn ich abscheulich, weiß Gott!«

»Sie verstehen es nicht«, sagte ich. »Sie wissen nicht, wie sehr die Frauen drauf aus sind, sich zu verlieben, Ehefrau hin oder her! Und wie konnte er es verhindern, wenn sie so entschlossen war, sich in ihn zu verlieben?«

»Er hätt's verhindern können, wenn er gewollt hätte.«

»Well«, sagte ich, »nicht jeder von uns ist ein Held.«

»Oh, aber das ist etwas anderes! Der große, gute Alfred! Haben Sie schon jemals im Leben solchen Unsinn gehört? Aber weiter – was schreibt sie zum Schluß?«

»Hm... wir würden uns freuen, von Ihrem Leben in England zu hören. Wir alle senden Ihren guten Eltern die herzlichsten Grüße. Ich wünsche Ihnen alles Gute für die Zukunft. Sehr herzlich – Ihre stets dankbare Elise.«

Einen Augenblick herrschte Stille. Mrs. Goyte hatte den Kopf gesenkt und schien mit unheilvollen und unpersönlichen Gedanken beschäftigt. Plötzlich hob sie ihr Gesicht auf, und ihre Augen blitzten.

»Oh, ich finde es abscheulich, ich finde es gemein, ein Mädchen so hereinzulegen!«

»Ach«, sagte ich, »wahrscheinlich hat er sie gar nicht hereingelegt. Glauben Sie, die französischen Mädchen sind so arme, unschuldige Dinger? Ich vermute, daß sie sehr viel gerissener ist als er.«

»Oh, *er* ist einer der größten Dummköpfe, die je gelebt haben.«

»Da haben Sie's!« sagte ich.

»Aber *sein* Kind ist es doch!« entgegnete sie.

»Das glaube ich nicht«, sagte ich.

»Ich bin überzeugt davon.«

»Also gut«, sagte ich, »wenn Ihnen das lieber ist...«

»Was für andre Gründe hätte sie, ihm so zu schreiben?«

Ich trat auf die Straße vor und betrachtete die Rinder.

»Wer treibt hier die Kühe aus?« fragte ich. Sie trat ebenfalls vor.

»Das ist der Junge vom nächsten Gehöft«, antwortete sie.

»Ach je!« sagte ich. »Diese belgischen Mädchen! Da weiß

man nie, wie's mit ihren Briefen ausgeht. Und schließlich ist es seine Angelegenheit – Sie brauchen sich nicht zu sorgen.«

»Pah!« rief sie. »*Ich* bin's doch nicht, die sich sorgt! Aber die widerliche Gemeinheit hinter allem: wo ich ihm so liebevolle Briefe geschrieben habe« – sie hielt die Hand vors Gesicht und lachte böse – »und ihm die ganze Zeit Päckchen geschickt habe! Ich wette, daß er meine Päckchen mit dem Mädchen geteilt hat, ganz bestimmt! Das sieht ihm ähnlich! Ich wette, daß sie sich zusammen über meine Briefe lustiggemacht haben! Ich gehe jede Wette ein, daß sie's getan haben!«

»Aber nein!« sagte ich. »Er hat sie verbrannt – aus Angst, daß Ihre Briefe ihn verraten könnten!«

Ihr gelbliches Gesicht nahm einen finsteren Ausdruck an. Plötzlich hörte man eine Stimme rufen. Sie steckte den Kopf aus dem Schuppen und rief kühl:

»Ja, gut!« Dann wandte sie sich an mich: »Das war seine Mutter. Sie hat mich gesucht.«

Sie lachte mir lockend ins Gesicht, und wir gingen die Straße entlang.

Als ich am Morgen nach dieser Begegnung erwachte, war das Haus durch tiefen, weichen Schnee eingedunkelt worden: er war gegen die großen Westfenster geweht und hatte sie mit einem Schleier überzogen. Ich ging hinaus und sah das Tal unter mir ganz weiß und geisterhaft daliegen; die Bäume weiter unten sahen fein und schwarz wie Draht aus; die Felswände blickten dunkel aus dem gleißenden Leichentuch hervor, und der Himmel darüber war düster und schwer, gelblich-dunkel und viel zu schwer für die Welt da unten in der bläulich-weißen, schwarz gemusterten Mulde. Mir war, als hätte ich ein Todestal vor mir. Und ich spürte, daß ich ein Gefangener war, denn der Schnee war überall tief, und an manchen Stellen türmten sich hohe Schneewehen. Deshalb blieb ich den ganzen Vormittag im Haus und schaute die Zufahrt entlang auf die so dick mit Schnee beladenen Büsche und auf die Torpfosten, die durch das zusätzliche Weiß um einen Fuß höher geworden waren. Oder ich schaute in das schwarzweiße Tal hinunter, das völlig still und ohne alles Leben war – ein hohler Sarkophag.

Nichts regte sich den ganzen Tag – keine Schneeflocke fiel

von den Büschen, das Tal war so abgeschieden wie ein Toten-hain. Ich blickte auf die winzigen, halb im Schnee vergrabe-nen Gehöfte drüben auf dem kahlen Hochland jenseits von der Talmulde, und ich dachte an Tible im Schnee und an die schwarze kleine Circe, Mrs. Goyte. Und der Schnee schien mich Einflüssen preiszugeben, denen ich entrinnen wollte.

Es erregte mich, im schwachen, halbhellen Licht, das ge-gen vier Uhr nachmittags glomm, tief unten im Schnee eine Bewegung zu entdecken – dort, wo die Dornenbüsche sehr schwarz und wie eine ungebärdige Zwergenschar im trüben Weiß standen. Ich blickte scharf hin. Ja, ich erkannte ein Flü-gelklatschen und Flattern – ein großer Vogel mußte es sein, der sich im Schnee abmühte. Ich wunderte mich. Unsre größ-ten Vögel hier im Tal waren die großen Habichte, die so oft flügelschwirrend gegenüber von meinem Fenster in der Luft standen – auf der gleichen Höhe wie ich, aber hoch über einer Beute auf der steilen Talflanke. Für einen Habicht war das Tier dort viel zu groß – zu groß für jeden mir bekannten Vo-gel. Ich forschte in meinem Geist nach den größten engli-schen Raubvögeln, Wildgänsen und Bussarden.

Es zappelte und kämpfte noch, dann war es still, ein dunk-ler Fleck, und dann mühte es sich wieder ab. Ich ging aus dem Haus und den steilen Hang hinunter, auf die Gefahr hin, mir in den Felsen ein Bein zu brechen. Ich kannte den Boden so gut, und doch war ich tüchtig durchgeschüttelt, ehe ich in die Nähe der Dornbüsche kam.

Ja, es war ein Vogel! Es war Joey. Es war der graubraune Pfau mit dem blauen Hals. Er war erschöpft und vom Schnee durchnäßt.

»Joey! Joey – lie-berrr!« rief ich und stolperte unsicher auf ihn zu. Er sah so rührend aus, wie er im Schnee ruderte und zappelte, zu erschöpft, um sich zu erheben, und wie er den blauen Hals mit der ganz zerzausten Krone ausstreckte und manchmal einfach im Schnee lag und die Augen rasch schloß und öffnete.

»Joey, Lie-berrr!« lockte ich ihn schmeichlerisch. Und end-lich lag er still und blinzelte im aufgewühlten, zerfurchten Schnee, während ich näher kam und ihn berührte, ihn strei-chelte und unter den Arm nahm. Er reckte seinen langen, nassen Hals von mir fort, als ich ihn festhielt, doch trotzdem blieb er unter meinem Arm: wahrscheinlich war er zu müde, um sich zu wehren. Doch immer reckte er seinen armen, bekrönten Kopf von mir fort, und manchmal schien er in sich zusammenzusinken und zu erschlaffen, als könne er plötzlich sterben.

Er war nicht so schwer, wie ich erwartet hatte, doch es war ein Kampf, mit ihm zum Haus hinaufzuklettern. Wir setzten ihn am Feuer nieder, nicht zu nah, und trockneten ihn sanft mit Tüchern ab. Er fügte sich, nur dann und wann reckte er seinen weichen Hals von uns fort, uns hilflos ausweichend. Dann stellten wir warmes Futter vor ihn hin. Ich hielt es ihm an den Schnabel und versuchte, ihn zum Fressen zu bewegen. Aber er wollte nichts davon wissen. Er schien nicht zu bemerken, was wir taten, und war unerklärlich in sich selbst zurückgezogen. Deshalb setzten wir ihn in einen Korb mit Decken und ließen ihn unbeachtet darin kauern. Sein Futter wurde vor ihn hingestellt. Die Vorhänge waren zugezogen, das Haus war warm, es war Nacht geworden. Manchmal rührte er sich, doch meistens kauerte er still da und hatte seinen wunderlichen, bekrönten Kopf auf die Seite gelegt. Er rührte sein Futter nicht an, und um Geräusche oder Bewegungen kümmerte er sich nicht. Wir sprachen von Kognak oder andern Anregungsmitteln. Aber ich sah ein, daß es am besten sei, ihn in Ruhe zu lassen.

In der Nacht hörten wir ihn jedoch herumpoltern. Ich stand besorgt auf und zündete eine Kerze an. Er hatte ein wenig von seinem Futter gefressen und noch mehr verstreut und alles beschmutzt. Jetzt saß er aufgebäumt auf der Rückenlehne eines schweren Sessels. Daraus schloß ich, daß er sich erholt hatte oder sich erholte.

Am nächsten Tag war der Himmel klar, und der Schnee war gefroren, deshalb beschloß ich, ihn nach Tible zu tragen. Nach wiederholtem Flügelklatschen war er einverstanden, sich in einem großen Fischbeutel niederzulassen, aus dem sein zerzauster Kopf voll stürmischer Besorgtheit hervorspähte. Und so machte ich mich mit ihm auf den Weg und rutschte ins Tal hinunter, kam im bleichen Schatten neben dem brausenden Gewässer gut voran und kletterte dann mühsam die in Fesseln gelegte Talflanke hinan, die mit Federbüscheln junger Tannen besteckt war, und hinein in den bleicheren weißen Glanz der verschneiten Hochfläche, wo der Wind wie mit Nadeln stach. Joey schien die ganze Zeit mit großen, besorgten, blicklosen Augen klug und ergründlich aufzupassen. Als wir uns Tible näherten, zappelte er heftig in seinem Fischbeutel, doch weiß ich nicht, ob er die Gegend wiedererkannte. Als wir dann zu dem Schuppen kamen, blickte er lebhaft von einer Seite auf die andre und machte einen langen Hals. Ich fürchtete mich ein wenig vor ihm. Er ließ ein lautes, durchdringendes Kreischen hören und öffnete seinen unheimlichen Schnabel; ich stand still, sah, wie er sich in seinem Beutel abmühte, und geriet dabei selber ins Wanken, dachte jedoch nicht daran, ihn freizulassen.

Dann kam Mrs. Goyte um die Hausecke geschossen; den Kopf hatte sie wild suchend ausgestreckt. Sie sah mich und kam näher.

»Haben Sie meinen Joey?« rief sie hitzig, als wäre ich ein Dieb.

Ich öffnete den Beutel, und er plumpste heraus und schlug mit den Flügeln, als wäre ihm die Berührung mit dem Schnee jetzt verhaßt. Sie hob ihn auf und hielt ihre Lippen an seinen Schnabel. Sie war erhitzt und hübsch, ihre Augen strahlten, das Haar war locker und üppig, aber sie war circenhafter denn je.

Sie war in Begleitung einer grauhaarigen Frau mit einem runden, ziemlich fahlen Gesicht und einer leicht feindseligen Miene.

»Sie haben ihn also hergebracht?« fragte sie scharf. Ich gab ihr zur Antwort, daß ich ihn am Abend vorher gerettet hätte.

Aus dem Hintergrund näherte sich allmählich ein schlanker Mann mit einem grauen Schnurrbart und großen Flicken auf seiner Hose.

»Du hast ihn also wiederbekommen, wie ich sehe«, sagte er zu seiner Schwiegertochter. Seine Frau erzählte ihm, wie ich Joey gefunden hätte.

»Aha!« fuhr der alte Mann fort. »Unser Alfred hat ihn erschreckt, da könnt ich drauf wetten! Er muß übers Tal geflogen sein. Du kannst deinen Sternen danken, Maggie, daß er gefunden worden ist. Er hätt erfrieren können. Sie sind nämlich ein bißchen verstört«, sagte er zu mir.

»Das stimmt«, gab ich zu. »Es ist nicht ihr Heimatland.«

»Nein, das ist es nicht«, erwiderte Mr. Goyte. Er sprach sehr langsam und absichtlich ruhig, als würde seiner Stimme ständig der Dämpfer aufgesetzt. Er blickte auf seine Schwiegertochter, wie sie erhitzt und dunkel vor dem Pfau kauerte, der seinen langen blauen Hals immer wieder einen Moment in ihren Schoß legte. Der ältliche Mann hatte trotz seines grauen Schnurrbarts und der grauen Haare ein junges und beinah zartes Gesicht – wie das eines jungen Mannes. Seine blauen Augen zwinkerten aus einem Anlaß unerklärlicher Freude; seine Haut war fein und zart, die Nase war sanft gebogen. Sein graues Haar war ein wenig zerzaust. Er hatte einen fröhlichen Ausdruck – wie ein junger Mann, der verliebt ist.

»Wir müssen ihm erzählen, daß er wieder da ist«, sagte er langsam, drehte sich um und rief: »Alfred! Alfred! Wo steckst du denn nur?«

Dann kehrte er sich wieder zu uns um.

»Steh auf, Maggie, Mädchen, los, steh auf! Du stellst dich zu sehr an mit dem Tier.«

Ein junger Mann näherte sich; er trug eine derbe Khakijacke und Kniehosen. Er sah dänisch aus und war breit über die Hüften.

»Er ist also wieder da«, sagte der Vater zu seinem Sohn; »das heißt, er ist zurückgebracht worden, er war übers Griff Low geflogen.«

Der Sohn blickte mich an. Er hatte eine unbekümmerte Haltung: die Mütze saß ihm schief auf dem Kopf, und die Hände steckten in den Vordertaschen seiner Breeches. Aber er sprach nicht.

»Kommen Sie doch eine Minute ins Haus, Master!« sagte die ältere Frau zu mir.

»Ja, kommen Sie rein und trinken Sie eine Tasse Tee! Nachdem Sie den Vogel hergetragen haben, können Sie sicher was gebrauchen. Los, Maggie! Wollen reingehen, Mädchen!«

Wir gingen also hinein: in das ziemlich muffige, überfüllte

Wohnzimmer, das zu gemütlich und zu warm war. Der Sohn folgte als letzter: er blieb auf der Schwelle stehen. Der Vater unterhielt sich mit mir. Maggie holte die Teetassen hervor. Die Mutter ging wieder in die Milchkammer.

»Das wird dich ein bißchen aufheitern, Maggie«, sagte der Schwiegervater, und zu mir gewandt: »Sie war nicht sehr munter, seit Alfred nach Haus gekommen ist und der Vogel weg war. Er ist am Mittwoch abend nach Hause gekommen, unser Alfred. Aber das wissen Sie ja, nicht wahr? Ja, am Mittwoch ist er gekommen, und da war ja wohl ein bißchen Spektakel zwischen den beiden, was, Maggie?«

Arglistig blinzelte er seiner Schwiegertochter zu, die rot wurde und strahlte und hübsch aussah.

»Oh, sei still, Vater, du bist gut aufgezogen, wie's scheint!« sagte sie zu ihm, als wäre sie ihm böse. Aber ihm konnte sie niemals böse sein.

»Heut früh hat sie ihre Farbe wiederbekommen«, fuhr der Schwiegervater langsam fort. »Die letzten beiden Tage war's schlecht Wetter bei ihr. Ja, der Nordost hat geblasen, seit Maggie Sie am Mittwoch gesehen hat.«

»Vater, hör bloß auf zu reden. Du kannst einen ja um und dumm reden! Ich versteh nicht, wo du auf einmal die Sprache wiedergefunden hast!« sagte Maggie mit hitziger Zärtlichkeit.

»Hab sie dort gefunden, wo ich sie verloren hatte. Alfred, willst du nicht reinkommen und dich hinsetzen?«

Aber Alfred wandte sich ab und verschwand.

»Er ist fuchtig wegen der Sache mit dem Brief«, flüsterte mir der Vater verstohlen zu. »Mutter weiß nichts drüber. Ein Haufen Unsinn, was? Ja! Was nützt es schon, sich einen Berg Scherereien wegen einer Sache zu machen, die weit genug weg ist und nie näher kommen wird? Nein, das nützt kein bißchen. Ich sag ihr das immerzu. Sie soll sich nicht drum kümmern. Denn was kann man schon erwarten?«

Die Mutter kam wieder ins Zimmer, und die Unterhaltung wurde allgemein. Maggie blitzte mich von Zeit zu Zeit mit ihren Augen an und war selbstgefällig und zufrieden, während sie zwischen den Männern hin und her ging. Ich machte ihr kleine Komplimente, die sie zu überhören schien. Sie bediente mich mit einer gewissen unheimlichen, circenhaften Anmut; den dunklen Kopf hatte sie geduckt und war gleichzeitig demütig und triumphierend. Sie war so glücklich wie ein Kind, als sie ihren Vater und mich umsorgte. Doch zwischen ihren Augenbrauen drohte es unheilkündend, als hätte sich dort ein dunkler Schmetterling niedergelassen, und auch aus ihrer geduckten, wuchtigen Haltung sprach etwas Unheilkündendes.

Sie saß auf einem niedrigen Schemel vor dem Feuer, neben ihrem Schwiegervater. Ihr Kopf war gesenkt; sie schien in einem Zustand völliger Entrücktheit zu sein. Von Zeit zu Zeit kam sie plötzlich wieder zu sich, blickte zu uns auf und lachte und schwatzte. Dann vergaß sie uns wieder. Doch selbst in ihrer tiefen, finsteren Entrücktheit schien sie uns sehr nahe zu sein.

Da sich die Tür geöffnet hatte, stolzierte langsam und gelassen der Pfau ins Zimmer. Er ging zu ihr, kauerte sich hin und zog seinen blauen Hals ein. Sie sah ihn an, doch fast so, als bemerke sie ihn nicht. Der Vogel saß ruhig da und schien zu schlafen, und die Frau saß auch geduckt und ruhig da und schien geistesabwesend. Dann hörten wir schwere Schritte, und Alfred trat ein. Er blickte seine Frau an, und er blickte auf den Vogel, der vor ihr kauerte. Großspurig stand er auf der Schwelle und hatte die Hände in die Vordertaschen seiner Breeches gesteckt. Keiner sprach. Er drehte sich auf dem Absatz um und ging wieder hinaus.

Ich erhob mich, um ebenfalls zu gehen. Maggie fuhr zusammen, als käme sie zu sich.

»Müssen Sie gehen?« fragte sie, stand auf und kam zu mir, stellte sich vor mich hin, legte den Kopf auf die Seite und blickte zu mir auf. »Können Sie nicht ein bißchen länger bleiben? Heute können wir's uns alle gemütlich machen, draußen ist nichts zu tun.« Und sie lachte eigentümlich und ließ ihre Zähne sehen. Sie hatte ein langes Kinn.

Ich erwiderte, daß ich gehen müsse. Der Pfau, der vor dem Feuer lag, reckte seinen langen blauen Hals und zog ihn wieder ein. Maggie stand noch immer dicht vor mir, so nah, daß ich mir meiner Westenknöpfe bewußt wurde.

»Aber Sie kommen wieder, nicht wahr?« sagte sie. »Kommen Sie doch wieder!«

Ich versprach es.

»Kommen Sie irgendwann mal zum Tee, ja, bitte?«

Ich versprach es – irgendwann mal.

Im Augenblick, da ich mich aus ihrer Gegenwart entfernte, hörte ich völlig für sie zu existieren auf – so völlig, wie ich für Joey zu existieren aufhörte. Mit ihrer merkwürdigen Entrücktheit hatte sie mich sofort wieder vergessen. Ich wußte es, als ich sie verließ. Doch sie schien in fast körperlichem Kontakt mit mir zu stehen, solange ich bei ihr war.

Der Himmel war wieder ganz bleich und gelblich. Als ich ins Freie trat, war die Sonne weg; der Schnee war blau und kalt. Ich eilte hastig fort, den Hügel hinab, und sann über Maggie nach. Die Straße wand sich in einer Kurve über die steile Stirnwand des Abhangs. Als meine Schritte mühsam durch den Schnee knirschten, bemerkte ich einen Menschen, der langbeinig den jähen Steilhang hinabkam, um mir den Weg abzuschneiden. Es war ein Mann; er hatte die Hände halb in den Vordertaschen seiner Breeches; mit seinen eckigen Schultern war er ein echter Bergbauer – Alfred natürlich. Bei der Steinmauer wartete er auf mich.

»Entschuldigen Sie«, sagte er, als ich näher kam.

Ich blieb vor ihm stehen und blickte in seine finsteren blauen Augen. Seine Brauen zeigten einen gewissen wunderlichen Hochmut. Und seine blauen Augen starrten mich unverschämt an.

»Wissen Sie etwas von einem Brief, einem französischen Brief, den meine Frau geöffnet hat – einen an mich gerichteten Brief?«

»Ja«, sagte ich. »Sie bat mich, ihr den Brief vorzulesen.«

Er sah mich offen an. Er wußte nicht ganz genau, was er denken sollte.

»Was stand darin?« fragte er.

»Wieso?« sagte ich. »Wissen Sie es denn nicht?«

»Sie tut so, als hätte sie ihn verbrannt«, antwortete er.

»Ohne Ihnen den Brief zu zeigen?« fragte ich.

Er nickte knapp. Er schien darüber nachzudenken, welches Vorgehen er einschlagen solle. Er wollte den Inhalt des

Briefes in Erfahrung bringen. Er mußte es wissen, und deshalb mußte er mich fragen, denn offenbar hatte seine Frau ihn verspottet. Gleichzeitig würde er bestimmt gern ungeahnte Rachegelüste an meiner unglücklichen Person auslassen. Daher beäugte er mich, und ich beäugte ihn, und keiner von uns sagte etwas. Er wollte seine Frage nicht gern wiederholen. Und doch sah ich ihn nur an und überlegte.

Plötzlich warf er den Kopf in den Nacken und blickte ins Tal hinab. Dann änderte er seine Stellung – er war kein Fußsoldat. Dann schaute er mich etwas zutraulicher an.

»Sie hat das verflixte Ding verbrannt, ehe ich's gesehen habe.«

»Ach«, antwortete ich langsam, »sie weiß ja selber nicht, was drin stand.«

Er fuhr fort, mich scharf zu beobachten. Ich grinste mir eins.

»Ich mochte ihr nicht vorlesen, was drin stand«, fuhr ich fort.

Er wurde plötzlich rot, so daß die Adern an seinem Hals anschwollen, und trat unbehaglich von einem Fuß auf den andern.

»Das belgische Mädchen schrieb, ihr Baby sei vor einer Woche geboren worden, und sie wollten es Alfred nennen«, erzählte ich.

Er begegnete meinen Blicken. Ich grinste. Auch er begann zu grinsen.

»Alles Gute für sie!« sagte er.

»Alles Gute!« sagte ich.

»Und was haben Sie *ihr* erzählt?« fragte er.

»Daß das Baby der alten Mutter gehöre – daß es der kleine Bruder des Mädchens sei. Sie habe Ihnen als dem Freund ihrer Familie geschrieben.«

Er stand da und lächelte mit der bedächtigen, schlauen Arglist eines Bauern.

»Und hat sie's geschluckt?« fragte er.

»Genau wie sie alles andre geschluckt hat.«

Er stand da, ein starres Grinsen im Gesicht. Dann stieß er ein kurzes Gelächter aus.

»Geschieht ihr recht!« rief er geheimnisvoll.

Und dann lachte er noch einmal laut heraus, weil er offenbar fand, daß er im Wettkampf mit seiner Frau einen guten Zug gemacht habe.

»Und die andre Frau?« fragte ich.

»Wer?«

»Elise!«

»Oh!« Er trat beklommen von einem Fuß auf den andern. »Die war richtig!«

»Sie werden wohl zu ihr zurückgehen?« fragte ich.

Er sah mich an. Dann verzog er den Mund zu einer kleinen Grimasse.

»Ich? Nein! Ich wette, daß es 'ne Falle ist!«

»Sie glauben also nicht, daß *le cher petit bébé* ein kleiner Alfred ist?«

»Möglich«, sagte er.

»Nur möglich?«

»Ja, möglich ist manches.« Er lachte polternd, aber unsicher.

»Was hat sie denn nun wirklich geschrieben?« fragte er.

So gut ich es vermochte, begann ich, die Sätze aus dem Brief zu wiederholen.

»Mon cher Alfred – *Figure-toi comme je suis désolée...*«

Er hörte mir mit einiger Verwirrung zu. Als ich alles wiederholt hatte, woran ich mich erinnern konnte, sagte er:

»Die verstehen's, einen Brief hinzuhauen – diese belgischen Mädchen!«

»Übungssache!« sagte ich.

»Die haben sie reichlich«, erwiderte er.

Eine Pause entstand.

»Oh, well«, sagte er. »Den Brief habe ich ja ohnehin nie bekommen.«

In der Sonne blies der Wind fein und schneidend scharf über den Schnee. Ich putzte mir die Nase und wandte mich zum Gehen.

»Und sie weiß *gar nichts* darüber?« fuhr er fort und deutete mit dem Kopf bergauf, in der Richtung von Tible.

»Sie weiß nichts weiter als das, was ich gesagt habe – falls sie den Brief wirklich verbrannt hat.«

»Ich glaube, sie hat ihn verbrannt«, entgegnete er. »Aus

Trotz! Sie ist ein kleiner Teufel, weiß Gott. Aber ich werd's ihr schon heimzahlen!« Sein Unterkiefer war unnachgiebig und störrisch. – Dann plötzlich wandte er sich mit einem neuen Gedanken an mich:

»Warum – haben Sie dem verdammten Pfau nicht den Hals umgedreht?« fragte er. »Dem verdammten Joey!«

»Warum?« fragte ich. »Weshalb denn?«

»Ich hasse das Biest«, sagte er. »Ich hab auf ihn geschossen!«

Er stand da und sann nach.

»Arme kleine Elise«, murmelte er.

»War sie klein?« fragte ich, »*Petite?*« Er warf den Kopf auf.

»Nein«, sagte er. »Ziemlich groß.«

»Größer als Ihre Frau vermutlich?«

Wieder blickte er mir in die Augen. Und dann brach er wieder in schallendes Gelächter aus, dem das stille, einsam verschneite Tal Beifall klatschte.

»Mein Gott, ein richtiger K.-o.-Schlag«, sagte er und fand es furchtbar lustig. Dann stand er entspannt da, hatte die Hände vorne in die Taschen seiner Breeches gesteckt und den Kopf aufgeworfen: ein schmuckes Mannsbild.

»Aber den verdammten Joey werd ich umlegen«, sann er.

Ich lief den Hügel hinab und brüllte vor Lachen.

UTTA DANELLA

An diesem Tag
war Schnee gefallen

An irgendeinem Tag seines Lebens widerfährt es einem Menschen, daß er aus dem Unbewußtsein der Kindheit auftaucht zur Bewußtheit, daß von all den unzähligen Sinneseindrükken, von denen er seit dem Augenblick seiner Geburt ununterbrochen bestürmt wurde, einer so nachhaltig, so stark ist, um sich festzusetzen, einfach deswegen, weil er einen so tiefen Eindruck hinterließ, daß er, festgebannt wie auf einem Bild, im Kopf dieses Menschen haftenbleibt. Von diesem Tag an hat er das, was man Erinnerung nennt.

Zunächst sind es einzelne Bilder, hervorgerufen durch bestimmte Geschehnisse oder Erlebnisse, meist verbunden mit einem großen Schreck, einem Schmerz, einer Angst oder auch einer Freude, die haften bleiben, die eine Zeitlang nachwirken und das bestimmte Gefühl, das mit ihnen verbunden war, für eine Weile bewahren oder wieder hervorrufen können. Im Laufe eines Lebens kann man feststellen, daß diese Erinnerungen nie verlorengehen, auch wenn viele andere Ereignisse, das tägliche Leben überhaupt, das in dieser Zeit stattfand, in tiefe Vergessenheit geraten sind, untergegangen und nicht mehr aufzufinden, doch dieses oder jenes ist geblieben, und man weiß genau, noch zehn, noch zwanzig, ja dreißig Jahre später: das war damals, zu jener Zeit, als dies und das geschah, und ich war so und so alt, und ich habe so und nicht anders empfunden.

Ein solches Erinnerungsbild blieb Nina, entstanden aus Schreck und dumpfem Angstgefühl, aus jenem Winter, als sie ihren Vater weinen sah. Es mußte, das konnte sie sich später leicht ausrechnen, kurz nach dem Tod seiner Mutter gewesen sein.

An diesem Tag war Schnee gefallen, schwerer, dicker Schnee, der Haus und Garten und den Rest der Welt weiß und stumm werden ließ. Spät war er gekommen in diesem Jahr, der Schnee, ein nasser, regenreicher Herbst war vorangegangen, er war es, der Lene die Lungenentzündung gebracht hatte, und als man sie in die Erde legte, war die Erde noch weich und bereit, nicht starr, nicht gefroren. Nun deckte der Schnee auch Lenes frisches Grab zu, ließ die letzten Blumen auf ihrem Grab erfrieren, machte die Endgültigkeit ihres Fortgegangenseins auf eine schweigende und beharrliche Weise sichtbar.

Es war ein Sonntag, und Emil war am Nachmittag auf den Friedhof gegangen, allein, hatte im Schneefall lange am Grab seiner Mutter gestanden, und das Gefühl der Verlassenheit, das ihr Tod ihm gebracht hatte, war so stark geworden, daß er sich schließlich abrupt abwandte und fortging, um nicht in Tränen auszubrechen. Auf dem Weg zum Ausgang kam er an dem Grab vorbei, in dem seine erste Frau und sein erster Sohn lagen, aber hier verweilte er nur kurz und machte sich auf den Heimweg.

Es war ein weites Stück zu laufen, vom Friedhof bis zurück zum Haus, unablässig fiel der Schnee auf ihn, seine Füße waren eiskalt, und er dachte: vielleicht bekomme ich auch eine Lungenentzündung und kann sterben.

Kann sterben, dachte er, nicht muß sterben.

Er befand sich in einer Stimmung, daß ihm der Tod willkommen gewesen wäre, und das war, wie er sofort einsah, eine ebenso törichte wie unrechte Stimmung, die er sich selbst verbieten mußte, die auch seine Mutter, wenn sie davon etwas gewußt, gerügt hätte. Sie war immer lebensbejahend gewesen, und überdies hatte sie die Pflichterfüllung, die Erledigung der ihr auferlegten Pflichten, um es einmal weniger starr auszudrücken, als erste und wichtigste Aufgabe ihres Lebens angesehen. So hatte sie ihre Kinder erzogen und nicht zuletzt ihren klugen Sohn Emil. Und ob es Pflichten für ihn gab! Sein Amt, heute schwer zu bewältigen unter der neuen Leitung und darum seiner bedürftiger denn je, und außerdem seine Familie, die auf ihn angewiesen war.

Das alles wußte er, machte er sich klar auf dem langen Heimweg, aber das änderte nichts an der Resignation, die ihn befallen hatte; sein Amt war ihm zur Last geworden, die tägliche Arbeit zur Plage, und was war ihm seine Familie? Darüber hatte er noch nie nachgedacht. Sie war da, die Familie, und er ernährte sie, so hatte es seine Ordnung. Aber was war sie ihm sonst?

Er kam nicht so weit, zu denken: liebe ich sie oder lieben sie mich, denn die Beantwortung dieser Frage hätte ihn in noch schwärzere Verzweiflung stürzen müssen. Das Wort Liebe war so fremd in seinem Vokabular, war überhaupt eine Sache, der er mißtraute, ein Begriff, der in Romane und Operetten gehörte, nicht in das tägliche Dasein eines Mannes. Aber er dachte merkwürdigerweise an diesem Tag wieder einmal an seine erste Frau, die Lehrerstochter, die damals bei der Geburt ihres zweiten Kindes, das sein erster Sohn hätte werden sollen, gestorben war.

Er hatte diese erste Frau sehr gern gehabt, in gewisser Weise war sie seiner Mutter ähnlich gewesen, resolut, tapfer, lebensbejahend und fröhlich. Das war gut für ihn gewesen, das spürte er instinktiv. Agnes, in ihrer scheuen, ängstlichen Art, Agnes, die sich wegschieben und treten ließ, die ihn ansah, mit todtraurigen Augen, wenn er unfreundlich zu ihr war, ohne ihm jemals entgegenzutreten, und sei es im Zorn, und die sich damit bei ihm weder Ansehen noch – nun ja, meinetwegen Liebe erworben hatte. Noch ihr Lachen war scheu und zurückhaltend, war es jedenfalls in seiner Gegenwart, war es mehr und mehr geworden im Lauf der Jahre, ihre strahlenden Augen waren erloschen, und wenn sie strahlten, taten sie es nur noch für die Kinder.

Dies alles dachte er natürlich nicht genau, nicht in Einzelheiten, nur vage, befangen im Schmerz um die Tote, wobei es ihn selbst überraschte, daß der Tod seiner Mutter ihm so nahe ging. Sie war alt gewesen, es war zu erwarten, daß sie sterben mußte, es war der natürliche Lauf der Dinge, und schließlich eine so große Rolle hatte sie in seinem Leben nicht gespielt, so oft war er gar nicht mit ihr zusammen gewesen, daß er sie nun so schmerzlich vermissen mußte. Es war und blieb töricht, sich von ihrem Tod so überwältigen zu lassen. Das sagte er sich auf diesem Weg mehr als einmal, und er versuchte, an anderes zu denken.

Und wieder dachte er an seine erste Frau, als könne nur bei

ihr Trost und Ablenkung sein, und dann dachte er an diesen ersten Sohn, der mit ihr gestorben war. Fünfzehn Jahre wäre dieser Sohn heute, er könnte hier neben ihm gehen, groß und kräftig, das war sie selbst gewesen, vielleicht wäre dieser Sohn größer gewachsen als er, ein Junge, ein Jüngling schon. Obertertia, vielleicht gar schon Untersekunda, ein guter Schüler, der gern zu ihm in die Bibliothek kam und sich ein Buch aussuchte, sorglich beraten von seinem Vater.

Es würde lange dauern, bis Willy so weit sein würde. Er war jetzt drei Jahre, und Emil erschien es unerträglich lang, abzuwarten, bis das Kind zu einem Leser und Gesprächspartner herangewachsen war. (Daß Willy diese Rolle nie spielen würde, ahnte er glücklicherweise in dieser Stunde noch nicht.)

In solchen Gedanken, und von der Trauer um die Mutter innerlich ganz mürbe geworden, kam er zu Hause an. Es war bereits dunkel, das Ungeheuer von Haus sah, in Schnee gehüllt, geheimnisvoll, ja, sogar schön aus. Der Weg zwischen Gartentor und Haustür war sauber von Schnee geräumt, das hatte Gertrud besorgt, aber die Flocken fielen so dicht, daß von ihrer Arbeit schon in einer Stunde nichts mehr zu sehen sein würde.

Im Oberstock war ein Fenster erleuchtet, Hedwigs Zimmer, und unten brannte Licht hinter den drei Fenstern, die, eines seitwärts, zwei an der Rückseite des Hauses in den Garten blickend, zur Küche gehörten.

Saßen sie denn schon wieder alle in der Küche, dachte er mit flüchtigem Unmut, doch dann fiel ihm ein, daß Agnes angekündigt hatte, sie würden an diesem Nachmittag die ersten Weihnachtsplätzchen backen; das vereinigte natürlich alle Kinder in der Küche, ausgenommen Hedwig, die sich an solchen Unternehmungen nie beteiligte.

Hoffentlich, so dachte er, war seine Schwiegermutter nicht gekommen, bei diesem Schnee müßte er sie später nach Hause begleiten, und es gelüstete ihn nicht im geringsten danach, noch einmal in die Kälte hinauszugehen.

Über das bevorstehende Weihnachtsfest hatte er erst am Abend zuvor mit Agnes gesprochen, dahingehend, ob man wegen Lenes Tod die Festlichkeiten nicht auf ein Mindestmaß beschränken sollte.

Festlichkeiten, so hatte er sich ausgedrückt, und Agnes hatte gesagt: »Es ist das Heilige Christfest, und Mutter Lene wäre die letzte, die gewollt hätte, daß die Kinder ihretwegen darauf verzichten sollen.« Das klang noch fest, aber gleich zog sie sich wieder zurück, fügte unsicher hinzu: »Oder meinst du nicht auch, daß sie so gedacht hätte? Es ist ja nicht wegen dir oder wegen mir, es ist ja nur wegen der Kinder.«

Er hatte dann entschieden, Weihnachten zu feiern wie immer, vielleicht ein wenig stiller, und darum hatte also der Bäckerei dieses Tages kein ernstliches Hindernis entgegen gestanden. Bescheiden war ihr Weihnachtsfest immer gewesen, es war kein Geld da, große Geschenke zu machen. Die Kleinen bekamen ein Spielzeug, eine Puppe, ein Bilderbuch, die Größeren etwas ›Praktisches‹, was sie sowieso benötigten – Charlotte strickte für alle –, es gab Äpfel und Nüsse und vielleicht für jeden noch einen Pfefferkuchen. Die Hauptsache waren immer die kulinarischen Genüsse, an den Weinachtstagen wurde gut und reichlicher gegessen als im ganzen übrigen Jahr.

Am Heiligen Abend gab es Würste und Rauchfleisch in polnischer Soße, das hatte Lene immer gemacht, weil Franz Nossek es sich so gewünscht hatte, und Agnes hatte es von Lene gelernt; Charlotte pflegte, als sie Kinder waren, am Heiligen Abend nur einen Heringssalat zu machen, den sie mit Butterbrötchen servierte.

Also, bereits am Heiligen Abend wurde schwer und ausgiebig gegessen, braune und weiße Würste in der dicken würzigen Soße, das fette Rauchfleisch, Sauerkraut dazu und Kartoffeln. Am ersten Feiertag gab es die Gans. Die bekam Emil meist aus dem Landkreis mitgebracht, eine richtig schwere, große Gans; sie kostete ihn sehr wenig, allerdings bestand er stets darauf, etwas dafür zu bezahlen, keiner sollte ihm je nachsagen, er sei zu bestechen gewesen, und sei es mit einer Weihnachtsgans. Zur Gans gab es Kartoffelklöße und Rotkraut, und zu diesem Festessen kam selbstverständlich Charlotte, während Leontine von je alle Einladungen zur weihnachtlichen Tafel abgelehnt hatte.

Blieb von der Gans noch etwas übrig, wurde am zweiten Feiertag davon gegessen, war es zu knapp, bekam es nur der Hausherr, die anderen kriegten das Gänseklein – Hals, Flügel, Magen und Herz der Gans –, das durch eine gute fette Suppe mit selbstgemachten Nudeln zu einem schönen Gericht wurde.

So war das immer gewesen, und so würde es auch in diesem Jahr sein. Natürlich würde es auch einen Christbaum geben, Agnes las die Weihnachtsgeschichte, dann sangen sie alle zusammen mit unsicherer Stimme ›Stille Nacht, Heilige Nacht‹, bei welcher Gelegenheit Agnes dann sagte: »Es ist zu schade, daß wir kein Klavier haben.«

Vor dem Fest wurde gebacken, zuerst die Plätzchen, auf drei oder vier Arbeitsgänge verteilt, dann eine große Mohnbabe, ein Hefezopf und zuletzt ein großes Blech Streuselkuchen. Nichts also würde sich in diesem Jahr ändern, das war beschlossen, und wie Agnes ganz richtig gesagt hatte, wäre Lene die Letzte gewesen, die das mißbilligt hätte.

Früher, als die Familie noch kleiner war, hatten sie oft einen Feiertag, meist den zweiten, bei Lene und Franz verbracht, aber nachdem diese Familie sich ebenfalls so vergrößert hatte, lief es höchstens auf einen Kaffeebesuch hinaus.

Als Emil das Haus betreten hatte, stampfte er mehrmals kräftig mit den Füßen auf und klopfte den Schnee von seinen Armen, die Küchentür öffnete sich, ein Schwall von Wärme schlug ihm entgegen. Agnes, die Wangen rosig und fast so hübsch wie früher, steckte den Kopf heraus und fragte: »Du kommst ja so lange nicht. Bist du nicht halb erfroren? Das ist ein Schnee, was?«

Gertrud, die ihm sonst wohl aus dem Mantel geholfen hätte, konnte es nicht, ihre Hände waren voller Mehl, er mußte den Mantel selbst ablegen, schüttelte ihn aus und hängte ihn im Flur auf. In die Küche einzutreten, hatte er nicht vor, obwohl von dort die einladende Wärme kam. Er betrat die Küche so gut wie nie.

»In der Bibliothek habe ich eingeheizt«, rief Agnes ihm noch nach. »Ich bringe dir gleich einen heißen Tee.«

Dann saß er also allein in seiner Bibliothek, es war still und einsam, auch die Bücher waren in dieser Stunde keine

Freunde, der Raum lag im Dunkel, er hatte nur die Petroleumlampe in der Ecke angezündet, und das Gefühl der Verlassenheit, kurz verdrängt durch den Eintritt in das Haus, kehrte zurück. Die waren da in der Küche mit ihren mehligen Händen und backten, und draußen fiel der Schnee auf das Grab seiner Mutter, der einzige Mensch, der ihn verstanden und geliebt hatte, denn jetzt dachte er auf einmal: geliebt. Keiner kümmerte sich um ihn, keiner hatte ihn gern, und morgen mußte er wieder diesen Schnösel aus Berlin ertragen, morgen und alle Tage, die vor ihm lagen.

Er saß in seinem Sessel, stützte den Kopf in die Hand und starrte schwermütig in die Dunkelheit des großen Raumes.

Nach einer Weile kam Gertrud mit dem Tee, stellte die Kanne und die Tasse vor ihn auf den kleinen Tisch, sie beeilte sich, sie hatte ja zu tun in der Küche, es drängte sie, dorthin zurückzukehren. Sie sprach kein Wort, Emil auch nicht, auf einem Teller lag ein Stück Hefekuchen, der am Vortag für den Sonntag gebacken wurde.

Den Kuchen rührte Emil nicht an, er hatte sowieso keinen Appetit, aber er bemerkte, daß sie in der Küche in der Eile den Zucker vergessen hatten. Das sah ihnen ähnlich, zwei Gedanken zur gleichen Zeit im Kopf haben, das war zuviel verlangt, das war so Frauenart.

Auf die Idee, hinauszugehen und den Zucker zu holen, kam er nicht, er würde den Tee bitter trinken, er fühlte sich ohnedies als ein vom Schicksal geschlagener Mann. Bitterer Tee paßte ausgezeichnet dazu.

Er schob die Lampe zur Seite, damit ihr Schein nicht sein Gesicht traf, er wollte jetzt nicht lesen, er sah immer noch die Gräber vor sich, das neue Grab und das alte Grab, und nun weinte er.

Den Kopf in die Hand gestützt, saß er da, zutiefst unglücklich, des Lebens überdrüssig.

In diesem Augenblick kam Nina ins Zimmer getrippelt. Sie hatten draußen gemerkt, daß der Zucker vergessen worden war, und hatten die Kleine mit der Zuckerdose losgeschickt. Sie kam sehr leise, denn die Kinder waren dazu erzogen, sich leise zu verhalten, wenn der Vater im Haus war. Mit der einen Hand hatte sie die Tür vorsichtig aufgeklinkt, die andere umklammerte die Zuckerdose, lautlos kam sie herein, ging durch das dunkle Zimmer bis zu der Ecke, wo der Vater saß, auf der Backe hatte sie einen Mehlfleck und im Mundwinkel einen Teigkrümel, denn sie hatte natürlich vom Teig genascht, und dann, als sie vor ihm stand, sah sie, daß er weinte.

Beinahe hätte sie vor Schreck die Zuckerdose fallen lassen. Sie war fünf Jahre alt, sie hatte noch nie einen Erwachsenen weinen sehen, zu der Beerdigung hatte man sie nicht mitgenommen, nur Hedwig und Gertrud waren als groß genug befunden worden, daran teilzunehmen. Und nun – der Vater!

Der Vater, der gleich nach dem lieben Gott kam, so mächtig und allgewaltig, so zu fürchten und zu achten war er, saß da, die Hand über die Augen gelegt, der Kneifer baumelte an der Schnur auf seiner Brust, und unter seiner Hand kamen Tränen hervor, die ihm über die Wangen liefen.

Nina stand wie erstarrt, wagte sich nicht zu rühren, wagte kaum zu atmen, und tiefes Entsetzen erfüllte ihre Kinderseele. Der Gegensatz war auch zu groß: das heitere Treiben in der Küche, Schwatzen, Lachen, die Spannung, beim Backen zuzusehen, die Neugier auf das, was aus dem Ofen kam – und hier das große dunkle Zimmer, der schweigende Mann in der Ecke, der weinte.

Am liebsten hätte sie sich umgedreht und wäre weggelaufen, aber sie hatte schließlich eine Mission zu erfüllen, sie mußte den Zucker bringen, da war der Tee, schon in die Tasse gefüllt, und da hinein mußte der Zucker. Das Beste war, den Zucker leise hinzustellen und dann schnell wegzulaufen. Aber sie stand wie gebannt, und in ihrem kleinen Herzen, das noch so unbefangen reagierte, verwandelte sich der Schreck in tiefes Mitleid. Auch ihre Augen füllten sich mit Tränen, die Zuckerdose zitterte in ihrer Hand, ein Schluchzen entrang sich ihr, und Emil blickte auf.

Vor ihm stand seine jüngste Tochter, nicht ganz sauber im Gesicht, das eine Zöpfchen war aufgegangen, und über ihre Backen strömten aus weitgeöffneten Augen helle Tränen, aus Augen, die auf ihn gerichtet waren.

Er strich sich mit der Hand über Stirn und Wangen, setzte den Kneifer auf und fragte: »Warum weinst du denn?«

»Ich... ich weiß nicht«, schluchzte das Kind.

»Was hast du denn da?«

Sie streckte ihm mit beiden Händen die Dose entgegen.

»Den...den Zucker. Trudel hat gesagt...« Sie konnte nicht weitersprechen.

Er nahm ihr die Zuckerdose ab, plazierte sie neben Teekanne und Teetasse, streckte unwillkürlich die Hand nach dem Kind aus und zog es zu sich heran. Mit seinem Taschentuch wischte er ihr die Tränen von den Backen, gleichzeitig auch den Mehlfleck und den Teigkrümel, strich ihr flüchtig übers Haar, sagte merkwürdig weich: »Danke. Und nun lauf wieder in die Küche.«

Sie wandte sich und rannte wie gehetzt aus dem Zimmer. Als sie draußen war, putzte er sich die Nase, zuckerte seinen Tee und fühlte sich wohler.

Nina vergaß diese Szene nie. Und später konnte sie auch rekonstruieren, daß seine Tränen wohl mit dem Tod seiner Mutter zusammenhingen, ein ganz natürlicher und verständlicher Vorgang also.

Es war der einzige Augenblick ihrer Kindheit, in dem es zu einer gewissermaßen persönlichen Begegnung mit ihrem Vater kam. Es wäre seine Sache gewesen, nicht ihre, diese flüchtige Bindung, die da entstanden war, festzuhalten und zu vertiefen. Aber dazu war Emil, dieser Unglückswurm, nicht imstande. Ihm war es nicht gegeben, Liebe zu gewinnen, Zuneigung zu empfangen, diese Gabe hatte Gott ihm nicht verliehen, und so konnte er sie bei aller Intelligenz nicht entwickeln und blieb darum, bei allem, was sich gegen ihn sagen ließ, ein bedauernswerter Mensch...

Der Hase

Der Schneidermeister Sedlak brachte Anfang November einen Hasen nach Hause. »Füttere ihn gut«, sagte er zu seiner Frau, »auf daß er fett und stark werde und wir Weihnachten einen Braten haben.«

Ob der Schneidermeister »... auf daß« sagte, ist nicht sichergestellt. Aber dem Sinn nach lautete seine Rede so, wie ich sie hier wiedergebe. Frau Sedlak selbst hat sie mir gleich andern Tages, nachdem der Hase ins Haus gekommen war, berichtet.

Frau Sedlak ist die bravste Frau, die jemals für eine fremde Wirtschaft Sorge getragen hat. Sauberkeit ohne Fehl wirkt ihre geschäftige Hand, und Kleider, Wäsche, Schuh, von ihr betreut, sprächen, wenn sie reden könnten, gewiß ›Mutter‹ zu ihr.

Sie besitzt kein Kind. Aber als der Hase kam, da hatte sie eins.

Sie erzählte viel von seiner Possierlichkeit und seiner Zutraulichkeit, und wie er auf den Pfiff herbeikäme und mit welcher Neugierde und mit welchem Interesse er ihr mit den Augen folge. Und wenn er auch Schmutz und Arbeit verursache, sie trüge diesen kleinen Mühezuwachs gern um des Spaßes willen, den das Tier mit seinen Kapriolen und seiner nimmermüden Spiellust bereite.

Der Hase erhielt eine alte Kiste zur Wohnstatt und Abfälle von Küchenabfällen zur Nahrung. Die Küchenabfälle selbst kommen auf den Sedlakschen Mittagstisch.

Und der Hase gedieh. Er bekam einen Bauch und volle Backen. Frau Sedlak erzählte, ihrem Mann laufe das Wasser im Mund zusammen, sooft er das Tier nur ansehe. Ihr lief es in den Augen zusammen, wenn sie dachte, welchem Schicksal der Hase entgegenschwoll.

Daß er so mächtig Fleisch ansetzte, erfüllte sie wohl mit hausfraulichem Stolz, und daß dem Weihnachtstisch ein Braten gewiß, war ihr keineswegs eine unangenehme Vorstellung. Jedoch Frau Sedlak hatte auch ein Herz im Leibe, nicht nur einen Magen; und was des Magens Hoffnung, wurde des Herzens Not. Frau Sedlak vermutete, daß auch ihr Mann, obschon er's mit keiner Silbe und keinem Blick verriet, eine heimliche über-materielle Zuneigung für den Hasen im Innersten berge ... aber ich glaube, das redete sie sich nur ein, von dem unterbewußten Wunsch getrieben, es möchte der Schneidermeister das Odium der Rührseligkeit auf sich nehmen und den Hasen begnadigen.

Der Schneider dachte nicht an derlei. Er setzte das Datum der Schlachtung fest und verpflichtete den Hausmeistersohn, der die große Kriegsmedaille hatte, zur Metzgertat.

Von dem Augenblick an, da das Urteil über den Hasen unwiderruflich gefällt war, begann die brave Frau über ihn zu schimpfen. Sie sprach von ihm nur mehr per ›der Kerl‹. Die ganze Wohnung stinke nach ihm, bei Nacht rumore er in seiner Kiste herum, daß man nicht schlafen könne – die Kiste würde längst dringend als Heizmaterial benötigt –, und soviel Kohlstrünke und Gemüsemist gebe es gar nicht, wie der Kerl auf einen Sitz verschlingen könne. Am Ende sei sie froh, daß nun bald Weihnachten käme und der lästige Wohnungsgenosse wieder verrschwinde.

Auch über den Fleisch-Ertrag, den sie sich von dem Kerl verspreche, redete sie, doch mit so kummervollem Appetit in der Stimme, daß es klar war, sie übertreibe diese Einschätzung vor sich selbst, um mit dem Gewicht des köstlichen Hasenfleisches ihr Bangen zu erdrücken.

Dem Hasen selbst muß das Dilemma seiner Gebieterin aufgefallen sein. Oder gab ihm, der doch nun einmal dahin mußte, ein höherer Lenker, womit er der Frau für bewiesene Sorgfalt und Güte danken könne? Genug, er tat, der Hase, wie in solcher Lage ein psychologisch geschulter Hase auch nicht anders hätte tun können:

Er biß Frau Sedlak in den Finger.

Freudestrahlend berichtete sie: »Er hat mich in den Finger gebissen.«

Ja, gottlob, nun war unter das Todesurteil, es moralisch stützend, die todeswürdige Tat geschoben. Nun war das verpflichtende Freundschaftsband zwischen Frau Sedlak und dem Hasen von diesem selbst entzweigebissen. Nun war Appetit auf Hasenbraten: Gerechtigkeit. Fiat!

Sie schluckte trotzdem, die Schneidermeisterfrau, als sie von des Hasen Ende erzählte. Sie warf einen scheuen Blick zur Seite bei der Erzählung, als spüre sie, was das heißt, ein atmendes Wesen, einen unbescheiblich rätselvollen, kompliziertesten, mit Gefühl, Bewegung, Gesicht, Gehör, mit allen heiligen Wundern des Lebens begabten Organismus zu vernichten, damit er von anderer Wesen Mäulern zerkaut und zu Nahrungsbrei eingespeichelt werden könne.

Und es hing noch wie Schleier trauernder Liebe um das Lächeln, mit dem sie sagte: »Schön fett war er.«

Das Fell ist zum Trocknen aufgespannt; es hat seinen Wert. Ein wenig Fett ist noch in der Speisekammer als Superplus des Feiertagsbratens. Die Wohnung stinkt nicht mehr nach tierischem Exkrement. Kein nächtliches Rumoren in der Küche stört den Schlaf der braven Leute.

Aber die alte Kiste ist nicht zu Brennholz zerhackt worden. Sie bleibt Kiste.

Denn Herr Sedlak ist entschlossen, wieder einen Hasen zu erwerben.

Und Frau Sedlak wird, vermute ich, sich vom Fleck weg seelisch so auf ihn einstellen, als ob er sie schon gebissen hätte.

Weihnachtsschmaus

Ein Geschehnis aus dem Bävertal

Ein großer Schlitten fährt in schneller Fahrt auf der Straße dahin, und die Schellen klingeln. Es ist Frostwetter, Schnee und sternenklarer Himmel.

Es sitzt ein junges Paar in dem Schlitten. Sie reden nicht miteinander. Alles, was er sagt, läßt sie unbeantwortet. Bei der Brücke, wo der Wind heftig bläst, fragt er, ob sie friere. Sie antwortet verdrießlich, ja, ihr sei kalt.

Bei dem großen Ackerfelde sagte er:

Ja, nun sind wir gleich da!

Bald leuchteten ihnen die Lichter eines großen Bauernhofes entgegen. Auf dem Hofplatz stand der Oberknecht.

Guten Abend, Brede, grüßen die Fremden.

Guten Abend! erwidert der Knecht und will die Zügel nehmen.

Die junge Frau steigt aus dem Schlitten aus, zieht ihren Fausthandschuh ab und reicht dem Knechte die Hand. Sie kannten einander. Ihre Hand war kalt, die seinige heiß. Sie sprachen weiter nichts, er sagte nur:

Das ist Martha, wie ich sehe!

Sie geht sogleich mit ihrem Mann ins Haus, und Brede führt die Pferde in den Stall.

Einige Minuten später geht Brede in die Küche hinein und setzt sich auf die lange Bank. Er ist ein junger, kräftiger Bursche und hoch von Wuchs. Der Lärm und das Lachen in den Stuben dringt bis in die Küche hinaus, wo die Mädchen emsig mit der Abendmahlzeit beschäftigt sind. Man hört, es gibt ein Fest auf dem Hof.

Die Tür geht auf, und Martha kommt heraus.

Sie begrüßt die Leute und streichelt den Hund. Darauf wendet sie sich an Brede und bittet ihn, nach ihrem einen Fausthandschuh zu suchen, den sie unten im Schlitten verloren haben müsse. Während sie spricht, fällt das Licht der Lampe auf ihr Gesicht. Sie ist eine junge, blonde, üppige Frau.

Brede sieht sie einen Augenblick an und geht stumm hinaus.

Kurz darauf geht auch Martha hinaus. Sie trifft Brede beim Schlitten.

Findest du den Handschuh nicht? fragt sie.

Nein! erwidert er.

Sie suchen beide eine Weile. Dann sagt sie:

Du hast dich im letzten Jahre nicht sehr verändert!

O doch, erwidert er, das war ein langes Jahr!

Ja, sagt auch sie, das war ein langes Jahr. Und du bist niemals in unserer Gegend gewesen.

Sie finden den Handschuh nicht. Sie bleiben an der Treppe stehen. Er sagt:

Du frierst ja, Martha, du hast so wenig an!

Das ist ja gleichgültig, erwidert sie leise.

Ihr Mann kommt heraus. Sein Gesicht sieht munter und komisch aus. Er hat mehrere Schnäpse getrunken. Martha blickt ihn unwillig an und geht sogleich hinein.

Komm und nimm auch ein Glas, Brede, sagt ihr Mann gutmütig.

Sie gehen beide in die Küche hinein, und die Flasche wird geholt. Bei dem dritten Glase weigert sich Brede, mehr zu trinken; aber der Mann fährt fort, ihn zu nötigen. Da trinkt er noch ein viertes Glas, steht plötzlich auf und geht aus der Küche hinaus.

Er geht zur Gesindestube hin. Dort sitzen noch zwei andere Knechte und spielen beim Schein eines Lichtes Karten. Es ist gegen acht Uhr.

Brede setzt sich für sich allein hin. Er lauscht ein wenig auf nahende Schritte im Schuppen. Man kommt, uns zum Essen zu rufen, denkt er. Aber es war Martha, die kam.

Spielst du nicht Karten? fragt sie Brede.

Nein, erwidert er.

Willst du mir dann draußen bei etwas helfen? sagt sie.

Brede folgt ihr hinaus.

Was willst du? fragt er.

Sie antwortet nicht. Es ist dunkel im Schuppen. Sie hat seine Hand ergriffen, und er hört ihr Herz klopfen.

Wie seltsam es ist, dich wiederzusehen! sagt sie.

Darauf antwortet Brede nichts. Sie fragt:

Du machst dir vielleicht nichts mehr aus mir?

Nein, erwidert er. Geh wieder hinein, Martha!

Eine Minute verfließt, sie läßt plötzlich seine Hand los, stößt sie von sich und sagt, ganz außer sich:

Ja, fort mit dir, laß mich vorbei!

Er blieb verwirrt und verlegen stehen. Er blickte auf den Hof hinaus; sie war schon verschwunden.

Dann wurde zum Essen gerufen. Brede ging in die Küche hinein und setzte sich mit den anderen Knechten an den langen Tisch. Mitten während der Mahlzeit kommt Marthas Mann wieder mit der Flasche heraus. Sein Gesicht ist heißer geworden und lustiger, er spendiert allen, besonders aber Brede. Martha kommt auch heraus, sie lacht und scherzt mit ihrem Mann.

Schenk nun Brede ein! sagt sie.

Der Mann schenkt ein. Brede trinkt einmal ums andere; aber plötzlich sagt er: Warum soll ich so viel kriegen?

Trink! erwidert der Mann.

Brede steht zornig vom Tisch auf, ergreift seine Mütze und eilt hinaus.

Ihm nach! ruft Martha.

Alle lachen. Martha verfolgt ihn, ihr Mann läuft ihm mit der Flasche lachend und schreiend nach. Immer mehr Leute kommen aus dem Hause heraus, um zuzusehen, darunter auch Marthas Vater, der Hofbesitzer. Er lacht, daß er sich schüttelt, und hält sich seinen Bauch. Brede eilt im Sprung auf die Scheune zu, merkt, daß er verfolgt wird, und läuft schnell entschlossen die hohe Leiter hinauf, höher und höher, ganz bis zur Spitze. Dann steigt er auf das Scheunendach hinüber. Hier setzt er sich in den Schnee.

Der Mond ist aufgegangen, der Abend ist klar und hell.

Paß auf, da oben ist es gefährlich! ruft Martha.

Brede antwortet nicht.

Ist es da nicht gefährlich? ruft sie wieder. Ihr Gesicht hat einen ängstlichen Ausdruck.

Brede antwortet wieder nicht. Der Mond beleuchtet seinen mächtigen Körper, der einen Schatten über das Dach hinwirft.

Ihm nach, Paul! sagt Martha leise und wütend.

Ihr Mann beginnt die Leiter emporzuklettern. Er lacht und spricht herab, klettert, erreicht die oberste Sprosse, steckt den Kopf über den Dachrand empor und nickt Brede zu.

Brede! sagt er.

Was willst du von mir? fragt Brede. Ich werfe dich kopfüber hinunter auf sie!

Paul steigt aufs Dach.

Ja, wirf mich nur kopfüber auf sie hinab, dazu bist du der rechte Kerl, sagt er.

Er spricht Brede gut zu, gibt ihm recht, klopft ihm auf die Schulter. Er bietet ihm einen Schluck aus der Flasche an, und Brede nimmt ihn an, nur um ihm zu Willen zu sein.

Sie bleiben dort oben sitzen. Die Gäste von der Gesellschaft gehen wieder zum Essen hinein. Brede bekommt mehr und mehr aus der Flasche, Paul umarmt ihn, sie trinken auf gute Freundschaft.

Du hast Martha vor mir gekannt, sagt Paul und blinzelt ihm zu und lacht. Ihr seid fast zusammen aufgewachsen.

Brede fragt mißtrauisch:

Was willst du, daß ich dir erzähle? Frage sie selbst!

Trink, Brede! ruft Martha hinauf.

Willst du mich zugrunde richten, ja? fragt Brede zurück.

Die Flasche wird geleert. Brede sitzt auf dem Dach und schlenkert mit den Beinen. Unten steht Martha und beobachtet alles.

Es ist ja nur einmal im Jahre Weihnachten, sagt Paul mit seiner einfältigen Miene und beginnt die Leiter hinabzukriechen.

Warte ein wenig! ruft Brede ihm nach. War nichts mehr in der Flasche? Er breitet die Arme aus und blickt mit starren Augen in den Hof hinab. Er nimmt Schnee vom Dach und wirft ihn auf Paul herab, schreiend aus vollem Halse lachend.

Als Paul unten angekommen ist, sagt seine Frau:

Nimm jetzt die Leiter weg!

Brede hört es oben vom Dach und erwidert:

Ja, nimm nur die Leiter weg; ich springe hinunter.

Er steht auf und bereitet sich zum Sprung, gleitet aber rückwärts hin und fällt auf das Dach. Schlaff und betrunken, wie er ist, bleibt er da liegen und sieht zu, wie die Leiter fortgenommen wird. Auf dem Hof wird es still, er sieht hinunter, entdeckt niemand und glaubt sich allein. Die Leiter wird wieder angelegt und an ihren Platz gestellt, er merkt es aber nicht. Er hat seine Augen geschlossen.

Setz wieder die Leiter an! brummt er vor sich hin. Die Kälte beginnt auf ihn zu wirken, er fängt an zu schlafen, erhebt sich aber plötzlich mit einem Ruck. Setz wieder die Leiter an, sagt er in die Luft hinaus; ich habe etwas, was ich dir geben kann! Ganz wirr und furchtbar betrunken stemmt er die Hände gegen das Dach und läßt sich auf den Hof hinabgleiten.

Man vernimmt einen Schrei, Stimmen rufen durcheinander, man umringt ihn.

Ja, aber die Leiter stand ja da, sagt Martha entsetzt. Ich setzte sie ja wieder an, da steht sie ja.

Brede wälzt sich ein paarmal im Schnee herum und richtet sich dann auf. Er hat sich die Stirne zerschlagen, er blutet; aber der Fall hat die Benebelung wie fortgeblasen, er beginnt selbst verwundert zu lachen und wischt sich mit lustiger Miene das Blut ab. Es fällt ihm schwer, aufrecht zu stehen, er taumelt hin und her, und einer der älteren Knechte ergreift ihn am Arm, um ihn zu stützen. Seine Jacke geht auf, und aus seiner Brusttasche fällt ein Fausthandschuh heraus.

Martha reißt die Augen weit auf, über ihr Gesicht zuckt ein Ausdruck wilder Freude, sie tritt näher, hebt den Fausthandschuh auf und steckt ihn in die Tasche.

Er hat meinen Handschuh, sagt sie leise, er hatte ihn doch!

Sie folgt den andern und verbindet Brede. Sein Rausch geht nach und nach vorüber, dieser starke Kopf kommt schnell wieder in Ordnung. Er taumelt indes noch immer, man untersucht seine Beine und findet, daß das eine gebrochen ist. Martha wirft sich auf den Boden und löst schnell seine Schuhriemen auf.

Zwei Jahre später wurde Martha Witwe, und ein Jahr darauf ward der steifbeinige Brede ihr Mann.

ADALBERT STIFTER

Gletschernacht

... Die Kinder gingen nun in das Eis hinein, wo es zugänglich war. Sie waren winzig kleine wandelnde Punkte in diesen ungeheuern Stücken.

Wie sie so unter die Überhänge hineinsahen, gleichsam als gäbe ihnen ein Trieb ein, ein Obdach zu suchen, gelangten sie in einen Graben, in einen breiten, tiefgefurchten Graben, der gerade aus dem Eis hervorging. Er sah aus wie das Bett eines Stromes, der aber jetzt ausgetrocknet und überall mit frischem Schnee bedeckt war. Wo er aus dem Eis hervorkam, ging er gerade unter einem Kellergewölbe heraus, das recht schön aus Eis über ihn gespannt war. Die Kinder gingen in dem Graben fort und gingen in das Gewölbe hinein und immer tiefer hinein. Es war ganz trocken, und unter ihren Füßen hatten sie glattes Eis. In der ganzen Höhlung aber war es blau, so blau, wie gar nichts in der Welt ist, viel tiefer und viel schöner blau als das Firmament, gleichsam wie himmelblau gefärbtes Glas, durch welches lichter Schein hineinsinkt. Es waren dickere und dünnere Bogen, es hingen Zacken, Spitzen und Troddeln herab, der Gang wäre noch tiefer zurückgegangen, sie wußten nicht wie tief, aber sie gingen nicht mehr weiter. Es wäre auch sehr gut in der Höhle gewesen, es war warm, es fiel kein Schnee, aber es war so schreckhaft blau, die Kinder fürchteten sich und gingen wieder hinaus. Sie gingen eine Weile in dem Graben fort und kletterten dann über den Rand hinaus.

Sie gingen an dem Eis hin, sofern es möglich war, durch das Getrümmer und zwischen den Platten durchzudringen.

»Wir werden jetzt da noch hinübergehen und dann von dem Eis abwärts laufen«, sagte Konrad.

»Ja«, sagte Sanna und klammerte sich an ihn an.

Sie schlugen von dem Eis eine Richtung durch den Schnee abwärts ein, die sie in das Tal führen sollte. Aber sie kamen nicht weit hinab. Ein neuer Strom von Eis, gleichsam ein riesenhaft aufgetürmter und aufgewölbter Wall, lag quer durch den weichen Schnee und griff gleichsam mit Armen rechts und links um sie herum. Unter der weißen Decke, die ihn verhüllte, glimmerte es seitwärts grünlich und bläulich und dunkel und schwarz und selbst gelblich und rötlich heraus. Sie konnten es nun auf weitere Strecken sehen, weil das ungeheure und unermüdliche Schneien sich gemildert hatte, und nur mehr wie an gewöhnlichen Schneetagen vom Himmel fiel. Mit dem Starkmute der Unwissenheit kletterten sie in das Eis hinein, um den vorgeschobenen Strom desselben zu überschreiten und dann jenseits weiter hinab zu kommen. Sie schoben sich in die Zwischenräume hinein, sie setzten den Fuß auf jedes Körperstück, das mit einer weißen Schneehaube versehen war, war es Fels oder Eis, sie nahmen die Hände zur Hilfe, krochen, wo sie nicht gehen konnten, und arbeiteten sich mit ihren leichten Körpern hinauf, bis sie die Seite des Walles überwunden hatten und oben waren.

Jenseits wollten sie wieder hinabklettern.

Aber es gab kein Jenseits.

So weit die Augen der Kinder reichen konnten, war lauter Eis. Es standen Spitzen und Unebenheiten und Schollen empor wie lauter furchtbares überschneites Eis. Statt ein Wall zu sein, über den man hinübergehen könnte und der dann wieder von Schnee abgelöst würde, wie sie sich unten dachten, stiegen aus der Wölbung neue Wände von Eis empor, geborsten und geklüftet, mit unzähligen blauen geschlängelten Linien versehen, und hinter ihnen waren wieder solche Wände, und hinter diesen wieder solche, bis der Schneefall das Weitere in seinem Grau verdeckte.

»Sanna, da können wir nicht gehen«, sagte der Knabe.

»Nein«, antwortete die Schwester.

»Da werden wir wieder umkehren und anderswo hinab zu kommen suchen.«

»Ja, Konrad.«

Die Kinder versuchten nun von dem Eiswalle wieder da hinab zu kommen, wo sie hinauf geklettert waren, aber sie kamen nicht hinab. Es war lauter Eis, als hätten sie die Richtung, in der sie gekommen waren, verfehlt. Sie wandten sich hierhin und dorthin und konnten aus dem Eis nicht herauskommen, als wären sie von ihm umschlungen. Sie kletterten abwärts und kamen wieder in Eis. Endlich, da der Knabe die Richtung immer verfolgte, in der sie nach seiner Meinung gekommen waren, gelangten sie in zerstreutere Trümmer, aber sie waren auch größer und furchtbarer, wie sie gerne am Rande des Eises zu sein pflegen, und die Kinder gelangten kriechend und kletternd hinaus. An dem Eissessaume waren ungeheure Steine, sie waren gehäuft, wie sie die Kinder ihr Leben lang nicht gesehen hatten. Viele waren in Weiß gehüllt, viele zeigten die unteren schiefen Wände sehr glatt und fein geschliffen, als wären sie daraufgeschoben worden, viele waren wie Hütten und Dächer gegeneinandergestellt, viele lagen aufeinander wie ungeschlachte Knollen. Nicht weit von dem Standort der Kinder standen mehrere mit den Köpfen gegeneinander gelehnt, und über sie lagen breite gelagerte Blöcke wie ein Dach. Es war ein Häuschen, das gebildet war, das gegen vorne offen, rückwärts und an den Seiten aber geschützt war. Im Innern war es trocken, da der steilrechte Schneefall keine einzige Flocke hineingetragen hatte. Die Kinder waren recht froh, daß sie nicht mehr in dem Eis waren und auf ihrer Erde standen.

Aber es war auch endlich finster geworden.

»Sanna«, sagte der Knabe, »wir können nicht mehr hinabgehen, weil es Nacht geworden ist und weil wir fallen, oder gar in eine Grube geraten könnten. Wir werden da unter die Steine hineingehen, wo es so trocken und so warm ist, und da werden wir warten. Die Sonne geht bald wieder auf, dann laufen wir hinunter. Weine nicht, ich bitte dich recht schön, weine nicht, ich gebe dir alle Dinge zu essen, welche uns die Großmutter mitgegeben hat.«

Sie weinte auch nicht, sondern, nachdem sie beide unter das steinerne Überdach gegangen waren, wo sie nicht nur bequem sitzen, sondern auch stehen und herumgehen konnten, setzte sie sich so dicht an ihn und war mäuschenstill.

»Die Mutter«, sagte Konrad, »wird nicht böse sein, wir werden ihr von dem vielen Schnee erzählen, der uns aufgehalten hat, und sie wird nichts sagen; der Vater auch nicht.

Wenn uns kalt wird – weißt du – dann mußt du mit den Händen an deinen Leib schlagen, wie die Holzhauer getan haben, und dann wird dir wärmer werden.«

»Ja, Konrad«, sagte das Mädchen.

Sanna war nicht gar so untröstlich, daß sie heute nicht mehr über den Berg hinabgingen und nach Hause liefen, wie er etwa glauben mochte; denn die unermeßliche Anstrengung, von der die Kinder nicht einmal gewußt haben, wie groß sie gewesen sei, ließ ihnen das Sitzen süß, unsäglich süß erscheinen, und sie gaben sich hin.

Jetzt machte sich aber auch der Hunger gelten. Beide nahmen fast zu gleicher Zeit ihre Brote aus den Taschen und aßen sie. Sie aßen auch die Dinge – kleine Stückchen Kuchen, Mandeln und Nüsse und andere Kleinigkeiten – die die Großmutter ihnen in die Tasche gesteckt hatte.

»Sanna, jetzt müssen wir aber auch den Schnee von unsern Kleidern tun«, sagte der Knabe, »daß wir nicht naß werden.«

»Ja, Konrad«, erwiderte Sanna.

Die Kinder gingen aus ihrem Häuschen, und zuerst reinigte Konrad das Schwesterlein von Schnee. Er nahm die Kleiderzipfel, schüttelte sie, nahm ihr den Hut ab, den er ihr aufgesetzt hatte, entleerte ihn von Schnee, und was noch zurückgeblieben war, das stäubte er mit einem Tuch ab. Dann entledigte er auch sich, so gut es ging, des auf ihm liegenden Schnees.

Der Schneefall hatte zu dieser Stunde ganz aufgehört. Die Kinder spürten keine Flocke.

Sie gingen wieder in die Steinhütte und setzten sich nieder. Das Aufstehen hatte ihnen ihre Müdigkeit erst recht gezeigt, und sie freuten sich auf das Sitzen. Konrad legte die Tasche aus Kalbfell ab. Er nahm das Tuch heraus, in welches die Großmutter eine Schachtel und mehrere Papierpäckchen gewickelt hatte, und tat es zu größerer Wärme um seine Schultern. Auch die zwei Weißbrote nahm er aus dem Ränzchen und reichte sie beide an Sanna: das Kind aß begierig. Es aß eines der Brote und von dem zweiten auch noch einen Teil. Den Rest reichte es aber Konrad, da es sah, daß er nicht aß. Er nahm es und verzehrte es.

Von da an saßen die Kinder und schauten.

So weit sie in der Dämmerung zu sehen vermochten, lag überall der flimmernde Schnee hinab, dessen einzelne winzige Täfelchen hie und da in der Finsternis seltsam zu funkeln begannen, als hätte es bei Tag das Licht eingesogen und gäbe es jetzt von sich.

Die Nacht brach mit der in großen Höhen gewöhnlichen Schnelligkeit herein. Bald war es ringsherum finster, nur der Schnee fuhr fort, mit seinem bleichen Lichte zu leuchten. Der Schneefall hatte nicht nur aufgehört, sondern der Schleier an dem Himmel fing auch an, sich zu verdünnen und zu verteilen; denn die Kinder sahen ein Sternlein blitzen. Weil der Schnee wirklich gleichsam ein Licht von sich gab, und weil von den Wolken kein Schleier mehr herabhing, so konnten die Kinder von ihrer Höhle aus die Schneehügel sehen, wie sie sich in Linien von dem dunkeln Himmel abschnitten. Weil es in der Höhle viel wärmer war, als es an jedem andern Platz im ganzen Tage gewesen war, so ruhten die Kinder eng aneinandersitzend, und vergaßen sogar, die Finsternis zu fürchten. Bald vermehrten sich auch die Sterne, jetzt kam hier einer zum Vorschein, jetzt dort, bis es schien, als wäre am ganzen Himmel keine Wolke mehr.

Das war der Zeitpunkt, in welchem man in den Tälern die Lichter anzuzünden pflegt. Zuerst wird eines angezündet und auf den Tisch gestellt, um die Stube zu erleuchten, oder es brennt auch nur ein Span, oder es brennt das Feuer auf der Leuchte, und es erhellen sich alle Fenster von bewohnten Stuben und glänzen in die Schneenacht hinaus – aber heute erst – am Heiligen Abend – da wurden viel mehr angezündet, um die Gaben zu beleuchten, welche für die Kinder auf den Tischen lagen oder an den Bäumen hingen, es wurden wohl unzählige angezündet; denn beinahe in jedem Haus, in jeder Hütte, jedem Zimmer war eines oder mehrere Kinder, denen der Heilige Christ etwas gebracht hatte, und wozu man Lichter stellen mußte. Der Knabe hatte geglaubt, daß man sehr bald von dem Berg hinabkommen könne, und doch, von den vielen Lichtern, die heute im Tal brannten, kam nicht ein einziges zu ihnen herauf; sie sahen nichts als den blassen Schnee und den dunkeln Himmel, alles andere war ihnen in die unsichtbare Ferne hinabgerückt. In den Tälern bekamen die

Kinder in dieser Stunde die Geschenke des Heiligen Christ: nur zwei saßen oben am Rande des Eises, und die vorzüglichsten Geschenke, die sie heute hätten bekommen sollen, lagen in versiegelten Päckchen in der Kalbfelltasche im Hintergrunde der Höhle.

Die Schneewolken waren ringsum hinter die Berge hinabgesunken, und ein ganz dunkelblaues, fast schwarzes Gewölbe spannte sich um die Kinder voll von dichten, brennenden Sternen, und mitten durch diese Sterne war ein schimmerndes, breites, milchiges Band gewoben, das sie wohl auch unten im Tal, aber nie so deutlich gesehen hatten. Die Nacht rückte vor. Die Kinder wußten nicht, daß die Sterne gegen Westen rücken und weiter wandeln, sonst hätten sie an ihrem Vorschreiten den Stand der Nacht erkennen können; aber es kamen neue und gingen die alten, sie aber glaubten, es seien immer dieselben. Es wurde von dem Schein der Sterne auch lichter um die Kinder; aber sie sahen kein Tal, keine Gegend, sondern überall nur Weiß – lauter Weiß. Bloß ein dunkles Horn, ein dunkles Haupt, ein dunkler Arm wurde sichtbar und ragte dort und hier aus dem Schimmer empor. Der Mond war nirgends am Himmel zu erblicken, vielleicht war er schon früh mit der Sonne untergegangen oder er ist noch nicht erschienen.

Als eine lange Zeit vergangen war, sagte der Knabe: »Sanna, du mußt nicht schlafen; denn weißt du, wie der Vater gesagt hat, wenn man im Gebirge schläft, muß man erfrieren, so wie der alte Eschenjäger auch geschlafen hat und vier Monate tot auf dem Steine gesessen ist, ohne daß jemand gewußt hatte, wo er sei.«

»Nein, ich werde nicht schlafen«, sagte das Mädchen matt.

Konrad hatte es an dem Zipfel des Kleides geschüttelt, um es zu jenen Worten zu erwecken.

Nun war es wieder still.

Nach einer Zeit empfand der Knabe ein sanftes Drücken gegen seinem Arm, das immer schwerer wurde. Sanna war eingeschlafen und war gegen ihn herübergesunken.

»Sanna, schlafe nicht, ich bitte dich, schlafe nicht«, sagte er.

»Nein«, lallte sie schlaftrunken, »ich schlafe nicht.«

Er rückte weiter von ihr, um sie in Bewegung zu bringen, allein sie sank um und hätte auf der Erde liegend fortgeschlafen. Er nahm sie an der Schulter und rüttelte sie. Da er sich dabei selber etwas stärker bewegte, merkte er, daß ihn friere und daß sein Arm schwerer sei. Er erschrak und sprang auf. Er ergriff die Schwester, schüttelte sie stärker und sagte: »Sanna, stehe ein wenig auf, wir wollen eine Zeit stehen, daß es besser wird.«

»Mich friert nicht, Konrad«, antwortete sie.

»Ja, ja, es friert dich, Sanna, stehe auf«, rief er.

»Die Pelzjacke ist warm«, sagte sie.

»Ich werde dir emporhelfen«, sagte er.

»Nein«, erwiderte sie und war still.

Da fiel dem Knaben etwas anderes ein. Die Großmutter hatte gesagt: Nur ein Schlückchen wärmt den Magen so, daß es den Körper in den kältesten Wintertagen nicht frieren kann.

Er nahm das Kalbfellränzchen, öffnete es und griff so lange, bis er das Fläschchen fand, in welchem die Großmutter der Mutter einen schwarzen Kaffeeabsud schicken wollte. Er nahm das Fläschchen heraus, tat den Verband weg und öffnete mit Anstrengung den Kork. Dann bückte er sich zu Sanna und sagte: »Da ist der Kaffee, den die Großmutter der Mutter schickt, koste ihn ein wenig, er wird dir warm machen. Die Mutter gibt ihn uns, wenn sie nur weiß, wozu wir ihn nötig gehabt haben.«

Das Mädchen, dessen Natur zur Ruhe zog, antwortete: »Mich friert nicht.«

»Nimm nur etwas«, sagte der Knabe, »dann darfst du schlafen.«

Diese Aussicht verlockte Sanna, sie bewältigte sich so weit, daß sie fast das eingegossene Getränk verschluckte. Hierauf trank der Knabe auch etwas.

Der ungemein starke Auszug wirkte sogleich, und zwar um so heftiger, da die Kinder in ihrem Leben keinen Kaffee gekostet hatten. Statt zu schlafen, wurde Sanna nun lebhafter und sagte selber, daß sie friere, daß es aber von innen recht warm sei und auch schon so in die Hände und Füße gehe. Die Kinder redeten sogar eine Weile miteinander.

So tranken sie trotz der Bitterkeit immer wieder von dem Getränk, sobald die Wirkung nachzulassen begann, und steigerten ihre unschuldigen Nerven zu einem Fieber, das imstande war, den zum Schlummer ziehenden Gewichten entgegenzuwirken.

Es war nun Mitternacht gekommen. Weil sie noch so jung waren und an jedem Heiligen Abend in höchstem Drang der Freude stets erst sehr spät entschlummerten, wenn sie nämlich der körperliche Drang übermannt hatte, so hatten sie nie das mitternächtliche Läuten der Glocken, nie die Orgel der Kirche gehört, wenn das Fest gefeiert wurde, obwohl sie nahe an der Kirche wohnten. In diesem Augenblick der heutigen Nacht wurde nun mit allen Glocken geläutet, es läuteten die Glocken in Millsdorf, es läuteten die Glocken in Gschaid, und hinter dem Berg war noch ein Kirchlein mit drei hellen klingenden Glocken, die läuteten. In den fernen Ländern draußen waren unzählige Kirchen und Glocken, und mit allen wurde zu dieser Zeit geläutet, von Dorf zu Dorf ging die Tonwelle, ja man konnte wohl zuweilen von einem Dorfe zum anderen durch die blätterlosen Zweige das Läuten hören: nur zu den Kindern herauf kam kein Laut, hier wurde nichts vernommen; denn hier war nichts zu verkündigen. In den Talkrümmen gingen jetzt an den Berghängen die Lichter der Laternen hin, und von manchem Hof tönte das Hausglöcklein, um die Leute zu erinnern; aber dieses konnte um so weniger herauf gesehen und gehört werden, es glänzten nur die Sterne, und sie leuchteten und funkelten ruhig fort.

Wenn auch Konrad sich das Schicksal des erfrornen Eschenjägers vor Augen hielt, wenn auch die Kinder das Fläschchen mit dem schwarzen Kaffee fast ausgeleert hatten, wodurch sie ihr Blut zu größerer Tätigkeit brachten, aber gerade dadurch eine folgende Ermattung herbeizogen: so würden sie den Schlaf nicht haben überwinden können, dessen verführende Süßigkeit alle Gründe überwiegt, wenn nicht die Natur in ihrer Größe ihnen beigestanden wäre und in ihrem Innern eine Kraft aufgerufen hätte, welche imstande war, dem Schlaf zu widerstehen.

In der ungeheueren Stille, die herrschte, in der Stille, in der sich kein Schneespitzchen zu rühren schien, hörten die Kinder dreimal das Krachen des Eises. Was das Starrste scheint und doch das Regsamste und Lebendigste ist, der Gletscher, hatte die Töne hervorgebracht. Dreimal hörten sie hinter sich den Schall, der entsetzlich war, als ob die Erde entzwei gesprungen wäre, der sich nach allen Richtungen im Eis verbreitete und gleichsam durch alle Aderchen des Eises lief. Die Kinder blieben mit offenen Augen sitzen und schauten in die Sterne hinaus.

Auch für die Augen begann sich etwas zu entwickeln. Wie die Kinder so saßen, erblühte am Himmel vor ihnen ein bleiches Licht mitten unter den Sternen und spannte einen schwachen Bogen durch dieselben. Es hatte einen grünlichen Schimmer, der sich sachte nach unten zog. Aber der Bogen wurde immer heller und heller, bis sich die Sterne vor ihm zurückzogen und erblaßten. Auch in andere Gegenden des Himmels sandte er einen Schein, der schimmergrün sachte und lebendig unter die Sterne floß. Dann standen Garben verschiedenen Lichtes auf der Höhe des Bogens wie Zacken einer Krone und brannten. Es floß hell durch die benachbarten Himmelsgegenden, es sprühte leise und ging in sanftem Zucken durch lange Räume. Hatte sich nun der Gewitterstoff des Himmels durch den unerhörten Schneefall so gespannt, daß er in diesen stummen, herrlichen Strömen des Lichtes ausfloß, oder war es eine andere Ursache der unergründlichen Natur. Nach und nach wurde es schwächer und immer schwächer, die Garben erloschen zuerst, bis es allmählich und unmerklich immer geringer wurde und wieder nichts am Himmel war als die tausend und tausend einfachen Sterne.

Die Kinder sagten keines zu dem anderen ein Wort, sie blieben fort und fort sitzen und schauten mit offenen Augen in den Himmel.

Es geschah nun nichts Besonderes mehr. Die Sterne glänzten, funkelten und zitterten, nur manche schießende Schnuppe fuhr durch sie.

Endlich, nachdem die Sterne lange allein geschienen hatten und nie ein Stückchen Mond an dem Himmel zu erblicken gewesen war, geschah etwas anderes. Es fing der Himmel an, heller zu werden, langsam heller, aber doch zu erkennen; es wurde seine Farbe sichtbar, die bleichsten Sterne erloschen, und die anderen standen nicht mehr so dicht. Endlich wichen auch die stärkeren, und der Schnee vor den Höhen wurde deutlicher sichtbar. Zuletzt färbte sich eine Himmelgegend gelb, und ein Wolkenstreifen, der in derselben war, wurde zu einem leuchtenden Faden entzündet. Alle Dinge waren klar zu sehen, und die entfernten Schneehügel zeichneten sich scharf in die Luft.

»Sanna, der Tag bricht an«, sagte der Knabe.

»Ja, Konrad«, antwortete das Mädchen.

»Wenn es nur noch ein bißchen heller wird, dann gehen wir aus der Höhle und laufen über den Berg hinunter.«

Es wurde heller, an dem ganzen Himmel war kein Stern mehr sichtbar, und alle Gegenstände standen in der Morgendämmerung da.

»Nun, jetzt gehen wir«, sagte der Knabe.

»Ja, wir gehen«, antwortete Sanna.

Die Kinder standen auf und versuchten ihre erst heute recht müden Glieder. Obwohl sie nicht geschlafen hatten, waren sie doch durch den Morgen gestärkt, wie das immer so ist. Der Knabe hing sich das Kalbfellränzchen um und machte das Pelzjäckchen an Sanna fester zu. Dann führte er sie aus der Höhle.

Weil sie nach ihrer Meinung nur über den Berg hinab zu laufen hatten, dachten sie an kein Essen und untersuchten das Ränzchen nicht, ob noch Weißbrote oder andere Eßwaren darinnen seien.

Von dem Berg wollte nun Konrad, weil der Himmel ganz heiter war, in die Täler hinabschauen, um das Gschaider Tal zu erkennen und in dasselbe hinunterzugehen. Aber er sah gar keine Täler. Es war nicht, als ob sie sich auf einem Berg befänden, von dem man hinabsieht, sondern in einer fremden seltsamen Gegend, in der lauter unbekannte Gegenstände sind. Sie sahen heute auch in größerer Entfernung furchtbare Felsen aus dem Schnee emporstehen, die sie gestern nicht gesehen hatten, sie sahen das Eis, sie sahen Hügel und Schneelehnen emporstarren, und hinter diesen war entweder der Himmel, oder es ragte die blaue Spitze eines sehr fernen Berges am Schneerande hervor.

In diesem Augenblick ging die Sonne auf.

Eine riesengroße blutrote Scheibe erhob sich an dem Schneesaum in den Himmel, und in dem Augenblick errötete der Schnee um die Kinder, als wäre er mit Millionen Rosen überstreut worden. Die Kuppen und die Hörner warfen sehr lange grünliche Schatten längs des Schnees.

»Sanna, wir werden jetzt da weiter vorwärts gehen, bis wir an den Rand des Berges kommen und hinuntersehen«, sagte der Knabe.

Sie gingen nun in den Schnee hinaus. Er war in der heiteren Nacht noch trockener geworden und wich den Tritten noch besser aus. Sie wateten rüstig fort. Ihre Gesichter wurden sogar geschmeidiger und stärker, da sie gingen. Allein sie kamen an keinen Rand und sahen nicht hinunter. Schneefeld entwickelte sich aus Schneefeld, und am Saume eines jeden stand allemal wieder der Himmel.

Sie gingen des ungeachtet fort.

Da kamen sie wieder in das Eis. Sie wußten nicht, wie das Eis daher gekommen sei, aber unter den Füßen empfanden sie den glatten Boden, und waren gleich nicht die fürchterlichen Trümmer, wie an jenem Rand, an dem sie die Nacht zugebracht hatten, so sahen sie doch, daß sie auf glattem Eis fortgingen, sie sahen hie und da Stücke, die immer mehr wurden, die sich näher an sie drängten und die sie wieder zu klettern zwangen.

Aber sie verfolgten doch ihre Richtung.

Sie kletterten neuerdings an Blöcken empor. Da standen sie wieder auf dem Eisfeld. Heute bei der hellen Sonne konnten sie erst erblicken, was es ist. Es war ungeheuer groß, und jenseits standen wieder schwarze Felsen empor, es ragte gleichsam Welle hinter Welle auf, das beschneite Eis war gedrängt, gequollen, emporgehoben, gleichsam als schöbe es sich noch vorwärts und flösse gegen die Brust der Kinder heran. In dem Weiß sahen sie unzählige vorwärtsgehende, geschlängelte blaue Linien. Zwischen jenen Stellen, wo die Eiskörper gleichsam wie aneinandergeschmettert starrten, gingen auch Linien wie Wege, aber sie waren weiß und waren Streifen, wo sich fester Eisboden vorfand oder die Stücke doch nicht gar so sehr verschoben waren. In diese Pfade gingen die Kinder hinein, weil sie doch einen Teil des Eises überschreiten wollten, um an den Bergrand zu gelangen und endlich einmal hinunterzusehen. Sie sagten kein Wörtlein. Das Mädchen folgte dem Knaben. Aber es war auch heute wieder Eis, lauter Eis. Wo sie hinübergelangen wollten, wurde es gleichsam immer breiter und breiter. Da schlugen sie ihre Richtung aufgebend den Rückweg ein. Wo sie nicht gehen konnten, griffen sie sich durch die Mengen des Schnees hindurch, der oft dicht vor ihrem Auge wegbrach und den sehr blauen Streifen einer Eisspalte zeigte, wo doch früher alles weiß gewesen war; aber sie kümmerten sich nicht darum, sie arbeiteten sich fort, bis sie wieder irgendwo aus dem Eis herauskamen.

»Sanna«, sagte der Knabe, »wir werden gar nicht mehr in das Eis hineingehen, weil wir in demselben nicht fortkommen. Und weil wir schon in unser Tal gar nicht hinabsehen können, so werden wir gerade über den Berg hinabgehen. Wir müssen in ein Tal kommen, dort werden wir den Leuten sagen, daß wir aus Gschaid sind, die werden uns einen Wegweiser nach Hause mitgeben.«

»Ja, Konrad«, sagte das Mädchen.

So begannen sie nun, in dem Schnee nach jener Richtung abwärts zu gehen, welche sich ihnen eben darbot. Der Knabe führte das Mädchen an der Hand. Allein nachdem sie eine Weile abwärts gegangen waren, hörte in dieser Richtung das Gehänge auf, und der Schnee stieg wieder empor. Also änderten die Kinder die Richtung und gingen nach der Länge einer Mulde hinab. Aber da fanden sie wieder Eis. Sie stiegen also an der Seite der Mulde empor, um nach einer andern Richtung ein Abwärts zu suchen. Es führte sie eine Fläche hinab, allein die wurde nach und nach so steil, daß sie kaum noch einen Fuß einsetzen konnten und abwärts zu gleiten fürchteten. Sie klommen also wieder empor und wieder einen andern Weg nach abwärts zu suchen. Nachdem sie lange im Schnee emporgeklommen und dann auf einem ebenen Rücken fortgelaufen waren, war es wie früher: entweder ging der Schnee so steil ab, daß sie gestürzt wären, oder er stieg wieder hinan, daß sie auf den Berggipfel zu kommen fürchteten. Und so ging es immer fort.

Da wollten sie die Richtung suchen, in der sie gekommen waren, und zur roten Unglücksäule hinabgehen. Weil es nicht schneit und der Himmel so hell ist, so würden sie, dachte der Knabe, die Stelle schon erkennen, wo die Säule sein solle, und würden von dort nach Gschaid hinabgehen können.

Der Knabe sagte diesen Gedanken dem Schwesterchen, und diese folgte.

Allein auch der Weg auf den Hals hinab war nicht zu finden.

So klar die Sonne schien, so schön die Schneehöhen da standen und die Schneefelder da lagen, so konnten sie doch die Gegenden nicht erkennen, durch die sie gestern heraufgegangen waren.

Gestern war alles durch den fürchterlichen Schneefall verhängt gewesen, daß sie kaum einige Schritte von sich gesehen hatten, und da war alles ein einziges Weiß und Grau durcheinander gewesen. Nur die Felsen hatten sie gesehen, an denen und zwischen denen sie gegangen waren: allein auch heute hatten sie bereits viele Felsen gesehen, die alle den nämlichen Anschein gehabt hatten, wie die gestern gesehenen. Heute ließen sie frische Spuren in dem Schnee zurück; aber gestern sind alle Spuren von dem fallenden Schnee verdeckt worden. Auch aus dem bloßen Anblick konnten sie nicht erraten, welche Gegend auf den Hals führe, da alle Gegenden gleich waren. Schnee, lauter Schnee. Sie gingen aber doch immer fort und meinten, es zu erringen. Sie wichen den steilen Abstürzen aus und kletterten keine steilen Anhöhen hinauf.

Auch heute blieben sie öfter stehen, um zu horchen; aber sie vernahmen auch heute nichts, nicht den geringsten Laut. Zu sehen war auch nichts als der Schnee, der helle weiße Schnee, aus dem hie und da die schwarzen Hörner und die schwarzen Steinrippen emporstanden.

Endlich war es dem Knaben, als sähe er auf einem fernen schiefen Schneefelde ein hüpfendes Feuer. Es tauchte auf, es tauchte nieder. Jetzt sahen sie es, jetzt sahen sie es nicht. Sie blieben stehen und blickten unverwandt auf jene Gegend hin. Das Feuer hüpfte immer fort, und es schien, als ob es näher käme; denn sie sahen es größer und sahen das Hüpfen deutlicher. Es verschwand nicht mehr so oft und nicht mehr auf so lange Zeit wie früher. Nach einer Weile vernahmen sie in der stillen blauen Luft schwach, sehr schwach etwas wie einen lang anhaltenden Ton aus einem Hirtenhorn. Wie aus Instinkt schrien beide Kinder laut. Nach einer Zeit hörten sie den Ton wieder. Sie schrien wieder und blieben auf der nämlichen Stelle stehen. Das Feuer näherte sich auch. Der Ton wurde zum drittenmal vernommen, und dieses Mal deutlicher. Die Kinder antworteten wieder durch lautes Schreien. Nach einer geraumen Weile erkannten sie auch das Feuer. Es war kein Feuer, es war eine rote Fahne, die geschwungen wurde. Zugleich ertönte das Hirtenhorn, und die Kinder antworteten.

»Sanna«, rief der Knabe, »da kommen Leute aus Gschaid, ich kenne die Fahne, es ist die rote Fahne, welche der fremde Herr, der mit dem jungen Eschenjäger den Gars bestiegen hatte, auf dem Gipfel aufpflanzte, daß sie der Herr Pfarrer mit dem Fernrohr sähe, was als Zeichen gälte, daß sie oben seien, und welche Fahne damals der fremde Herr dem Herrn Pfarrer geschenkt hat. Du warst noch ein recht kleines Kind.«

»Ja, Konrad.«

Nach einer Zeit sahen die Kinder auch die Menschen, die bei der Fahne waren, kleine schwarze Stellen, die sich zu bewegen schienen. Der Ruf des Hornes wiederholte sich von Zeit zu Zeit und kam immer näher. Die Kinder antworteten jedes Mal.

Endlich sahen sie über den Schneehang gegen sich her mehrere Männer mit ihren Stöcken herabfahren, die die Fahne in ihrer Mitte hatten. Da sie näher kamen, erkannten sie dieselben. Es war der Hirt Philipp mit dem Horn, seine zwei Söhne, dann der junge Eschenjäger und mehrere Bewohner von Gschaid.

»Gebenedeit sei Gott«, schrie Philipp, »da seid ihr ja. Der ganze Berg ist voll Leute. Laufe doch einer gleich in die Sideralpe hinab und läute die Glocke, daß die dort hören, daß wir sie gefunden haben...«

Gespensterweihnacht

In einer alten Klosterstadt in diesem Teil unsrer Grafschaft wirkte vor langer, langer Zeit – vor so langer Zeit, daß die Geschichte wahr sein muß, weil unsre Urahnen schon unbedingt daran glaubten – ein gewisser Gabriel Grub als Totengräber auf dem Kirchhof. Wenn ein Mann Totengräber und beständig von Sinnbildern der Vergänglichkeit umgeben ist, so folgt noch lange nicht daraus, daß er mürrisch und melancholisch sein muß. Unsre Totengräber sind die fröhlichsten Leute von der Welt, und ich hatte einmal die Ehre, mit einem Totengräbergehilfen auf dem vertrautesten Fuße zu stehen, der in seinem Privatleben und außer Dienst so spaßhaft und jovial war, wie nur ein flotter Bursche sein kann, der sorglose Lieder singt, ohne je im Text zu stocken, oder ein gutes, bis an den Rand gefülltes Glas Grog leert, ohne absetzen zu müssen. Aber trotz dieser auf das Gegenteil hindeutenden Einleitung war Gabriel Grub ein verdrießlicher, mürrischer, grämlicher Geselle, ein trübsinniger, menschenscheuer Mann, der mit niemand als mit sich selbst und mit einer alten, in Weiden geflochtnen Flasche, die in seine große, tiefe Westentasche ging, Umgang pflegte. Jedes fröhliche Gesicht, das ihm vorkam, sah er mit einem bösartigen und verdrießlichen Blick an, dem man nur schwer begegnen konnte, ohne daß es einem kalt über den Rücken lief.

An einem Weihnachtsabend, als es eben zu dämmern begann, schulterte Gabriel seinen Spaten, zündete seine Laterne an und begab sich auf den alten Kirchhof, denn er mußte bis zum nächsten Morgen ein Grab fertigmachen; und da er sehr niedergeschlagen war, dachte er, es könnte ihn vielleicht ermuntern, wenn er sich sogleich an die Arbeit machte. Als er die gewohnte Straße entlangging, sah er das lustige Licht des lodernden Feuers durch die alten Fenster schimmern und hörte das laute Gelächter und den fröhlichen Lärm derer, die um das Feuer versammelt waren; er be-

merkte die geräuschvollen Vorbereitungen zur Bewillkomm-
nung des folgenden Tages und roch die vielen herrlichen
Düfte, die ihm aus den Küchenfenstern entgegenschlugen.
All das war dem Herzen Gabriels wie Gift und Galle, und als
Scharen von Kindern aus den Häusern heraussprangen,
über die Straße hinübertippelten und, ehe sie noch an der ge-
genüberliegenden Haustür anklopfen konnten, von einem
halben Dutzend kleiner Lockenköpfe empfangen wurden,
die sie umringten, während sie die Treppen hinaufsprangen,
um den Abend mit Weihnachtsspielen zu verbringen, lächelte Gabriel grimmig und faßte den Handgriff seines Spa-
tens fester, während er an Masern, Scharlachfieber, Halsent-
zündung, Keuchhusten und eine Menge andrer Trostquellen
dachte.

In dieser glücklichen Gemütsverfassung schritt Gabriel
weiter, die freundlichen Grüße der Nachbarn, die dann und
wann an ihm vorüberkamen, mit einem kurzen, mürrischen
Knurren erwidernd, bis er in das dunkle Gäßchen einbog,
das auf den Kirchhof führte. Gabriel hatte sich nach dem
dunkeln Gäßchen gesehnt, weil es überhaupt ein düstrer,
trauriger Ort war, den die Leute aus der Stadt nur am hellen
Mittag, wenn die Sonne schien, besuchten; er war daher
nicht wenig entrüstet, als er mitten in diesem Heiligtum, das
seit den Tagen des alten Klosters und der geschornen Mön-
che das Sarggäßchen genannt wurde, eine Kinderstimme ein
lustiges Weihnachtslied singen hörte. Als er weiterging und
die Stimme näher kam, fand er, daß sie einem kleinen Knaben gehörte, der mit schnellen Schritten das Gäßchen her-
abeilte, um eine von den kleinen Gesellschaften in der alten
Straße zu treffen, und dabei teils zur Unterhaltung, teils zur
Vorbereitung auf das bevorstehende Fest aus vollem Halse
sang. Gabriel wartete, bis der Knabe herangekommen war,
drückte ihn dann in eine Ecke und schlug ihm fünf- oder
sechsmal die Laterne um den Kopf, um ihn etwas leiser singen zu lehren; und als der Knabe die Hand an den Kopf hielt
und eine ganz andre Weise anstimmte, kicherte Gabriel vergnügt und trat in den Kirchhof, das Tor hinter sich schlie-
ßend.

Er legte seinen Rock ab, stellte seine Laterne auf den Boden, stieg in das angefangne Grab und arbeitete wohl eine Stunde lang mit regem Eifer. Aber die Erde war hart gefroren, und es war nicht so leicht, sie aufzubrechen und hinauszuschaufeln; der Mond stand wohl am Himmel, aber er warf, da er eben erst im Aufgehen war, nur einen matten Schein auf das Grab, das überdies noch im Schatten der Kirche lag. Zu einer andern Zeit hätten diese Hindernisse unsern Gabriel Grub sehr verdrießlich und mürrisch gemacht, aber heute freute es ihn so sehr, dem Jungen das Singen vertrieben zu haben, daß er sich über den langsamen Fortgang der Arbeit wenig grämte; und nachdem er sie für diesen Abend vollendet hatte, sah er mit grimmiger Lust in das Grab hinunter und brummte, sein Handwerkszeug zusammenraffend:

> »Ein schöner Aufenthalt, ein schöner Aufenthalt,
> Ein wenig Erde naß und kalt,
> Am Kopf ein Stein, am Fuß ein Stein,
> Ein Schmaus für das Gewürm zu sein!
> Ein grasbedecktes Moderbette,
> Ein hübscher Ort an heilger Stätte.«

»Ha ha!« lachte Gabriel Grub, als er sich auf einen niedern Grabstein, auf dem er gewöhnlich ausruhte, setzte und seine Weidenflasche hervorzog. »Ein Sarg um Weihnachten, ein Weihnachtsgeschenk! Ha ha ha!«

»Ha ha ha!« wiederholte eine Stimme dicht hinter ihm.

Gabriel, der eben die Flasche an die Lippen setzen wollte, hielt erschrocken inne und sah sich um. Der Grund des ältesten Grabes war nicht stiller und ruhiger als der Kirchhof im blassen Mondlicht. Der kalte Reif funkelte auf den Grabsteinen und blitzte gleich Diamanten auf den Bildhauerarbeiten der alten Kirche. Der harte, körnige Schnee breitete über die dicht nebeneinander liegenden Grabhügel eine so weiche und weiße Decke, daß es den Anschein gewann, als wären es lauter Leichen mit ihren Sterbetüchern umwickelt. Nicht das geringste Geräusch unterbrach die tiefe Stille der feierlichen Szene. Der Schall selbst schien erfroren zu sein, so kalt und ruhig war alles.

»Es war der Widerhall«, sagte Gabriel Grub, die Flasche wieder an seine Lippen setzend.

»Nein, er war es nicht«, antwortete eine tiefe Stimme.

Gabriel sprang auf und blieb vor Bestürzung und Schrecken wie in den Boden gewurzelt stehen; denn seine Augen ruhten auf einer Gestalt, die ihm das Blut erstarren machte.

Auf einem aufrechtstehenden Grabstein dich neben ihm saß eine seltsame überirdische Gestalt, und Gabriel fühlte sogleich, daß es kein Wesen von dieser Welt war. Seine langen, fantastisch aussehenden Beine, die den Boden leicht hätten erreichen können, waren hinaufgezogen und auf eine seltsame Weise übereinandergelegt; seine sehnigen Arme waren nackt, und seine Hände ruhten auf den Knien. Auf seinem kurzen runden Leib trug es ein eng anschließendes Gewand, das mit kleinen Litzen versehen war, und über seinem Rükken hing ein kurzer Mantel; der Kragen war in seltsame Spitzen ausgeschnitten, die dem Gespenst als Krause oder Halstuch dienten, und seine Schuhe krümmten sich an den Zehen zu spitzen Schnäbeln. Auf dem Kopf trug es einen breitkrempigen, zuckerhutförmigen Hut, der mit einer einzigen Feder geziert und mit Reif überzogen war; und das Gespenst sah aus, als säße es schon zwei oder drei Jahrhunderte ganz behaglich auf diesem Grabstein. Es saß ganz regungslos da; seine Zunge hing ihm wie zum Spott aus dem Mund heraus, und unsern Gabriel Grub sah es mit einem Grinsen an, wie es nur ein Gespenst hervorzubringen vermag.

»Es war nicht der Widerhall«, sagte das Gespenst.

Gabriel Grub war wie gelähmt und konnte kein Wort hervorbringen.

»Was tust du hier am Weihnachtsabend?« fragte das Gespenst streng.

»Ich mußte ein Grab machen, Sir«, stammelte Gabriel Grub.

»Welcher Sterbliche wandelt in einer Nacht, wie diese ist, auf Gräbern und Kirchhöfen?« fragte das Gespenst.

»Gabriel Grub! Gabriel Grub!« schrie ein Chor wilder Stimmen, der den Kirchhof zu füllen schien. Gabriel sah sich erschrocken um, er entdeckte nichts.

»Was hast du in dieser Flasche da?« fragte das Gespenst.

»Wacholder, Sir«, erwiderte der Totengräber heftig zitternd; denn er hatte ihn von den Schmugglern gekauft und dachte, der Fragesteller könnte vielleicht beim Zollamt der Gespenster angestellt sein.

»Wer wird auch in einer Nacht, wie diese ist, allein und auf einem Kirchhof Wacholder trinken?« fragte das Gespenst.

»Gabriel Grub! Gabriel Grub!« riefen die wilden Stimmen wieder. Das Gespenst warf einen boshaften Blick auf den erschrockenen Totengräber und rief dann, seine Stimme erhebend:

»Und wer ist also unser gesetzliches und rechtmäßiges Eigentum?«

Auf diese Frage antwortete der unsichtbare Chor mit einem Gesang, der von einer großen Menschenmenge herzurühren schien, die zum vollen Spiel der alten Kirchenorgel sang; ein Gesang, der wie auf sausenden Sturmesflügeln zu den Ohren des Totengräbers getragen zu werden schien und weiterbrausend in der Ferne langsam erstarb. Aber der Refrain war immer der gleiche: »Gabriel Grub! Gabriel Grub!«

Das Gespenst grinste noch unheimlicher als zuvor und sagte:

»Nun, Gabriel, was meinst du hierzu?«

Der Totengräber rang nach Atem.

»Was meinst du hierzu, Gabriel?« fragte das Gespenst, seine Beine an beiden Seiten des Grabsteins hinaufziehend und die Schnäbel seiner Schuhe mit einem Wohlgefallen beschauend, als wäre es das modernste Paar Wellingtonstiefel in der ganzen Bond-Street.

»Es ist – es ist ganz kurios, Sir«, versetzte der Totengräber halbtot vor Schrecken, »ganz kurios und ganz hübsch; aber ich denke, ich will wieder an meine Arbeit gehen und sie fertigmachen, wenn Sie's erlauben.«

»Arbeit?« sagte das Gespenst, »welche Arbeit?«

»Das Grab, Sir, das Grab«, stammelte der Totengräber.

»Ei, das Grab«, sagte das Gespenst; »wer wird auch Gräber machen und eine Freude daran finden, wenn alle übrigen Menschenkinder fröhlich sind?«

Und wieder riefen die geheimnisvollen Stimmen: »Gabriel Grub, Gabriel Grub!«

»Ich fürchte, Gabriel, meine Freunde verlangen nach dir«, sagte das Gespenst, seine Zunge noch weiter herausstrekkend als je – und es war eine fürchterliche Zunge –, »ich fürchte, Gabriel, meine Freunde verlangen nach dir.«

»Mit Verlaub, Sir«, erwiderte der schreckensbleiche Totengräber, »das ist nicht wohl möglich, Sir; sie kennen mich nicht, Sir, und ich glaube nicht, daß mich die Herren je gesehen haben, Sir.«

»Da irrst du dich sehr«, versetzte das Gespenst; »wir kennen den Mann mit dem finstern Blick und dem mürrischen Gesicht, der heut abend die Straße heraufkam und seine boshaften Blicke auf die Kinder warf und dabei sein Grabscheit fester an sich drückte. Wir kennen den Mann, der in der neidischen Heimtücke seines Herzens den Knaben schlug, weil der Knabe heiter sein konnte und er nicht. Wir kennen ihn, wir kennen ihn!«

Hier brach das Gespenst in ein lautes, gellendes Gelächter aus, das der Widerhall zwanzigfach zurückgab, und seine Beine hinaufziehend, stellte es sich auf dem schmalen Rand des Grabsteins auf den Kopf oder vielmehr auf die Spitze seiner zuckerhutförmigen Kopfbedeckung und schlug dann mit außerordentlicher Gewandtheit einen Purzelbaum gerade vor die Füße des Totengräbers, zu denen er, in der Stellung eines Schneiderleins auf dem Arbeitstisch, sitzen blieb.

»Ich, ich bin untröstlich, daß ich Sie verlassen muß, Sir«, sagte der Totengräber und machte eine Bewegung, sich zu entfernen.

»Uns verlassen?« rief das Gespenst, »Gabriel Grub will uns verlassen! Ha ha ha!«

Während das Gespenst also lachte, sah der Totengräber die Fenster der Kirche auf einen Augenblick prachtvoll erleuchtet, als ob das ganze Gebäude in Flammen stände; die Lichter verschwanden, die Orgel ertönte in lieblicher Weise, und ganze Scharen von Gespenstern, dem ersten wie aus dem Gesicht geschnitten, wogten in den Kirchhof hinein und begannen über die Grabsteine ›Bockspringen‹ zu spielen. Sie sprangen unaufhörlich, ohne Atem zu schöpfen, und mit der bewunderungswürdigen Gewandtheit einer nach dem andern über die höchsten Steine. Das erste Gespenst war ein ausgezeichneter Springer, und ihm konnte sich keins von den andern an die Seite stellen; sogar in seiner außerordentlichen Angst bemerkte der Totengräber unwillkürlich, daß es im Gegensatz zu seinen Freunden, die sich damit begnügten, über gewöhnliche Grabsteine hinwegzusetzen, Familiengewölbe samt ihren eisernen Gittern und allem Dazugehörigen mit einer Leichtigkeit übersprang, als wären es ebenso viele Meilensteine gewesen.

Endlich wurde das Spiel auf die höchste Spitze getrieben, die Orgel spielte schneller und schneller, und die Gespenster sprangen höher und höher, indem sie sich wie Kugeln zusammenballten und über den Boden dahinrollten und gleich Fußbällen über die Grabsteine hinwegschnellten. Dem Totengräber wirbelte der Kopf von der Schnelligkeit der Bewegungen, die er sah, und seine Beine wankten unter ihm, wenn die Geister vor seinen Augen vorüberflogen, als der Anführer der Gespenster plötzlich auf ihn zusprang, ihn am Kragen nahm und mit ihm hinabfuhr.

Als Gabriel Grub wieder Zeit gewann, Atem zu schöpfen, sah er sich in einer Art großer Höhle, auf allen Seiten von einer Menge häßlicher, grimmig aussehender Gespenster umringt. Im Mittelpunkt des Raumes saß auf einem erhöhten Sitz sein Freund vom Kirchhof, und neben ihm stand Gabriel Grub, der die Macht über seine Glieder ganz verloren hatte.

»Eine kalte Nacht«, sagte der König der Gespenster, »eine sehr kalte Nacht. Holt uns ein Gläschen mit etwas Warmem!«

Auf diesen Befehl verschwanden eiligst ein halbes Dutzend dienstbarer Geister, auf deren Gesichtern ein beständiges Lächeln lag, was unsern Gabriel auf die Vermutung brachte, es möchten Höflinge sein, und kehrten sogleich mit einem Becher süffigen Feuers zurück, den sie dem König reichten.

»Ah«, sagte das Gespenst, dessen Wangen und Kehle ganz durchsichtig waren, als es die Flamme hinunterstürzte, »das wärmt; reicht Herrn Grub auch einen Becher.«

Der unglückliche Totengräber wendete vergebens ein, es sei ganz gegen seine Gewohnheit, abends etwas Warmes zu sich zu nehmen. Eins von den Gespenstern hielt ihn fest, während ihm ein andres die lodernde Flüssigkeit in die

Kehle goß. Die ganze Versammlung kreischte vor Lachen, als er hustete und keuchte und die Tränen abwischte, die nach dem brennenden Trank seinen Augen entströmten.

»Und nun«, sagte der König, das spitze Ende seines zuckerhutförmigen Hutes dem Totengräber ins Auge bohrend und ihm dadurch die fürchterlichsten Schmerzen verursachend, »und nun zeigt dem Mann des Unmuts und Grimms einige von den Gemälden aus unsrer großen Galerie.«

Während das Gespenst sprach, wälzte sich eine dichte Wolke, die den Hintergrund der Höhle in Dunkel gehüllt hatte, allmählich zurück, und in großer Entfernung wurde ein kleines, einfach ausgestattetes, aber niedliches und reines Gemach sichtbar. Eine Schar kleiner Kinder war um ein helles Feuer versammelt, ihre Mutter am Kleide zerrend und um ihren Stuhl tanzend. Von Zeit zu Zeit erhob sich die Mutter und zog den Fenstervorhang zurück, als schaue sie nach jemand aus, den sie erwartete. Auf dem Tisch stand bereits ein einfaches Abendessen, und am Feuer sah man einen Armstuhl.

Man hörte ein Pochen an der Tür, die Mutter öffnete, und die Kinder umringten sie und schlugen vor Freude in die Hände, als ihr Vater eintrat. Er war naß und müde und schüttelte den Schnee von seinen Kleidern, als sich die Kinder um ihn drängten und, ihm mit geschäftigem Eifer Mantel, Hut, Stock und Handschuhe abnehmend, mit den Kleidungsstücken aus dem Zimmer liefen. Als er sich dann vor dem Feuer zum Mahl niedersetzte, kletterten die Kinder auf seine Knie, und die Mutter setzte sich neben ihn, und alles schien eitel Lust und Freude.

Aber fast unmerklich änderte sich die Szene. Das Zimmer verwandelte sich in ein kleines Schlafgemach, in dem das schönste und jüngste Kind in den letzten Zügen lag. Die Rosen auf seinen Wangen waren verblichen und der Glanz seines Auges erstorben; und sogar der Totengräber betrachtete es mit einer vorher nie gefühlten noch gekannten Teilnahme, als es verschied. Seine Brüder und Schwestern drängten sich um sein Bettchen und ergriffen die fleischlose Hand, die so kalt und schwer war; aber sie fuhren bei der Berührung zurück und sahen mit scheuer Furcht in das kindliche Gesicht;

denn so ruhig und still es war, und so schön und friedlich es dalag und zu schlummern schien, so sahen sie doch, daß es tot war, und wußten, daß es jetzt als Engel aus einem Himmel voll Pracht und Seligkeit auf sie herniederblickte.

Wieder zog die leichte Wolke über das Gemälde, und wieder änderte sich die Szene. Vater und Mutter waren jetzt alt und hilflos, und die Zahl der Ihrigen hatte sich um mehr als die Hälfte vermindert. Aber Zufriedenheit und Heiterkeit lag auf jedem Gesicht und strahlte aus jedem Auge, als sie sich um das Feuer scharten und alte Geschichten aus frühern, vergangenen Tagen erzählten und hörten. Langsam und still sank der Vater ins Grab, und bald darauf folgte ihm die Gefährtin, die ihm all seine Sorgen und seinen Kummer hatte tragen helfen, in die Stätte der Ruhe und des Friedens. Die wenigen, die sie überlebten, knieten an ihrem Grabe und benetzten den Rasen, der es bedeckte, mit ihren Tränen, standen dann auf und entfernten sich traurig und niedergeschlagen, aber nicht mit bitterm Jammergeschrei oder verzweiflungsvollem Wehklagen, denn sie wußten, daß sie einander einst wiederfinden würden. Und sie tauchten wieder in das Getriebe des geschäftigen Lebens und hatten bald ihre Zufriedenheit und ihre Heiterkeit zurückerworben. Die Wolke umzog abermals das Bild und verbarg es den Blicken des Totengräbers.

»Was sagst du hierzu?« fragte das Gespenst, sein breites Gesicht Herrn Gabriel Grub zuwendend.

Gabriel murmelte, daß es sehr hübsch sei, und sah ziemlich beschämt aus, als das Gespenst seine feurigen Augen auf ihn heftete.

»Du jämmerlicher Mensch!« sagte das Gespenst im Ton grenzenloser Verachtung. »Du!« Es schien noch mehr hinzufügen zu wollen, aber der Unwille erstickte seine Stimme. Es hob eins von seinen äußerst gelenkigen Beinen, schwenkte es über seinem Kopf hin und her, um sich seines Zieles zu versichern, und versetzte dann unserm Gabriel einen derben Fußtritt, worauf sogleich sämtliche Gespenster den unglücklichen Totengräber umringten und ihn schonungslos mit den Füßen mißhandelten, indem sie die unwandelbare und althergebrachte Sitte der Höflinge auf Erden befolgten, die treten, wen der Herr tritt, und erheben, wen der Herr erhebt.

»Zeigt ihm noch mehr!« sagte der König der Gespenster.

Bei diesen Worten verschwand die Wolke wieder, und eine reiche, schöne Landschaft entfaltete sich vor dem Auge; man sieht noch heutzutage eine halbe Meile von der alten Klosterstadt entfernt eine ähnliche. Die Sonne leuchtete am reinen blauen Himmelszelt, das Wasser funkelte unter ihren Strahlen, und die Bäume sahen grüner und die Blumen bunter aus unter ihrem belebenden Einfluß. Das Wasser schlug plätschernd ans Ufer, die Bäume rauschten im leisen Wind, der durch ihr Laubwerk säuselte; die Vögel sangen auf den Zweigen, und die Lerche trillerte hoch in den Lüften ihr Morgenlied. Ja, es war Morgen, ein schöner, duftender Sommermorgen; das kleinste Blatt, der dünnste Grashalm atmete Leben. Die Ameise eilte an ihr Tagewerk, der Schmetterling flatterte spielend in den wärmenden Strahlen der Sonne, Myriaden von Insekten entfalteten ihre durchsichtigen Flügel und freuten sich ihres kurzen, aber glücklichen Daseins, und der Mensch weidete seine Augen an der blühenden Schöpfung – alles war voll Glanz und Herrlichkeit.

»Du, ein erbärmlicher Mensch!« sagte der König der Gespenster noch verächtlicher als zuvor.

Und wieder hob der König der Gespenster sein Bein, und wieder traf es die Schulter des Totengräbers, und wieder ahmten die untergebnen Gespenster das Beispiel ihres Oberhauptes nach. Noch oft verschwand und erschien die Wolke, und noch so manche Lehre erhielt Gabriel Grub, der mit einer Teilnahme zusah, die nichts zu vermindern imstande war, so sehr ihn auch seine Schultern von den wiederholten Fußtritten der Gespenster schmerzten. Er sah, daß Menschen, die durch saure Arbeit ihr tägliches Brot im Schweiß ihres Angesichts erwarben, heiter und glücklich waren, und daß für die Unwissendsten das freundliche Gesicht der Natur eine nie versiegende Quelle der Heiterkeit und des Genusses war. Er sah Leute, die liebevoll erzogen und zärtlich bewacht worden waren, trotz aller Entbehrungen fröhlich und heiter gestimmt, über Leiden erhaben, die manchen von rauherm Stoff niedergebeugt haben würden, denn sie bargen in der

eignen Brust das Wesen des Glücks, Zufriedenheit und See-
lenruhe. Er sah, daß Frauen, die zartesten und hinfälligsten
von allen Geschöpfen Gottes, am häufigsten Kummer, Elend
und Mißgeschick überwanden, und sah, daß der Grund hier-
für in ihrer eignen Brust lag, in der eine unerschöpfliche
Quelle von Liebe und Hingebung floß. Und vor allem lernte
er kennen, daß Leute wie er, die den Frohsinn und die Heiterkeit der übrigen scheelsüchtig betrachteten, das schlechte-
ste Unkraut auf der schönen Erde wären; und alles Gute der
Welt dem Bösen gegenüberstellend, gelangte er zu dem
Schluß, daß sie trotz allem eine sehr ordentliche und achtbare
Welt sei.

Kaum hatte er sich dieses Urteil gebildet, als die Wolke, die
das letzte Gemälde verhüllt hatte, seine Sinne zu umfangen
und ihn einzuschläfern schien. Ein Gespenst nach dem andern zerfloß vor seinen Augen, und als das letzte verschwunden war, sank er in Schlaf.

Der Tag war angebrochen, als Gabriel Grub erwachte und
sich der ganzen Länge nach auf dem platten Grabstein im
Kirchhof liegen fand, neben ihm die leere Weidenflasche und
Rock, Spaten und Laterne – alles vom nächtlichen Reif überzogen. Der Stein, auf dem er das Gespenst hatte sitzen sehen, stand kerzengerade vor ihm, und nicht weit davon war
das Grab, an dem er am Abend zuvor gearbeitet hatte.

Anfangs zweifelte er an der Wirklichkeit dessen, was er erlebt hatte; aber der stechende Schmerz in seinen Schultern,
wenn er aufzustehen versuchte, brachte ihn zu der Überzeugung, daß die Fußtritte der Gespenster keine Phantasiebilder
waren. Neue Zweifel befielen ihn, als er keine Fußtapsen im
Schnee bemerkte, in dem die Gespenster sich mit den Grabsteinen am ›Bockspringen‹ belustigt hatten; aber schnell erklärte er sich diesen Umstand, als er sich erinnerte, daß es
Geister waren, die keine sichtbaren Eindrücke hinterlassen
konnten. Gabriel Grub erhob sich, so gut es ihm seine Rük-
kenschmerzen erlaubten; und den Reif von seinem Rock
schüttelnd, zog er ihn an und wandte seine Schritte der Stadt
zu.

Aber er war jetzt ein anderer Mensch und konnte den Gedanken nicht ertragen, an einen Ort zurückzukehren, an

dem man seiner Reue gespottet und seiner Belehrung miß-
traut hätte. Er schwankte einen Augenblick, dann wandte er
sich nach einer andern Seite und verfolgte den nächstbesten
Weg, wohin dieser auch führen mochte, um sein Brot an einem andern Ort zu suchen.

Laterne, Spaten und Weidenflasche wurden am nämlichen
Tag auf dem Kirchhof gefunden. Anfangs stellte man allerlei
Vermutungen über das Schicksal des Totengräbers an, kam
aber sehr bald überein, er sei von den Gespenstern entführt
worden; und es fehlte nicht an sehr glaubwürdigen Zeugen,
die ihn auf dem Rücken eines kastanienbraunen, einäugigen
Rosses mit dem Hinterteil eines Löwen und dem Schwanz eines Bären deutlich durch die Luft hatten reiten sehen. Endlich wurde das alles als wahr angenommen, und der neue Totengräber pflegte den Neugierigen gegen ein geringes Trinkgeld ein ziemlich großes Stück von dem Wetterhahn der Kirche zu zeigen, das von dem vorbesagten Pferd auf seiner
Luftfahrt zufälligerweise abgestoßen und ein oder zwei Jahre
nachher von ihm auf dem Kirchhof gefunden worden war.

Unglücklicherweise wurde der Glaube an diese Geschichte
durch das unerwartete Erscheinen Gabriel Grubs selbst er-
schüttert. Er war jetzt zehn Jahre älter, ein geplagter, von der
Gicht heimgesuchter, aber zufriedener Greis. Er erzählte
seine Geschichte dem Pfarrer und auch dem Bürgermeister;
und im Lauf der Zeit wurde sie zur historischen Tatsache erhoben, als welche sie noch bis auf den Tag gilt. Diejenigen,
die an die Wetterhahngeschichte geglaubt und also ihren
Glauben einmal verschwendet hatten, waren nicht so leicht
zu bewegen, ihn zum zweitenmal aufs Spiel zu setzten, und
so taten sie denn so weise als möglich, zuckten die Achseln,
schüttelten den Kopf und murmelten, daß Gabriel Grub allen
Wacholder getrunken hätte und dann auf dem platten Grabstein einschlafen wäre. Sie erklärten das, was er in der Gespensterhöhle gesehen haben wollte, dadurch, daß sie sagten, er habe die Welt gesehen und sei durch Erfahrung klüger
geworden.

Aber diese Ansicht, die eigentlich niemals viele Anhänger
zählte, verlor sich allmählich; und die Sache mag sich nun
verhalten, wie sie will, da Gabriel Grub bis ans Ende seiner

Tage von der Gicht heimgesucht wurde, so enthält diese Geschichte wenigstens *eine* Moral, wenn sie keine bessere lehrt, und die ist: Wenn ein Mann um Weihnachten trübsinnig ist und für sich trinkt, so wird dadurch sein Befinden nicht im geringsten verbessert, das Getränk mag so gut sein, als es will – ja, sogar noch um viele Grade besser als das, welches Gabriel Grub in der Gespensterhöhle sah.

Tscherokis Weihnachtsbescherung

Tscheroki war der Stadtvater von Yellowhammer, einer neuen Bergwerkstadt, die hauptsächlich aus Wagenplachen und ungehobeltem Kiefernholz bestand. Tscheroki war Goldsucher. Eines Tages grub er, während sein Esel Kieselsteine und Kiefernzapfen fraß, mit seiner Hacke einen Goldklumpen, einen Nugget, aus, der neunhundert Gramm wog. Tscheroki steckte sein Stück Land ab und erließ dann, da er ein großzügiger und gastfreundlicher Mensch war, Einladungen an seine Freunde in drei Staaten, sie sollten zu ihm kommen und sein Glück teilen.

Keiner der Eingeladenen sagte ab. Sie kamen herbei aus den Gebieten der Flüsse Gila, Salt River und Pecos, aus Albuquerque, Phoenix und Santa Fé und von den dazwischen liegenden Feldern.

Als tausend Bürger angekommen waren und jeder sein Land abgesteckt hatte, nannten sie die neue Siedlung Yellowhammer, gründeten einen Wachtausschuß und schenkten Tscheroki eine Uhrkette aus Nuggets.

Drei Stunden nach der Festlichkeit hatte Tscheroki mit seinem Stück Land ausgespielt. Er hatte nur ein Nest getroffen, keine Ader. Er zog weiter und steckte ein Stück Land nach dem andern ab. Das Glück hatte sich von ihm abgewendet. Er fand in Yellowhammer nicht einmal genügend Goldstaub, um seine Rechnung in der Kneipe zu bezahlen. Aber seine tausend eingeladenen Gäste waren größtenteils erfolgreich, und Tscheroki lächelte und beglückwünschte sie.

Yellowhammer wurde von Männern bevölkert, die vor einem lächelnden Verlierer den Hut abnahmen; so forderten sie Tscheroki auf, seine Wünsche zu äußern.

»Was ich mir wünsche?« sagte Tscheroki. »Oh, eine Ausrüstung zum Schürfen wird wohl das richtige sein. Ich will oben im Waldland von Mariposa Gold suchen. Wenn ich dort etwas finde, gebe ich euch genau Bescheid. Ich habe meinen

Freunden noch nie meine Karten verheimlicht.« Im Mai belud Tscheroki seinen Esel und richtete die gedankenvolle mausgraue Stirn des Tieres nach Norden. Viele Bürger begleiteten ihn bis zu der unbestimmten Grenze von Yellowhammer und überschütteten ihn mit Glück- und Abschiedswünschen. Fünf Feldflaschen ohne Luftblase zwischen Flüssigkeit und Korken wurden ihm aufgedrängt; und man bat ihn, Yellowhammer als ewigen Lieferanten von Bett, Frühstück und heißem Rasierwasser zu betrachten, falls Fortuna sich nicht herbeiließ, ihre Hände an seinem Lagerfeuer in Mariposa zu wärmen.

Den Namen »Vater von Yellowhammer« erhielt er von den Goldgräbern nach ihrem üblichen Taufsystem. Es war nicht notwendig, daß ein Einwohner seinen Taufschein vorlegte, um einen Namen zu haben. Ein Name galt als persönliches Eigentum. Doch um einen Mann unter anderen blaubehemdeten Zweifüßlern unterscheiden und anrufen zu können, wurde ihm ein Spitzname oder ein Titel gegeben. Persönliche Besonderheiten bildeten meistens die Quelle einer derartigen unförmlichen Taufe. Viele wurden einfach nach dem geographischen Gebiet genannt, aus dem sie angeblich stammten. Recht beliebt waren Namen wie »Kleiner«, »Krummbein«, »Texas«, »Fauler Bill«, »Durstiger Rogers«, »Hinkebein«, »Richter« und »Kalifornier Ed«. Tscheroki hatte seinen Namen erhalten, weil er behauptete, eine Zeitlang bei diesem Indianerstamm gelebt zu haben.

Am zwanzigsten Dezember brachte Kahlkopf, der Postreiter, eine Neuigkeit nach Yellowhammer.

»Was glaubt ihr wohl, wen ich in Albuquerque gesehen habe«, sagte Kahlkopf zu den Stammkunden in der Schenke, »keinen andern als Tscheroki, ganz verschönert und aufgeputzt wie der türkische Zar und im Gelde schwimmend. Wir tranken zusammen Prickelwein, und Tscheroki bezahlte die Rechnung in bar. Seine Taschen sahen aus wie ein Billardtisch nach einem Fünfzehnbällespiel.«

»Tscheroki muß ein Goldvorkommen gefunden haben«, bemerkte Kalifornier Ed. »Na, es ist ihm zu gönnen. Ich habe ihm viel zu verdanken.«

»Man hätte meinen können, Tscheroki würde nach Yellowhammer kommen und seine Freunde besuchen«, sagte ein anderer leicht bekümmert. »Aber so geht es zu. Reichtum ist die beste Kur für Gedächtnisschwund.«

»Wartet, darauf komme ich noch zu sprechen«, erwiderte Kahlkopf. »In Mariposa fand Tscheroki eine meterdicke Ader und verkaufte sie einem Syndikat für hunderttausend Dollar in bar. Dann kaufte er sich einen Sealmantel und einen roten Schlitten, und was glaubt ihr, was er jetzt vorhat?«

»Würfelspiel«, meinte Texas, der sich keine schönere Erholung vorstellen konnte.

»Komm und küß mich, mein Liebling«, sang Kleiner, der beim Goldsuchen immer Blechphotographien in der Tasche hatte und ein rotes Halstuch trug.

»Eine Kneipe kaufen?« mutmaßte Durstiger Rogers.

»Tscheroki zeigte mir sein Zimmer«, fuhr Kahlkopf fort. »Es war vollgestopft mit Trommeln, Puppen, Schlittschuhen, Süßigkeiten, Hampelmännern, Plüschlämmern, Pfeifen und ähnlichem Spielzeug. Und was glaubt ihr, was es mit dem Krimskrams vorhat? Niemand wird es erraten, sagte Tscheroki zu mir. Er will das ganze Zeug auf seinen roten Schlitten laden und – wartet einen Augenblick, bestellt noch keine Getränke – und hierher nach Yellowhammer fahren und den Kindern – den Kindern dieser Stadt – den größten Weihnachtsbaum schenken und die größte Bescherung veranstalten, die man jemals westlich von Kap Hatteras erlebt hat.«

Zwei Minuten vollständiger Stille vertickten im Kielwasser von Kahlkopfs Worten. Sie wurde von dem Wirt gebrochen, der zu seiner Freude den Augenblick für besondere Gastfreundschaft gekommen hielt und ein Dutzend Whiskygläser die Theke hinuntergleiten ließ; als Nachhut folgte die langsamere Flasche.

»Hast du ihm nichts gesagt?« fragte der Goldsucher namens Trinidad.

»Hm, nein«, antwortete Kahlkopf nachdenklich, »ich wußte nicht, wie ich es ihm beibringen sollte. Tscheroki hatte nämlich den ganzen Weihnachtskram schon gekauft und bezahlt, und er schwelgte in Begeisterung über seinen

Einfall. Außerdem waren wir etwas benommen von dem merkwürdigen Sprudelwein, und so kam ich nicht dazu.«

»Ich muß mich doch wundern«, sagte der Richter und hängte seinen Stock mit der Elfenbeinkrücke an der Theke auf, »daß unser Freund Tscheroki einen so falschen Begriff von seiner eigenen Stadt hat.«

»Oh, das ist nicht das achte Weltwunder«, erwiderte Kahlkopf. »Tscheroki ist seit über sieben Monaten aus Yellowhammer fort. Inzwischen hätten viele Dinge geschehen können. Woher soll er wissen, daß in dieser Stadt kein einziges Kind lebt und auch keins erwartet wird, soweit es die Einwanderung betrifft?«

»Wenn ich mir's recht überlege«, warf Kalifornier Ed ein, »so ist es eigentlich seltsam, daß gar keins zugezogen ist.«

»Um Tscherokis Christbaum die Krone aufzusetzen«, berichtete Kahlkopf weiter, »will er selbst den Weihnachtsmann spielen. Er hat sich eine weiße Perücke und einen Bart beschafft, außerdem einen roten, pelzbesetzten Mantel, dicke Handschuhe, einen Stehkragen und eine rote Kapuze. Ist es nicht jammerschade, daß eine derartige Kostümierung kein Publikum finden wird?«

»Wann will Tscheroki mit seiner Ladung herkommen?« erkundigte sich Trinidad.

»Am Morgen vor Weihnachten«, gab Kahlkopf Bescheid. »Und er wünscht, daß ihr ihm ein Zimmer herrichtet und für einen Baum sorgt. Es sollen auch Frauen helfen, die lange genug den Mund halten können, damit es für die Kinder eine Überraschung wird.«

Der ungesegnete Zustand von Yellowhammer war richtig beschrieben worden. Nie hatten Kinderstimmen die wackligen Gebäude erfüllt, nie hatten rastlose Füßchen die einzige Wegspur zwischen den Zelten und Baracken geweiht. Später würden sie kommen. Vorläufig aber war Yellowhammer nichts als ein Berglager, und nirgendwo öffneten sich hier spitzbübische, erwartungsvolle Augen in der Dämmerung des Zaubertages; es gab keine Händchen, die nach den verwirrenden Schätzen des Weihnachtsmannes greifen konnten; kein Kinderjubel konnte die guten Dinge mit dem Dank begrüßen, den der warmherzige Tscheroki verdiente.

Es gab fünf Frauen in Yellowhammer. Die Frau des Goldprüfers, die Besitzerin des Hotels Lucky Strike und eine Wäscherin, deren Waschzuber täglich dreißig Gramm Goldstaub aussiebte. Das war die Dauerweiblichkeit; die übrigen zwei waren die Schwestern Spangler, Fräulein Fanchon und Fräulein Erma von der Transkontinentalen Theatergesellschaft, die gerade im improvisierten Empire-Theater ein Gastspiel gab. Aber Kinder waren nicht vorhanden. Manchmal spielte Fräulein Fanchon in Reden und Gehaben die Rolle eines Kindes; aber zwischen ihrer Darstellung und dem Bilde, das man sich von den Empfängern der Gaben Tscherokis machte, bestand eine große Kluft.

Weihnachten fiel auf einen Donnerstag. Am Dienstagmorgen suchte Trinidad, anstatt zur Arbeit zu gehen, den Richter im Hotel Lucky Strike auf.

»Es wäre eine Schande für Yellowhammer«, sagte Trinidad, »wenn es Tscheroki um seine schöne Weihnachtsbescherung bringt. Man kann wohl sagen, daß der Mann diese Stadt geschaffen hat. Ich für mein Teil will sehen, was sich tun läßt, damit der Weihnachtsmann auf seine Kosten kommt.«

»Dabei würde ich gern mithelfen«, antwortete der Richter. »Ich verdanke Tscheroki viele frühere Gefälligkeiten. Aber ich weiß nicht recht – bisher habe ich es eher angenehm gefunden, daß wir hier keine Kinder haben – doch in diesem Falle – trotzdem weiß ich nicht…«

»Schauen Sie mich an«, sagte Trinidad, »und dann wird Ihnen ein Licht aufgehen. Ich werde Maulesel einspannen und eine Ladung Kinder für Tscherokis Vorstellung als Weihnachtsmann zusammenbringen, und wenn ich ein Waisenhaus plündern muß.«

»Heureka!« rief der Richter begeistert.

»O nein«, entgegnete Trinidad entschieden, »ich hab's selbst gefunden. Dieses lateinische Wort habe ich nämlich in der Schule gelernt.«

»Ich komme mit«, erklärte der Richter und schwenkte seinen Stock. »Vielleicht kann ich mit meiner Beredsamkeit und Überzeugungskraft von Nutzen sein und unsere jungen Freunde überreden, sich für unseren Plan ausleihen zu lassen.«

Binnen einer Stunde kannte und billigte Yellowhammer den Plan der beiden. Bürger, die kinderreiche Familien im Umkreis von sechzig Kilometern von Yellowhammer kannten, meldeten sich. Trinidad schrieb alle Auskünfte sorgfältig auf und beeilte sich dann, Wagen und Zugtiere zu beschaffen.

Als erster Halt war ein Doppelblockhaus zwanzig Kilometer von Yellowhammer vorgesehen. Ein Mann öffnete die Tür auf Trinidads Ruf, kam dann herbei und lehnte sich auf das wacklige Gartentor. In der Tür drängte sich eine dichte Kinderschar, einige waren zerlumpt, alle neugierig und gesund.

»Es handelt sich um folgendes«, erklärte Trinidad. »Wir sind aus Yellowhammer und haben eine gutartige Kindsentführung vor. Einer unserer führenden Bürger hat den Weihnachtsmannfimmel, und er kommt morgen mit lauter rotbemaltem, in Deutschland hergestellten Spielzeug in die Stadt. Das jüngste Kind, das wir haben, hat fünfundzwanzig Jahre auf dem Buckel und besitzt ein Rasiermesser. Folglich scheuen wir uns, ›Oh‹ und ›Ah‹ zu sagen, wenn wir die Kerzen am Weihnachtsbaum anzünden. Also, Kamerad, wenn Sie uns ein paar Kinder ausleihen, verbürgen wir uns, daß wir sie am Weihnachtstag wohlbehalten und gesund zurückbringen werden. Und sie werden beladen mit Fröhlichkeit, Robinsonbüchern, Füllhörnern, roten Trommeln und ähnlichen schönen Dingen zurückkehren. Wie finden Sie das?«

»Mit andern Worten«, fiel der Richter ein, »wir haben zum erstenmal festgestellt, daß es in unserem jungen, aber aufstrebenden Städtchen leider an Kindern fehlt. Nun naht die Zeit, in der es üblich ist, die Kleinen zu beschenken...«

»Ich verstehe«, sagte der Vater und stopfte seine Pfeife mit dem Zeigefinger. »Ich glaube, ich brauche die Herren nicht aufzuhalten. Wir haben sieben Kinder, und wenn ich sie im Geiste vor mir aufreihe, sehe ich keins, das wir für Ihr Vorhaben entbehren könnten. Meine Frau hat süßes Popcorn und Stoffpuppen in der Kommode versteckt, und wir erlauben uns einen bescheidenen eigenen Weihnachtsrummel. Nein, ich kann keins der Kinder gehen lassen, so habgierig sind wir denn doch nicht. Besten Dank, meine Herren.«

Bergab fuhren sie und dann wieder bergauf zu Wiley Wilsons Ranchhaus. Trinidad trug seine Bitte vor, und der Richter lieferte sonor und gewichtig sein Wechselgesangsstück. Frau Wiley raffte ihre beiden rotbackigen Sprößlinge dicht an sich und lächelte nicht, bis sie ihren Mann lachen und den Kopf schütteln säh. Wieder eine Ablehnung.

Über die Hälfte der Liste erschöpften Trinidad und der Richter in vergeblichem Bemühen, bevor sich die Abenddämmerung auf die Berge senkte. Sie übernachteten in einem Postgasthof und machten sich am folgenden Morgen in aller Frühe erneut auf den Weg. Der Wagen hatte keinen einzigen Fahrgast erhalten.

»Mir schwant allmählich«, bemerkte Trinidad, »daß das Ausleihen von Kindern zur Weihnachtszeit etwas Ähnliches ist, als wollte man einem Mann, der gerade Pfannkuchen bäckt, die Butter stehlen.«

»Zweifellos ist es unbestreitbare Tatsache«, antwortete der Richter, »daß die Familienbande zu dieser Jahreszeit fester denn je geknüpft sind.«

Am Tage vor Weihnachten legten sie fünfzig Kilometer zurück und machten vier fruchtlose Besuche. Überall standen Kinder hoch im Kurs.

Die Sonne stand schon tief, als die Frau eines Streckenwärters in einsamer Gegend ihre unentbehrliche Nachkommenschaft hinter sich versteckte und sagte: »Da ist eine Frau, die gerade die Eisenbahnkantine am Knotenpunkt Granite übernommen hat. Wie ich höre, hat sie einen kleinen Sohn. Vielleicht läßt sie ihn gehen.«

Um fünf Uhr nachmittags zügelte Trinidad seine Maulesel beim Knotenpunkt Granite. Der Zug war soeben mit seiner Ladung gesättigter und besänftigter Fahrgäste abgefahren.

Auf den Stufen des Rasthauses sahen sie einen mageren, finsteren Zehnjährigen, der eine Zigarette rauchte. Der Speisesaal war in einem Chaos zurückgeblieben. Eine jüngere Frau rekelte sich erschöpft auf einem Stuhl. Ihr Gesicht hatte scharfe Sorgenfalten. Sie mußte früher einen gewissen Schönheitsstil gehabt haben, den sie nie ganz verlieren und nie zurückgewinnen würde. Trinidad entledigte sich seiner Mission.

»Ich würde es für ein Werk der Barmherzigkeit halten, wenn Sie mir Bobby eine Zeitlang abnähmen«, sagte sie müde. »Ich bin von morgens bis in die Nacht hinein auf den Füßen, und ich habe keine Zeit, mich um ihn zu kümmern. Von den Männern lernt er nur Schlechtes. Es wird die einzige Gelegenheit für ihn sein, Weihnachten zu feiern.«

Die beiden Männer gingen hinaus und sprachen mit Bobby. Trinidad malte den Glanz des Weihnachtsbaumes und der Geschenke in lebhaften Farben.

»Und morgen, mein kleiner Freund«, fügte der Richter hinzu, »wird der Weihnachtsmann die Gaben persönlich verteilen, lauter Symbole der Geschenke, die die Hirten von Bethlehem dem...«

»Ach, hören Sie doch auf«, unterbrach ihn der Junge und sah ihn scheel an. »Ich bin kein kleines Kind mehr. Es gibt keinen Weihnachtsmann. Die Großen kaufen das Spielzeug und schmuggeln es ins Zimmer, wenn man schläft. Und sie machen mit der Feuerzange Striche in den Kaminruß, das sollen dann die Schlittenspuren des Weihnachtsmannes sein.«

»Mag sein«, lenkte Trinidad ein, »aber Weihnachtsbäume sind keine Märchen. Bei uns wird er aussehen wie das Einheitspreisgeschäft in Albuquerque, ganz beladen mit Flittergold. Da gibt es Kreisel und Trommeln und Archen und...«

»Ach, Quatsch«, fiel Bobby müde ein. »Das ist schon lange nichts mehr für mich. Ich hätte gern ein Gewehr – nicht zum Scheibenschießen –, ein richtiges Gewehr, mit dem man Wildkatzen abknallen kann. Aber das haben Sie bestimmt nicht an Ihrem albernen Baum.«

»Na ja, mit Sicherheit kann ich es nicht sagen«, versetzte Trinidad diplomatisch, »aber es könnte sein. Komm mit uns, dann wirst du ja sehen.«

Die so genährte, wenn auch schwache Hoffnung bewog den Jungen, zögernd einzuwilligen. Mit diesem einzigen Nutznießer der weihnachtlichen Güte Tscherokis machten sich die Werber auf den Heimweg.

In Yellowhammer war der leere Lagerraum in etwas verwandelt worden, das für das Gemach einer Fee von Arizona hätte gelten können. Die Damen hatten gute Arbeit geleistet.

In der Mitte stand ein Weihnachtsbaum, bedeckt bis zum obersten Zweig mit Kerzen, Flitter und Spielzeug, das für zwei Dutzend Kinder gereicht hätte. Bei Sonnenuntergang begannen ängstliche Augen die Straße nach dem Wagen der Kinderbringer abzuspähen. Mittags war Tscheroki mit seinem Schlitten, der hoch beladen war mit Bündeln, Ballen und Schachteln aller Größe und Formen, in die Stadt gesaust. So versessen war er auf die Verwirklichung seiner selbstlosen Pläne, daß ihm die Kinderlosigkeit gar nicht auffiel. Niemand verriet etwas von den betrüblichen Zuständen in Yellowhammer, da man erwartete, daß Trinidad und der Richter durch ihre Bemühungen dem Mangel abhelfen würden.

Als die Sonne untergegangen war, verzog sich Tscheroki zwinkernd und grinsend mit dem Bündel, das sein Weihnachtsmannkostüm enthielt, und einem Paket, in dem besondere, noch nicht enthüllte Geschenke waren.

»Wenn sich die Kinder versammelt haben«, wies er den freiwilligen Organisationsausschuß an, »müßt ihr die Kerzen anzünden. Dann laßt ihr sie ›O du fröhliche‹ und ›Ihr Kinderlein, kommet‹ singen, und wenn sie mitten dabei sind, stiehlt sich der alte Weihnachtsmann herein. Ich schätze, daß die Geschenke für alle reichen werden.«

Die Damen umflatterten den Baum und legten letzte Hand an, die doch nie die letzte war. Die Schwestern Spangler trugen ihr Kostüm als Gräfin Violetta de Vere und Zofe Marie; das waren ihre Rollen in dem neuen Stück »Die Braut des Goldgräbers«. Da die Vorstellung erst um neun Uhr anfing, waren die beiden willkommene Helferinnen des Weihnachtsbaumkomitees. Jede Minute steckte jemand den Kopf zur Tür hinaus und lauschte auf das Hufgeklapper der Ankömmlinge. Die ängstliche Spannung steigerte sich, als es dunkelte. Bald mußten die Kerzen angezündet werden, und jeden Augenblick konnte der Weihnachtsmann Tscheroki seinen Auftritt vollziehen.

Endlich ratterte der Wagen der Kindsentführer die Straße entlang und hielt vor der Tür. Mit aufgeregten kleinen Schreien flogen die Damen, die Kerzen anzuzünden. Die Männer von Yellowhammer gingen rastlos ein und aus oder standen in verlegenen Gruppen im Lagerraum herum.

Trinidad und der Richter, denen man die anstrengende Reise ansah, traten ein; zwischen ihnen kam ein einziger Lausejunge, der den prächtigen Baum mit finsterer, pessimistischer Miene betrachtete.

»Wo sind die andern Kinder?« fragte die Frau des Goldprüfers, die anerkannte Leiterin aller gesellschaftlichen Anlässe.

»Madame«, antwortete Trinidad mit einem Seufzer, »Kindersuche zur Weihnachtszeit ist wie Silbersuche in Kalkstein. Ich kenne mich in elterlichen Dingen nicht aus. Allem Anschein nach sind Väter und Mütter dreihundertvierundsechzig Tage im Jahr bereit, ihre Kinder ertrinken, stehlen und vergiften zu lassen; aber am Weihnachtstag wollen sie unbedingt ihre Gesellschaft genießen. Dieser Junge hier ist alles, was wir nach zweitägiger Schufterei ausgewaschen haben.«

»Oh, so ein süßer kleiner Junge!« gurrte Fräulein Erma und ließ ihre Gräfin de Vere-Schleppe zum Mittelpunkt des Schauplatzes schleifen.

»Ach, halt's Maul«, brummte Bobby. »Wer ist hier ein Kind? Sie bestimmt nicht.«

»So ein frecher Bengel!« hauchte Fräulein Erma unter ihrem aufgemalten Lächeln.

»Wir haben unser möglichstes getan«, sagte Trinidad. »Für Tscheroki ist es bitter, aber es läßt sich nicht ändern.«

Da ging die Tür auf, und Tscheroki kam im althergebrachten Kostüm des heiligen Nikolaus herein. Ein weißer Rauschebart und herabwallende Haare verdeckten sein verwittertes Gesicht fast bis zu den glänzenden dunklen Augen. Auf dem Rücken trug er einen Sack.

Niemand rührte sich, als er eintrat. Sogar die Schwestern Spangler gaben ihre koketten Posen auf und starrten neugierig auf die große Gestalt. Bobby stand mit den Händen in den Hosentaschen und suchte mit mürrischer Miene den weiblichen und kindlichen Baum ab. Tscheroki stellte den Sack ab und blickte sich verwundert um. Vielleicht vermutete er, eine Horde eifriger Kinder werde irgendwo gehütet und solle bei seinem Eintritt losgelassen werden. Er ging zu Bobby und streckte die rotbehandschuhte Rechte aus.

»Fröhliche Weihnachten, kleiner Junge«, sagte Tscheroki. »Ich hole dir von dem Baum herunter, was du dir wünschst. Willst du dem Weihnachtsmann nicht die Hand geben?«

»Es gibt keinen Weihnachtsmann«, höhnte der Knabe. »Sie haben einen alten falschen Ziegenbart im Gesicht. Ich bin kein kleines Kind mehr. Was soll ich mit Puppen und Bleipferdchen? Der Kutscher sagte, Sie hätten ein Gewehr für mich, aber Sie haben keins. Ich will nach Hause.«

Trinidad sprang in die Bresche. Mit herzlichem Händedruck begrüßte er Tscheroki.

»Es tut mir leid, Tscheroki«, erklärte er. »Wir haben in Yellowhammer kein einziges Kind. Wir wollten für deine Feier einen ganzen Schwarm auftreiben, aber diese Sardine war alles, was wir fangen konnten. Der Bengel ist ein Atheist, und er glaubt nicht an den Weihnachtsmann. Jammerschade, daß du dir solche Mühe gemacht hast. Aber wir dachten, ich und der Richter, wir könnten eine ganze Wagenladung Kandidaten für deinen Krimskrams zusammenbringen.«

»Schon recht«, antwortete Tscheroki ernst. »Die Kosten sind keiner Erwähnung wert. Wir können das Zeug in einen Schacht abladen oder wegwerfen. Ich weiß nicht, was ich mir vorgestellt habe; aber es ist mir überhaupt nicht in den Sinn gekommen, daß es in Yellowhammer keine Kinder gab.«

Inzwischen hatte sich die Gesellschaft zu einer hohlen, aber lobenswerten Nachahmung eines freudigen Anlasses entspannt.

Bobby hatte sich in einen Winkel zurückgezogen, wo er auf einem Stuhl saß und kalt dem Schauspiel zusah; Langeweile stand deutlich auf seinem Gesicht geschrieben. Tscheroki, der von seiner ursprünglichen Idee nicht so ohne weiteres lassen wollte, ging zu ihm hinüber und setzte sich neben ihn. »Wo wohnst du, kleiner Junge?« fragte er ehrerbietig.

»Station Granite«, antwortete Bobby tonlos.

Es war warm im Lagerraum. Tscheroki nahm nicht nur seine Mütze ab, sondern auch Bart und Perücke.

»He!« rief Bobby, der zum erstenmal Neugier zeigte. »Ihr Gesicht kenne ich doch.«

»Hast du mich schon einmal gesehen?« fragte Tscheroki.

»Ich weiß nicht, aber Ihr Bild habe ich viele Male gesehen.«

»Wo?«

Der Knabe zögerte, dann antwortete er: »Zu Hause auf der Kommode.«

»Sag mir bitte, wie du heißt, Jungchen.«

»Robert Lumsden. Das Bild gehört meiner Mutter. Nachts steckt sie es unters Kopfkissen. Und einmal sah ich, wie sie es küßte. Aber die Weiber sind eben so.«

Tscheroki stand auf und winkte Trinidad zu sich. »Behalte den Jungen hier, bis ich zurückkomme. Ich will diese Weihnachtsmaskerade ablegen und meinen Schlitten anspannen. Ich werde den Jungen heimbringen.«

»Soso, du Treuloser«, sagte Trinidad und setzte sich auf den Stuhl, den Tscheroki freigegeben hatte. »Du bist anscheinend so uralt und ausgelaugt, daß du dir aus solchen Albernheiten wie Süßigkeiten und Spielzeug nichts machst.«

»Ich kann Sie nicht leiden«, gab Bobby ätzend zurück. »Sie sagten, hier gäbe es ein Gewehr. Nicht einmal rauchen kann man hier. Ich wünschte, ich wäre zu Hause.«

Tscheroki fuhr mit dem Schlitten bei der Tür vor, und Bobby wurde hinaufgehoben und neben ihn gesetzt. Die prachtvollen Pferde tänzelten über den harten Schnee davon. Tscheroki trug einen Sealmantel, der fünfhundert Dollar gekostet hatte. Die Decke, die er über sich und den Jungen breitete, war samtwarm.

Bobby kramte aus seiner Tasche eine Zigarette hervor und traf Anstalten, eine Zündholz anzureiben.

»Wirf die Zigarette weg«, sagte Tscheroki in ruhigem, aber ganz neuem Tone.

Bobby zauderte, dann ließ er sie über den Schlittenrand fallen.

»Auch die Streichholzschachtel«, befahl die neue Stimme. Noch widerwilliger gehorchte der Junge.

»Sie«, begann Bobby unvermittelt, »ich habe Sie gern. Ich weiß nicht, warum. Noch nie hat mich ein Mensch dazu gebracht, etwas zu tun, das mir nicht paßt.«

»Sag einmal, Kind«, diesmal schlug Tscheroki nicht den neuen Ton an, »hat deine Mutter wirklich das Bild geküßt, das mir so ähnlich ist?«

»Ehrenwort. Ich hab' es ja selbst gesehen.«

»Sagtest du nicht etwas davon, daß du dir ein Gewehr wünschst?«

»Und wie! Wollen Sie mir eins schenken?«

»Morgen bekommst du von mir eine Flinte, mit Silber beschlagen.«

Tscheroki zog seine Uhr hervor.

»Halb zehn. Wir werden noch am Weihnachtsabend zu Hause sein. Hast du kalt? Rück näher, mein Sohn.«

ALPHONSE DAUDET

Die drei stillen Messen

Ein Weihnachtsmärchen

I

»Zwei getrüffelte Truthähne, Garrigou?...«

»Ja, Hochwürden, zwei prächtige, mit Trüffeln gefüllte Truthähne. Ich weiß es ganz genau, denn ich habe beim Füllen geholfen. Man hätte meinen können, die Haut würde beim Braten platzen, so straff war sie gespannt...«

»Jesus-Maria! Und ich esse Trüffeln so gern!... Gib mir schnell mein Chorhemd, Garrigou... Und was hast du außer den Truthähnen noch in der Küche gesehen?...«

»Oh! Alle möglichen guten Sachen... Seit Mittag haben wir nichts getan, als Fasanen, Wiedehopfe, Haselhühner, Birkhähne gerupft. Die Federn flogen nur so... Und vom Teich hat man Aale, Goldkarpfen, Forellen und andere Fische geholt...«

»Wie groß waren denn die Forellen, Garrigou?«

»So groß, Hochwürden... riesig, sehen Sie...«

»O Gott! ich glaube sie mit Augen zu sehen... Hast du Wein in die Meßkännchen gegossen?«

»Ja, Hochwürden, alles besorgt... Aber, beim Himmel, der Wein in den Kannen ist nichts im Vergleich zu dem, den Sie trinken werden, wenn Sie aus der Messe kommen. Sie hätten nur den Eßsaal im Schloß sehen müssen und all die Karaffen, in denen Weinsorten von allen Farben funkelten... Und das Silbergeschirr, die ziselierten Tafelaufsätze, die Blumen, die Armleuchter!... Solchen Weihnachtsschmaus sieht man nicht so leicht wieder. Der Herr Marquis hat alle vornehmen Leute der Nachbarschaft einladen lassen. Ohne den Schultheiß und den Amtsschreiber zu zählen, werden sie mindestens vierzig sein... Ach! Sie sind gut daran, Hochwürden, dazuzugehören!... Der Duft der schönen Truthähne und der Trüffeln verfolgt mich überall... So was Feines!...«

»Nun, nun, liebes Kind. Hüten wir uns vor der Sünde der Leckermäuligkeit, vor allem in der Nacht der Geburt des Herrn... Zünde schnell die Kerzen an und läute die Glocke zur Messe; Mitternacht ist nahe, und wir dürfen uns nicht verspäten...«

Diese Unterhaltung fand am Weihnachtsabend im Jahre der Gnade sechzehnhundert und soviel zwischen dem hochwürdigen Dom Balaguère, ehemaligem Barnabitenprior und gegenwärtig wohlbestalltem Schloßkaplan der Herren von Trinquelage, und seinem kleinen Kirchendiener Garrigou, oder wenigstens was er für Garrigou hielt, statt. Denn man muß wissen, daß an diesem Abend der Teufel das runde Gesicht und die jugendlichen Züge seines Sakristans angenommen hatte, um den hochwürdigen Vater leichter in Versuchung zu führen und ihn die schreckliche Sünde der Leckerhaftigkeit begehen zu lassen. Während also der vorgebliche Garrigou (hum! hum!) die Glocken der Schloßkapelle läutete, legte Hochwürden das Meßgewand in der kleinen Sakristei an. Sein Geist war erfüllt von den Gedanken an die bevorstehenden Genüsse, und er wiederholte sich beim Ankleiden:

»Gebratene Truthähne, Goldkarpfen... so große Forellen!...«

Draußen wehte der Nachtwind und trug die Klänge der Glocken weit hinaus ins Land, und alsbald tauchten aus dem Dunkel Lichter an den Hängen des Berges Ventour, auf dem sich die alten Türme von Trinquelage erhoben, auf. Es waren die Familien der Pächter, welche die Mitternachtsmesse im Schloß hören wollten. Sie stiegen in Gruppen von fünf oder sechs singend die Höhe empor, der Vater mit der Laterne in der Hand voran, die Frauen in ihre weiten braunen Umhänge gehüllt, unter denen die sich an sie drängenden Kinder Schutz suchten. Trotz der Kälte und der späten Stunde wanderten die wackeren Leute munter dahin, denn der Gedanke lockte sie, daß nach Beendigung der Messe der Tisch für sie wie alle Jahre drunten in den Küchen gedeckt sein würde. Von Zeit zu Zeit spiegelten sich auf dem steilen Wege im Strahl des Mondscheins die Spiegelscheiben einer herrschaftlichen Kutsche, der Fackelträger vorangingen, oder auch ein Maulesel, dessen Glöckchen bimmelten, trottete vorüber, und im Lichte der aus dem Nebel herausblinkenden, großen Laterne erkannten die Pächter ihren Schultheißen und grüßten den Vorbeikommenden:

»Guten Abend, guten Abend, Meister Arnoton!«

»Guten Abend, guten Abend, liebe Leute!«

Die Nacht war klar, und die Sterne glitzerten vor Kälte. Der Wind war schneidend, und ein feiner Graupelhagel, der sich, ohne sie zu durchnässen, auf die Kleider legte, war ganz in Übereinstimmung mit dem üblichen weißen Weihnachten. Droben auf der Höhe war als Ziel das Schloß sichtbar mit seinen massigen, gewaltigen Türmen, seinen Giebeln, dem Glockenturm der Kapelle, der in den dunkelblauen Himmel aufragte, und seiner Menge kleiner Lichter, die aufblitzten und an allen Fenstern hin und her huschten und auf dem düstern Hintergrund der Mauern aussahen wie Funken, die flüchtig aus der Asche verbrannten Papiers aufleuchten... Um die Kapelle zu erreichen, mußte man, wenn man Zugbrücke und Tor hinter sich hatte, über den ersten Hof gehen, der voller Kutschen, Diener, Sänften war und vom Licht der Fackeln und dem Schein vom Herdfeuer der Küchen erhellt wurde. Man hörte das Klingen der Bratspieße, das Klappern der Kasserollen, das Klirren der Gläser und des Silbergeschirrs bei den Vorbereitungen zum Festschmaus. Hinzu kam ein warmer Dunst, der gut nach gebratenem Fleisch und Würzkräutern für die verschiedenen Soßen roch und den Pächtern, wie dem Kaplan, wie dem Schultheißen, wie aller Welt zu sagen schien:

»Was für ein gutes Festmahl werden wir nach der Messe genießen!«

II

»Bimbim!... Bimbim!...«

Die Weihnachtsmesse beginnt. In der Kapelle des Schlosses, einem Puppendom mit sich kreuzenden Bögen, eichener Täfelung, die die Wände bis oben hinauf bedeckt, Teppichen, sind alle Kerzen angezündet. Was für eine Menge Leute! Was für prächtige Toiletten! Da saßen zunächst in den den Chor umgebenden, geschnitzten Kirchenstühlen der Herr von Trinquelage in lachsfarbenem Taftgewand, und neben ihm alle seine edlen Gäste. Gegenüber auf dem samtverzierten Betpult haben die alte, verwitwete Gräfin in feuerrotem Brokatkleid und die junge Herrin von Trinquelage mit hoher, nach der letzten Mode des französischen Hofes gewaffelter Spitzenhaube auf dem Kopf Platz genommen. Weiter hinten sieht man, schwarzgekleidet, mit gewaltigen Perücken und glattrasierten Gesichtern, den Schultheiß Thomas Arnoton und den Amtsschreiber Meister Ambroy, zwei dunkle Punkte zwischen den leuchtenden Seidenstoffen und den golddurchwirkten Damasten. Dann kommen die dicken Haushofmeister, die Pagen, die Piköre, die Verwalter, Dame Barbe mit all ihren Schlüsseln an der Seite an silbernem Schlüsselring. Hinten auf den Bänken sitzen die Dienerschaft, die Mägde, die Pächter mit ihren Familien, und schließlich ganz hinten, nahe der Tür, die sie leise etwas öffnen und wieder zumachen, stehen die Herren Küchenjungen, die in einem freien Augenblick eintreten, um auch etwas von der Messe abzubekommen, und leckere Küchendüfte in die festlich geschmückte, von soviel brennenden Kerzen erwärmte Kirche hineintragen.

Ist es der Anblick dieser kleinen weißen Mützen, der die Gedanken des Pfarrers ablenkt? Oder ist es mehr die Glocke Garrigous, diese kleine, verteufelte Glocke, die sich am Fuße des Altars mit höllischer Geschwindigkeit hin und her schwingt und immer wieder zu sagen scheint:

»Schneller, schneller... je früher wir fertig sind, desto früher sitzen wir bei Tisch!«

Tatsache ist, daß jedesmal, wenn die Glocke, diese Glocke des Teufels, ertönt, der Kaplan seine Messe vergißt und nur noch an den Festschmaus denkt. Er hat die geschäftigen Köche, die Riesenfeuer der Herde, die unter halboffenen Deckeln aufsteigenden Dämpfe und in diesen Dämpfen zwei prächtige, gestopfte, straffe, trüffelmarmorierte Truthähne vor Augen.

Oder auch er sieht Reihen von Pagen vorbeiziehen, die dampfende Schüsseln tragen, und mit ihnen betritt er den für das Festmahl bereiten, großen Saal. O Wonne! Da steht die vollbeladene, funkelnde Tafel, Pfaue in ihrem Federschmuck, Fasane, die ihre goldkäferfarbenen Flügel ausbreiten, rubinleuchtende Karaffen, Haufen von glänzenden Früchten unter grünen Zweigen, und die wundervollen Fische, von denen Garrigou sprach (ah! jawohl Garrigou!), auf Fenchel gebettet, mit Perlmutterschuppen, wie sie aus dem Wasser kamen, und einem Strauß duftender Kräuter in den Nasenlöchern. So lebhaft steht dies Wunderbild vor ihm, daß es Dom Balaguère scheint, als stünden alle diese wundersamen Schüsseln vor ihm auf den Stickereien des Altartuches, und zwei- oder dreimal ertappt er sich dabei, statt *Dominus vobiscum* das *Benedicite* zu sagen. Abgesehen von diesen leichten Versehen hält der würdige Herr gewissenhaft seine Messe, ohne eine Zeile zu überschlagen oder eine Kniebeugung auszulassen. Bis zum Ende der ersten Messe geht alles gut, denn, wie Sie wissen, muß derselbe Geistliche am Weihnachtstage drei Messen hintereinander lesen.

»Eine ist erledigt«, sagt der Kaplan mit einem Seufzer der Erleichterung; ohne eine Minute zu verlieren, gibt er seinem Gehilfen oder dem, welchen er für seinen Gehilfen hält, ein Zeichen, und...

»Bimbim!... Bimbim!«

Die zweite Messe beginnt, und mit ihr beginnt auch die Sünde des Dom Balaguère.

»Schnell, schnell, beeilen wir uns!« ruft ihm die hohe, scharfe Stimme der Glocke Garrigous zu, und dieses Mal stürzt sich der unglückselige Priester, ganz der Lockung seiner Leckerhaftigkeit verfallen, auf das Meßbuch und verschlingt die Seiten mit der Gier seines überreizten Appetits. Wie wahnsinnig kniet er nieder, erhebt sich, deutet das Zeichen des Kreuzes und die Kniebeugungen leicht an, verkürzt alle Gebärden, um schneller fertig zu werden. Kaum hebt er die Arme beim Evangelium und schlägt beim *Confiteor* an die Brust. Sein Sakristan und er plappern um die Wette. Bibelvers und Antwortsgesang überstürzen sich und geraten ineinander. Die Worte werden nur halb gesprochen und der Mund nicht geöffnet, denn das würde zuviel Zeit wegnehmen, und schließlich werden sie zu einem unverständlichen Murmeln.

»*Oremus ps... ps... ps...*«

»*Mea culpa... pa... pa...*«

Ähnlich den Winzern, die eilig die Trauben im Kübel zerquetschen, plätschern alle beide im Latein der Messe und senden nach allen Seiten Spritzer.

»*Dom... scum!...*« sagt Balaguère.

»*...Stutuo!...*« antwortete Garrigou; und die ganze Zeit über hört die kleine Glocke nicht auf und tönt ihnen in die Ohren wie jene Schellen, welche die Postpferde tragen, damit sie um so schneller galoppieren. Man kann sich denken, daß bei solchem Tempo eine Messe schnell zu Ende geht.

»Nummer zwei fertig!« sagt der Kaplan außer Atem. Dann, ohne Zeit zu verlieren, um aufzuatmen, rot und schweißtriefend, eilt er die Altarstufen hinab und...

»Bimbim!... Bimbim!«

Die dritte Messe beginnt. Nun braucht er nur einige Schritte zu tun, um zum Eßsaal zu gelangen. Aber ach, in dem Maße, wie das Mahl näher rückt, fühlt sich der unselige Balaguère von wahnsinniger Ungeduld und Freßgier überkommen. Seine Wahnvorstellung wird deutlicher; die Goldkarpfen, die gebratenen Truthähne sind vor ihm... er berührt sie... er... O Gott!... Die Schüsseln dampfen, die Weinsorten duften; und das wütende Bimmeln der kleinen Glocke ruft ihm zu:

»Schnell, schnell, noch schneller!...«

Aber wie hätte es noch schneller gehen sollen? Seine Lippen bewegen sich kaum; er spricht keine Worte mehr aus. Wofern er den lieben Gott nicht ganz betrügen und ihn um die Messe bemogeln will... Aber das tut der Unglückselige schon!... Die Versuchung wird stärker, und er beginnt, einen Bibelvers zu überschlagen, dann zwei. Die Epistel ist zu lang... er liest sie nicht zu Ende, er streift flüchtig das Evangelium, geht am *Credo* vorbei, ohne einzutreten, überspringt das *Pater*, winkt dem Eingang der Messe ab, und stürzt sich so in leidenschaftlichen Sprüngen in die ewige Verdammnis, hineingepeitscht von dem niederträchtigen Garrigou (*vade retro, Satanas!*), der ihm in wunderbarem Einvernehmen zur Seite steht, ihm das Meßgewand aufschürzt, immer zwei Blätter umwirft, und unaufhörlich die kleine Glocke stärker und immer schneller schwingt.

Man muß die verstörten Gesichter sehen, die die Zuhörer machen! Gezwungen, in dem Gebärdenspiel des Pristers die Messe mitzumachen, von der sie kein Wort verstehen, erheben sich die einen, wenn die andern niederknien, und setzen sich, wenn die andern stehen. Alle Stadien dieses seltsamen Gottesdienstes vermengen sich auf den Bänken in einem Wirrwarr von verschiedensten Stellungen. Der Weihnachtsstern dort oben am Himmelsgewölbe, auf dem Wege zum kleinen Stall, erbleicht vor Entsetzen, als er die Verwirrung sieht...

»Der Pfarrer macht es zu schnell... man kann gar nicht folgen«, murmelt die alte Gräfin und schüttelt bedenklich den Kopf.

Meister Arnoton, mit der großen Stahlbrille auf der Nase, sucht in seinem Gebetbuch vergebens, wie weit man ist. Aber im Grunde des Herzens sind alle diese wackeren Leute, die auch auf den Schmaus begierig sind, keineswegs über die Eilpost ärgerlich, in der die Messe vor sich geht. Als sich Dom Balaguère mit strahlendem Gesicht der Gemeinde zuwendet und mit aller Kraft ruft: »*Ite, missa est*«, gibt es nur eine Stimme in der Kapelle, um ihm zu antworten mit einem frohen, begeisterten *Deo gratias*, als ob man sich schon bei Tafel während des ersten Trinkspruches befände.

III

Fünf Minuten nachher setzte sich die Menge der edlen Herren, und mitten unter ihnen der Kaplan, an die festliche Tafel. Das von oben bis unten erleuchtete Schloß hallte von Liedern, Geschrei, Lachen und Gelärm wider; der ehrwürdige Dom Balaguère stieß seine Gabel in einen Haselhuhnflügel und ertränkte die Gewissensbisse über seine Sünde in Strömen päpstlichen Weines und dem Bratensaft der Fleischspeisen. Der arme fromme Mann aß und trank so viel, daß er in der Nacht nach schmerzvollem Übelsein starb, ohne auch nur Zeit zur Reue gehabt zu haben. Am Morgen kam er dann im Himmel, der von den Festlichkeiten der Nacht noch ganz in Aufruhr war, an, und man kann sich ausmalen, wie er dort empfangen wurde.

»Fort aus meinen Augen, du schlechter Christ!« sagte der höchste Richter, unser aller Meister, zu ihm. »Dein Fehler ist groß genug, um ein ganzes Leben der Tugend auszulöschen... Ach! Du hast mir eine Nachtmesse gestohlen... Dreihundert sollst du mir dafür zahlen. Du wirst nicht in das Paradies eingehen, bevor du nicht in deiner eigenen Kapelle in Gegenwart all derer, die durch deine Schuld und mit dir gesündigt haben, diese dreihundert Christmessen gefeiert hast...«

Das ist die echte Sage von Dom Balaguère, wie man sie im Lande der Oliven erzählt. Heute besteht das Schloß Trinquelage nicht mehr, aber inmitten einer Gruppe von Eichen ragt die Kapelle immer noch auf dem Gipfel des Ventourberges zum Himmel auf. Der Wind spielt mit ihrer verfallenen Tür, das Gras sprießt auf der Schwelle; Vögel nisten in den Ecken des Altars und in der Vertiefung der hohen Fenster, deren bunte Scheiben seit langem verschwunden sind. Aber es scheint, als ob jedes Jahr zu Weihnachten ein übernatürliches Licht durch die Ruinen huscht, und daß, wenn die Bauern zur Messe und zum Festschmaus gehen, sie diese gespenstische Kapelle von unsichtbaren Lichtern erhellt sehen, die im Freien, selbst unter Schnee und Wind brennen. Vielleicht wird mancher darüber lachen; aber ein Winzer der Gegend, namens Garrigue, ohne Zweifel ein Nachkömmling Garrigous, hat mir versichert, daß er sich eines Weihnachtsabends etwas angezecht auf dem Berge in der Nähe des Schlosses verirrt und folgendes gesehen habe... Bis elf Uhr nichts. Alles schweigend, dunkel, leblos. Kurz vor zwölf Uhr ertönte plötzlich Glockengeläut von der Spitze des Turmes, das Läuten einer ganz alten, alten Glocke, die zehn Meilen entfernt zu sein schien. Bald sah Garrigue auf dem berganführenden Wege Lichter flackern und unbestimmte Schatten sich bewegen. Unter der Türhalle der Kapelle flüsterte man:

»Guten Abend, Meister Arnoton!«

»Guten Abend, liebe Leute!«

Als alle drinnen waren, näherte sich der Winzer, der ein tapferer Mann war, leise und blickte durch die verfallene Tür. Er hatte einen seltsamen Anblick. Alle Leute, die er hatte vorbeigehen sehen, waren um den Chor im Schiff der Kirche versammelt, als ob die alten Bänke noch vorhanden wären. Schöne Damen in Brokatkleidern und Spitzenhauben, vornehme Herren in Goldstickerei, Bauern in blumengeschmückten Wämsern, wie sie unsere Großväter trugen, aber alle mit welken, alten, staubigen, müden Gesichtern. Von Zeit zu Zeit strichen Nachtvögel, die gewöhnlichen Gäste der Kapelle, vom Lichterglanz aufgescheucht, um die Kerzen, deren Flamme steil und undeutlich wie hinter einem Gazeschleier nach oben stieg; was Garrigue vor allem Spaß machte, war eine Persönlichkeit mit großer Stahlbrille, die häufig ihre große Perücke schüttelte, und auf deren Haupt einer jener Vögel saß und schweigend die Flügel schwang...

Im Hintergrund bewegte ein alter Mann von kindlicher Gestalt, der mitten vor dem Chor kniete, voller Verzweiflung eine klanglose Schelle, während ein in altes Gold gekleideter Priester vor dem Altar hin und her ging und Gebete sprach, von denen man kein Wort hörte... Das war sicherlich Dom Balaguère, der seine dritte Messe sagte.

W. SOMERSET MAUGHAM

Die Winter-Kreuzfahrt

Der Frachter ›Friedrich Weber‹, auf dem Kapitän Erdmann fuhr, verkehrte regelmäßig zwischen Hamburg und Cartagena an der Küste Kolumbiens. Unterwegs legte er an verschiedenen westindischen Inseln an.

Miß Reid war in Portsmouth an Bord gekommen. Sie besaß in einem bekannten Seebad im Westen Englands eine Teestube, die sie nach der Saison den Winter über schloß. Ihre Freundin Miß Price, die Tochter des verstorbenen Vikars von Campden, hatte sie ans Schiff begleitet.

»Ich hoffe, es macht Ihnen nichts aus, allein mit so vielen Männern zu reisen, Miß Reid«, sagte Kapitän Erdmann freundlich. – »Ich glaube, Captain, wenn eine Dame sich wie eine Dame benimmt, benehmen sich auch die Herren wie Herren.« – »Wir sind nur eine Horde rauher Seeleute. Sie dürfen nicht zuviel erwarten.«

Es war wirklich ein großes Erlebnis für Miß Reid, so allein mit all den Männern zu sein. Diese armen Kerle, die so weit weg von daheim und ihren Familien waren, während Weihnachten vor der Tür stand! Sie war fest entschlossen, ein wenig Feierlichkeit in ihr eintöniges Leben zu bringen. Miß Reid war überzeugt, daß die anderen sie ebenso gern hatten wie umgekehrt. Es war Pflicht des Kapitäns, höflich gegen einen Passagier zu sein, und so gern er ihr auch gesagt hätte, sie solle doch endlich ihren törichten Mund halten – denn sie war entsetzlich geschwätzig –, so durfte er das doch nicht. Selbst wenn es ihm freigestanden hätte, würde er es doch nicht über sich gebracht haben, ihre Gefühle zu verletzen. Nichts vermochte den Strom ihres Redeschwalls zu hemmen.

Einmal begannen die Männer in ihrer Verzweiflung, deutsch zu sprechen, aber Miß Reid fuhr sofort dazwischen: »Ich möchte nicht, daß Sie Dinge sagen, die ich nicht verstehe. Nützen Sie den glücklichen Umstand, daß Sie mich an

Bord haben, und frischen Sie Ihre englischen Sprachkenntnisse auf.«

»Wir sprachen von technischen Dingen, die Sie nur langweilen würden, Miß Reid«, erklärte Kapitän Erdmann.

»Ich langweile mich nie. Darum bin ich auch – halten Sie mich nicht für eingebildet, wenn ich das sage – nie langweilig. Mich interessiert alles.«

Der Schiffsarzt lächelte trocken: »Der Kapitän hat das nur gesagt, weil er verlegen war. In Wirklichkeit erzählte er eine Geschichte, die nicht für die Ohren einer Dame bestimmt war.«

»Wenn ich auch ein altes Mädchen bin, so erwarte ich doch nicht von Seeleuten, daß sie Heilige sind. Sie brauchen keine Angst zu haben, was Sie vor mir sprechen, Captain. Ich nehme keinen Anstoß.«

Am Nachmittag kam der Arzt in die Messe. Er fand den Kapitän und Hans Krause, den Maat, bei einem Glas Bier. »Nehmen Sie Platz, Doktor«, sagte der Kapitän. »Wir halten gerade Kriegsrat. Heute beim Mittagessen war Miß Reid geschwätziger denn je. Hans und ich haben beschlossen, daß etwas geschehen muß. Wir wollen unsern Weihnachtsabend in Ruhe genießen.«

»Und wie wollen Sie sie loswerden, ohne sie über Bord zu werfen?« lächelte der Doktor. »Sie ist eine gute alte Seele. Alles, was sie braucht, ist ein Liebhaber.«

»In ihrem Alter?« schrie Hans Krause.

»Gerade in ihrem Alter. Ihre Geschwätzigkeit, dieses ewige Fragenstellen, die Art, wie sie ständig schnattert...«

Es war immer ein wenig schwierig zu wissen, was der Doktor ernst meinte und wann er scherzte. Die blauen Augen des Kapitäns zwinkerten verschmitzt: »Ich habe großes Vertrauen in Ihre diagnostische Gabe. Das Mittel, das Sie vorschlagen, ist einen Versuch wert. Nun, Sie sind doch Junggeselle!«

»Verzeihung, Herr Kapitän, es ist nur meine Pflicht, meinen Patienten Arzneien zu verschreiben.«

»Ich bin ein verheirateter Mann mit erwachsenen Kindern«, sagte Kapitän Erdmann. »Von mir kann man nicht erwarten, daß ich eine solche Aufgabe übernehme.«

»Jugend ist in diesem Fall eine Grundbedingung und ein hübsches Äußeres der Sache förderlich«, meinte der Doktor.

Der Kapitän schlug mit der Faust auf den Tisch: »Sie denken an Hans. Sie haben ganz recht!«

Der Maat sprang auf: »Ich? Niemals!«

»Hans, du bist ein hübscher Bursche, tapfer und jung. Wir haben noch dreiundzwanzig Tage auf See. Du möchtest doch nicht deinen alten Kapitän, der sich auf dich in einer Notlage verläßt, oder deinen guten Freund, den Doktor, im Stich lassen?«

»Nein, Herr Kapitän, das ist zuviel verlangt. Ich bin kaum ein Jahr verheiratet und liebe meine Frau.«

»Muß ich also dreiundzwanzig Tage lang das Gewäsch und die ewige Fragerei ertragen – muß ich, ein alter Mann, mir den Weihnachtsabend durch die unerwünschte Gesellschaft einer alten Jungfer verderben lassen, nur weil sich keiner findet, der einer einsamen Frau ein wenig Ritterlichkeit, ein wenig menschliche Güte erweisen will?« fragte Kapitän Erdmann.

»Da ist doch noch der Bordfunker«, versetzte Hans.

Der Kapitän stieß einen Pfiff aus. »Der Bordfunker soll sofort zu mir kommen.«

Der Bordfunker kam in die Messe und schlug schneidig die Hacken zusammen. Die drei Männer blickten sich schweigend an. Er fragte sich unsicher, was er wohl angestellt haben mochte. Er war über den Durchschnitt groß, hatte breite Schultern und schmale Hüften, ein hübsches volles Gesicht und einen dichten blonden Haarschopf.

»Wie alt bist du, mein Junge?« fragte der Kapitän. – »Einundzwanzig.« – »Verheiratet?« – »Nein, Herr Kapitän.« – »Verlobt?« Der Bordfunker kicherte. Es lag eine gewinnende Jungenhaftigkeit in seinem Lachen. »Nein, Herr Kapitän.«

Erdmann setzte seine amtlichste Miene auf. »Obwohl dieses Schiff ein Frachter ist, befördern wir auch Passagiere. Meine Instruktionen lauten, mein Möglichstes zu tun, damit die Passagiere zufrieden und glücklich sind. Miß Reid braucht einen Liebhaber. Der Doktor und ich sind zu dem Schluß gekommen, daß du der geeignete Mann dafür bist.«

»Ich, Herr Kapitän?« Der Bordfunker wurde feuerrot und

begann dann zu kichern, nahm sich aber rasch zusammen. »Aber sie ist so alt, daß sie meine Mutter sein könnte.«

»Das hat in deinem Alter nichts zu sagen.«

»Wenn ich mir eine Frage erlauben darf, Herr Kapitän, warum will Miß Reid einen Liebhaber haben?«

»Es scheint ein alter englischer Brauch zu sein für unverheiratete Frauen, sich um die Weihnachtszeit einen Liebhaber zu wählen, und die Schiffahrtsgesellschaft wünscht, daß Miß Reid hier genauso behandelt wird wie auf einem englischen Schiff.«

»Herr Kapitän, ich muß bitten, mich zu entschuldigen.«

»Ich richte keine Bitte an dich, sondern einen dienstlichen Befehl. Du findest dich heute abend um elf Uhr bei Miß Reid in ihrer Kajüte ein.«

»Was soll ich dort tun?«

»Tun?« donnerte der Kapitän. »Tun? Natürlich handeln!« Mit einer Handbewegung entließ er ihn. Der Bordfunker schlug die Hacken zusammen, grüßte und ging hinaus.

Am nächsten Tag, man saß bereits bei Tisch, als Miß Reid zum Lunch hereinkam. »Ich hatte vergangene Nacht ein so komisches Erlebnis. Ich kann es überhaupt nicht verstehen.« Zum erstenmal lauschten sie in atemlosem Schweigen ihren Worten. »Ich wollte gerade ins Bett gehen, als es an die Tür klopfte. ›Wer ist da?‹ fragte ich. ›Der Bordfunker‹, war die Antwort. ›Was gibt's?‹ – ›Kann ich Sie einen Augenblick sprechen?‹ fragte er.«

Alle hingen gespannt an Miß Reids Lippen. »›Ich schlüpfe nur eben in meinen Schlafrock‹, sagte ich und öffnete die Tür. Der Funker sagte: ›Verzeihen Sie, aber möchten Sie vielleicht ein Kabel absenden?‹ Er sah so komisch aus. ›Nein, danke‹, sagte ich. Und dann: ›Gute Nacht, angenehme Ruhe‹, und ich schloß die Tür.«

»Der verdammte Narr!« murmelte der Kapitän. Nach dem Essen ließ er den Funker kommen. »Du Idiot, was hat dich veranlaßt, Miß Reid zu fragen, ob sie ein Kabel senden wollte?«

»Herr Kapitän, Sie haben mir gesagt, ich solle natürlich handeln. Ich bin Bordfunker. Ich hielt es für natürlich, sie zu fragen, ob sie ein Kabel senden wolle. Ich wußte nicht, was ich sonst hätte fragen sollen.«

»Du bist jung, hübsch, stattlich«, schnaufte der Kapitän. »Die Ehre unseres Schiffs ruht in deinen Händen.«

»Sehr wohl, Herr Kapitän. Ich werde mein Möglichstes tun.«

An diesem Abend klopfte es erneut an Miß Reids Tür. »Wer ist da?« – »Der Bordfunker. Ich habe ein Kabel für Sie.« – »Schieben Sie's nur unter der Tür durch.«

Das Kuvert wurde unter der Tür durchgeschoben. Miß Reid riß es auf und las: »Fröhliche Weihnachten. Sie sind reizend. Ich liebe Sie. Ich muß Sie sprechen. Der Bordfunker.«

Miß Reid las das zweimal. Dann nahm sie ihre Brille ab und versteckte sie unter dem Kopfkissen. Sie öffnete die Tür. »Kommen Sie herein.«

Am nächsten Tag hatten die Stewards die Messe mit tropischen Schlingpflanzen als Ersatz für Tannen- und Mistelzweige dekoriert. Miß Reid erschien erst zur Abendfeier. Sie trug ein dezentes schwarzes Kleid und eine lange Jadekette um den Hals. Alle sahen sie erwartungsvoll an. Sie aß herzhaft, aber ohne ein Wort zu sprechen. Ihr Schweigen war unheimlich. Endlich hielt es Kapitän Erdmann nicht länger aus. Er stieß den Doktor unter dem Tisch mit dem Fuß an und flüsterte: »Etwas ist passiert! Sie ist ganz verwandelt.«

Im Lauf des Abends wurden alle ein wenig beschwipst, auch Miß Reid, aber sie verlor ihre Würde nicht. Schließlich wünschte sie allen gute Nacht: »Es war ein reizender Abend. Nie werde ich meinen Weihnachtsabend auf einem deutschen Schiff vergessen. Ein richtiges Erlebnis.«

Damit ging sie festen Schrittes zur Tür.

Als am nächsten Tag der Kapitän, der Maat, der Doktor und der Chefingenieur etwas benommen zum Essen kamen, saß Miß Reid bereits am Tisch. An jedem Platz lag ein Päckchen mit der Aufschrift »Fröhliche Weihnachten«. Sie warfen Miß Reid einen fragenden Blick zu. »Sie waren alle so nett zu mir, daß ich jedem von Ihnen ein kleines Geschenk machen wollte. Es gab nicht viel Auswahl in Port-au-Prince. Sie dürfen sich nicht zuviel erwarten.«

Für den Rest der Reise verwöhnten sie Miß Reid in unerhörter Weise. Obschon ihr Appetit vorzüglich war, suchten sie sie mit neuen Gerichten zu verlocken. Der Doktor bestellte Wein und bestand darauf, daß sie die Flasche mit ihm teilte. Sie spielten Domino, Schach und Bridge mit ihr, und sie versuchten sogar, sie in lange Gespräche zu verwickeln. Schließlich ging die Reise ihrem Ende zu. Miß Reid packte ihren Koffer. Um zwei Uhr legten sie in Plymouth ab. Der Kapitän, der Maat und der Doktor kamen, um sich von ihr zu verabschieden. »Sie waren sehr lieb zu mir, ich weiß nicht, wie ich das verdient habe. Ich war sehr glücklich mit Ihnen und werde Sie nie vergessen.«

Sie sprach mit zitternder Stimme, sie versuchte zu lächeln, aber ihre Lippen bebten und Tränen rannen ihr die Wangen herab. Der Kapitän wurde sehr rot. »Darf ich Ihnen einen Kuß geben, Miß Reid?« Sie war um einen halben Kopf größer als er, beugte sich herunter, und er küßte sie herzhaft auf die nasse Wange. Dann wandte sie sich dem Maat und dem Doktor zu. Beide küßten sie.

»Was für eine alte Närrin bin ich doch. Alle sind so gut.« Sie trocknete ihre Augen und ging langsam über den Laufsteg. Als sie den Kai erreichte, drehte sie sich um und winkte.

»Wem winkt sie?« fragte der Kapitän. –

»Dem Bordfunker.«

Miß Price stand wartend am Kai, um sie zu begrüßen. »Ich bin sehr gespannt, was du von deiner Reise erzählen kannst.«

»Da gibt es nicht sehr viel zu erzählen.«

»Das kann ich nicht glauben. Deine Reise war doch geglückt?«

»Ausgesprochen geglückt sogar. Sie war sehr schön.«

»Und hat es dir nichts ausgemacht, mit all diesen Deutschen zusammen zu sein?«

»Man muß sich an ihre Art gewöhnen. Sie tun manchmal Dinge – die Engländer nicht tun würden, weißt du. Aber ich finde, man muß die Dinge nehmen, wie sie kommen.«

»Was für Dinge meinst du?«

Miß Reid sah ihre Freundin ruhig an. Ihr langes, törichtes Gesicht hatte einen friedlichen Ausdruck, und Miß Price merkte nicht, daß in den Augen ein mutwilliges Fünkchen tanzte. »Nicht wirklich wichtige Dinge. Nur eben komische, unerwartete, eigentlich recht nette Dinge. Es gibt keinen Zweifel: Reisen ist eine wunderbare Schule.«

HEINRICH BÖLL

Nicht nur zur Weihnachtszeit

1

In unserer Verwandtschaft machen sich Verfallserscheinungen bemerkbar, die man eine Zeitlang stillschweigend zu übergehen sich bemühte, deren Gefahr ins Auge zu blicken man nun aber entschlossen ist. Noch wage ich nicht, das Wort Zusammenbruch anzuwenden, aber die beunruhigenden Tatsachen häufen sich derart, daß sie eine Gefahr bedeuten und mich zwingen, von Dingen zu berichten, die den Ohren der Zeitgenossen zwar befremdlich klingen werden, deren Realität aber niemand bestreiten kann. Schimmelpilze der Zersetzung haben sich unter der ebenso dicken wie harten Kruste der Anständigkeit eingenistet, Kolonien tödlicher Schmarotzer, die das Ende der Unbescholtenheit einer ganzen Sippe ankündigen. Heute müssen wir es bedauern, die Stimme unseres Vetters Franz überhört zu haben, der schon früh begann, auf die schrecklichen Folgen aufmerksam zu machen, die ein »an sich« harmloses Ereignis haben werde. Dieses Ereignis selbst war so geringfügig, daß uns das Ausmaß der Folgen nun erschreckt. Franz hat schon früh gewarnt. Leider genoß er zu wenig Reputation. Er hat einen Beruf erwählt, der in unserer gesamten Verwandtschaft bisher nicht vorgekommen ist, auch nicht hätte vorkommen dürfen: er ist Boxer geworden. Schon in seiner Jugend schwermütig und von einer Frömmigkeit, die immer als ›inbrünstiges Getue‹ bezeichnet wurde, ging er früh auf Bahnen, die meinem Onkel Franz – diesem herzensguten Mensch – Kummer bereiteten. Er liebte es, sich der Schulpflicht in einem Ausmaß zu entziehen, das nicht mehr als normal bezeichnet werden kann. Er traf sich mit fragwürdigen Kumpanen in abgelegenen Parks und dichten Gebüschen vorstädtischen Charakters. Dort übten sie die harten Regeln des Faustkampfes, ohne sich bekümmert darum zu zeigen, daß das humanistische Erbe vernachlässigt wurde. Diese Burschen zeigten schon früh die Untugenden ihrer Generation, von der sich ja inzwischen herausgestellt hat, daß sie nichts taugt. Die erregenden Geisteskämpfe früherer Jahrhunderte interessierte sie nicht, zu sehr waren sie mit den fragwürdigen Aufregungen ihres eigenen Jahrhunderts beschäftigt. Zunächst schien mir, Franzens Frömmigkeit stehe im Gegensatz zu diesen regelmäßigen Übungen in passiver und aktiver Brutalität. Doch heute beginne ich manches zu ahnen. Ich werde darauf zurückkommen müssen.

Franz also war es, der schon frühzeitig warnte, der sich von der Teilnahme an gewissen Feiern ausschloß, das Ganze als Getue und Unfug bezeichnete, sich vor allem später weigerte, an Maßnahmen teilzunehmen, die zur Erhaltung dessen, was er Unfug nannte, sich als erforderlich erwiesen. Doch – wie gesagt – besaß er zu wenig Reputation, um in der Verwandtschaft Gehör zu finden.

Jetzt allerdings sind die Dinge in einer Weise ins Kraut geschossen, daß wir ratlos dastehen, nicht wissend, wie wir ihnen Einhalt gebieten sollen.

Franz ist längst ein berühmter Faustkämpfer geworden, doch weist er heute das Lob, das ihm in der Familie gespendet wird, mit derselben Gleichgültigkeit zurück, mit der er sich damals jede Kritik verbat.

Sein Bruder aber – mein Vetter Johannes –, ein Mensch, für den ich jederzeit meine Hand ins Feuer gelegt hätte, dieser erfolgreiche Rechtsanwalt, Lieblingssohn meines Onkels – Johannes soll sich der kommunistischen Partei genähert haben, ein Gerücht, das zu glauben ich mich hartnäckig weigere. Meine Kusine Lucie, bisher eine normale Frau, soll sich nächtlicherweise in anrüchigen Lokalen, von ihrem hilflosen Gatten begleitet, Tänzen hingeben, für die ich kein anderes Beiwort als existentialistisch finden kann, Onkel Franz selbst, dieser herzensgute Mensch, soll geäußert haben, er sei lebensmüde, er, der in der gesamten Verwandtschaft als ein Muster an Vitalität galt und als ein Vorbild dessen, was man uns einen christlichen Kaufmann zu nennen gelehrt hat.

Arztrechnungen häufen sich, Psychiater, Seelentestler werden einberufen. Einzig meine Tante Milla, die als Urheberin all dieser Erscheinungen bezeichnet werden muß, erfreut sich bester Gesundheit, lächelt, ist wohl und heiter, wie sie es fast immer war. Ihre Frische und Munterkeit beginnen jetzt langsam uns aufzuregen, nachdem uns ihr Wohlergehen lange Zeit so sehr am Herzen lag. Denn es gab eine Krise in ihrem Leben, die bedenklich zu werden drohte. Gerade darauf muß ich näher eingehen.

2

Es ist einfach, rückwirkend den Herd einer beunruhigenden Entwicklung auszumachen – und merkwürdig, erst jetzt, wo ich es nüchtern betrachte, kommen mir die Dinge, die sich seit fast zwei Jahren bei unseren Verwandten begeben, außergewöhnlich vor.

Wir hätten früher auf die Idee kommen können, es stimmte etwas nicht. Tatsächlich, es stimmt etwas nicht, und wenn überhaupt jemals irgend etwas gestimmt hat – ich zweifle daran –, hier gehen Dinge vor sich, die mich mit Entsetzen erfüllen. Tante Milla war in der ganzen Familie von jeher wegen ihrer Vorliebe für die Ausschmückung des Weihnachtsbaumes bekannt, eine harmlose, wenn auch spezielle Schwäche, die in unserem Vaterland ziemlich verbreitet ist. Ihre Schwäche wurde allgemein belächelt, und der Widerstand, den Franz von frühester Jugend an gegen diesen »Rummel« an den Tag legte, war immer Gegenstand heftigster Entrüstung, zumal Franz ja sowieso eine beunruhigende Erscheinung war. Er weigerte sich, an der Ausschmückung des Baumes teilzunehmen. Das alles verlief bis zu einem gewissen Zeitpunkt normal. Meine Tante hatte sich daran gewöhnt, daß Franz den Vorbereitungen in der Adventszeit fernblieb, auch der eigentlichen Feier, und erst zum Essen erschien. Man sprach nicht einmal mehr darüber.

Auf die Gefahr hin, mich unbeliebt zu machen, muß ich hier eine Tatsache erwähnen, zu deren Verteidigung ich nur sagen kann, daß sie wirklich eine ist. In den Jahren 1939 bis 1945 hatten wir Krieg. Im Krieg wird gesungen, geschossen, geredet, gekämpft, gehungert und gestorben – und es werden Bomben geschmissen – lauter unerfreuliche Dinge, mit deren Erwähnung ich meine Zeitgenossen in keiner Weise langweilen will. Ich muß sie nur erwähnen, weil der Krieg Einfluß auf die Geschichte hatte, die ich erzählen will. Denn der Krieg wurde von meiner Tante Milla nur registriert als eine Macht, die schon Weihnachten 1939 anfing, ihren Weihnachtsbaum zu gefährden. Allerdings war ihr Weihnachtsbaum von einer besonderen Sensibilität.

Die Hauptattraktion am Weihnachtsbaum meiner Tante Milla waren gläserne Zwerge, die in ihren hocherhobenen Armen einen Korkhammer hielten und zu deren Füßen glokkenförmige Ambosse hingen. Unter den Fußsohlen der Zwerge waren Kerzen befestigt, und wenn ein gewisser Wärmegrad erreicht war, geriet ein verborgener Mechanismus in Bewegung, eine hektische Unruhe teilte sich den Zwergenarmen mit, sie schlugen wie irr mit ihren Korkhämmern auf die glockenförmigen Ambosse und riefen so, ein Dutzend an der Zahl, ein konzertantes, elfenhaft feines Gebimmel hervor. Und an der Spitze des Tannenbaumes hing ein silbrig gekleideter rotwangiger Engel, der in bestimmten Abständen seine Lippen voneinander hob und »Frieden« flüsterte. »Frieden«. Das mechanische Geheimnis dieses Engels ist, konsequent gehütet, mir später erst bekannt geworden, obwohl ich damals fast wöchentlich Gelegenheit hatte, ihn zu bewundern. Außerdem gab es am Tannenbaum meiner Tante natürlich Zuckerkringel, Gebäck, Engelhaar, Marzipanfiguren und – nicht zu vergessen – Lametta, und ich weiß noch, daß die sachgemäße Anbringung des vielfältigen Schmuckes erhebliche Mühe kostete, die Beteiligung aller erforderte und die ganze Familie am Weihnachtsabend vor Nervosität keinen Appetit hatte, die Stimmung dann – wie man so sagt – einfach gräßlich war, ausgenommen bei meinem Vetter Franz, der an diesen Vorbereitungen ja nicht teilgenommen hatte und sich als einziger Braten und Spargel, Sahne und Eis schmecken ließ. Kamen wir dann am zweiten Weihnachtstag zu Besuch und wagten die kühne Vermutung, das Geheimnis des sprechenden Engels beruhe auf dem gleichen Mechanismus, der gewisse Puppen veranlaßt, »Mama« oder »Papa« zu sagen, so ernteten wir nur höhnisches Gelächter.

Nun wird man sich denken können, daß in der Nähe fallende Bomben einen solch sensiblen Baum aufs höchste gefährdeten. Es kam zu schrecklichen Szenen, wenn die Zwerge vom Baum gefallen waren, einmal stürzte sogar der Engel. Meine Tante war untröstlich. Sie gab sich unendliche Mühe, nach jedem Luftangriff den Baum komplett wiederherzustellen, ihn wenigstens während der Weihnachtstage zu erhalten. Aber schon im Jahre 1940 war nicht mehr daran zu denken. Wieder auf die Gefahr hin, mich sehr unbeliebt zu machen, muß ich hier kurz erwähnen, daß die Zahl der Luftangriffe auf unsere Stadt tatsächlich erheblich war, von ihrer Heftigkeit ganz zu schweigen. Jedenfalls wurde der Weihnachtsbaum meiner Tante ein Opfer – von anderen Opfern zu sprechen, verbietet mir der rote Faden – der modernen Kriegführung; fremdländische Ballistiker löschten seine Existenz vorübergehend aus.

Wir alle hatten wirklich Mitleid mit unserer Tante, die eine reizende und liebenswürdige Frau war. Es tat uns leid, daß sie nach harten Kämpfen, endlosen Disputen, nach Tränen und Szenen sich bereit erklären mußte, für Kriegsdauer auf ihren Baum zu verzichten.

Glücklicherweise – oder soll ich sagen unglücklicherweise? – war dies fast das einzige, was sie vom Krieg zu spüren bekam. – Der Bunker, den mein Onkel baute, war einfach bombensicher, außerdem stand jederzeit ein Wagen bereit, meine Tante Milla in Gegenden zu entführen, wo von der unmittelbaren Wirkung des Krieges nichts zu sehen war; es wurde alles getan, um ihr den Anblick der gräßlichen Zerstörungen zu ersparen. Meine beiden Vettern hatten das Glück, den Kriegsdienst nicht in seiner härtesten Form zu erleben. Johannes trat schnell in die Firma seines Onkels ein, die in der Gemüseversorgung unserer Stadt eine entscheidende Rolle spielte. Zudem war er gallenleidend. Franz hingegen wurde zwar Soldat, war aber nur mit der Bewachung von Gefangenen betraut, ein Posten, den er zur Gelegenheit nahm, sich auch bei seinen militärischen Vorgesetzten unbeliebt zu machen, indem er Russen und Polen wie Menschen behandelte. Meine Kusine Lucie war damals noch nicht verheiratet und half im Geschäft. Einen Nachmittag in der Woche half sie im freiwilligen Kriegsdienst in einer Hakenkreuzstickerei. Doch will ich hier nicht die politischen Sünden meiner Verwandten aufzählen.

Aufs Ganze gesehen jedenfalls fehlte es weder an Geld noch an Nahrungsmitteln und jeglicher erforderlichen Sicherheit, und meine Tante empfand nur den Verzicht auf ihren Baum als bitter. Mein Onkel Franz, dieser herzensgute Mensch, hat sich fast fünfzig Jahre hindurch erhebliche Verdienste erworben, indem er in tropischen und subtropischen Ländern Apfelsinen und Zitronen aufkaufte und sie gegen einen entsprechenden Aufschlag weiter in den Handel gab. Im Kriege dehnte er sein Geschäft auch auf weniger wertvolles Obst und Gemüse aus. Aber nach dem Krieg kamen die erfreulichen Früchte, denen sein Hauptinteresse galt, als Zitrusfrüchte wieder auf und wurden Gegenstand des schärfsten Interesses aller Käuferschichten. Hier gelang es Onkel Franz, sich wieder maßgebend einzuschalten, und er brachte die Bevölkerung in den Genuß von Vitaminen und sich in den eines ansehnlichen Vermögens.

Aber er war fast siebzig, wollte sich nun zur Ruhe setzen, das Geschäft seinem Schwiegersohn übergeben. Da fand jenes Ereignis statt, das wir damals belächelten, das uns heute aber als Ursache der ganzen unseligen Entwicklung erscheint.

Meine Tante Milla fing wieder mit dem Weihnachtsbaum an. Das war an sich harmlos; sogar die Zähigkeit, mit der sie darauf bestand, daß alles »so sein sollte wie früher«, entlockte uns nur ein Lächeln. Zunächst bestand wirklich kein Grund, diese Sache allzu ernst zu nehmen. Zwar hatte der Krieg manches zerstört, das wiederherzustellen mehr Sorge bereitete, aber warum – so sagten wir uns – einer charmanten alten Dame diese kleine Freude nehmen?

Jedermann weiß, wie schwer es war, damals Butter und Speck zu bekommen. Aber sogar für meinen Onkel Franz, der über die besten Beziehungen verfügte, war die Beschaffung von Marzipanfiguren, Schokoladenkringeln und Kerzen im Jahre 1945 unmöglich. Erst im Jahre 1946 konnte alles bereitgestellt werden. Glücklicherweise war noch eine komplette Garnitur von Zwergen und Ambossen sowie ein Engel erhalten geblieben.

Ich entsinne mich des Tages noch gut, an dem wir eingeladen waren. Es war im Januar 1947, Kälte herrschte draußen. Aber bei meinem Onkel war es warm, und es herrschte kein Mangel an Eßbarem. Und als die Lampen gelöscht, die Kerzen angezündet waren, als die Zwerge anfingen zu hämmern, der Engel »Frieden« flüsterte, »Frieden«, fühlte ich mich lebhaft zurückversetzt in eine Zeit, von der ich angenommen hatte, sie sei vorbei.

Immerhin, dieses Erlebnis war, wenn auch überraschend, so doch nicht außergewöhnlich. Außergewöhnlich war, was ich drei Monate später erlebte. Meine Mutter – es war Mitte März geworden – hatte mich hinübergeschickt, nachzuforschen, ob bei Onkel Franz »nichts zu machen« sei. Es ging ihr um Obst. Ich schlenderte in den benachbarten Stadtteil – die Luft war mild, es dämmerte. Ahnungslos schritt ich an bewachsenen Trümmerhalden und verwilderten Parks vorbei, öffnete das Tor zum Garten meines Onkels, als ich plötzlich bestürzt stehenblieb. In der Stille des Abends war sehr deutlich zu hören, daß im Wohnzimmer meines Onkels gesungen wurde. Singen ist eine gute deutsche Sitte, und es gibt viele Frühlingslieder – hier aber hörte ich deutlich:

holder Knabe im lockigen Haar...

Ich muß gestehen, daß ich verwirrt war. Ich ging langsam näher, wartete das Ende des Liedes ab. Die Vorhänge waren zugezogen, ich beugte mich zum Schlüsselloch. In diesem Augenblick drang das Gebimmel der Zwergenglocken an mein Ohr, und ich hörte deutlich das Flüstern des Engels. Ich hatte nicht den Mut, einzudringen, und ging langsam nach Hause zurück. In der Familie rief mein Bericht allgemeine Belustigung hervor. Aber erst als Franz auftauchte und Näheres berichtete, erfuhren wir, was geschehen war:

Um Mariä Lichtmeß herum, zu der Zeit also, wo man in unseren Landen die Christbäume plündert, sie dann auf den Kehricht wirft, wo sie von nichtsnutzigen Kindern aufgegriffen, durch Asche und sonstigen Unrat geschleift und zu mancherlei Spiel verwendet werden, um Lichtmeß herum war das Schreckliche geschehen. Als mein Vetter Johannes am Abend des Lichtmeßtages, nachdem ein letztes Mal der Baum gebrannt hatte – als Johannes begann, die Zwerge von den Klammern zu lösen, fing meine bis dahin so milde Tante jämmerlich zu schreien an, und zwar so heftig und plötzlich, daß mein Vetter erschrak, die Herrschaft über den leise schwankenden Baum verlor, und schon war es geschehen: es klirrte und klingelte, Zwerge und Glocken, Ambosse und der Spitzenengel, alles stürzte hinunter, und meine Tante schrie.

Sie schrie fast eine Woche lang, Neurologen wurden herbeitelegraphiert, Psychiater kamen in Taxen herangerast – aber alle, auch Kapazitäten, verließen achselzuckend, ein wenig erschreckt auch, das Haus. Keiner hatte diesem unerfreulich schrillen Konzert ein Ende bereiten können. Nur die stärksten Mittel brachten einige Stunden Ruhe, doch ist die Dosis Luminal, die man einer Sechzigjährigen täglich verabreichen kann, ohne ihr Leben zu gefährden, leider gering. Es ist aber eine Qual, eine aus allen Leibeskräften schreiende Frau im Hause zu haben: schon am zweiten Tag befand sich die Familie in völliger Auflösung. Auch der Zuspruch des Priesters, der am Heiligen Abend der Feier beizuwohnen pflegte, blieb vergeblich: meine Tante schrie.

Franz machte sich besonders unbeliebt, weil er riet, einen regelrechten Exorzismus anzuwenden. Der Pfarrer schalt ihn, die Familie war bestürzt über seine mittelalterlichen Anschauungen, der Ruf seiner Brutalität überwog für einige Wochen seinen Ruf als Faustkämpfer.

Inzwischen wurde alles versucht, meine Tante aus ihrem Zustand zu erlösen. Sie verweigerte die Nahrung, sprach nicht, schlief nicht; man wandte kaltes Wasser an, heiße Fußbäder, Wechselbäder, die Ärzte schlugen in Lexika nach, suchten nach dem Namen dieses Komplexes, fanden ihn nicht.

Und meine Tante schrie. Sie schrie so lange, bis mein Onkel Franz – dieser wirklich herzensgute Mensch – auf die Idee kam, einen neuen Tannenbaum aufzustellen.

3

Die Idee war ausgezeichnet, aber sie auszuführen, erwies sich als äußerst schwierig. Es war fast Mitte Februar geworden, und es ist verhältnismäßig schwer, um diese Zeit einen diskutablen Tannenbaum auf dem Markt zu finden. Die gesamte Geschäftswelt hat sich längst – mit erfreulicher Schnelligkeit übrigens – auf andere Dinge eingestellt. Karneval ist nahe: Masken und Pistolen, Cowboyhüte und verrückte Kopfbedeckungen für Czardasfürstinnen füllen die Schaufenster, in denen man sonst Engel und Engelhaar, Kerzen und Krippen hat bewundern können. Die Zuckerwarenhändler haben längst den Weihnachtskrempel in ihre Lager zurücksortiert, während Knallbonbons nun ihre Fenster zieren. Jedenfalls, Tannenbäume gibt es um diese Zeit auf dem regulären Markt nicht.

Es wurde schließlich eine Expedition raublustiger Enkel mit Taschengeld und einem scharfen Beil ausgerüstet: sie fuhren in den Staatsforst und kamen gegen Abend, offenbar in bester Stimmung, mit einer Edeltanne zurück. Aber inzwischen war festgestellt worden, daß vier Zwerge, sechs glockenförmige Ambosse und der Spitzenengel völlig zerstört waren. Die Marzipanfiguren und das Gebäck waren den gierigen Enkeln zum Opfer gefallen. Auch diese Generation, die dort heranwächst, taugt nichts, und wenn je eine Generation etwas getaugt hat – ich zweifle daran –, so komme ich doch zu der Überzeugung, daß es die Generation unserer Väter war.

Obwohl es an Barmitteln, auch an den nötigen Beziehungen nicht fehlte, dauerte es weitere vier Tage, bis die Ausrüstung komplett war. Währenddessen schrie meine Tante ununterbrochen. Telegramme an die deutschen Spielzeugzentren, die gerade im Aufbau begriffen waren, wurden durch den Äther gejagt, Blitzgespräche geführt, von jungen, erhitzten Postgehilfen wurden in der Nacht Expreßpakete angebracht, durch Bestechung wurde kurzfristig eine Einfuhrgenehmigung aus der Tschechoslowakei durchgesetzt.

Diese Tage werden in der Chronik der Familie meines Onkels als Tage mit außerordentlich hohem Verbrauch an Kaffee, Zigaretten und Nerven erhalten bleiben. Inzwischen fiel meine Tante zusammen: ihr rundliches Gesicht wurde hart und eckig, der Ausdruck der Milde wich dem einer unnachgiebigen Strenge, sie aß nicht, trank nicht, schrie dauernd, wurde von zwei Krankenschwestern bewacht, und die Dosis Luminal mußte täglich erhöht werden.

Franz erzählte uns, daß in der ganzen Familie eine krankhafte Spannung geherrscht habe, als endlich am 12. Februar die Tannenbaumausrüstung wieder vollständig war. Die Kerzen wurden entzündet, die Vorhänge zugezogen, meine Tante wurde aus dem Krankenzimmer herübergebracht, und man hörte unter den Versammelten nur Schluchzen und Kichern. Der Gesichtsausdruck meiner Tante milderte sich schon im Schein der Kerzen, und als deren Wärme den richtigen Grad erreicht hatte, die Glasburschen wie irr zu hämmern anfingen, schließlich auch der Engel »Frieden« flüsterte, »Frieden«, ging ein wunderschönes Lächeln über ihr Gesicht, und kurz darauf stimmte die ganze Familie das Lied *O Tannenbaum* an. Um das Bild zu vervollständigen, hatte man auch den Pfarrer eingeladen, der ja üblicherweise den Heiligen Abend bei Onkel Franz zu verbringen pflegte; auch er lächelte, auch er war erleichtert und sang mit.

Was kein Test, kein tiefenpsychologisches Gutachten, kein fachmännisches Aufspüren verborgener Traumata vermocht hatte: das fühlende Herz meines Onkels hatte das Richtige getroffen. Die Tannenbaumtherapie dieses herzensguten Menschen hatte die Situation gerettet.

Meine Tante war beruhigt und fast – so hoffte man damals – geheilt, und nachdem man einige Lieder gesungen, einige Schüsseln Gebäck geleert hatte, war man müde und zog sich zurück, und siehe da: meine Tante schlief ohne jedes Beruhigungsmittel. Die beiden Krankenschwestern wurden entlassen, die Ärzte zuckten die Schultern, alles schien in Ordnung zu sein. Meine Tante aß wieder, trank wieder, war wieder liebenswürdig und milde. Aber am Abend darauf, als die Dämmerstunde nahte, saß mein Onkel zeitunglesend neben seiner Frau unter dem Baum, als diese plötzlich sanft seinen Arm berührte und zu ihm sagte: »So wollen wir denn die Kinder zur Feier rufen, ich glaube, es ist Zeit.« Mein Onkel gestand uns später, daß er erschrak, aber aufstand, um in aller

Eile seine Kinder und Enkel zusammenzurufen und einen Boten zum Pfarrer zu schicken. Der Pfarrer erschien, etwas abgehetzt und erstaunt, aber man zündete die Kerzen an, ließ die Zwerge hämmern, den Engel flüstern, man sang, aß Gebäck – und alles schien in Ordnung zu sein.

4

Nun ist die gesamte Vegetation gewissen biologischen Gesetzen unterworfen, und Tannenbäume, dem Mutterboden entrissen, haben bekanntlich die verheerende Neigung, Nadeln zu verlieren, besonders, wenn sie in warmen Räumen stehen, und bei meinem Onkel war es warm. Die Lebensdauer der Edeltanne ist etwas länger als die der gewöhnlichen, wie die bekannte Arbeit *Abies vulgaris und abies nobilis* von Dr. Hergenring ja bewiesen hat. Doch auch die Lebensdauer der Edeltanne ist nicht unbeschränkt. Schon als Karneval nahte, zeigte es sich, daß man versuchen mußte, meiner Tante neuen Schmerz zu bereiten: der Baum verlor rapide an Nadeln, und beim abendlichen Singen der Lieder wurde ein leichtes Stirnrunzeln bei meiner Tante bemerkt. Auf Anraten eines wirklich hervorragenden Psychologen wurde nun der Versuch unternommen, in leichtem Plauderton von einem möglichen Ende der Weihnachtszeit zu sprechen, zumal die Bäume schon angefangen hatten, auszuschlagen, was ja allgemein als ein Zeichen des herannahenden Frühlings gilt, während man in unseren Breiten mit dem Wort Weihnachten unbedingt winterliche Vorstellungen verbindet. Mein sehr geschickter Onkel schlug eines Abends vor, die Lieder *Alle Vögel sind schon da* und *Komm, lieber Mai, und mache* anzustimmen, doch schon beim ersten Vers des erstgenannten Liedes machte meine Tante ein derart finsteres Gesicht, daß man sofort abbrach und *O Tannenbaum* intonierte. Drei Tage später wurde mein Vetter Johannes beauftragt, einen milden Plünderungszug zu unternehmen, aber schon, als er seine Hände ausstreckte und einem der Zwerge den Korkhammer nahm, brach meine Tante in so heftiges Geschrei aus, daß man den Zwerg sofort wieder komplettierte, die Kerzen anzündete

und etwas hastig, aber sehr laut in das Lied *Stille Nacht* ausbrach.

Aber die Nächte waren nicht mehr still; singende Gruppen
jugendlicher Trunkenbolde durchzogen die Stadt mit Trom-
peten und Trommeln, alles war mit Luftschlangen und Kon-
fetti bedeckt, maskierte Kinder bevölkerten tagsüber die Straßen, schossen, schrien, manche sangen auch, und einer pri-
vaten Statistik zufolge gab es mindestens sechzigtausend
Cowboys und vierzigtausend Czardasfürstinnen in unserer
Stadt: kurzum, es war Karneval, ein Fest, das man bei uns mit
ebensolcher, fast mit mehr Heftigkeit zu feiern gewohnt ist
als Weihnachten. Aber meine Tante schien blind und taub zu
sein: sie bemängelte karnevalistische Kleidungsstücke, wie
sie um diese Zeit in den Garderoben unserer Häuser unvermeidlich sind; mit trauriger Stimme beklagte sie das Sinken
der Moral, da man nicht einmal an den Weihnachtstagen in
der Lage sei, von diesem unsittlichen Treiben zu lassen, und
als sie im Schlafzimmer meiner Kusine einen Luftballon entdeckte, der zwar eingefallen war, aber noch deutlich einen
mit weißer Farbe aufgemalten Narrenhut zeigte, brach sie in
Tränen aus und bat meinen Onkel, diesem unheiligen Treiben Einhalt zu gebieten.

Mit Schrecken mußte man feststellen, daß meine Tante
sich wirklich in dem Wahn befand, es sei »Heiliger Abend«.
Mein Onkel berief jedenfalls eine Familienversammlung ein,
bat um Schonung für seine Frau, Rücksichtnahme auf ihren
merkwürdigen Geisteszustand, und rüstete zunächst wieder
eine Expedition aus, um wenigstens den Frieden des abendlichen Festes garantiert zu wissen.

Während meine Tante schlief, wurde der Schmuck vom alten Baum ab- und auf den neuen montiert, und ihr Zustand
blieb erfreulich.

5

Aber auch der Karneval ging vorüber, der Frühling kam wirklich, statt des Liedes *Komm, lieber Mai* hätte man schon singen können »Lieber Mai, du bist gekommen«. Es wurde Juni. Vier Tannenbäume waren schon verschlissen, und keiner der neuerlich zugezogenen Ärzte konnte Hoffnung auf Besserung geben. Meine Tante blieb fest. Sogar der als internationale Kapazität bekannte Dr. Bless hatte sich achselzukkend wieder in sein Studierzimmer zurückgezogen, nachdem er als Honorar die Summe von 1365 Mark kassiert hatte, womit er zum wiederholten Male seine Weltfremdheit bewies. Einige weitere sehr vage Versuche, die Feier abzubrechen oder ausfallen zu lassen, wurden mit solchem Geschrei von seiten meiner Tante quittiert, daß man von derlei Sakrilegien endgültig Abstand nehmen mußte.

Das Schreckliche war, daß meine Tante darauf bestand, alle ihr nahestehenden Personen müßten anwesend sein. Zu diesen gehörten auch der Pfarrer und die Enkelkinder. Selbst die Familienmitglieder waren nur mit äußerster Strenge zu veranlassen, pünktlich zu erscheinen, aber mit dem Pfarrer wurde es schwierig. Einige Wochen hielt er zwar ohne Murren mit Rücksicht auf seine alte Pönitentin durch, aber dann versuchte er unter verlegenem Räuspern, meinem Onkel klarzumachen, daß es so nicht weiterging. Die eigentliche Feier war zwar kurz – sie dauerte etwa achtunddreißig Minuten –, aber selbst diese kurze Zeremonie sei auf die Dauer nicht durchzuhalten, behauptete der Pfarrer. Er habe andere Verpflichtungen, abendliche Zusammenkünfte mit seinen Konfratres, seelsorgerische Aufgaben, ganz zu schweigen vom samstäglichen Beichthören. Immerhin hatte er einige Wochen Terminverschiebungen in Kauf genommen, aber gegen Ende Juni fing er an, energisch Befreiung zu erheischen. Franz wütete in der Familie herum, suchte Komplizen für seinen Plan, die Mutter in eine Anstalt zu bringen, stieß aber überall auf Ablehnung.

Jedenfalls: es machten sich Schwierigkeiten bemerkbar. Eines Abends fehlte der Pfarrer, war weder telefonisch noch durch einen Boten aufzutreiben, und es wurde klar, daß er sich einfach gedrückt hatte. Mein Onkel fluchte fürchterlich, er nahm dieses Ereignis zum Anlaß, die Diener der Kirche mit Worten zu bezeichnen, die zu wiederholen ich mich weigern muß. In alleräußerster Not wurde einer der Kapläne, ein Mensch einfacher Herkunft, gebeten, auszuhelfen. Er tat es, benahm sich aber so fürchterlich, daß es fast zur Katastrophe gekommen wäre. Immerhin, man muß bedenken, es war Juni, also heiß, trotzdem waren die Vorhänge zugezogen, um winterliche Dunkelheit wenigstens vorzutäuschen, außerdem brannten Kerzen. Dann ging die Feier los; der Kaplan hatte zwar von diesem merkwürdigen Ereignis schon gehört, aber keine rechte Vorstellung davon. Zitternd stellte man meiner Tante den Kaplan vor, er vertrete den Pfarrer. Unerwarteterweise nahm sie die Veränderung des Programms hin. Also: die Zwerge hämmerten, der Engel flüsterte, es wurde O Tannenbaum gesungen, dann aß man Gebäck, sang noch einmal das Lied, und plötzlich bekam der Kaplan einen Lachkrampf. Später hat er gestanden, die Stelle ›... nein, auch im Winter, wenn es schneit‹ habe er einfach nicht ohne zu lachen ertragen können. Er plusterte mit klerikaler Albernheit los, verließ das Zimmer und ward nicht mehr gesehen. Alles blickte gespannt auf meine Tante, doch die sagte nur resigniert etwas vom ›Proleten im Priestergewande‹ und schob sich ein Stück Marzipan in den Mund. Auch wir erfuhren damals von diesem Vorfall mit Bedauern – doch bin ich heute geneigt, ihn als einen Ausbruch natürlicher Heiterkeit zu bezeichnen.

Ich muß hier – wenn ich der Wahrheit die Ehre lassen will – einflechten, daß mein Onkel seine Beziehungen zu den höchsten Verwaltungsstellen der Kirche ausgenutzt hat, um sich sowohl über den Pfarrer wie den Kaplan zu beschweren. Die Sache wurde mit äußerster Korrektheit angefaßt, ein Prozeß wegen Vernachlässigung seelsorgerischer Pflichten wurde angestrengt, der in erster Instanz von den beiden Geistlichen gewonnen wurde. Ein zweites Verfahren schwebt noch.

Zum Glück fand man einen pensionierten Prälaten, der in der Nachbarschaft wohnte. Dieser reizende alte Herr erklärte sich mit liebenswürdiger Selbstverständlichkeit bereit, sich zur Verfügung zu halten und täglich die abendliche Feier zu vervollständigen. Doch ich habe vorgegriffen. Mein Onkel Franz, der nüchtern genug war zu erkennen, daß keinerlei ärztliche Hilfe zum Ziel gelangen würde, sich auch hartnäckig weigerte, einen Exorzismus zu versuchen, war Geschäftsmann genug, sich nun auf Dauer einzustellen und die wirtschaftlichste Art herauszukalkulieren. Zunächst wurden schon Mitte Juni die Enkelexpeditionen eingestellt, weil sich herausstellte, daß sie zu teuer wurden. Mein findiger Vetter Johannes, der zu allen Kreisen der Geschäftswelt die besten Beziehungen unterhält, spürte den Tannenbaum-Frischdienst der Firma Söderbaum auf, eines leistungsfähigen Unternehmens, das sich nun schon fast zwei Jahre um die Nerven meiner Verwandtschaft hohe Verdienste erworben hat. Nach einem halben Jahr schon wandelte die Firma Söderbaum die Lieferung des Baumes in ein wesentlich verbilligtes Abonnement um und erklärte sich bereit, die Lieferfrist von ihrem Nadelbaumspezialisten, Dr. Alfast, genauestens festlegen zu lassen, so daß schon drei Tage bevor der alte Baum indiskutabel wird, der neue anlangt und mit Muße geschmückt werden kann. Außerdem werden vorsichtshalber zwei Dutzend Zwerge auf Lager gehalten, und drei Spitzenengel sind in Reserve gelegt. Ein wunder Punkt sind bis heute die Süßigkeiten geblieben. Sie zeigen die verheerende Neigung, vom Baume schmelzend herunterzutropfen, schneller und endgültiger als schmelzendes Wachs. Jedenfalls in den Sommermonaten. Jeder Versuche, sie durch geschickt getarnte Kühlvorrichtungen in weihnachtlicher Starre zu erhalten, ist bisher gescheitert, ebenso eine Versuchsreihe, die begonnen wurde, um die Möglichkeiten der Präparierung eines Baumes zu prüfen. Doch ist die Familie für jeden fortschrittlichen Vorschlag, der geeignet ist, dieses stetige Fest zu verbilligen, dankbar und aufgeschlossen.

Inzwischen haben die abendlichen Feiern im Hause meines Onkels eine fast professionelle Starre angenommen: man versammelt sich unter dem Baum oder um den Baum herum. Meine Tante kommt herein, man entzündet die Kerzen, die Zwerge beginnen zu hämmern, und der Engel flüstert »Frieden, Frieden«, dann singt man einige Lieder, knabbert Gebäck, plaudert ein wenig und zieht sich gähnend mit dem Glückwunsch »Frohes Fest auch« zurück – und die Jugend gibt sich den jahreszeitlich bedingten Vergnügungen hin, während mein herzensguter Onkel Franz mit Tante Milla zu Bett geht. Kerzenrauch bleibt im Raum, der sanfte Geruch erhitzter Tannenzweige und das Aroma von Spezereien. Die Zwerge, ein wenig phosphoreszierend, bleiben starr in der Dunkelheit stehen, die Arme bedrohlich erhoben, und der Engel läßt ein silbriges, offenbar ebenfalls phosphoreszierendes Gewand sehen.

Es erübrigt sich vielleicht, festzustellen, daß die Freude am wirklichen Weihnachtsfest in unserer gesamten Verwandtschaft erhebliche Einbuße erlitten hat: wir können, wenn wir wollen, bei unserem Onkel jederzeit einen klassischen Weihnachtsbaum bewundern – und es geschieht oft, wenn wir sommers auf der Veranda sitzen und uns nach des Tages Last und Müh Onkels milde Apfelsinenbowle in die Kehle gießen, daß von drinnen der sanfte Klang gläserner Glocken kommt, und man kann im Dämmer die Zwerge wie flinke kleine Teufelchen herumhämmern sehen, während der Engel »Frieden« flüstert, »Frieden«. Und immer noch kommt es uns befremdlich vor, wenn mein Onkel mitten im Sommer seinen Kindern plötzlich zuruft: »Macht bitte den Baum an, Mutter kommt gleich.« Dann tritt, meist pünktlich, der Prälat ein, ein milder alter Herr, den wir alle in unser Herz geschlossen haben, weil er seine Rolle vorzüglich spielt, wenn er überhaupt weiß, daß er eine und welche er spielt. Aber gleichgültig: er spielt sie, weißhaarig, lächeln, und der violette Rand unterhalb seines Kragens gibt seiner Erscheinung den letzten Hauch von Vornehmheit. Und es ist ein ungewöhnliches Erlebnis, in lauen Sommernächten den erregten Ruf zu hören:

»Das Löschhorn, schnell wo ist das Löschhorn?« Es ist schon vorgekommen, daß während eines heftigen Gewitters die Zwerge sich plötzlich bewogen fühlten, ohne Hitzeeinwirkung die Arme zu erheben und sie wild zu schwingen, gleichsam ein Extrakonzert zu geben, eine Tatsache, die man ziemlich phantasielos mit dem trockenen Wort Elektrizität zu deuten versuchte. Eine nicht ganz unwesentliche Seite dieses Arrangements ist die finanzielle. Wenn auch in unserer Familie im allgemeinen kein Mangel an Barmitteln herrscht, solch außergewöhnliche Ausgaben stürzen die Kalkulation um. Denn trotz aller Vorsicht ist natürlich der Verschleiß an Zwergen, Ambossen und Hämmern enorm, und der sensible Mechanismus, der den Engel zu einen sprechenden macht, bedarf der stetigen Sorgfalt und Pflege und muß hin und wieder erneuert werden. Ich habe das Geheimnis übrigens inzwischen entdeckt: der Engel ist durch ein Kabel mit einem Mikrofon im Nebenzimmer verbunden, vor dessen Metallschnauze sich eine ständig rotierende Schallplatte befindet, die, mit gewissen Pausen dazwischen, »Frieden« flüstert, »Frieden«. Alle diese Dinge sind um so kostspieliger, als sie für den Gebrauch an nur wenigen Tagen des Jahres erdacht sind, nun aber das ganze Jahr strapaziert werden. Ich war erstaunt, als mein Onkel mir eines Tages erklärte, daß die Zwerge tatsächlich alle drei Monate erneuert werden müssen und daß ein kompletter Satz nicht weniger als 128 Mark kostet. Er habe einen befreundeten Ingenieur gebeten, sie durch einen Kautschuküberzug zu verstärken, ohne jedoch ihre Klangschönheit zu beeinträchtigen. Dieser Versuch ist gescheitert. Der Verbrauch an Kerzen, Spekulatius, Marzipan, das Baumabonnement, Arztrechnungen und die vierteljährliche Aufmerksamkeit, die man dem Prälaten zukommen lassen muß, alles zusammen, sagte mein Onkel komme ihm täglich im Durchschnitt auf elf Mark, ganz zu schweigen von dem Verschleiß an Nerven und von sonstigen gesundheitlichen Störungen, die damals anfingen sich bemerkbar zu machen. Doch war das im Herbst, und man schrieb die Störungen einer gewissen herbstlichen Sensibilität zu, wie sie ja allgemein beobachtet wird.

Das wirkliche Weihnachtsfest verlief ganz normal. Es ging etwas wie ein Aufatmen durch die Familie meines Onkels, da man auch andere Familien nun unter Weihnachtsbäumen versammelt sah, andere auch singen und Spekulatius essen mußten. Aber die Erleichterung dauerte nur so lange an, wie die weihnachtliche Zeit dauerte. Schon Mitte Januar brach bei meiner Kusine Lucie ein merkwürdiges Leiden aus: beim Anblick der Tannenbäume, die auf den Straßen und Trümmerhaufen herumlagen, brach sie in ein hysterisches Geschluchze aus. Dann hatte sie einen regelrechten Anfall von Wahnsinn, den man als Nervenzusammenbruch zu kaschieren versuchte. Sie schlug einer Freundin, bei der sie zum Kaffeeklatsch war, die Schüssel aus der Hand, als diese ihr milde lächelnd Spekulatius anbot. Meine Kusine ist allerdings das, was man eine temperamentvolle Frau nennt; sie schlug also ihrer Freundin die Schüssel aus der Hand, nahte sich dann deren Weihnachtsbaum, riß ihn vom Ständer und trampelte auf Glaskugeln, künstlichen Pilzen, Kerzen und Sternen herum, während ein anhaltendes Gebrüll ihrem Munde entströmte. Die versammelten Damen entflohen, einschließlich der Hausfrau, man ließ Lucie toben, wartete in der Diele auf den Arzt, gezwungen, zuzuhören, wie drinnen Porzellan zerschlagen wurde. Es fällt mir schwer, aber ich muß hier berichten, daß Lucie in einer Zwangsjacke abtransportiert wurde.

Anhaltende hypnotische Behandlung brachte das Leiden zwar zum Stillstand, aber die eigentliche Heilung ging nur sehr langsam vor sich. Vor allem schien ihr die Befreiung von der abendlichen Feier, die der Arzt erzwang, zusehends wohl zu tun; nach einigen Tagen schon begann sie aufzublühen. Schon nach zehn Tagen konnte der Arzt riskieren, mit ihr über Spekulatius wenigstens zu reden, ihn zu essen, weigerte sie sich jedoch hartnäckig. Dem Arzt kam dann die geniale Idee, sie mit sauren Gurken zu füttern, ihr Salate und kräftige Fleischspeisen anzubieten. Das war wirklich die Rettung für die arme Lucie. Sie lachte wieder, und sie begann die endlosen therapeutischen Unterredungen, die ihr Arzt mit ihr pflegte, mit ironischen Bemerkungen zu würzen.

Zwar war die Lücke, die durch ihr Fehlen bei der abendlichen Feier entstand, schmerzlich für meine Tante, wurde aber durch einen Umstand erklärt, der für alle Frauen als hinlängliche Entschuldigung gelten kann, durch Schwangerschaft.

Aber Lucie hatte das geschafft, was man einen Präzedenzfall nennt: sie hatte bewiesen, daß die Tante zwar litt, wenn jemand fehlte, aber nicht sofort zu schreien begann, und mein Vetter Johannes und sein Schwager Karl versuchten nun, die strenge Disziplin zu durchbrechen, indem sie Krankheit vorschützten, geschäftliche Verhinderung oder andere, recht durchsichtige Gründe angaben. Doch blieb mein Onkel hier erstaunlich hart: mit eiserner Strenge setzte er durch, daß nur in Ausnahmefällen Atteste eingereicht, sehr kurze Beurlaubungen beantragt werden konnten. Denn meine Tante merkte jede weitere Lücke sofort und brach in stilles, aber anhaltendes Weinen aus, was zu den bittersten Bedenken Anlaß gab.

Nach vier Wochen kehrte auch Lucie zurück und erklärte sich bereit, an der täglichen Zeremonie wieder teilzunehmen, doch hat ihr Arzt durchgesetzt, daß für sie ein Glas Gurken und ein Teller mit kräftigen Butterbroten bereitgehalten wird, da sich ihr Spekulatiustrauma als unheilbar erwies. So waren eine Zeitlang durch meinen Onkel, der hier eine unerwartete Härte bewies, alle Disziplinschwierigkeiten aufgehoben.

8

Schon kurz nach dem ersten Jahrestag der ständigen Weihnachtsfeier gingen beunruhigende Gerüchte um: mein Vetter Johannes sollte sich von einem befreundeten Arzt ein Gutachten haben ausstellen lassen, auf wie lange wohl die Lebenszeit meiner Tante noch zu bemessen wäre, ein wahrhaft finsteres Gerücht, das ein bedenkliches Licht auf eine allabendlich friedlich versammelte Familie wirft. Das Gutachten soll vernichtend für Johannes gewesen sein. Sämtliche Organe meiner Tante, die zeitlebens sehr solide war, sind völlig intakt, die Lebensdauer ihres Vaters hat achtundsiebzig, die ihrer Mutter sechsundachzig Jahre betragen. Meine Tante selbst ist zweiundsechzig, und so besteht kein Grund, ihr ein baldiges seliges Ende zu prophezeien. Noch weniger, so finde ich, es ihr zu wünschen. Als meine Tante dann mitten im Sommer einmal erkrankte – Erbrechen und Durchfall suchten diese arme Frau heim –, wurde gemunkelt, sie sei vergiftet worden, aber ich erkläre hier ausdrücklich, daß dieses Gerücht einfach eine Erfindung übelmeinender Verwandter ist. Es ist eindeutig erwiesen, daß es sich um eine Infektion handelte, die von einem Enkel eingeschleppt wurde. Analysen, die mit den Exkrementen meiner Tante vorgenommen wurden, ergaben aber auch nicht die geringste Spur von Gift.

Im gleichen Sommer zeigten sich bei Johannes die ersten gesellschaftsfeindlichen Bestrebungen: er trat aus seinem Gesangverein aus, erklärte, auch schriftlich, daß er an der Pflege des deutschen Liedes nicht mehr teilzunehmen gedenke. Allerdings, ich darf hier einflechten, daß er immer, trotz des akademischen Grades, den er errang, ein ungebildeter Mensch war. Für die *Virhymnia* war es ein großer Verlust, auf seinen Baß verzichten zu müssen.

Mein Schwager Karl fing an, sich heimlich mit Auswanderungsbüros in Verbindung zu setzen. Das Land seiner Träume mußte besondere Eigenschaften haben: es durften dort keine Tannenbäume gedeihen, deren Import mußte verboten oder durch hohe Zölle unmöglich gemacht sein; außerdem – das seiner Frau wegen – mußte dort das Geheimnis der Spekulatiusherstellung unbekannt und das Singen von Weihnachtsliedern verboten sein. Karl erklärte sich bereit, harte körperliche Arbeit auf sich zu nehmen.

Inzwischen sind seine Versuche vom Fluche der Heimlichkeit befreit, weil sich auch in meinem Onkel eine vollkommene und sehr plötzliche Wandlung vollzogen hat. Diese geschah auf so unerfreulicher Ebene, daß wir wirklich Grund hatten, zu erschrecken. Dieser biedere Mensch, von dem ich nur sagen kann, daß er ebenso hartnäckig wie herzensgut ist, wurde auf Wegen beobachtet, die einfach unsittlich sind, es auch bleiben werden, solange die Welt besteht. Es sind von ihm Dinge bekanntgeworden, auch durch Zeugen belegt, auf die nur das Wort Ehebruch angewandt werden kann. Und das Schrecklichste ist, er leugnet es schon nicht mehr, sondern stellt für sich den Anspruch, in Verhältnissen und Bedingungen zu leben, die moralische Sondergesetze berechtigt erscheinen lassen müssen. Ungeschickterweise wurde diese plötzliche Wandlung gerade zu dem Zeitpunkt offenbar, wo der zweite Termin gegen die beiden Geistlichen seiner Pfarre fällig geworden war. Onkel Franz muß als Zeuge, als verkappter Kläger einen solch minderwertigen Eindruck gemacht haben, daß es ihm allein zuzuschreiben ist, wenn auch der zweite Termin günstig für die beiden Geistlichen auslief. Aber das alles ist Onkel Franz inzwischen gleichgültig geworden: bei ihm ist der Verfall komplett, schon vollzogen.

Er war auch der erste, der die Idee hatte, sich von einem Schauspieler bei der abendlichen Feier vertreten zu lassen. Er hatte einen arbeitslosen Bonvivant aufgetrieben, der ihn vierzehn Tage lang so vorzüglich nachahmte, daß nicht einmal seine Frau die ausgewechselte Identität bemerkte. Auch seine Kinder bemerkten es nicht. Es war einer der Enkel, der während einer kleinen Singpause plötzlich in den Ruf ausbrach: »Opa hat Ringelsocken an«, wobei er triumphierend das Hosenbein des Bonvivants hochhob. Für den armen Künstler muß diese Szene schrecklich gewesen sein, auch die Familie war bestürzt, und um Unheil zu vermeiden, stimmte man, wie sooft schon in peinlichen Situationen, schnell ein Lied an. Nachdem die Tante zu Bett gegangen, war die Identität des Künstlers schnell festgestellt. Es war das Signal zum völligen Zusammenbruch.

9

Immerhin: man muß bedenken, eineinhalb Jahre, das ist eine lange Zeit, und der Hochsommer war wieder gekommen, eine Jahreszeit, in der meinen Verwandten die Teilnahme an diesem Spiel am schwersten fällt. Lustlos knabbern sie in dieser Hitze an Printen und Pfeffernüssen, lächeln starr vor sich hin, während sie ausgetrocknete Nüsse knacken, sie hören den unermüdlich hämmernden Zwergen zu und zucken zusammen, wenn der rotwangige Engel über ihre Köpfe hinweg »Frieden« flüstert, »Frieden«, aber sie harren aus, während ihnen trotz sommerlicher Kleidung der Schweiß über Hals und Wangen läuft und ihnen die Hemden festkleben. Vielmehr: sie haben ausgeharrt.

Geld spielt vorläufig noch keine Rolle – fast im Gegenteil. Man beginnt sich zuzuflüstern, daß Onkel Franz nun auch geschäftlich zu Methoden gegriffen hat, die die Bezeichnung »christlicher Kaufmann« kaum noch zulassen. Er ist entschlossen, keine wesentliche Schwächung des Vermögens zuzulassen, eine Versicherung, die uns zugleich beruhigt und erschreckt.

Nach der Entlarvung des Bonvivants kam es zu einer regelrechten Meuterei, deren Folge ein Kompromiß war: Onkel Franz hat sich bereit erklärt, die Kosten für ein kleines Ensemble zu übernehmen, das ihn, Johannes, meinen Schwager Karl und Lucie ersetzt, und es ist ein Abkommen getroffen worden, daß immer einer von den vieren im Original an der abendlichen Feier teilzunehmen hat, damit die Kinder in Schach gehalten werden. Der Prälat hat bisher nichts von diesem Betrug gemerkt, den man keineswegs mit dem Adjektiv fromm wird belegen können. Abgesehen von meiner Tante und den Kindern ist er die einzige originale Figur bei diesem Spiel.

Es ist ein genauer Plan aufgestellt worden, der in unserer Verwandtschaft Spielplan genannt wird, und durch die Tatsache, daß einer immer wirklich teilnimmt, ist auch für die Schauspieler eine gewisse Vakanz gewährleistet. Inzwischen hat man auch gemerkt, daß diese sich nicht ungern zu der Feier hergeben, sich gerne zusätzlich etwas Geld verdienen, und man hat mit Erfolg die Gage gedrückt, da ja glücklicherweise an arbeitslosen Schauspielern kein Mangel herrscht. Karl hat mir erzählt, daß man hoffen könne, diesen »Posten« noch ganz erheblich herunterzusetzen, zumal ja den Schauspielern eine Mahlzeit geboten wird und die Kunst bekanntlich, wenn sie nach Brot geht, billiger wird.

10

Lucies verhängnisvolle Entwicklung habe ich schon angedeutet: sie treibt sich fast nur noch in Nachtlokalen herum, und besonders an den Tagen, wo sie gezwungenermaßen an der häuslichen Feier hat teilnehmen müssen, ist sie wie toll. Sie trägt Kordhosen, bunte Pullover, läuft in Sandalen herum und hat sich ihr prachtvolles Haar abgeschnitten, um eine schmucklose Fransenfrisur zu tragen, von der ich jetzt erfahre, daß sie unter dem Namen Pony schon einige Male modern war. Obwohl ich offenkundige Unsittlichkeit bei ihr bisher nicht beobachten konnte, nur eine gewisse Exaltation, die sie selbst als Existentialismus bezeichnet, trotzdem kann ich mich nicht entschließen, diese Entwicklung erfreulich zu finden; ich liebe die milden Frauen mehr, die sich sittsam im Takte des Walzers bewegen, die angenehme Verse zitieren und deren Nahrung nicht ausschließlich aus sauren Gurken und mit Paprika überwürztem Gulasch besteht. Die Auswanderungspläne meines Schwagers Karl scheinen sich zu realisieren: er hat ein Land entdeckt, nicht weit vom Äquator, das seinen Bedingungen gerecht zu werden verspricht, und Lucie ist begeistert: man trägt in diesem Lande Kleider, die den ihren nicht unähnlich sind, man liebt dort die scharfen Gewürze und tanzt nach Rhythmen, ohne die nicht mehr leben zu können sie vorgibt. Es ist zwar ein wenig schockierend, daß diese beiden dem Sprichwort »Bleibe im Lande und nähre dich redlich« nicht zu folgen gedenken, aber andererseits verstehe ich, daß sie die Flucht ergreifen.

Schlimmer ist es mit Johannes. Leider hat sich das böse Gerücht bewahrheitet: er ist Kommunist geworden. Er hat alle Beziehungen zur Familie abgebrochen, kümmert sich um nichts mehr und existiert bei den abendlichen Feiern nur noch in seinem Double. Seine Augen haben einen fanatischen Ausdruck angenommen, derwischähnlich produziert er sich in öffentlichen Veranstaltungen seiner Partei, vernachlässigt seine Praxis und schreibt wütende Artikel in den entsprechenden Organen. Merkwürdigerweise trifft er sich jetzt häufiger mit Franz, der ihn und den er vergeblich zu bekehren versucht. Bei aller geistigen Entfremdung sind sie sich persönlich etwas näher gekommen.

Franz selbst habe ich lange nicht gesehen, nur von ihm gehört. Er soll von tiefer Schwermut befallen sein, hält sich in dämmrigen Kirchen auf, ich glaube, man kann seine Frömmigkeit getrost als übertrieben bezeichnen. Er fing an, seinen Beruf zu vernachlässigen, nachdem das Unheil über seine Familie gekommen war, und neulich sah ich an der Mauer eines zertrümmerten Hauses ein verblichenes Plakat mit der Aufschrift »Letzter Kampf unseres Altmeisters Lenz gegen Lecoq. Lenz hängt die Boxhandschuhe an den Nagel«. Das Plakat war vom März, und jetzt haben wir längst August. Franz soll sehr heruntergekommen sein. Ich glaube, er befindet sich in einem Zustand, der in unserer Familie bisher noch nicht vorgekommen ist: er ist arm. Zum Glück ist er ledig geblieben, die sozialen Folgen seiner unverantwortlichen Frömmigkeit treffen also nur ihn selbst. Mit erstaunlicher Hartnäckigkeit hat er versucht, einen Jugendschutz für die Kinder von Lucie zu erwirken, die er durch die abendlichen Feiern gefährdet glaubte. Aber seine Bemühungen sind ohne Erfolg geblieben; Gott sei Dank sind ja die Kinder begüteter Menschen nicht dem Zugriff sozialer Institutionen ausgesetzt.

Am wenigsten von der übrigen Verwandtschaft entfernt hat sich trotz mancher widerwärtiger Züge – Onkel Franz. Zwar hat er tatsächlich trotz seines hohen Alters eine Geliebte, auch sind seine geschäftlichen Praktiken von einer Art, die wir zwar bewundern, keinesfalls aber billigen können. Neuerdings hat er einen arbeitslosen Inspizienten aufgetan, der die abendliche Feier überwacht und sorgt, daß alles wie am Schnürchen läuft. Es läuft wirklich alles wie am Schnürchen.

11

Fast zwei Jahre sind inzwischen verstrichen: eine lange Zeit. Und ich konnte es mir nicht versagen, auf einem meiner abendlichen Spaziergänge einmal am Hause meines Onkels vorbeizugehen, in dem nun keine natürliche Gastlichkeit mehr möglich ist, seitdem fremdes Künstlervolk dort all-abendlich herumläuft und die Familienmitglieder sich be-fremdenden Vergnügungen hingeben. Es war ein lauer Sommerabend, als ich dort vorbeikam, und schon als ich um die Ecke in der Kastanienallee einbog, hörte ich den Vers:

weihnachtlich glänzet der Wald ...

Ein vorüberfahrender Lastwagen machte den Rest unhör-bar, ich schlich mich langsam ans Haus und sah durch einen Spalt zwischen den Vorhängen ins Zimmer: Die Ähnlichkeit der anwesenden Mimen mit den Verwandten, die sie dar-stellten, war so erschreckend, daß ich im Augenblick nicht erkennen konnte, wer nun wirklich an diesem Abend die Aufsicht führte – so nennen sie es. Die Zwerge konnte ich nicht sehen, aber hören. Ihr zirpendes Gebimmel bewegt sich auf Wellenlängen, die durch alle Wände dringen. Das Flüstern des Engels war unhörbar. Meine Tante schien wirk-lich glücklich zu sein: sie plauderte mit dem Prälaten, und erst spät erkannte ich meinen Schwager als einzige, wenn man so sagen darf, reale Person. Ich erkannte ihn daran, wie er beim Auspusten des Streichholzes die Lippen spitzte. Es scheint doch unverwechselbare Züge der Individualität zu geben. Dabei kam mir der Gedanke, daß die Schauspieler offenbar auch mit Zigarren, Zigaretten und Wein traktiert werden – zudem gibt es ja jeden Abend Spargel. Wenn sie unverschämt sind – und welcher Künstler wäre das nicht? –, bedeutet dies eine erhebliche zusätzliche Verteuerung für meinen Onkel. Die Kinder spielten mit Puppen und hölzer-nen Wagen in einer Zimmerecke: sie sahen blaß und müde aus. Tatsächlich, vielleicht müßte man auch an sie denken. Mir kam der Gedanke, daß man sie vielleicht durch Wachs-puppen ersetzen könne, solcherart, wie sie in den Schaufen-stern der Drogerien als Reklame für Milchpulver und Hautcreme Verwendung finden. Ich finde, die sehen doch recht natürlich aus.

Tatsächlich will ich die Verwandtschaft einmal auf die möglichen Auswirkungen dieser ungewöhnlichen täglichen Erregung auf die kindlichen Gemüter aufmerksam machen. Obwohl eine gewisse Disziplin ihnen ja nichts schadet, scheint man sie hier doch über Gebühr zu beanspruchen.

Ich verließ meinen Beobachtungsposten, als man drinnen anfing, *Stille Nacht* zu singen. Ich konnte das Lied wirklich nicht ertragen. Die Luft ist so lau – und ich hatte einen Augenblick lang den Eindruck, einer Versammlung von Gespenstern beizuwohnen. Ein scharfer Appetit auf saure Gurken befiel mich ganz plötzlich und ließ mich leise ahnen, wie sehr Lucie gelitten haben muß.

12

Inzwischen ist es mir gelungen, durchzusetzen, daß die Kinder durch Wachspuppen ersetzt werden. Die Anschaffung war kostspielig – Onkel Franz scheute lange davor zurück –, aber es war nicht länger zu verantworten, die Kinder täglich mit Marzipan zu füttern und sie Lieder singen zu lassen, die ihnen auf die Dauer psychisch schaden können. Die Anschaffung der Puppen erwies sich als nützlich, weil Karl und Lucie wirklich auswanderten und auch Johannes seine Kinder aus dem Haushalt des Vaters zog. Zwischen großen Überseekisten stehend, habe ich mich von Karl, Lucie und den Kindern verabschiedet, sie erschienen mir glücklich, wenn auch etwas beunruhigt. Auch Johannes ist aus unserer Stadt weggezogen. Irgendwo ist er damit beschäftigt, einen Bezirk seiner Partei umzuorganisieren.

Onkel Franz ist lebensmüde. Mit klagender Stimme erzählte er mir neulich, daß man immer wieder vergißt, die Puppen abzustauben. Überhaupt machen ihm die Dienstboten Schwierigkeiten, und die Schauspieler scheinen zur Disziplinlosigkeit zu neigen. Sie trinken mehr, als ihnen zusteht, und einige sind dabei ertappt worden, daß sie sich Zigarren und Zigaretten einsteckten. Ich riet meinem Onkel, ihnen gefärbtes Wasser vorzusetzen und Pappzigarren anzuschaffen.

Die einzig Zuverlässigen sind meine Tante und der Prälat. Sie plaudern miteinander über die gute alte Zeit, kichern und scheinen recht vergnügt und unterbrechen ihr Gespräch nur, wenn ein Lied angestimmt wird.

Jedenfalls: die Feier wird fortgesetzt.

Mein Vetter Franz hat eine merkwürdige Entwicklung genommen. Er ist als Laienbruder in ein Kloster der Umgebung aufgenommen worden. Als ich ihn zum erstenmal in der Kutte sah, war ich erschreckt: diese große Gestalt mit der zerschlagenen Nase und den dicken Lippen, sein schwermütiger Blick – er erinnerte mich mehr an einen Sträfling als an einen Mönch. Es schien fast, als habe er meine Gedanken erraten. »Wir sind mit dem Leben bestraft«, sagte er leise. Ich folgte ihm ins Sprechzimmer. Wir unterhielten uns stockend, und er war offenbar erleichtert, als die Glocke ihn zum Gebet in die Kirche rief. Ich blieb nachdenklich stehen, als er ging: er eilte sehr, und seine Eile schien aufrichtig zu sein.

HERMANN HESSE

Auf dem Eise

Damals sah mir die Welt noch anders aus. Ich war zwölfein-
halb Jahre alt und noch mitten in der vielfarbigen, reichen
Welt der Knabenfreuden und Knabenschwärmereien befangen. Nun dämmerte schüchtern und lüstern zum ersten Male
das weiche Ferneblau der gemilderten, innigeren Jugendlich-
keit in meine erstaunte Seele.

Es war ein langer, strenger Winter, und unser schöner
Schwarzwaldfluß lag wochenlang hart gefroren. Ich kann
das merkwürdige, gruselig-entzückte Gefühl nicht vergessen, mit dem ich am ersten bitterkalten Morgen den Fluß betrat, denn er war tief und das Eis war so klar, daß man wie
durch eine dünne Glasscheibe unter sich das grüne Waser,
die phantastisch verschlungenen Wasserpflanzen und zuweilen den dunklen Rücken eines Fisches sah.

Halbe Tage trieb ich mich mit meinen Kameraden auf dem
Eise herum, mit heißen Wangen und blauen Händen, das
Herz von der starken rhythmischen Bewegung des Schlitt-
schuhlaufs energisch geschwellt, voll von der wunderbaren
gedankenlosen Genußkraft der Knabenzeit. Wir übten Wett-
lauf, Weitsprung, Hochsprung, Fliehen und Haschen, und
diejenigen von uns, die noch die altmodischen beinernen
Schlittschuhe mit Bindfaden an den Stiefeln befestigt trugen,
waren nicht die schlechtesten Läufer. Aber einer, ein Fabri-
kantensohn, besaß ein Paar ›Halifax‹, die waren ohne Schnur
oder Riemen befestigt und man konnte sie in zwei Augenblicken anziehen und ablegen. Das Wort Halifax stand von
da an jahrelang auf meinem Weihnachtswunschzettel, jedoch erfolglos; und als ich zwölf Jahre später einmal ein Paar
recht feine und gute Schlittschuhe kaufen wollte und im Laden Halifax verlangte, da ging mir zu meinem Schmerz ein
Ideal und ein Stück Kinderglauben verloren, als man mir lächelnd versicherte, Halifax sei ein veraltetes System und
längst nicht mehr das Beste.

Am liebsten lief ich allein, oft bis zum Einbruch der Nacht. Ich sauste dahin, lernte im raschesten Schnellauf an jedem beliebigen Punkte halten oder wenden, schwebte mit Fliegergenuß balancierend in schönen Bogen. Viele von meinen Kameraden benutzten die Zeit auf dem Eise, um den Mädchen nachzulaufen und zu hofieren. Für mich waren die Mädchen nicht vorhanden. Während andere ihnen Ritterdienste leisteten, sie sehnsüchtig und schüchtern umkreisten oder sie kühn und flott in Paaren führten, genoß ich allein die freie Lust des Gleitens. Für die »Mädelesführer« hatte ich nur Mitleid und Spott. Denn aus den Konfessionen mancher Freunde glaubte ich zu wissen, wie zweifelhaft ihre galanten Genüsse im Grunde waren.

Da, schon gegen Ende des Winters, kam mir eines Tages die Schülerneuigkeit zu Ohren, der Nordkaffer habe neulich abermals die Emma Meier beim Schlittschuhausziehen geküßt. Die Nachricht trieb mir plötzlich das Blut zu Kopfe. Geküßt! Das war freilich schon was anderes als die faden Gespräche und scheuen Händedrücke, die sonst als höchste Wonnen des Mädleführens gepriesen wurden. Geküßt! Das war ein Ton aus einer fremden, verschlossenen, scheu geahnten Welt, das hatte den leckeren Duft der verbotenen Früchte, das hatte etwas Heimliches, Poetisches, Unnennbares, das gehörte in jenes dunkelsüße, schaurig lockende Gebiet, das von uns allen verschwiegen, aber ahnungsvoll gekannt und streifweise durch sagenhafte Liebesabenteuer ehemaliger, von der Schule verwiesener Mädchenhelden beleuchtet. Der »Nordkaffer« war ein vierzehnjähriger, Gott weiß wie zu uns verschlagener Hamburger Schuljunge, den ich sehr verehrte und dessen fern der Schule blühender Ruhm mich oft nicht schlafen ließ. Und Emma Meier war unbestritten das hübscheste Schulmädchen von Gerbersau, blond, flink, stolz und so alt wie ich.

Von jenem Tage an wälzte ich Pläne und Sorgen in meinem Sinn. Ein Mächen zu küssen, das übertraf doch alle meine bisherigen Ideale, sowohl an sich selbst, als weil es ohne Zweifel vom Schulgesetz verboten und verpönt war. Es wurde mir schnell klar, daß der solenne Minnedienst der Eisbahn hierzu die einzige gute Gelegenheit sei. Zunächst suchte ich denn mein Äußeres nach Vermögen hoffähiger zu machen. Ich wandte Zeit und Sorgfalt an meine Frisur, wachte peinlich über die Sauberkeit meiner Kleider, trug die Pelzmütze manierlich halb in der Stirn und erbettelte von meinen Schwestern ein rosenrot seidenes Foulard. Zugleich begann ich auf dem Eise die etwa in Frage kommenden Mädchen höflich zu grüßen und glaubte zu sehen, daß diese ungewohnte Huldigung zwar mit Erstaunen, aber nicht ohne Wohlgefallen bemerkt wurde.

Viel schwerer wurde mir die erste Anknüpfung, denn in meinen Leben hatte ich noch kein Mädchen »engagiert«. Ich suchte meine Freunde bei dieser ernsten Zeremonie zu belauschen. Manche machten nur einen Bückling und streckten die Hand aus, andere stotterten etwas Unverständliches hervor, weitaus die meisten aber bedienten sich der eleganten Phrase: »Hab' ich die Ehre?« Diese Formel imponierte mir sehr, und ich übte sie ein, indem ich zu Hause in meiner Kammer mich vor dem Ofen verneigte und die feierlichen Worte dazu sprach.

Der Tag des schweren ersten Schrittes war gekommen. Schon gestern hatte ich Werbegedanken gehabt, war aber mutlos heimgekehrt, ohne etwas gewagt zu haben. Heute hatte ich mir vorgenommen, unweigerlich zu tun, was ich so sehr fürchtete wie ersehnte. Mit Herzklopfen und todbeklommen wie ein Verbrecher ging ich zur Eisbahn, und ich glaubte, meine Hände zitterten beim Anlegen der Schlittschuhe. Und dann stürzte ich mich in die Menge, in weitem Bogen ausholend, und bemüht, meinem Gesicht einen Rest der gewohnten Sicherheit und Selbstverständlichkeit zu bewahren. Zweimal durchlief ich die ganze lange Bahn im eiligsten Tempo, die scharfe Luft und die heftige Bewegung taten mir wohl.

Plötzlich, gerade unter der Brücke, rannte ich mit voller Wucht gegen jemanden an und taumelte bestürzt zur Seite. Auf dem Eise aber saß die schöne Emma, offenbar Schmerzen verbeißend, und sah mich vorwurfsvoll an. Vor meinen Blicken ging die Welt im Kreise.

»Helft mir doch auf!« sagte sie zu ihren Freundinnen. Da nahm ich, blutrot im ganzen Gesicht, meine Mütze ab, kniete neben ihr nieder und half ihr aufstehen.

Wir standen nun einander erschrocken und fassungslos gegenüber, und keines sagte ein Wort. Der Pelz, das Gesicht und Haar des schönen Mädchens betäubten mich durch ihre fremde Nähe. Ich besann mich ohne Erfolg auf eine Entschuldigung und hielt noch immer meine Mütze in der Faust. Und plötzlich, während mir die Augen wie verschleiert waren, machte ich mechanisch einen tiefen Bückling und stammelte: »Hab' ich die Ehre?«

Sie antwortete nichts, ergriff aber meine Hände mit ihren feinen Fingern, deren Wärme ich durch den Handschuh hindurch fühlte, und fuhr mit mir dahin. Mir war zumute wie in einem sonderbaren Traum. Ein Gefühl von Glück, Scham, Wärme, Lust und Verlegenheit raubte mir fast den Atem. Wohl eine Viertelstunde liefen wir zusammen. Dann machte sie an einem Halteplatz leise die kleinen Hände frei, sagte »Danke schön« und fuhr allein davon, während ich verspätet die Pelzkappe zog und noch lange an derselben Stelle stehen blieb. Erst später fiel mir ein, daß sie während der ganzen Zeit kein einziges Wort gesprochen hatte.

Das Eis schmolz, und ich konnte meinen Versuch nicht wiederholen. Es war mein erstes Liebesabenteuer. Aber es vergingen noch Jahre, ehe mein Traum sich erfüllte und mein Mund auf einem roten Mädchenmunde lag.

Davos

Ein köstlicher Tag, alles voll Sonne, klar und gewiß, und wir stehen kaum hundert Schritte unter dem weißen Gipfelkreuz, das die schwarzen Dohlen umkreisen – plötzlich ein Krach in der blauen Luft oder unter dem glitzernden Schnee, ein kurzer und trockener Ton, fast zart, fast wie der Sprung in einer Vase; einen Augenblick weiß man nicht, ob es aus der Ferne oder aus der nächsten Nähe gekommen ist. Als wir uns umblicken, bemerken wir, wie sich der ganze Hang, er ist steil, bereits in ein wogendes Gleiten verwandelt hat. Alles geht sehr rasch, und zugleich ist es so, als wären Jahrzehnte vergangen seit den Ferien, die wir eben begonnen haben und die keine Erinnerung mehr erreicht; der Gipfel, dessen weißes Kreuz in den wolkenlosen Himmel ragt, scheint ferner als noch vor einem Atemzug. Ringsum ein Bersten, lautlos zuerst, und der Schnee geht uns bereits an die Knie. Allenthalben überschlagen sich die Schollen, und endlich begreife ich, daß auch wir in die Tiefe gleiten, unaufhaltsam und immer rascher, mitten in einem grollenden Rollen. Dabei ist man vollkommen wach. Zum Glück hatten wir unsere Bretter auf den Schultern; ich rufe Constanze, die ich für Augenblicke wiedersehe, rufe ihr, was sie machen soll. Hinter uns kommt immer mehr. Schnee, Wind, Gefühl des Erstickens. Das eigene Entsetzen ist groß und gelassen zugleich, irgendwie vertraut, als wäre es nicht die erste Lawine.

ÖDÖN VON HORVÁTH

Wintersportlegendchen

Wenn Schneeflocken fallen, binden sich selbst die heiligen Herren Skier unter die bloßen Sohlen. Also tat auch der heilige Franz.

Und dem war kein Hang zu stiel, kein Hügel zu hoch, kein Holz zu dicht, kein Hindernis zu hinterlistig – er lief und sprang und bremste derart meisterhaft, daß er nie seinen Heiligenschein verbog.

So glitt er durch winterliche Wälder. Es war still ringsum und – eigentlich ist er noch keinem Menschen begegnet und auch keinem Reh. Nur eine verirrte Skispur erzählte einmal, sie habe ihn auf einer Lichtung stehen sehen, woselbst er einer Gruppe Skihaserln predigte. Die saßen um ihn herum im tiefen Schnee, rot, grün, gelb, blau – und spitzten andächtig die Ohren, wie er so sprach von unbefleckten Trockenkursen im Kloster »zur guten Bindung«, von den alleinseligmachenden Stemmbögen, Umsprung-Ablässen und lauwarmen Telemarkeln. Und wie erschauerten die Skihaserln, da er losdonnerte wider gewisse undogmatische Unterrichtsmethoden!

Drei Männer im Schnee

Früh gegen sieben Uhr polterten die ersten Gäste aus ihren Zimmern. Es klang, als marschierten Kolonnen von Tiefseetauchern durch die Korridore.

Der Frühstückssaal hallte wider von den Gesprächen und vom Gelächter hungriger, gesunder Menschen. Die Kellner balancierten beladene Tabletts. Später schleppten sie Lunchpakete herbei und überreichten sie den Gästen, die erst am Nachmittag von größeren Skitouren zurückkehren wollten.

Heute zog auch Hoteldirektor Kühne wieder in die Berge. Als er, gestiefelt und gespornt, beim Portier vorüberkam, sagte er: »Herr Polter, sehen Sie zu, daß dieser Schulze keinen Quatsch macht! Der Kerl ist heimtückisch. Seine Ohrläppchen sind angewachsen. Und kümmern Sie sich um den kleinen Millionär!«

»Wie ein Vater«, erklärte Onkel Polter ernst. »Und dem Schulze werde ich irgendeine Nebenbeschäftigung verpassen. Damit er nicht übermütig wird.«

Karl der Kühne musterte das Barometer. »Ich bin vor dem Diner wieder da.« Fort war er.

»Na, wenn schon«, sagte der Portier und sortierte anschließend die Frühpost.

Herr Kesselhuth saß noch in der Wanne, als es klopfte. Er meldete sich nicht. Denn er hatte Seife in den Augen. Und Kopfschmerzen hatte er außerdem. »Das kommt vom Saufen«, sprach er zu sich selber. Und dann ließ er sich kaltes Wasser übers Genick laufen.

Da wurde die Badezimmertür geöffnet, und ein wilder, lockiger Gebirgsbewohner trat ein. »Guten Morgen wünsch ich«, erklärte er. »Entschuldigen Sie, bittschön. Aber ich bin der Graswander Toni.«

»Da kann man nichts machen«, sagte der nackte Mann in der Wanne. »Wie geht's?«

»Danke der Nachfrage. Es geht.«

»Das freut mich«, versicherte Kesselhuth mit gewinnender Manier. »Und worum handelt sich's? Wollen Sie mir den Rücken abseifen?«

Anton Graswander zuckte die Achseln. »Schon, schon. Aber eigentlich komm ich wegen dem Skiunterricht.«

»Ach so!« rief Kesselhuth. Dann steckte er einen Fuß aus dem Wasser, bearbeitete ihn mit Bürste und Seife und fragte: »Wollen wir mit dem Skifahren nicht lieber warten, bis ich abgetrocknet bin?«

Der Toni sagte: »Please, Sir!« Er war ein internationaler Skilehrer. »Ich warte drunten in der Halle. Ich hab dem Herrn ein Paar Bretteln mitgebracht. Prima Eschenholz.« Dann ging er wieder.

Auch Hagedorns morgendlicher Schlummer erlitt eine Störung. Er träumte, daß ihn jemand rüttelte und schüttelte, und rollte sich gekränkt auf die andere Seite des breiten Betts. Aber der Jemand ließ sich nicht entmutigen. Er wanderte um das Bett herum, schlug die Steppdecke zurück, zog ihm den Pyjama vom Leibe, goß aus einer Flasche kühles Öl auf den Rücken des Schläfers und begann ihn mit riesigen Händen zu kneten und zu klopfen.

»Lassen Sie den Blödsinn!« murmelte Hagedorn und haschte vergeblich nach der Decke. Dann lachte er plötzlich und rief: »Nicht kitzeln!« Endlich wachte er ein wenig auf, drehte den Kopf zur Seite, bemerkte einen großen Mann mit aufgerollten Hemdsärmeln und fragte erbost: »Sind Sie des Teufels, Herr?«

»Nein, der Masseur«, sagte der Fremde. »Ich bin bestellt. Mein Name ist Masseur Stünzner.«

»Ist Masseur Ihr Vorname?« fragte der junge Mann.

»Eher der Beruf«, antwortete der andre und verstärkte seine handgreiflichen Bemühungen. Es schien nicht ratsam, Herrn Stünzner zu reizen. ›Ich bin in seiner Gewalt‹, dachte der junge Mann. ›Er ist ein jähzorniger Masseur. Wenn ich ihn kränke, massiert er mich in Grund und Boden.‹

Alle Knochen taten ihm weh. Und das sollte gesund sein? Geheimrat Tobler wurde nicht geweckt. Er schlief, in seinen uralten warmen Mantel gehüllt, turmhoch über allem irdischen Lärm. Fern von Masseuren und Skilehrern. Doch als er erwachte, war es noch dunkel.

Er blieb lange Zeit, im friedlichen Halbschlummer, liegen. Und er wunderte sich, in regelmäßigen Abständen, daß es nicht heller wurde.

Endlich kletterte er aus dem Bett und blickte auf die Taschenuhr. Die Leuchtziffern teilten mit, daß es zehn Uhr sei.

›Offensichtlich eine Art Sonnenfinsternis‹, dachte er und ging kurz entschlossen wieder ins Bett. Es war hundekalt im Zimmer.

Aber er konnte nicht wieder einschlafen. Und, vor sich hin dösend, kam ihm eine Idee. Er stieg wieder aus dem Bett heraus, zündete ein Streichholz an und betrachtete das nahezu waagrechte Dachfenster. Das Fenster lag voller Schnee. ›Das ist also die Sonnenfinsternis!‹ dachte er. Er stemmte das Fenster hoch. Der größere Teil des auf dem Fenster liegenden, über Nacht gefallenen Schnees prasselte das Dach hinab. Der Rest, es waren immerhin einige Kilo, fiel in und auf Toblers Pantoffeln.

Er schimpfte. Aber es klang nicht sehr überzeugend.

Draußen schien die Sonne. Sie drang wärmend in die erstarrte Kammer. Herr Geheimrat Tobler zog den alten Mantel aus, stellte sich auf den Stuhl, steckte den Kopf durchs Fenster und nahm ein Sonnenbad. Die Nähe und der Horizont waren mit eisig glänzenden Berggipfeln und rosa schimmernden Felsschroffen angefüllt.

Schließlich stieg er wieder vom Stuhl herunter, wusch und rasierte sich, zog den violetten Anzug an, umgürtete die langen Hosenbeine mit einem Paar Wickelgamaschen, das aus dem Weltkrieg stammte, und ging in den Frühstückssaal hinunter.

Hier traf er Hagedorn. Sie begrüßten einander aufs herzlichste. Und der junge Mann sagte: »Herr Kesselhuth ist schon auf der Skiwiese.« Dann frühstückten sie gründlich.

Durch die großen Fenster blickte man in den Park. Die Bäume und Büsche sahen aus, als ob auf ihren Zweigen Schnee blühe, genau wie Blumen blühen. Darüber erhoben sich die Kämme und Gipfel der winterlichen Alpen. Und über allem, hoch oben, strahlte wolkenloser, tiefblauer Himmel.

»Es ist so schön, daß man aus der Haut fahren könnte!« sagte Hagedorn. »Was unternehmen wir heute?«

»Wir gehen spazieren«, meinte Schulze. »Es ist vollkommen gleichgültig, wohin.« Er breitete sehnsüchtig die Arme aus. Die zu kurzen Ärmel rutschten vor Schreck bis an die Ellbogen. Dann sagte er: »Ich warne Sie nur vor einem: Wagen Sie es nicht, mir unterwegs mitzuteilen, wie die einzelnen Berge heißen!«

Hagedorn lachte. »Keine Sorge, Schulze! Mir geht's wie Ihnen. Man soll die Schönheit nicht duzen!«

»Die Frauen ausgenommen«, erklärte Schulze aufs entschiedenste.

»Wie Sie wünschen!« sagte der junge Mann. Dann bat er einen Kellner, er möge ihm doch aus der Küche einen großen leeren Marmeladeneimer besorgen. Der Kellner führte den merkwürdigen Auftrag aus, und die beiden Preisträger brachen auf.

Onkel Polter überlief eine Gänsehaut, als er Schulzes Wikkelgamaschen erblickte. Auch über Hagedorns Marmeladeneimer konnte er sich nicht freuen. Es sah aus, als ob zwei erwachsene Männer fortgingen, um im Sand zu spielen.

Sie traten aus dem Hotel. »Kasimir ist über Nacht noch schöner geworden!« rief Hagedorn begeistert aus, lief zu dem Schneemann hinüber, stellte sich auf die Zehenspitzen und stülpte ihm den goldgelben Marmeladeneimer aufs Haupt.

Dann übte er, schmerzverzogenen Gesichts, Schulterrollen und sagte: »Dieser Stünzner hat mich völlig zugrunde gerichtet!«

»Welcher Stünzner?« fragte Schulze.

»Der Masseur Stünzner«, erklärte Hagedorn. »Ich komme mir vor, als hätte man mich durch eine Wringmaschine gedreht. Und das soll gesund sein? Das ist vorsätzliche Körperverletzung!«

»Es ist trotzdem gesund«, behauptete Schulze.

»Wenn er übermorgen wiederkommt«, sagte Hagedorn, »schicke ich ihn in Ihre Rumpelkammer. Soll er sich bei Ihnen austoben!« Da öffnete sich die Hoteltür, und Onkel Polter stapfte durch den Schnee. »Hier ist ein Brief, Herr Doktor. Und in dem anderen Kuvert sind ein paar ausländische Briefmarken.«

»Danke schön«, sagte der junge Mann. »Oh, ein Brief von meiner Mutter! Wie gefällt Ihnen übrigens Kasimir?«

»Darüber möchte ich mich lieber nicht äußern«, erwiderte der Portier.

»Erlauben Sie mal!« rief der junge Mann. »Kasimir gilt unter Fachleuten für den schönsten Schneemann zu Wasser und zu Lande!«

»Ach so«, sagte Onkel Polter. »Ich dachte, Kasimir sei der Vorname von Herrn Schulze.« Er verbeugte sich leicht und ging zur Hoteltür zurück. Dort drehte er sich noch einmal um. »Von Schneemännern verstehe ich nichts.«

Sie folgten einem Weg, der über verschneites, freies Gelände führte. Später kamen sie in einen Tannenwald und mußten steigen. Die Bäume waren uralt und riesengroß. Manchmal löste sich die schwere Schneelast von einem der Zweige und stäubte in dichten weißen Wolken auf die zwei Männer herab, die schweigend durch die märchenhafte Stille spazierten. Der Sonnenschein, der streifig über dem Bergkamm schwebte, sah aus, als habe ihn eine gütige Fee gekämmt. Als sie einer Bank begegneten, machten sie halt. Hagedorn schob den Schnee beiseite, und sie setzten sich. Ein schwarzes Eichhörnchen lief eilig über den Weg.

Nach einer Weile erhoben sie sich wortlos und gingen weiter. Der Wald war zu Ende. Sie gerieten auf freies Feld. Ihr Pfad schien im Himmel zu münden. In Wirklichkeit bog er rechts ab und führte zu einem baumlosen Hügel, auf dem sich zwei schwarze Punkte bewegten.

Hagedorn sagte: »Ich bin glücklich! Bis weit über die Grenzen des Erlaubten!« Er schüttelte befremdet den Kopf. »Wenn man's so bedenkt: Vorgestern noch in Berlin. Seit Jahren ohne Arbeit. Und in vierzehn Tagen wieder in Berlin...«

»Glücklichsein ist keine Schande«, sagte Schulze, »sondern eine Seltenheit.«

Plötzlich entfernte sich der eine der schwarzen Punkte von dem anderen. Der Abstand wuchs. Der Punkt wuchs auch.

Es war ein Skifahrer. Er kam mit unheimlicher Geschwindigkeit näher und hielt sich mit Mühe aufrecht.

»Da gehen jemandem die Schneeschuhe durch«, meinte Hagedorn. Ungefähr zwanzig Meter vor ihnen tat der Skifahrer einen marionettenhaften Sprung, stürzte kopfüber in eine Schneewehe und war verschwunden.

»Spielen wir ein bißchen Feuerwehr!« rief Schulze. Dann liefen sie querfeldein, versanken wiederholt bis an die Hüften im Schnee und halfen einander, so gut es ging, vorwärts.

Endlich erblickten sie ein Paar zappelnde Beine und ein Paar Skibretter und zogen und zerrten an dem fremden Herrn, bis er, dem Schneemann Kasimir nicht unähnlich, zum Vorschein kam. Er hustete und prustete, spuckte pfundweise Schnee aus und sagte dann tieftraurig: »Guten Morgen, meine Herren.« Es war Johann Kesselhuth. Herr Schulze lachte Tränen. Doktor Hagedorn klopfte den Schnee vom Anzug des Verunglückten. Und Kesselhuth befühlte mißtrauisch seine Gliedmaßen. »Ich bin anscheinend noch ganz«, meinte er dann.

»Weshalb sind Sie denn in diesem Tempo den Hang heruntergefahren?« fragte Schulze.

Kesselhuth sagte ärgerlich: »Die Bretter sind gefahren. Ich doch nicht!«

Nun kam auch der Graswander Toni angesaust. Er fuhr einen eleganten Bogen und blieb mit einem Ruck stehen. »Aber, mein Herr!« rief er. »Schußfahren kommt doch erst in der fünften Stunde dran!«

Nach dem Mittagessen gingen die drei Männer auf die Hotelterrasse hinaus, legten sich in bequeme Liegestühle, schlossen die Augen und rauchten Zigarren. Die Sonne brannte heißer als im Sommer.

»In ein paar Tagen werden wir wie die Neger aussehen«, meinte Schulze. »Braune Gesichtsfarbe tut Wunder. Man blickt in den Spiegel und ist gesund.« Die anderen nickten zustimmend.

Nach einiger Zeit sagte Hagedorn: »Wissen Sie, wann meine Mutter den Brief geschrieben hat, der heute ankam?

Während ich in Berlin beim Fleischer war, um Wurst für die Reise zu holen.«

»Wozu diese Überstürzung?« fragte Kesselhuth verständnislos.

»Damit ich bereits am ersten Tage Post von ihr hätte!«

»Aha!« sagte Schulze. »Ein sehr schöner Einfall.«

Die Sonne brannte. Die Zigarren brannten nicht mehr. Die drei Männer schliefen. Herr Kesselhuth träumte vom Skifahren. Der Graswander Toni stand auf dem einen Turm der Münchner Frauenkirche. Und er, Kesselhuth, auf dem andern Turm.

»Und jetzt eine kleine Schußfahrt«, sagte der Toni. »Über das Kirchendach, bitte schön. Und dann, mit einem stilreinen Sprung, in die Brienner Straße. Vorm Hofgarten, beim Annast, machen S' einen Stemmbogen und warten auf mich!«

»Ich fahre nicht«, erklärte Kesselhuth. »Das würde mir nicht einmal im Traum einfallen!« Hierbei fiel ihm ein, daß er träumte! Da wurde er mutig und sagte zum Toni: »Rutschen Sie mir in stilreinen Stemmbögen den Buckel runter!« Anschließend lächelte er im Schlaf.

Schlittenfahrt

Meine Großeltern hatten eine treue Kundschaft in Sankt Johann – zehn Kilometer von Eichkatzelried entfernt –, den ›Dampflwirt‹, der sein ganzes Haus aus dem Geschäft meiner Großeltern einrichtete, soweit Kriegszeiten eine Einrichtung zuließen.

Weil nun eine Hand die andere wäscht, wurde eines Tages beschlossen, am Sonntag zu Mittag beim ›Dampflwirt‹ ein großes Essen einzunehmen – ebenfalls, soweit es die Kriegszeiten zuließen. (Mit guten Willen ließen sie erstaunlich viel zu, erinnere ich mich deutlich, sowohl beim Einrichten als auch beim Essen, wie gesagt... eine Hand wäscht die andere.)

Es war tiefer Winter, aber ein klarer Tag. Es war ganz selbstverständlich, daß man nach Sankt Johann mit dem Schlitten fuhr. Es gab zwar eine Eisenbahn, aber die war nicht oder kaum beheizt und unbequem. Außerdem erschienen so kurze Strecken meinen Großeltern für eine Eisenbahnfahrt unangemessen. Automobile gab es in ganz Eichkatzelried kein halbes Dutzend: jeder der drei Ärzte hatte eins und vielleicht der Kreis-Ober-Nationalsozialist, von Taxi keine Rede.

Es wurde also für, sagen wir, elf Uhr ein zweispänniger Schlitten vom Fuhrunternehmen Mariacher vors Haus bestellt.

Nach dem Frühstück und der Messe ergriff alle Beteiligten die Erregung. Meine Großmutter erkundigte sich am Telefon, auch das wird einst märchenhaft sein: man drehte seitlich am Apparat an einer kleinen Kurbel, dann meldete sich das Fräulein vom Amt, meine Großmutter verlangte »Mariacher« – Telefonnummern gab es wohl, aber niemand belastete sein Gedächtnis damit –, das Telefonfräulein sagte: »Ja, Frau Rosendorfer«, sie kannte alle an der Stimme, und nach einiger Zeit meldete sich dann jemand auf der anderen Seite:

»Ja?« und meine Großmutter erkundigte sich, ob der Schlitten auch gewiß käme... ja, gewiß... pünktlich?... pünktlich... und so weiter.

Ich wurde in unzählige Pullover und Jacken gesteckt, in Mäntel und Übermäntel, bis ich so dick war, daß mein Onkel befürchtete, ich würde aus dem Schlitten rollen. Meine Großmutter zog die drei Pelzmäntel dreimal an – einmal den schwarzen, einmal den braunen und einmal den grauen obenauf, je nach ihrem, oft minutenweise wechselnden Geschmack –, mein Großvater bürstete und kämmte sich kräftig und sorgfältig, dem Dienstmädchen, einem ältlichen Fräulein mit Namen Elsa, wurden substantiierte Anweisungen über das Verhalten während der Abwesenheit gegeben (verschiedene von jedem), es ging gegen halb elf. Um halb elf war man theoretisch fertig, um elf nicht mehr. Die überflüssige halbe Stunde hatte zu erneuten Dispositionen verleitet, die dann wieder mehr als eine halbe Stunde in Anspruch nahmen. Es wurde doch noch einmal nachgeheizt, meine Großmutter zog nun doch den schwarzen Pelzmantel *über* den anderen an, ich mußte doch noch den Bleisoldaten ohne Kopf im Keller suchen, und so fort.

Gegen elf läutete es – ›der Schlitten‹ – ich eilte zum Fenster. Auf dem breiten Trottoir vor dem Geschäft stand er. Mit gesenkten Köpfen, dampfenden Nüstern und stampfend standen die beiden Pferde und rieben die Hälse aneinander. Der Kutscher mit der Peitsche schaute herauf und schrie – was jeder sah –, daß er jetzt da wäre.

»Einen Moment noch.«

Der Kutscher wandte sich den Pferden zu, zupfte ihre Decken gerade, beschäftigte sich mit dem Schlitten. Heroben wurde abgesperrt, wieder aufgesperrt, weil drinnen der Schlüssel für die äußerste Tür liegengeblieben war... doch nicht liegengeblieben, er steckte, wieder zugesperrt. Meine Großmutter überlegte, ob sie nicht doch den grauen Pelzmantel... Geduldig stampften die Pferde in der klaren, ruhigen Kälte draußen, und der Kutscher rieb sich mit seinen grobwollenen Handschuhen das Gesicht.

Endlich war es soweit. Der Kutscher öffnete die spielerisch kleine, bauchige, verzierte Tür am Schlitten, ließ die beiden kleinen Trittbretter, eine Miniaturleiter, herunter, mit vereinten Kräften wurde meine Großmutter in den Wagen geschoben. Mein Großvater – er hatte seinen dicksten Überzieher an, mit Bisamfellen durchaus gefüttert, so schwer, daß ich den Mantel nicht aufzuheben vermochte – setze sich neben sie, beide in Fahrtrichtung. Wer sonst noch mitfuhr, weiß ich nicht mehr, mein Onkel und meine Tante vielleicht; vielleicht ein anderer Onkel, der gerade auf Urlaub aus dem Feld war. Es war jedenfalls eine ganze Gesellschaft, eine richtige Schlittenpartie.

Als alle saßen, wurden die Knie in grobe, große, gelb-schwarz-karierte, rotgeränderte Decken gewickelt, eine andere Decke darüber gelegt und dann eine dritte. Pinzi (das war ich) sollte eigentlich zwischen den Großeltern in wohliger Wärme wie in einem Nest sitzen. Ich tobte aber und schrie: ich wollte auf den Bock. »Gut, du gehst auf den Bock.« Meine Großmutter gab wieder Anweisungen, wie ich an dieser ausgesetzten Stelle richtig vor der Kälte geschützt werden mußte: eine Decke um den Körper gewickelt, unter den Achseln, eine über die Knie, eine über das ganze drüber.

Nach längerem Hin und Her, ob nichts vergessen wäre, wurde der Befehl zum Aufbruch gegeben.

Der Kutscher schnalzte mit der Peitsche, die Pferde zogen das Kreuz durch, scharrten mit den Hinterfüßen kräftig ein paar Mal im brettharten Schnee der Straße und zogen dann mit einem Ruck, der alles durcheinanderschüttelte, den Schlitten vom Fleck. Einmal angezogen, glitten die Kufen – vorne hochaufgebogen wie das Geweih eines exotischen Widders – auf der verschneiten Straße dahin. Auf dem Trottoir vor dem Haus hatte eines der Pferde sein Siegel zurückgelassen: hellgoldgelber, dampfender Haferextrakt, der kraft seiner Wärme leicht in den Schnee eingesunken war.

Es war kalt, aber kein Hauch bewegte die schwer mit Schnee beladenen, in der Wintersonne tausendfach blitzenden und glitzernden Fichten am Rand der damals noch fast unbebauten Straße von Eichkatzelried nach Sankt Johann. Lautlos lag die Welt, das wahrhaft majestätische Massiv des Wilden Kaisers – wie das Totenmonument eines urweltlichen Herrschers – lag, deutlich sichtbar mit jeder Schrunde und

Spitze, tieftaubenblau über dem verschneiten Land in der kristallklaren Luft des eisigen Wintermorgens... das sanft gebogene Eichkatzelrieder Horn, bis zum Gipfel mit Schnee bedeckt, goldglänzend die Sonnenseiten, feenblau die Schatten, darüber der hellblaue, fast zerbrechlich weiße, makellose Himmel. Wie tief die Welt verschneit war, konnte man an den sommers mannshohen Zaunpfosten entlang der Straße sehen, die jetzt nicht mehr als handbreit – schwarzbraun, mit einem hohen Gupf Schnee bedeckt – aus dem weithin unberührten, jungfräulichen, jede Unebenheit des Bodens nivellierenden, strahlend weißen Schnee ragten... das einzige Geräusch – es ist wirklich wie ein Märchen – waren die Schellen an den Halftern der Pferde, die im Takt der trabenden Schritte in einem ausdauernden, fröhlichen, nicht zu langsamen, aber dennoch geruhsamen Allegro die Begleitung zur Fröhlichkeit der Schlittenpartie klingelten.

Im steten Trab, bald eine sanfte Kurve nach links, bald nach rechts, ging es voran. Die Ache wurde überquert: ein Eisbach, dessen Anblick schon ängstigt, wenn man sieht, wie sein grünes Wasser über dick gefrorene Steine und zwischen den ebenfalls dick mit poliertem Eis überkrusteten, wie gepanzerten Ufern dahinschoß. Die sichere Brücke mit dem tief verschneiten Geländer führte uns darüber.

Auf einer ungefährlichen, geraden Strecke erlaubte mir der Kutscher, die Zügel zu führen. Jauchzend, rotwangig vor Aufregung und Kälte, faßte ich die Zügel, schnalzte mit der Zunge, und während ich glaubte, wir flögen dahin im Flaum der verschneiten Welt, gefror mir der Rotz zwischen Nase und Mund, eine winterliche Herrlichkeit.

Wir näherten uns Oberndorf, einem kleinen Weiler auf der Hälfte des Weges. Die Bauern standen nach der Elf-Uhr-Messe in kleinen Gruppen vor der Kirche und redeten oder schickten sich an, zum ›Kramerwirt‹ hineinzugehen. Selbstverständlich übernahm hier der Kutscher wieder die Zügel, vielleicht durfte ich sie danach kurz einmal halten, dann war man bald in Sankt Johann.

Knirschend im harten, niedergetretenen Schnee der Straße vorm ›Dampflwirt‹ hielt der Schlitten, die Schellen verklangen in einer Fermate, die in der Begrüßung des Wirtes unterging. Wir waren natürlich längst gemeldet, der Tisch war reserviert in der Extrastube, eine Magd legte eben noch einen Arm voll Buchenscheiter in den hohen, weißen, kuppelförmigen, mit grünen Warzen verzierten Ofen, der Duft des Harzes der im Feuer krachenden Scheiter durchzog fein und wohlig die alte Holztäfelung des Raumes... vermischt mit dem Duft der Leberknödelsuppe.

Stühle wurden gerückt, der Wirt rieb sich die Hände, unzählige Mäntel wurden abgelegt, der Kutscher spannte draußen die Pferde aus. Sie kamen in den Stall zu den Sankt Johanner Kollegen, er in die Küche, wo er wohl den Mägden in die Schenkel zwickte und darüber hinaus vereinbarungsgemäß verköstigt wurde.

Im Folgenden begleitete die Fröhlichkeit der Schlittenpartie das Klingen der Messer und Gabeln über den Schnitzeln und Koteletten, über dem wacholderduftenden Kraut, über den knusprigen Kartoffeln, über den faustgroßen Knödeln, mit brauner Butter übergossen, aus denen die roten Speckbröcklein lugten, über der Leber in Rahmsauce für meine Großmutter – ihr Leibgericht – und über die gedünstete Zunge und den aufgeplatzten, leicht angerösteten Bratwürsten für meinen Großvater, und wurden hie und da unterbrochen durch das Klingen der kleinen, bauchigen Weingläser, aus denen die Herren der Partie Roten, die Damen und dazu ich Glühwein tranken: Rotwein, mit Nelken, etwas Zucker und Zitronenschalen versetzt, siedend in einem Kupferkessel an den Tisch gebracht und hier angezündet, daß eine kaum sichtbare bläuliche Flamme hochaufzüngelte, der dann mit Messingkellen in die Gläser geschöpft wurde.

Nicht nur die eisige, kristallene Kälte des Wintersonntags mit seinem metertiefen Schnee, die Feindlichkeiten des Lebens überhaupt, die Zeit, alles verwich vor der behaglichen, scheiterknisternden, bratenduftenden Genüßlichkeit des getäfelten Raumes.

Es kam dann noch Kaffee, kostbarer Bohnenkaffee (»von bloß Kern«, wie ihn meine Großmutter zum Unterschied vom Ersatzkaffee nannte), Streuselkuchen und meterlange, goldbraune, fettriefenden Strauben und Schlagrahm und für die Erwachsenen kleine Gläschen mit glasklarem ölgelben

Obstschnaps, schwarzgebrannt ohne Zweifel, der nach den prangenden Früchten des Herbstes roch, und der so scharf war, daß man überhaupt nichts schmeckte, bis nicht seine wohltätige Wirkung vom Magen aus ihre tausend wohligen Arme in alle Teile des Körpers reckte, was auch ich merkte, als ich ein klein wenig am Gläschen meiner Großmutter nippte.

Der Wirt setzte sich, nachdem die Kompanie der Mägde die leeren Schüsseln und Teller abgeräumt hatte, ein wenig zu uns, es wurde über allerhand gesprochen, was mich nicht interessierte. Ich schaute derweil eine illustrierte Zeitung an, für die ich die Zeit meines Lebens hohes Interesse hatte, und der Wirt hielt einen langen Pechspan in die nachgerade höllische Glut des Ofens und zündete damit seine Deckelpfeife und meinem Großvater und meinen Onkeln eine Zigarre an, so daß dieser weltliche Weihrauch den entschwindenden Geruch des Essens ersetzte.

Als es dämmerte – dort im tiefen Winter um drei Uhr –, wurde dem Kutscher geheißen, die Pferde wieder anzuspannen. Es wurde selbstverständlich nicht bezahlt, sondern mit irgendwelchen Tuchentbezügen und Leintüchern verrechnet. Dann kam der Aufbruch.

Die nächtliche Luft schlug uns wie ein Tuch unter der gedrungenen Tür des Gasthauses entgegen. Freiwillig verzichtete ich jetzt auf den Platz am Bock und setzte mich zwischen meine Großeltern. Wieder zogen die Pferde mit einem Ruck, der alles schüttelte, den Schlitten an. Der Wirt und die Wirtin verabschiedeten sich laut und gestikulierend, wir winkten zurück.

Die Dämmerung, und bald die Nacht, verzauberte die Landschaft vollends. Tiefblau zogen sich die langen Schatten, die die schwarzen Fichten im vollen Mondlicht warfen, über die schweigend verschneiten Felder. Die Nacht wölbte sich mit den tausend funkelnden Sternen über die winterliche Einsamkeit der Straße. Von den Höfen blitzten die rötlichen Lichter der kleinen erleuchteten Fenster, die fast vom Schnee erstickt schienen. Der dampfende Atem der Pferde war nicht mehr zu sehen, das Klingeln der Schellen weckte hie und da die Krähen in den Fichten, die sich schreiend erhoben und hinter uns sich wieder in die Zweige setzten, die jedesmal einen Berg ihrer Last an Schnee polternd entluden.

Die – obwohl verschneit – tiefschwarzen Berge hoben sich in einem Panorama von Silhouetten vom unendlich tiefschwarz-smaragdenen Himmel ab, und nichts, kein Hauch, kein Atem, nur die unendliche, eisige, glasharte und spröde Ruhe des mächtigen Winters schien um uns in dem jetzt eiligeren Schlitten – eingehüllt in Decken, satt und warm.

Als wir die Stadt erreichten, dämpften die ersten Häuser den Schritt der Pferde und das Klingeln der Schellen.

Daheim hatte Elsa das Feuer bewacht. Das ganze Haus war bald erleuchtet. Kälte und Schlitten hatten wieder hungrig gemacht, und während der Tisch gedeckt wurde, hörte man draußen den Kutscher schnalzen, die Pferde ein letztes Mal anziehen und die Schellen der Geschirre, dieses liebliche Divertimento des Winters, wie er früher war, in die Nacht hinaus verklingen.

Ein Winter-Märchen... und das märchenhafteste davon ist, daß es dennoch alltäglich ist. Kann man das heute einem Kind anders erzählen, als erzählte man ein Märchen? Bin ich schon so alt, daß eine ganze Welt versunken ist, seit ich ein Kind war? Ich glaube nicht, daß ich mich täusche, daß der Glanz der Erinnerung mich täuscht: diese Welt gibt es nicht mehr, diese Zeit, in der man dort nicht rustikal tat, sondern rustikal war, gibt es nicht mehr, so einen Winter gibt es nicht mehr.

Die Erzählung des Bürgermeisters

Es war Silvesterabend, und im ›Philosphischen Klub‹ von Levenford wartete eine große Versammlung auf den Anbruch des neuen Jahres. Klubmitglieder gaben ihre Zurückhaltung gegenüber den geladenen Gästen auf, verzichteten auf tiefschürfende Debatten und ließen sich herab, die kommenden Stunden in heiterer Geselligkeit zu verbringen. Viele Lieder waren bereits gesungen und viele Geschichten erzählt worden, dazwischen plätscherte das Gespräch behaglich weiter. Dann aber trat mitten im fröhlichen und sorglosen Treiben eine Stockung ein. Der alte John Leckie hatte das Wort ergriffen.

Leckie, vor mehr als dreißig Jahren Bürgermeister des Marktfleckens, war jetzt ein hochbetagter, schweigsamer Achtziger, der den Klub nur zu besonderen Anlässen besuchte – wenn es galt, ihn durch die Anwesenheit des ältesten Mitglieds zu ehren. Dann saß er in dem ihm reservierten Winkel, würdevoll und zurückhaltend.

Aber im gegebenen Augenblick meldete er sich dennoch zu Wort; so hatte er jetzt ein Gespräch abgeschnitten, das den letzten Wetterumschwung in Levenford kritisierte, und gesagt:

»Ihr sprecht über das Tauwetter. Nun, ich kann euch eine Geschichte über ein Tauwetter vor lang vergangener Zeit erzählen, obgleich sie nicht nur allein mit dem Wetter zu tun hat.«

Die Anwesenden murmelten ein paar Worte höflicher Ermunterung; nach einer Pause nahm er die Pfeife von den Lippen, ließ seine wäßrigen, erinnerungsschweren Augen über die Zuhörer schweifen und begann zu erzählen.

Heut' abend gibt's nicht mehr viele unter uns, die sich an Martha Lang erinnern werden, aber zu ihrer Zeit war keine Frau hier in Levenford besser bekannt. Gegen Ende des vergangenen Jahrhunderts besaß sie einen kleinen Tabakladen an der Ecke Church Street – Dobbie's Loan.

Um dieses Haus war's geschehen, als man die Straße vor mehr als zwanzig Jahren verbreiterte, um die Straßenbahn näher in die Stadt zu bringen: aber dort lag nun mal Marthas Laden.

Einige nannten sie ›Schwarze Martha‹, andere wieder ›Bibelmartha‹, aber das, wohlgemerkt, nur hinter ihrem Rücken, denn niemand hätt's gewagt, sich in Martha Langs Anwesenheit eine Freiheit herauszunehmen.

Sie war nicht sehr groß, eher das Gegenteil. Ihr Haar war tiefschwarz und straff von der Stirn zurückgekämmt, und sie war auf das einfachste gekleidet, in schwarzen Serge, so daß man hätte meinen können, sie sei eine Frau, der man keinen zweiten Blick schenkt.

Ay, sie war wie ein Schatten im trüben Licht ihres Ladens, aber ihr Geist war alles andre als ein Schatten. Ihr blasses, schmales Gesicht mit den zusammengekniffenen Lippen hatte einen Ausdruck, der einen verschreckte und einschüchterte, ein bitterer Ausdruck war's, und er brannte wie Feuer aus ihren Augen unter den dunklen Brauen hervor. Manche Leute fürchteten sich vor ihr, und viele haßten sie, aber alle stimmten überein, daß sie eine rechtschaffene und anständige Frau war. Ay, sie gehörte zu den ›Erlösten‹ und war stolz darauf.

Sehr viel Staat machte der Laden nicht her. Das Schaufenster war klein – die Scheiben aus grünem Glas mit Schlieren – und so niedrig, daß es unter der Figur eines Ostindien-Mannes, die darüber hervorragte, wie zusammengequetscht aussah; es enthielt bloß drei gelbe Blechdosen, die Spalier standen. Die Tür war sperrig und machte ›Ping‹, wenn man sie öffnete.

Drinnen war's düster. Wie ein alter Apothekerladen sah die Bude aus mit ihrem Ladentisch, der kleinen Messingwaage und der Reihe blau-weißer Delfter Krüge; still und streng, zu kalt im Winter, zu heiß im Sommer – kein Ort, an dem man länger verweilen mochte.

Neben dem Laden war die Küche von Marthas Haus. Das eine Fenster ging in die Dobbie's Loan, das andere durch die

Trennwand – eine Art Guckloch, sozusagen –, um vom Laden in die Küche oder umgekehrt sehen zu können, wie die Umstände es eben erforderten.

Die Küche war ganz gewöhnlich. Eine große Anrichte mit blauem Porzellan drauf, drei Zinndeckel an der Wand, in ihnen ein trüber Widerschein des Herdfeuers, eine alte Pendeluhr, zwei Bibelsprüche, ein abgeschabter, blankgeschrubbter Tisch, ein paar grade Stühle und ein endlos langes Roßhaarsofa – das war die ganze Einrichtung. Aus der Küche führte eine schmale Stiege, steil wie eine Leiter, zu den beiden Schlafzimmern im Oberstock hinauf.

Zu der Zeit, von der ich spreche, lag Marthas Mann schon gute fünfzehn Jahre unterm Rasen – eine lange Zeit. Ein Kind war ihr geblieben, ein Junge namens Geordie. Als Martha Witwe wurde, war er drei Jahre alt, und so mußte sie ihn allein aufziehen. Und wie sie ihn aufzog! Streng war kein Ausdruck für die Art, wie sie ihn behandelte. Nie schimmerte ein Funke von Zärtlichkeit in ihren freudlosen Augen. Für diejenigen, die sie deshalb zur Rede zu stellen wagten, hatte sie die rechte Antwort parat und stopfte ihnen mit Zitaten aus den Sprüchen Salomos den Mund. Ay, in allem und jedem war sie streng und unerbittlich zu ihm.

Ja, so war das mit Martha und ihrem Sohn, und zur Zeit der schrecklichen Sache, auf die ich noch zu sprechen komme, war Geordie eben achtzehn Jahre alt geworden. Er war ein stämmiger Bursche mit breiten Schultern, kräftigen Händen an den baumelnden Armen, und hatte ein offenes, freundliches Gesicht. Und doch lag darin etwas Leeres und Einfältiges, als wäre ihm in der Kindheit etwas von seinem Schneid herausgeprügelt worden. Er war technischer Lehrling und lernte sein Handwerk in der Schiffswerft.

Im Winter 1895 hatte bitterer Frost das Land in seinem Griff. Die Straßen waren wie aus Eisen, der Teich zugefroren; in manchen Nächten gab's Eis im Wasserkrug, und die Hafergrütze wurde kalt, bevor man sie noch ausgelöffelt hatte.

Zwei Tage vor Weihnachten stand ich um etwa halb sieben Uhr abends in Marthas Laden, um meine Unze Tabak zu kaufen, als Geordie eben aus der Küche kam. Als Martha ihn sah, kippte sie mit einer scharfen Bewegung den Deckel über den Krug.

»Wohin gehst du?« fragt sie in ihrem üblichen scharfen Ton.

»Ich möcht' gern eine Runde drunten auf dem Teich drehen«, antwortet er verlegen. Schlittschuhe baumeln an den Senkeln in seiner Hand.

»Warst du denn nicht schon gestern abend dort«, schnappt sie zurück, »und findest du nichts Nützlicheres zu tun?«

Er murmelte entschuldigend, es mache ihm solchen Spaß, und sie hielt die ganze Zeit ihre Augen finster gesenkt. Dann hob sie mit einemmal den Kopf. Es war, als jagte sein Anblick ihr Furcht ein.

»Sei also dann vor neun Uhr zurück«, sagte sie streng, »und treib dich nicht in schlechter Gesellschaft herum.«

Geordie trottete hinaus, und da wir denselben Weg hatten, gingen wir gemeinsam die Straße hinunter. Trotz der Kälte war's eine prächtige Nacht. Die Straßenlampen hatten rings um ihre Kugeln einen weißen Kranz wie aus Rauhreif; der Mond stand in seinem ersten Viertel, er steckte wie eine Brosche hoch oben am Samthimmel; das Klingeln von Geordies Schlittschuhen – sie waren von seinem Vater auf ihn gekommen, sonst hätte er nie welche besessen – machte dazu eine schöne, helle Musik.

Er lief schrecklich gern Schlittschuh, müßt ihr wissen, und war ein famoser Eisläufer. In Levenford gab's nicht seinesgleichen.

An der Ecke vom Marktplatz verabschiedeten wir uns, er ging zum Teich und ich zu meinem warmen Herd.

Zwei oder drei Tage lang sah ich Geordie nicht. Weihnachten ging vorbei, und die ganze Zeit hielt der Frost an. So konnt's nicht lange bleiben, sagten die Leute und stampften mit den Füßen, wenn sie an der Straßenkreuzung zu einem kurzen Plausch verweilten; er würde schnell umschlagen wie alle diese bitteren Fröste. Aber er hielt dennoch an. Bitterkalt und grimmig hielt er an, und Mitte der Woche kam aus Darroch die Kunde, daß der See über und über zugefroren sei – so was war seit sieben Jahren nicht mehr passiert.

An diesem Tag stand ich wieder einmal in Marthas Laden. Ich war früher dran als sonst, von der Schiffswerft her hatte die Sirene eben halb sechs getutet. Ich hatte meine Unze schon eingesteckt und bezahlt, blieb aber noch, um ein paar Worte mit Martha zu reden – nicht daß mich das besonders freute, aber als Bürgermeister mußte ich mehr als ein anderer dazu sehen, daß ich Martha keine Gelegenheit gab, ihre bittere Zunge an mir zu wetzen.

Sie war hinter dem Ladentisch in ihr endloses Strickzeug vertieft, und ich stand in der entgegengesetzten Ecke, da geht, ping, die Tür auf und Geordie kommt herein. Ich stand mehr oder weniger im Schatten, und er war so voll von dem, was er zu sagen hatte, daß er mich nicht sah, und er platzt heraus: »Der Loch ist zugefroren, Mutter, und bis zur Insel Ardmurren gibt's dickes Eis.«

»Und wer von uns beiden hat was davon?« fährt ihm Martha über den Mund und strickt emsig weiter.

Geordie blickt verlegen auf seine großen Stiefel hinunter.

»Das Wettlaufen!« bricht es aus ihm hervor.

»Das Wettlaufen!« wiederholt sie scharf, als traue sie ihren Ohren nicht. Sie legt das Strickzeug beiseite und starrt ihn aus ihren schwarzen Augen an.

»Du weißt doch, Mutter, es geht um das Winton-Geweih«, fährt Geordie stotternd fort. »Ich soll mithalten. Du hast doch nichts dagegen?«

Nun erst erfaßte ich, worauf Geordie aus war. Er meinte das Wettlaufen auf dem Eis von Markinch rund um die Insel Ardmurren und wieder zurück. Es war hierzulande ein historischer Wettkampf, vom vierten Earl von Winton vor langer, langer Zeit ins Leben gerufen – manche sagen sogar, er fand zum ersten Mal statt, als Rob Roy noch in der Blüte seiner Jahre stand –, und der Earl hatte eine Art Siegespreis gestiftet, ein auf einem Eichenbrett montiertes Hirschgeweih samt silberner Plakette. Obwohl das Wettlaufen nur selten stattfinden konnte, hatte sich die alte Sitte erhalten, und einige Leute machten großes Aufhebens davon.

Jedenfalls konnt' ich sehen, daß Martha die Worte ihres Sohnes übel aufnahm, denn sie blickte ihn grimmig an und rief:

»Bist du denn ganz von Gott verlassen?«

»Aber ich bin als der Beste in der Stadt ausgewählt worden«, erklärte Geordie, »und es ist schon zu Silvester. Ich kann nicht absagen. Es ist – es ist eine Ehrung.«

»Eine Ehrung nennst du das?« fauchte ihn Martha an. »Eine Entehrung, eine schwarze Schande solltest du's nennen! Liegst du denn noch in den Windeln, daß du nicht weißt, was das bedeutet? Ein Treffen der Gottlosen dieses Landes ist's! Ein Radauschlagen und Saufen verderbter und sündiger Männer. Und zudem ein Wettkampf, bei dem die Handlanger des Bösen leichtfertige Wetten auf den Sieger abschließen. Oh, ich erinnere mich noch gut daran aus früheren Tagen, bevor die Gnade über mich kam.«

Sie rang nach Fassung.

»Nein, nein! An einem solchen Possenspiel bei hellichtem Tag wirst du nicht teilnehmen, da sei Gott vor.«

»Aber Mutter, ich werd' weder wetten noch trinken«, bettelte Geordie. »Ich will doch bloß für die Stadt eislaufen.«

»Kannst du Pech anrühren, ohne dich zu besudeln?« rief Martha.

Geordie schob die Unterlippe vor wie ein trotziger Schuljunge.

»Warum fällst du so über mich her?« murrte er. »Du behandelst mich, als wär' ich ein Hund.«

Marthas Gesicht verzerrte sich.

»Hinein mit dir!« schrie sie, auf die Küche weisend. »Du wirst an keinem Wettkampf teilnehmen! Und schwarze Schande, brennende Schmach über dich, der du wagst, die Stimme gegen deine Mutter zu erheben.«

Er warf ihr einen verschreckten Blick zu, senkte, so groß er war, den Kopf und schlich hinaus, wie sie's ihm geschafft hatte. Als er gegangen war, holte Martha durch die aufeinandergepreßten Zähne tief Atem. Ihr Gesicht war grau, aber voll Triumph, das Gesicht einer Frau, die sich selbst züchtigt, doch bittere Lust an dieser Züchtigung findet.

Nun, die Woche ging weiter, und mit ihr der Frost, und gegen das Wochenende zu schien er seinen Griff noch zu verhärten, wie ein Sterbender in seiner letzten Zuckung. Am dreißigsten Dezember kamen ein paar dünne Schneeflocken vom bleischweren Himmel heruntergeweht. Die Leute prophezeiten ein weißes Jahresende, aber der Morgen des letzten Tages im alten Jahr war klar, und vom Schnee war nicht mehr übriggeblieben als das, was sich in Ritzen und Winkel verkrochen hatte, ein bißchen Streuzucker. Die Sonne kam rund und rot herauf, als schämte sie sich, so lang ausgeblieben zu sein. Aber als sie höher in den Himmel stieg, da schien sie hell und prächtig.

Es war, wohlgemerkt, der Tag des Eiswettlaufs. Obwohl ich an der ganzen Sache nicht sehr interessiert war, sagte ich doch zu, als Amtmann Weir mich fragte, ob ich mit ihm in seinem neuen Gig nach Markinch fahren wolle. Es kam eben ein Ding zum andern: der schöne Tag und die Vorfreude auf Silvester. So machten wir uns nach dem Mittagessen auf den Weg. Viel zu früh kamen wir in Markinch an. Die einzige Straße des Dorfs – sonst so leer, daß ein Hund ruhig mittendrin seinen Schlaf halten konnte – war schwarz von Leuten, die sich lachend und stoßend vorwärtsschoben, um zum vereisten Ufer des Loch zu gelangen. Da und dort hatte man auf dem zugefrorenen See Buden aufgestellt, und rings um diese Stände versammelten sich die Leute in recht aufgeräumter Stimmung, wie ihr euch vorstellen könnt.

An die zweihundert Menschen drängten sich da zusammen – eine große Menge, genaugenommen, und darunter auch etliche Personen von Stand.

Als der Beginn des Wettlaufs näher rückte, schlugen Heiterkeit und Erregung immer höhere Wellen. Um drei Uhr traten die Wettläufer aus ihrem Zelt auf den freien Raum hinaus, der die Startlinie bildete – sechs junge Männer, die ausgesucht besten Eisläufer des Distrikts – und begannen auf ihren Schlittschuhen Kreise zu ziehen oder kurze Strecken entlangzusausen, um ihre Beine zu lockern.

Als ich sie sah, fielen mir, ob ihr's glaubt oder nicht, fast die Augen aus dem Kopf, denn Geordie war unter ihnen. Ich konnt's kaum fassen, doch es war so. Geordie Lang war da. Er hatte was Eigenes, Nervöses an sich, als wär' er gleichzeitig froh und bekümmert, da zu sein. Wie gesagt, er war ein großer, fester Bursche, aber jetzt sah er so verschreckt und verwirrt aus, als wüßt' er um alles in der Welt nicht, wie er nach Markinch gekommen war.

Der Amtmann und ich gingen zu ihm hinüber und sprachen ihn an.

»Na, wie fühlst du dich, Geordie?« forschte Weir. Ich hatte Weir nicht erzählt, was ich wußte, er gehörte auch nicht zu Marthas Kunden.

»Nicht schlecht, danke, Mister Weir«, sagte Geordie tonlos.

»Seid ihr alle bereit? Ihr könntet euch keinen bessern Tag dafür wünschen.«

»Gut oder nicht, ich werd's nie im Leben schaffen«, sagte Geordie ebenso dumpf.

Der Amtmann lachte und schlug Geordie auf den Rücken.

»Du hast schon die halbe Schlacht gewonnen, wenn du deine Mutter herumgekriegt hast«, sagte ich so nebenher. »Ich hab' schon gefürchtet, sie würde dich nicht antreten lassen.«

Geordie antwortete nicht. Er hörte mich recht gut, tat aber so, als hätt' er mich nicht verstanden; doch ich sah, wie seine sandfarbenen Brauen zuckten. Da wußte ich, daß er ausgebrochen und gegen Marthas Willen davongelaufen war, um am Wettkampf teilzunehmen. So war's auch. Er war geradewegs von seiner Arbeit gekommen und zum Mittagessen nicht zu Hause gewesen. Er war eben in das Eislaufen vernarrt, unser Geordie. Aber meiner Seel, mir tat der arme Junge von Herzen leid, wenn ich daran dachte, wie er daheim aufgenommen werden würde, ob als Sieger oder nicht, ob mit oder ohne Geweih.

Mittlerweile redete Weir weiter.

»Gib acht, wenn du die Insel umläufst«, schärfte er Geordie ein und hob den Finger. »Mach keinen zu großen Bogen, sonst verlierst du Zeit.«

Wir drei blickten nach Ardmurren hinüber; die Insel sah wie ein düsterer Berg aus, der sich inmitten einer Einöde erhebt. Fast drei Meilen entfernt lag sie inmitten des Loch, aber im starken Licht konnte man sie so deutlich ausnehmen, daß man fast die roten Beerenbüschel auf den fernen Stechpalmstauden sah.

»Und halt dich immer in der Mitte«, fuhr der Amtmann fort und machte eine Handbewegung, als wüßte er Bescheid. »Dort findest du das glatteste Eis.«

Geordie nickte teilnahmslos, als wollt' er sagen: ›Jetzt ist sowieso schon alles egal‹, tatsächlich aber sagte er: »Ich will mein Bestes tun. Mehr kann ich nicht.«

»Na, dann Glück auf, mein Junge«, rief Weir; und was konnte ich schon andres tun, als dem Weglaufenden dasselbe zu wünschen?

Jetzt ging's an den Start; die sechs Burschen waren aufgereiht – ihre Plätze hatten sie durch Ziehen von Strohhalmen erhalten –, und die Menge war ruhig und gespannt. Geordie stand gebückt und mit zusammengepreßten Lippen da, ich konnte den kalten Schweiß auf seiner Stirn sehen. Ob berechtigt oder nicht – ein Schauer überlief mich, wenn ich ihn anblickte. Ich konnt' meine Augen kaum von ihm wenden.

Zwei der anderen Eisläufer kannte ich dem Namen nach. Der in der Mitte – man nannte ihn allgemein den Großen Callum – war ein Athlet, der sogar bei den Sportwettbewerben in Luss Medaillen im Eisschießen gewonnen hatte; er schien nicht im geringsten aufgeregt. Neben ihm stand Dewar, ein baumlanger Kerl; er zog seinen Gürtel fester und kaute Tabak, um sich zu beruhigen. Die übrigen drei Burschen an der Startlinie galten als nicht sehr aussichtsreich, aber sie wollten eben, wie man sah, einen Versuch wagen.

Na, endlich war's soweit. Colquhoun, der Förster, eröffnete den Start, indem er sein Gewehr an die Schulter legte und die Mündung himmelwärts richtete. Die Menge hielt den Atem an. »Seid ihr bereit, Jungens?« ruft Colquhoun. Ich sah noch, wie Geordie die Zähne zusammenbiß und die roten Hände ballte, dann machte das Gewehr ›Bang‹. Die Schlittschuhe knirschten auf dem Eis. Weg waren sie.

Die Menge brüllte. Der Start war gut gewesen, die sechs Burschen schossen die Strecke in gleichmäßigem Abstand und in gerader Reihe entlang. Sie fegten über den weiten offenen Raum dahin, schweiften wie eine Schar Vögel über einem glasklaren Meer, und das Gleiten ihrer Schlittschuhe klang wie das Rauschen von Flügeln.

»Ein schöner, fairer Start!« rief jemand. »Das hat aber nichts zu bedeuten.«

Nein, die erste Meile geschah auch nichts Besonderes; dann jedoch begann sich Callum allmählich von den übrigen abzusetzen. Er war kein sehr guter Eisläufer, aber kräftig, und er schoß in wildem Vertrauen auf seine starken Beine vorwärts.

»Callum führt! Mit zehn Yard Abstand!« rief der Förster, der den Feldstecher an die Augen gepreßt hatte.

Die Menge gab seinen Ruf weiter.

»Dewar ist Zweiter!« rief Colquhoun neuerlich, »und die übrigen kleben aneinander.«

Eine weitere Meile blieb's dabei; dann schossen sie auf Ardmurren los wie ein Pfeil auf die Zielscheibe. Vor der Insel bildeten sie eine lange Kolonne, aus der die sechs ausbrachen, um zu ihrer Umrundung anzusetzen. Ein Seufzer stieg wie ein Windhauch aus der Menge hoch, als sie außer Sicht kamen. Dann erhob sich abermals Gebrüll, als der erste wieder sichtbar wurde. »Callum hat's als erster geschafft! Callum führt!«

Neben mir hatte sich Amtmann Weir auf die Zehenspitzen gestellt. War er sonst schon nicht eben blaß zu nennen, so war er jetzt purpurrot angelaufen.

»Haben Sie's bemerkt?« ruft er mir zu. »Lang hat die Kurve ausgenützt. Jetzt liegt er innen, wie ich's ihm geraten hab'.«
Weit, weit entfernt konnte ich sehen, daß Geordie an dritter Stelle lag, hinter Dewar und Callum. Die übrigen konnten mit diesem Tempo nicht Schritt halten. Zwischen den beiden Gruppen lag eine große Distanz. Aber Geordie kam mit den leichten Schwüngen seiner schlaksigen Beine gut voran. Kein Zweifel: er war wirklich ein famoser Eisläufer.

Die Menge war die ganze Zeit richtig aufgewühlt, aber irgendwie gelang's mir nicht, mitzumachen. Etwas lastete auf mir; ich konnt' bloß nicht erfassen, was es war oder warum, aber ich war halb verwirrt und halb ängstlich.

Nun, sie kamen langsam näher und näher. Auf halber Strecke heimwärts konnte man trotz der großen Entfernung merken, daß Callum ermüdete. Dewar schoß ihm nach, war

243

ihm knapp auf den Fersen, holte mit seinem kurzen Laufstil auf. Callum spurtete, konnte den andern aber nicht mehr abschütteln. Kopf an Kopf kamen die beiden näher. Dann begann Callum nachzulassen. Die Menge war wie im Fieber – die eine Hälfte brüllte Callums Namen, die andere Dewars – und vergaß, von den beiden so sehr in Anspruch genommen, auf Geordie zu achten. Aber der Amtmann hatte ihn im Auge behalten.

»Sehen Sie sich ihn doch an!« ruft er außer sich. »Er holt auf!« Tatsächlich: Geordie griff mit seinen langen Beinen aus und kam wie ein Sturmwind dahergewirbelt.

Die Levenforder, die natürlich einen der Ihren als Sieger sehen wollten, gerieten in wilde Erregung.

»Geordie!« brüllten sie. »Lauf, Geordie, lauf!«

Geordie konnt' sie zwar nicht hören, aber er lief und lief, und bevor man noch einmal mit den Augen zwinkerte, flog er so schnell an Callum und Dewar vorbei, daß die beiden richtig zurückzufallen schienen. Zwei, fünf, zehn Yard lag er schon vor ihnen. Ay, eine Meile von seinem Ziel entfernt, war er an die zwanzig Yard voraus.

»Geordie! Geordie Lang!« schrien die Levenforder jubelnd und warfen die Mützen hoch.

Nun, wie ich euch schon sagte – und es ist die nackte Wahrheit –, ich war inmitten des ganzen Gebrülls seltsam bedrückt. Und je lauter die Leute schrien, desto schlimmer wurde es mit mir. War's der Gedanke an Martha, oder war's dieser sonderbare Ausdruck auf Geordies Gesicht – ich kann's nicht sagen, aber Gott ist mein Zeuge, daß mich eine eiskalte Ahnung beschlich, es würde etwas Entsetzliches geschehen. Und es geschah auch.

Nur eine halbe Meile von uns entfernt – Geordie war den anderen weit voraus – ertönte ganz plötzlich und unvorhergesehen ein Krach, bei dem einem das Herz stillstand, ein schauerlicher Krach wie beim Weltuntergang, und er durchschnitt den Jubel wie mit einem Messer.

Gott weiß, es hat schon viele Geschichten über brechendes Eis und ertrunkene Eisläufer gegeben, aber diesmal war's anders, so anders, wie Himmel und Hölle unterschieden sind.

Mit eigenen Augen hab' ich's gesehn, und noch in der Erinnerung überläuft mich ein Schauder. Das Eis brach, und Geordie sackte ab wie ein Stein. In der einen Minute schlug er noch wie ein Vogel um sich – in der nächsten war er in einem ausgezackten Loch verschwunden, aus dem schwarzes Wasser gurgelte wie brandiges Blut. Die andern, die hinter ihm kamen, flogen wie toll vorbei. Geordie allein ging unter.

Das alles geschah in einer Sekunde, in einem Atemzug. Die Menge schnappte zuerst nach Luft, dann stöhnte sie auf, dann brach sie in einen grauenvollen Entsetzensschrei aus. Weirs rotes Gesicht wurde weiß wie ein Leichentuch.

»Allmächtiger!« ruft Colquhoun, schleudert sein Gewehr weg und beginnt, über das Eis zu laufen. Viele fürchteten sich, es ihm nachzutun, und zogen sich rasch ans Ufer zurück, aber einige von uns folgten doch dem Förster.

Oh, es war schrecklich, schrecklich war es. Als wir die Stelle erreichten, war von Geordie nichts mehr zu sehen, und wenn man versuchte, sich dem abgebrochenen Rand zu nähern, begann das Eis zu krachen, daß selbst der Beherzteste den Mut verlor. Vom Dorf stürzte man mit Seilen und einer Leiter herbei, aber von Geordie zeigte sich nichts. Da riß sich Callum seine Schlittschuhe herunter. Er hatte Geordie gut gekannt, und die Sorge um ihn machte ihn halb wahnsinnig.

»Ich krieg' ihn«, ruft er. »Ich krieg' ihn!«

Nun, man band ein Seil um Callum, und nachdem er die Leiter entlanggekrochen war, stieg er ins eisige Wasser. Die tapferste Tat, die ich jemals gesehen hab'. Einmal, zweimal, dreimal ließ er sich hinab. Und als er nach dem dritten Mal heraufkam – mit weißem Gesicht, klappernden Zähnen und nassen Haarsträhnen über der Stirn –, da hielt er Geordie in den Armen.

Nie hab' ich einen solchen Aufschrei gehört wie damals. Doch es war ein Schrei der Erschütterung, nicht der Freude, denn alles war vergebens. Geordie war tot. Wir versuchten alles Mögliche, eine volle Stunde lang alles nur irgend Mögliche, nachdem wir ihn ans Ufer geschafft hatten, aber es nützte nichts mehr. Beim Untergehen mußte sein Kopf an das Eis aufgeschlagen sein – doch was immer die Ursache war, nun lag er kalt und leblos am Ufer des Loch.

Ach ja, es war eine traurige Sache, und es entstand gewaltiges Geschrei unter den Leuten. Der eine sagte dies, der andre jenes. Große Anklage wurde gegen Colquhoun erhoben, der für alles die Verantwortung trug und gesagt hatte, daß die Bahn in Ordnung sei. Der Förster war fassungslos und schwor ein über das andre Mal, daß er noch an diesem Vormittag zweimal in Ardmurren drüben gewesen sei. Ay, das stimmte. Aber er hatte nicht daran gedacht, rund um die Insel zu gehen und mittags zurückzukommen. Dort war nämlich das Eis am dünnsten, und die Sonnenwärme hatte ihm den Rest gegeben.

Nun, geschehen war geschehen, und das endgültig; es war weder die Zeit noch der Ort dafür, mit bitteren Worten um sich zu werfen. Und als Bürgermeister hatte ich ein Wort mitzureden. Ich brachte alle zum Schweigen, und schließlich und endlich wurde das, was vom armen Geordie übriggeblieben war, auf einen Lastwagen gelegt und zugedeckt, wie sich's gehört. Dann brachen wir auf, um nach Levenford zurückzufahren, Weirs Gig an der Spitze.

Gott, wenn man bedenkt, wie flott wir im Sonnenschein hinausgefahren waren, war diese Heimkehr eine traurige, traurige Angelegenheit. Kein einziges Wort wechselten der Amtmann und ich auf dem ganzen Rückweg. Jetzt galt es nämlich, an Martha zu denken; ay, und es ihr beizubringen. Nicht, daß ich mich vor ihrem Schmerz fürchtete. Nein. Ich bin jetzt ein alter Mann und kann offen sprechen. Ich fürchtete mich vor ihrer gallbittern Zunge.

Während wir uns Levenford näherten, hatte sich der Himmel bewölkt und ein feiner Regen einzusetzen begonnen. Ihr könnt euch vorstellen, daß ich wenig Geschmack an der mir bevorstehenden Aufgabe fand, und als wir in die Church Street einbogen, nahm ich den Pfarrer wahr, der langsam die Straße entlangschritt. Es war gerade die Stunde seines Sonnabendbesuchs bei Martha, und sobald ich ihn bemerkt hatte, rief ich ihn an und bat ihn, innezuhalten.

Der Pfarrer war ein kleiner Mann mit Brille und krummem Rücken, ein richtiger Buchgelehrter, aber trotzdem ein guter Mann, ay, sowohl auf der Kanzel wie auch außerhalb der Kanzel. Er war kein Angsthase, und als er erkannte, daß seine Pflicht ihm gebot, zu Martha zu gehen, biß er die Zähne zusammen und schritt mit mir auf den Laden zu.

Nun, ich will mich nicht besser machen, als ich bin. Ich war von dem, was ich auf dem See erlebt hatte, noch ganz durcheinander, und mir reichte das, was ich bisher ertragen hatte. Als der Pfarrer und ich den Laden betraten, schlug mir das Herz wie ein Hammer an die Rippen.

Martha war im Laden, wahrhaftig; sie stand hinter dem Tisch und wartete auf den Sohn, der ihr ungehorsam gewesen war. Man konnte ihr von den Augen ablesen, daß sie entschlossen war, ihn zu züchtigen – nicht mit Ruten, nein, mit Skorpionen. Ay, und ehe wir noch den Mund auftun konnten, fiel sie über uns her. Als sie uns zusammen sah, argwöhnte sie, verdreht wie sie war, daß wir gekommen seien, ein gutes Wort für Geordie einzulegen.

»Es ist zwecklos, Herr Pfarrer«, rief sie, »es ist zwecklos, herzukommen und mich zu bitten, ihn nicht zu bestrafen. Er muß tragen, was über ihn verhängt ist.«

Ein Schauer überlief mich, als ich das hörte.

»Martha, Weib«, sagt der Pfarrer mit ruhiger Stimme, »Ihr müßt Eurem Sohn vergeben.«

»Nicht eher, als er auf den Knien zu mir gerutscht kommt«, stößt sie hervor, »nicht eher, als er mich um Vergebung angefleht hat.«

Ihre Augen durchbohrten ihn. Aber der Pfarrer wich nicht zurück.

»Ich fordere Euch auf, Martha Lang, Eurem Sohn zu vergeben«, wiederholt er. »Und tut es jetzt auf der Stelle, oder Ihr werdet es Euer Leben lang bereuen.«

Marthas Gesicht verzerrte sich, und sie spie die Worte heraus: »Nicht, ehe ich ihn bestraft habe für das, was er getan hat.«

»Bestrafen werdet Ihr ihn nicht«, erwidert der Pfarrer mit gramvoller Stimme. »Das ist jetzt vorbei.«

Er teilte ihr mit, was geschehen war.

Es kam mir vor, als zuckte es in Marthas Wange, aber sie rief: »Das glaub' ich Euch nicht. Ihr erzählt mir da Lügen, um mich zu erschrecken und ihn in Schutz zu nehmen. Ich werde ihn trotzdem bestrafen.«

Kaum waren diese Worte aus ihrem Mund, da ging die Tür auf. Die Männer waren mit dem Lastwagen vorgefahren, und wegen der Menschenmenge, die sich draußen angesammelt hatte, und wegen des Regens hatten sie's für angezeigt gehalten, das hereinzutragen, was sie ohne Aufenthalt hergebracht hatten.

Als sie taumelnd eintraten, denn Geordie wog nicht wenig und es galt eine schwierige Stufe zu nehmen, stand ich wie gebannt da. Ich konnte meinen Blick nicht von Martha wenden. In einer Sekunde hatte sie alles erfaßt. Ihr Gesicht wurde steinern, ihre Augen klafften wie Wunden, ihr Blick war der einer Besessenen. Sie rührte sich nicht. Nein. Selbst als die Männer an ihr vorbei in die Küche schritten, stand sie wie erstarrt da und blickte auf die Wand, als kämpfe sie gegen ihren Atem an. Sie versuchten, den armen Geordie ins Schlafzimmer hinauf zu tragen, aber es gelang ihnen nicht, ihn über die Leitertreppe nach oben zu bringen. Da öffnet Martha plötzlich die Lippen, um zu reden.

»Legt ihn hierher«, ruft sie laut und weist auf das Küchensofa.

Sie legen ihn nieder, wie geheißen.

»Und jetzt laßt mich allein«, ruft sie mit einer Stimme, die durch Mark und Bein geht. »Laßt mich allein.«

Gott, ich war froh, wegzukommen, das kann ich sagen. Der Pfarrer verließ als letzter den Laden. Er stand noch lange Zeit da und sah sie an, hob den Arm, ließ ihn wieder fallen, setzte zum Sprechen an, schwieg dann aber und trat endlich in den Regen hinaus.

Keiner, der diesen Silvesterabend in Levenford erlebte, vergaß ihn sein Lebtag. Die Leute schlichen auf der Straße dahin, als wären sie in der Kirche, und sprachen im Flüsterton. Ay, und wenn sie am Laden in der Church Street vorbeikamen, wagten sie überhaupt nicht mehr zu reden.

An diesem Abend waren wir eine trübselige Gesellschaft im Klub. Wie ihr wißt, ist es seit jeher üblich, daß seine Mitglieder das neue Jahr richtig feierlich begrüßen, wie wir das heute nacht tun; aber dieses eine Mal gingen wir vom Brauch ab. Und in der Stadt war's dasselbe. Als die Glocke zwölf schlug, das alte Jahr hinaus- und das neue Jahr hereingeleitete, war kein Laut zu hören. Kein Schellen, kein Hörnerklang, kein Gesang an der Straßenkreuzung – nur tödliche Stille. Und als der letzte Glockenschlag verklungen war, zogen wir unsere Mäntel an und gingen heim.

Draußen war's naß und öde und finster. Ay, das Tauwetter hatte richtig eingesetzt, und während wir durch die Straßen heimwärts platschten, konnten wir das Tropftropf des Wassers aus den Traufen und das Rieseln des Regens hören, der wie Tränen an den Fensterscheiben herunterrann.

Vier oder fünf von uns hatten denselben Weg, und als wir an der Ecke der Dobbie's Loan vorbeikamen, sahen wir einen schmalen Lichtspalt in der schwarzen Nacht klaffen. Es war kein helles, warmes Licht, wie es aus einem fröhlichen und ordentlichen Haus kommt, sondern ein blasses und trübes, und da wir wußten, daß es aus Marthas Küche kam, hatte es fast etwas Furchterregendes.

John Grierson war bei uns, der Spötter, den nicht so leicht etwas aus der Fassung brachte. Ihr werdet es vielleicht skandalös finden – aber er ließ sich's nicht nehmen, ans Fenster zu treten und hineinzulugen, um zu sehen, was da drinnen vorging. Und sosehr es uns gegen den Strich ging, folgten wir ihm und blickten mit ihm durch das unheimliche Fenster.

Was wir sahen, würdet ihr nimmermehr glauben, aber ich beschwör's auf das Evangelium. Der Raum war voll von Schatten, doch im dünnen Kerzenschein sahen wir Martha Lang wie eine Wahnsinnige auf und ab schreiten. Ay, sie war's, obwohl ich sie unter anderen Voraussetzungen nie erkannt hätte. Sie sah so eingeschrumpft aus, als wär' sie in sich selbst zusammengefallen, und ihr Haar war so weiß geworden wie frischgefallener Schnee. Sie rang die Hände, als wollte sie jemanden abwenden, und stöhnte die ganze Zeit Geordies Namen.

Die Bibel lag aufgeschlagen auf dem Küchentisch, und ein- oder zweimal machte sie eine Bewegung, als wollte sie sie aufnehmen und in ihr lesen. Aber sie konnt's nicht. Nein, sie konnt's nicht.

»Geordie! Geordie!« Immer wieder brach sie in diesen Ruf aus. Dann wandte sie sich plötzlich um und warf sich vor dem Sofa auf die Knie. Einen Arm legte sie um den Nacken ihres toten Sohnes, so daß sein Kopf wie der eines Kindes herüberfiel und auf ihrer flachen Brust zu ruhen kam, mit der anderen Hand begann sie sein kaltes starres Gesicht zu liebkosen und sein verklebtes Haar zu glätten.

Das Gesicht der Leiche blickte im flackernden Kerzenlicht mit einem so schaurigen Grinsen auf sie, daß ich mich entsetzt abwenden mußte. Doch Martha, die Schwarze Martha, begann auf ihren Knien, vor Gram verrückt geworden, vorwärts und rückwärts zu schaukeln.

»Geordie! Geordie!« schrie sie verzweifelt. »Ich hab' bis jetzt nicht gewußt, daß ich dich liebte, aber ich liebte dich, liebte dich wahrhaftig!« Sie wiederholte es immer wieder.

Keiner von uns regte Hand oder Fuß. Wie angewurzelt standen wir da, von Furcht und Trauer in Bann geschlagen. Durch das Tropftropf des Regens drang ein seltsamer und herzzerreißender Laut, den ich mein Lebtag nicht vergessen werde. Ay, es war der schreckliche Laut von Marthas Schluchzen.

Die Silvesterfeier

Eine Frau rief mich an und sagte: »Ich bin ganz sicher, daß Sie keine Ahnung haben, wer ich bin, aber da ich Ihre Bücher lese, kenne ich Sie schon mindestens seit zwanzig Jahren. Wir sind uns auch einmal begegnet. Ich bin Perl Leipziger.« »Ich kenne Sie gut«, erwiderte ich. »Ich habe Ihre Gedichte gelesen. Wir haben uns bei Boris Lemkin in der Park Avenue getroffen.« »Also erinnern Sie sich doch an mich. Und ich rufe Sie aus folgendem Grunde an. Ein paar jiddische Schriftstellerinnen und einige Liebhaber der jiddischen Literatur haben sich entschlossen, Silvester zusammen zu feiern. Boris Lemkin wird da sein. Um die Wahrheit zu sagen, es war seine Idee. Wir fanden alle, daß es sehr schön wäre, wenn Sie kommen würden. Es werden mehrere Frauen da sein und außer Ihnen noch zwei Männer: Boris Lemkin und sein Schatten Harry. Ich weiß natürlich, daß Sie ein bekannter Schriftsteller sind und wir nur ein Haufen ›später Anfängerinnen‹ – im Grunde Dilettanten –, aber wir lieben die Literatur und wir sind Ihre treuen Leserinnen. Glauben Sie mir, Sie werden in einem Kreis aufrichtiger Bewunderer sein.«

»Perl Leipziger, es wird mir eine Ehre sein, zu Ihrer Party zu kommen. Wie ist Ihre Adresse und wann soll ich da sein?«

»Ach, das wird ein großes Fest werden. Schließlich und endlich, Silvester ist selbst für uns so etwas wie ein Festtag. Kommen Sie, wann Sie wollen – je früher, je besser. Hören Sie, ich habe eine Idee – kommen Sie doch zum Essen. Boris wird kommen und Harry, die anderen kommen dann später. Ich weiß, was Sie mir sagen wollen – daß Sie Vegetarier sind. Sie können sich auf mich verlassen. Ich koche für Sie eine Suppe, wie sie Ihre Mutter gemacht hat.«

»Wie können Sie etwas von den Suppen meiner Mutter wissen?«

»Aus Ihren Geschichten natürlich.«

Perl Leipziger gab mir ihre Adresse in der East Bronx, zusammen mit genauen Anweisungen, wie ich mit der Untergrundbahn dorthin käme. Sie dankte mir wieder und wieder. Ich wußte, daß Perl über fünfzig sein mußte, aber ihre Stimme klang jung und kräftig.

Am Tag des Silvesterabends gab es einen heftigen Schneefall. Die Straßen waren weiß, und gegen Abend wurde der Himmel violett. New York erinnerte mich plötzlich an Warschau. Das einzige, was fehlte, waren die Pferdeschlitten. Während ich durch den Schnee ging, glaubte ich ihre Glöckchen klingeln zu hören. Ich kaufte eine Flasche Champagner, und es gelang mir, ein Taxi nach der Bronx zu bekommen, was am Silvesterabend keine geringe Leistung war. Es war noch früh, aber die Kinder fingen schon an, zu Ehren des neuen Jahres ihre Papptrompeten zu blasen. Das Taxi fuhr durch eine jüdische Gegend, und hier und da sah ich einen Weihnachtsbaum, der mit kleinen Lichtern und Lametta geschmückt war. Einige Geschäfte waren schon geschlossen. In anderen machten die letzten Käufer noch ihre Besorgungen – Lebensmittel und Alkohol. Während der Fahrt machte ich mir Vorwürfe, meinen Schriftstellerkollegen aus dem Weg zu gehen und ihren Versammlungen und Partys fernzubleiben. Aber es war so lästig, schon im ersten Augenblick, wenn ich jemanden traf, sofort den letzten Klatsch zu hören zu bekommen: was der von mir gesagt, und was jener über mich geschrieben hatte. Die linken Schriftsteller tadelten mich, weil ich nicht genug für die Weltrevolution tat. Die Zionisten warfen mir vor, den Kampf des jüdischen Staates und den Mut seiner Pioniere nicht genügend zu würdigen.

Boris Lemkin war ein reicher Grundstücksmakler, der in bescheidenem Umfang jiddische Schriftsteller und Künstler unterstützte. Die Schriftsteller sandten ihm ihre Bücher, und er schickte ihnen Schecks. Er kaufte Bilder. Er wohnte in der Park Avenue mit Harry, einem alten Freund aus Rumänien. Boris pflegte ihn seinen ›Diktator‹ zu nennen. In Wirklichkeit war Harry, oder Herschel, Boris' Koch und Diener. Boris Lemkin war als Gourmet und Frauenheld bekannt. Von seiner Frau lebte er seit Jahren getrennt. Irgend jemand hatte mir erzählt, daß er eine riesige Sammlung pornographischer Fotos und Filme besaß.

Um Viertel nach sechs hielt mein Taxi vor Perls Haus, und ich fuhr mit dem Lift in den vierten Stock. Sie erwartete mich an der offenen Wohnungstür. Sie war klein, hatte einen hohen Busen, breite Hüften, eine runde Stirn, eine Hakennase und große schwarze Augen, aus denen die polnisch-jüdische Lebensfreude strahlte, die keine Sorgen zu beeinträchtigen vermögen. Sie trug ein Abendkleid, das mit Pailletten bestickt war, und goldene Schuhe. Ihr Haar war frisch schwarz gefärbt und nach oben frisiert. Ihre Fingernägel waren blutrot lackiert. Ein goldener Davidstern hing an ihrem Hals, lange Ohrringe baumelten an ihren Ohrläppchen, und an einem ihrer Finger funkelte ein Diamant – bestimmt alles Geschenke von Boris Lemkin. Wahrscheinlich hatte sie schon einiges getrunken, denn obwohl sie mich kaum kannte, küßte sie mich. Schon als ich über die Türschwelle getreten war, kam mir das Aroma der Suppen meiner Mutter entgegen: Gerste, Linsen, getrocknete Pilze und geröstete Zwiebeln. Das Wohnzimmer war mit Nippsachen vollgestopft. An den Wänden hingen Bilder, von denen ich annahm, daß sie von Boris Lemkins Protegés gemalt worden waren.

»Wo ist Boris?« fragte ich.

»Verspätet wie immer«, sagte Perl, »aber er hat angerufen, um zu sagen, daß er bald hier sein wird. Trinken wir etwas, während wir auf ihn warten. Was hätten Sie gern? Ich habe fast alles, was Ihnen einfallen könnte. Ich habe auch die Anisplätzchen gebacken, die Sie so gern haben – fragen Sie mich nicht, woher ich das weiß!«

Während wir Sherry tranken und Anisplätzchen aßen, sagte Perl: »Sie haben viele Feinde, aber auch viele Freunde. Ich bin einer Ihrer aufrichtigsten Verfechter. Ich lasse niemanden in meiner Gegenwart etwas Schlechtes über Sie sagen. Und was sagt man nicht alles! Daß Sie ein Snob sind, ein Zyniker, ein Menschenfeind und Einsiedler. Aber ich, Perl Leipziger, verteidige Sie wie eine Löwin. Irgend so ein Besserwisser ging sogar so weit zu sagen, daß ich wohl Ihre Geliebte sein müsse! Ich sage Ihnen immer das gleiche: ich muß nur eines eurer Bücher aufschlagen und schon fange ich an zu gähnen, aber wenn –«

Das Telefon läutete und Perl griff nach dem Hörer. Sie

sagte: »Ja, er ist da. Er kam ganz pünktlich. Er brachte mir eine Flasche Champagner mit, er ist wirklich ein Kavalier. Boris? Nein, noch nicht. Wahrscheinlich ist er mit seiner Liebsten beschäftigt. Meine literarischen Aktien müssen sehr gefallen sein, aber ich tröste mich damit, daß wir vor Gott alle gleich sind. Ihm ist eine Fliege ebenso wichtig wie Shakespeare. Komm nicht zu spät. Was? Du sollst gar nichts mitbringen. Ich habe so viel Kuchen gekauft, daß er bis Ostern reichen wird.«

Es war zwanzig Minuten nach sieben, und Boris war noch immer nicht erschienen. In einer Stunde waren Perl und ich so vertraut miteinander geworden, daß sie mich in alle Geheimnisse eingeweiht hatte. Sie erzählte mir: »Ich komme aus einem frommen Haus. Wenn mir irgend jemand erzählt hätte, daß ich nicht nach dem Gesetz von Moses und Israel heiraten würde, ich hätte es für einen üblen Scherz gehalten. Aber Amerika hat uns zerstört. Mein Vater war gezwungen, am Sabbat zu arbeiten, und das war für ihn wie für meine Mutter ein schwerer Schlag. Es hat beide tatsächlich umgebracht. Ich fing an, zu linken Versammlungen zu gehen, wo Atheismus und freie Liebe gepredigt wurde. In einer dieser Versammlungen lernte ich Boris kennen. Er schwor mir, daß er in dem Augenblick, in dem er von seiner Xanthippe geschieden wäre, mit mir unter den Hochzeitsbaldachin treten würde. Ich nahm alles für bare Münze. Er ist ein so geschickter Lügner, daß ich Jahre brauchte, bis ich herausfand, was für ein Kerl er ist. Noch heute wird er nie zugeben, daß er andere Frauen hat, und das habe ich satt. Wozu braucht ein Mann von siebzig Jahren noch so viele Liebschaften? Er ist wie die alten Römer mit ihren Vomitorien: sie mußten eine Mahlzeit loswerden, damit sie wieder eine andere zu sich nehmen konnten. Verrückt ist er auch. Wie verrückt, werden Sie nie verstehen, aber wenn es ums Geldmachen geht, ist er klüger als wir alle zusammen. Vier Wochen vor dem großen Börsenkrach 1929 verkaufte er alle seine Aktien und stand mit einer halben Million Dollar in bar da. Damals hätten Sie für diese Summe halb Amerika kaufen können. Er weiß selbst nicht, wie reich er heute ist. Und dennoch, jeder

Penny, den er mir gibt, ist eine milde Gabe. Aber wenn er auf eine Sauftour geht, dann wird er Tausende rausschmeißen, und plötzlich geizt er mit dem Penny. Da kommt jemand – das ist er, endlich.«

Perl lief, ihm die Tür aufzumachen. Bald hörte ich Boris Lemkins Stimme. Er sprach nicht – er brüllte. Er klang, als sei er betrunken. Boris Lemkin war klein, rund wie eine Tonne, mit rotem Gesicht, weißem Haar und weißen buschigen Augenbrauen, unter denen ein Paar Knopfaugen hervorspähten. Er trug einen Smoking, ein rosa Rüschenhemd und Lackschuhe. Zwischen seinen dicken Lippen steckte eine Zigarre. Er reichte mir eine Hand, die an drei Fingern Ringe hatte, und schrie: »Schalom aleichem! Ich habe jedes Wort gelesen, das Sie geschrieben haben. Bitte verführen Sie meine Perl nicht. Sie ist alles, was ich besitze. Was wäre ich ohne sie? Weniger als nichts. Perl, Darling, gib mir etwas zu trinken, meine Kehle ist ganz trocken.«

»Später bekommst du etwas zu trinken. Jetzt werden wir erst essen.«

»Essen? Wer kommt auf eine solche Idee? Doch nicht am Silvesterabend.«

»Du wirst essen, ob du willst oder nicht.«

»Gut, wenn sie auf dem Essen besteht, wird gegessen. Sehen Sie meinen Bauch? Der könnte sich seinen Weg durch ein Lebensmittelgeschäft und einen Metzgerladen fressen und wäre immer noch nicht voll. Ich habe meinen Körper nach meinem Tode der Anatomie vermacht. Die Ärzte werden dort medizinische Wunder entdecken.«

Wir gingen in die Küche. Obwohl Boris dabei blieb, daß er nicht hungrig sei, schlürfte er gierig zwei Schalen Suppe. Er schmatzte und stöhnte, und Perl sagte: »Immer noch ein Schwein.«

»Ich hatte eine kluge Mutter«, sagte Boris, »und sie pflegte zu sagen: ›Berele, nimm, solange du kannst. Im Grab kannst du nicht mehr essen.‹ In Bessarabien gab es ein Gericht ›Karnatzlech‹, und es gibt nur einen Menschen in Amerika, der dieses Gericht zubereiten kann, und das ist Harry. Sonst taugt er zu nichts, dieser Eunuch. Ihm kann man eine Fünfdollarnote geben und ihm einreden, es seien hundert Dollar, aber wenn es ums Kochen geht, dann kann der Chef des Waldorf-Astoria ihm nicht das Wasser reichen. Wenn Harry sagt, kaufe diese Aktie, dann zögere ich keine Sekunde; ich rufe meinen Börsenmakler an und sage ihm: kaufen. Und wenn Harry sagt, verkaufe, dann verkaufe ich. Er hat keine Ahnung vom Aktienmarkt – ›General Motors‹ nennt er ›General Mothers‹. Wie erklären Sie sich das?«

»Man kann nicht alles erklären.«

»Das sage ich auch. Es gibt einen Gott, daran ist nicht zu zweifeln, aber da Er vorgezogen hat, während der letzten viertausend Jahre zu schweigen und auch dem Rabbi Stephen Wise nicht das leiseste Wörtchen gesagt hat, so schulden wir Ihm nichts. Wir müssen das tun, was die Haggada vorschreibt: ›Eßt, trinkt und freut euch des Lebens.‹«

Gegen neun Uhr kamen die Schriftstellerinnen. Eine von ihnen, Mira Royskez, eine Frau von Achtzig, kannte ich noch aus Warschau. Ihr Gesicht hatte zahllose Fältchen, aber ihre Augen waren so lebendig und klar wie die eines jungen Mädchens. Mira Royskez hatte ein Buch veröffentlicht mit dem Titel ›Der Mensch ist gut‹. Sie hatte Perl einen selbstgebackenen Schmalzkuchen mitgebracht.

Mathilda Feingevirtz – klein, breit, mit einer riesigen Büste und dem Gesicht einer polnischen Bäuerin – schrieb Liebesgedichte. Ihr Beitrag zum Fest war eine Flasche Sirup, den man über die Kartoffelpuffer, die es zu Chanukka gibt, gießt.

Berta Kosatzky, deren unordentliches Haar karottenrot gefärbt war, war als Verfasserin von Schundromanen für die jiddischen Zeitungen bekannt. Ihre Heldinnen waren immer Mädchen vom Lande, die in der Großstadt von Lebemännern verführt wurden, zu Prostituierten herabsanken und schließlich Selbstmord begingen. Bevor sie kam, hatte Perl Leipziger geschworen, daß Berta noch Jungfrau sei. Berta Kosatzky brachte eine Babka mit, und kaum hatte Boris Lemkin sie erblickt, als er sie an sich riß und die Hälfte auffraß, wobei er brüllte, daß nur die Heiligen im Paradies solche Leckerbissen erhielten.

Die allerkleinste der Gruppe war Genossin Tsloveh, eine Zwergin von einer Frau, die in der Revolution von 1905 eine Riesenrolle gespielt haben soll. Ihr Mann, Feiwel Blecher, war wegen eines Anschlags auf das Leben eines leitenden Polizeibeamten in Warschau gehängt worden. Tsloveh selbst war eine Sachverständige der Bombenherstellung gewesen. Sie schenkte Perl ein Paar wollener Socken, wie sie vor fünfzig Jahren von Schulmädchen in Warschau getragen worden waren.

Harry kam als letzter. Er brachte Perl eine Magnumflasche Champagner mit, die Boris ihn beauftragt hatte, für die Silvesterfeier zu besorgen. Harry war groß, mager, mit einem langen, sommersprossigen Gesicht und gelblichem Haar, das noch keine graue Strähne aufwies. Er sah wie ein Ire aus. Er trug eine Melone, eine Fliege und einen Sommermantel. Sowie Harry eingetreten war, rief Boris: »Wo ist die Ente?«

»Ich konnte keine Ente bekommen.«

»In ganz New York gibt es keine Ente?« schrie Boris. »Ist vielleicht eine Entenepidemie ausgebrochen? Hat man alle Enten nach Europa zurückgeschickt?«

»Boris, ich konnte keine einzige Ente finden.«

»Gut, dann werden wir ohne Ente auskommen müssen. Ich bin heute morgen mit wahrer Gier nach einer gebratenen Ente aufgestanden. Ich möchte für jede Ente, die man heute abend in New York kaufen könnte, eine halbe Million Dollar haben, steuerfrei.«

»Was würden Sie mit so viel Geld anfangen?« fragte ich.

»Ich würde sämtliche Enten in ganz Amerika aufkaufen.«

Obwohl Perl in einer Seitenstraße wohnte, konnte man von Zeit zu Zeit das Tuten der Papptrompeten hören. Mathilda Feingevirtz stellte das Radio an, und der Sprecher verkündete, daß sich ungefähr hunderttausend Menschen auf dem Times Square eingefunden hatten, um das neue Jahr zu feiern. Er sagte auch die Anzahl der Verkehrsunfälle voraus, die sich während der Festtage ereignen würden. Boris Lemkin hatte schon begonnen, Perl und die anderen Frauen zu küssen. Er goß sich ein Glas nach dem anderen ein, und während sich sein Gesicht mehr und mehr rötete, schien sein Haar immer weißer zu werden. Er lachte, klatschte in die Hände und versuchte, die Genossin Tsloveh, die Bombenherstellerin, zum Tanzen zu bewegen. Er hob Perl vom Boden auf, und sie beklagte sich, daß er an ihren Strumpfbändern zerre.

Die ganze Zeit über saß Harry ruhig und nüchtern auf dem Sofa, mit der Ernsthaftigkeit eines Dieners, der sich um seinen Herrn bemüht. Ich fragte ihn, wie lange er Boris schon kenne, und er sagte: »Wir gingen schon zusammen in den Cheder.«

»Er sieht zwanzig Jahre älter aus als Sie.«

»In unserer Familie bekommen wir keine grauen Haare.«

Das Telefon läutete, und Perl nahm den Hörer ab. Sie fing an, in einem Singsang nach Warschauer Art zu sprechen: »Wer? Was? Nu, Sie scherzen wohl, oder? Ich bin doch kein Prophet.« Plötzlich wurde sie gespannt. »Gut, ich höre«, murmelte sie. Boris war ins Badezimmer gegangen. Die Frauen tauschten neugierige Blicke aus. Perl sprach nicht, aber ihr Gesicht drückte Erstaunen, Ärger und Widerwillen aus, obwohl ihre Augen ab und zu lachten. Bevor Perl angefangen hatte zu schreiben, war sie Schauspielerin an einer jiddischen Bühne gewesen. Endlich sagte sie wieder etwas. »Was ist er – ein sechs Monate alter Säugling, der von Zigeunern entführt worden ist? Ein Mann von siebzig Jahren sollte schon wissen, was er will. Ich habe ihn verführt? Entschuldigen Sie schon, aber als er anfing, mit Ihnen herumzutändeln, da lag ich noch in der Wiege.«

Boris kam ins Wohnzimmer zurück. »Warum ist es hier so still? Sprecht ihr alle die Stillen Gebete?«

Perl legte die Hand auf den Hörer. »Boris, es ist für dich.«

»Für mich? Wer ist das?«

»Deine Urgroßmutter ist aus dem Grabe auferstanden. Geh und nimm das Telefon im Schlafzimmer ab.«

Boris schaute Harry fragend an. Schwankend ging er auf das Schlafzimmer zu. An der Tür warf er Perl einen Blick zu, der zu fragen schien: »Hast du die Absicht, mitzuhören?« Perl saß in der Sofaecke, den Hörer ans Ohr gepreßt. Wir konnten gedämpftes Schreien hören. Harry zog seine gelblichen Augenbrauen hoch. Einige der Schriftstellerinnen schüttelten den Kopf, andere machten leise ts-ts. Ich ging die Bilder ansehen, die in der nur von einem offenen Bogen vom Wohnzimmer getrennten Diele hingen: Juden an der Klagemauer, Tanzende Chassidim, Talmudgelehrte, und eine Braut, die man unter den Hochzeitsbaldachin führte. Ich nahm ein Buch aus dem Bücherschrank und las eine Szene aus einem Roman von Berta Kosatzky, in der ein Mann ein Bordell betritt und dort seine frühere Verlobte findet. Als ich es gerade wieder zurückstellte, kam Boris aus dem Schlafzimmer zurück. »Ich will keine Spitzel, und ich schulde niemandem etwas!« brüllte er. »Geht zum Teufel, ihr alle! Schmarotzer, Schlemihle, Blutsauger!«

»Die Seifenblase ist geplatzt«, sagte Perl Leipziger triumphierend. Sie wollte eine Zigarette anzünden, aber das Feuerzeug versagte.

»Was für eine Seifenblase? Wer ist geplatzt? Von jetzt an ist Schluß mit diesem Theater. Wozu brauche ich einen Haufen alter Vetteln, die mich aussaugen und immer mehr von mir verlangen. Ich habe keiner von euch versprochen, ihr treu zu sein, ihr oder irgendeinem anderen Miststück. Pfui!«

»Die Wahrheit tut weh, was?«

»Die Wahrheit ist, daß du so wenig eine Schriftstellerin bist wie ich ein Türke!« brüllte Boris. »Jedesmal, wenn du etwas geschrieben hast, muß ich den Verleger bestechen, damit er es druckt. Und das gilt für euch alle.« Boris zeigte mit dem Finger auf die anderen Frauen. »Ich habe versucht, eure Gedichte zu lesen. Herz-Schmerz! Liebe-bliebe! Achtjährige Schulmädchen können das besser. Wer braucht euer Geschreibsel? Das taugt ja zu nichts als zum Heringe-Einwikkeln.«

»Möge Gott Schande über dich bringen, so wie du Schande über mich gebracht hast«, rief Perl aus.

»Es gibt keinen Gott. Harry, komm.«

Harry rührte sich nicht. »Boris, du bist betrunken. Geh ins Bad und wasch dir das Gesicht. Vielleicht haben Sie Alka-Seltzer?« fragte er Perl.

»So, ich bin also betrunken? Jeder wirft mir die Wahrheit ins Gesicht. Aber wenn ich einmal die Wahrheit sage, dann nennst du mich einen Säufer. Ich brauche mir das Gesicht nicht zu waschen, und Alka-Seltzer brauche ich auch nicht. Ich habe dich gebeten, mir eine gebratene Ente zu besorgen, aber du warst zu faul, dich darum zu kümmern. Du bist genau wie alle anderen – ein Schnorrer, ein Bettler, ein Strolch! Jetzt höre einmal zu!« grölte Boris. »Wenn ich heute abend keine gebratene Ente bekomme, bist du entlassen und kannst zum Teufel gehen. Morgen früh werfe ich deine Sachen hinaus, und du wirst dich nie wieder bei mir sehen lassen. Ist das klar?«

»Klar genug.«

»Wirst du mir jetzt eine gebratene Ente holen oder nicht?«

»Nicht heute abend.«

»Heute abend oder nie. Ich gehe. Du kannst hierbleiben.«

Boris bewegte sich auf die Diele zu. Plötzlich fiel sein Blick auf mich, und er trat einen Schritt zurück. Er sah mich verlegen an. »Sie habe ich nicht gemeint – Sie natürlich nicht. Wohin waren Sie verschwunden? Ich hatte geglaubt, Sie seien schon gegangen.«

»Ich habe mir die Bilder angesehen«, antwortete ich.

»Was für Bilder? Nachahmungen, Schmierereien. Diese Chassidim tanzen schon seit hundert Jahren. Sogenannte Künstler schmieren Dreck auf eine Leinwand, und ich soll ihnen dafür etwas bezahlen. Perl hat sich von meinem Geld einen ganz hübschen Notgroschen zusammengespart – deshalb ist sie so hochnäsig. Bis vor zwei Jahren habe ich sechzehn Stunden am Tag gearbeitet. Noch heute arbeite ich zehn Stunden täglich. Dieser Ignorant Harry glaubt, ich kann ohne ihn nicht leben. Ich brauche ihn wie ein Loch im Kopf. Er kann nicht einmal seinen Namen schreiben. Er konnte hier nicht eingebürgert werden. Er fährt den Wagen mit meinem Führerschein, und ich muß vorne sitzen, weil er die Schilder nicht lesen kann. Ich lasse diese ganze verfluchte Bande zurück und gehe nach Europa oder Palästina! Wo ist mein Mantel?«

Boris lief zur Tür, aber Perl stellte sich ihm in den Weg. Sie streckte ihre Hände mit den roten Fingernägeln aus und rief: »Boris, du kannst in diesem Zustand nicht Auto fahren! Du wirst dich und zehn andere umbringen. Im Radio haben sie gesagt –«

»Mich werde ich umbringen, nicht dich. Wo ist mein Mantel?«

»Harry, laß ihn nicht gehen. Harry!« jammerte Perl.

Harry kam langsam näher. »Boris, du machst dich lächerlich.«

»Halts Maul! Vor denen kannst du den feinen Herrn spielen, aber ich weiß, wer du bist. Dein Vater war der Gehilfe eines Kutschers, ein Stallbursche, und deine Mutter... Und du bist nach Amerika ausgerückt, weil du ein Pferd gestohlen hast. Ist das wahr oder nicht?«

»Wahr oder nicht. Ich habe dir vierzig Jahre gedient. Ich hätte in der Zeit ein Vermögen machen können, aber ich habe nicht einen Penny von dir bekommen. Wie Jakob zu Laban sagte: ›Ich habe weder einen Ochsen noch einen Esel von dir genommen.‹«

»Das hat Moses zu den Juden gesagt, nicht Jakob zu Laban.«

»Dann soll es meinetwegen Moses gewesen sein. Wenn du dich umbringen willst, mach das Fenster auf und spring hinunter wie diese Dummköpfe zur Zeit des Börsenkrachs. Warum willst du den Cadillac ruinieren?«

»Idiot! Das ist mein Cadillac – nicht deiner«, sagte Boris und lachte so laut, daß die Frauen angerannt kamen. Er beugte sich vornüber und brach vor Gelächter fast zusammen. Mit einer Hand griff Harry nach Boris' Schulter, mit der anderen gab er ihm einen Schlag ins Genick. Mira Royskez lief in die Küche und brachte ein Glas Wasser. Boris richtete sich auf. »Wasser gebt ihr mir? Wodka brauche ich – nicht Wasser.« Er umarmte und küßte Harry. »Verlaß mich nicht, alter Freund, Bruder und Erbe. Ich habe dir alles vermacht – mein ganzes Vermögen. Alle anderen sind meine Feinde – meine Frau, meine Kinder, meine Freundinnen. Was will ich denn vom Leben? Ein bißchen Freundschaft und ein Stückchen Ente.« Boris schnitt ein Gesicht, seine Augen füllten sich mit Tränen. Er hustete, schnaufte und begann plötzlich ebenso zu schluchzen, wie er einen Augenblick vorher gelacht hatte. »Harry, rette mich!«

»Besoffen wie Lot!« rief Perl Leipziger.

»Komm, leg dich hin«, sagte Harry. Er nahm Boris' Arm und führte ihn halb, halb zog er ihn ins Schlafzimmer. Boris fiel auf Perl Leipzigers Bett, schnarchte einmal und schlief sofort ein. Perls Gesicht, das am Beginn des Abends jung und lebensvoll gewesen war, war blaß geworden, runzelig und verwelkt. Aus ihren Augen sprach eine seltsame Mischung von Trauer und Ärger. »Was werden Sie mit all dem Geld machen, Harry?« fragte sie. »Genauso närrisch sein wie er?«

Harry lächelte. »Machen Sie sich darüber keine Sorgen. Er wird uns alle überleben.«

Die vier Schriftstellerinnen wohnten alle in der East Bronx, und Harry fuhr sie nach Hause. Ich saß vorne neben ihm. Es hatte so heftig geschneit, daß Harry Mühe hatte, in den Nebenstraßen, wo sie wohnten, durchzukommen. Wie es ein Kutscher in der alten Heimat getan hätte, trug er jede von ihnen über die Schneehaufen und setzte sie auf der Vortreppe ab. Während der ganzen Zeit schwieg er. Aber als er in die Seaman Avenue einbog, sagte er: »So, jetzt haben wir ein neues Jahr.«

»Ich habe gehört, daß Sie ein Spezialist für ›Karnatzlech‹ sind«, sagte ich, um irgend etwas zu sagen.

Harry wurde sofort gesprächig. »Da steckt gar kein Geheimnis dahinter. Wenn das Fleisch gut ist und wenn man weiß, welche Zutaten hineingehören, dann muß es gelingen. In Ihrer Heimat, in Polen, gingen die Juden zu ihren Rabbis. In Litauen lernten sie in den Jeschiwas, aber in Bessarabien, da aß man Polenta und Karnatzlech und trank Wein dazu. Da war das ganze Jahr hindurch Purim. Boris hat mich einen Ignoranten genannt. Ich bin kein Ignorant. Ich bin in die jüdische Vorschule gegangen, und ich wußte am Freitag in dem Kapitel aus der Bibel besser Bescheid als er. Aber hier in Amerika hat er ein bißchen Englisch gelernt, und mir fehlte die Geduld dazu. Dafür kann ich besser Jiddisch als er. Und wozu hätte ich amerikanischer Bürger werden sollen? Hier fragt einen keiner nach dem Paß. Er fing an, Geschäfte zu machen, und ich arbeitete in Läden. Viele Jahre lang sind wir uns nicht begegnet. Als ich damals zu ihm kam, hatte er eine Frau – Henrietta hieß sie, eine habgierige Person, ein widerliches Stück. ›Wo hast du diese Xanthippe aufgegabelt?‹ habe ich ihn gefragt. ›Herschel‹, sagte er, ›ich war verblendet. Hilf mir, denn wenn du das nicht tust, wird sie mich unter die Erde bringen.‹ Damals lebten sie noch nicht getrennt. Er hatte ein Büro, und ich zog dort ein. Von Henriettas Kocherei hatte er sich Magengeschwüre geholt – sie würzte alles zu stark. Wer weiß, vielleicht wollte sie ihn vergiften. In dem Büro stand ein Gasherd, und ich wurde sein Koch. Er hat zwar einen Führerschein, aber er kann nicht fahren. Wenn er chauffiert, gibt es sofort Unfälle, so wurde ich sein Chauffeur. Ich kann die Verkehrsschilder sehr wohl lesen; ich habe ihn nie dazu gebraucht, das für mich zu tun. Wenn ich einmal eine Straße gefahren bin, so erkenne ich sie mitten in der Nacht wieder. Wir wurden wie Brüder – vielleicht standen wir uns sogar noch näher. Er ließ sich noch ein paar Jahre lang von Henrietta quälen, und er hatte von ihr zwei Töchter und einen Sohn. Keiner von denen taugt etwas. Seine ältere Tochter ist schon fünfmal geschieden. Die andere ist eine bösartige alte Jungfer. Und der Sohn wurde Rechtsanwalt, Gangsteranwalt. Ehe die schweren Jungens ein Ding drehen, gehen sie zu ihm und lassen sich beraten, wie man um die Gesetze rumkommt. Boris hat gesagt, daß ich ein Pferd gestohlen habe. Ich habe es nicht gestohlen. Es gehörte meinem Vater. Wo war ich stehengeblieben? Ja, daß Henrietta sich nicht von ihm scheiden lassen wollte. Warum sollte sie sich scheiden lassen, solange sie alles haben konnte, was sie wollte? Heute ist es etwas leichter, ein böses Weib loszuwerden. Damals konnte jedes Flittchen sich für eine Lady halten und ihren Mann vor Gericht bringen. Boris ist verrückt nach Weibern, mich ziehen sie nicht an. Die meisten Frauen sind ›Goldgräber‹. Alles, was sie wollen, ist Geld. Ich kann diese Falschheit nicht leiden, aber Boris läßt sich gern hochnehmen. Schriftstellerinnen gegenüber, oder Malerinnen und Schauspielerinnen, ist er ganz hilflos. Wenn sie ihn mit ihrem katzenfreundlichen Gewäsch aus den Büchern umgarnen, verliert er den Verstand. Nachdem er die Trennung von Henrietta erreicht hatte, zog Boris in eine Wohnung an der Park Avenue, und ich verließ das Büro und zog mit ihm zusammen. Wie oft kam er nach Hause und rief aus: ›Harry, ich halte das nicht mehr aus – sie sind so falsch wie die heidnischen Götter!‹ ›Schmeiß sie hinaus‹, antwortete ich ihm. Dann fiel er auf die Knie und schwor bei der Seele seines Vaters, daß er sie zum Teufel schicken würde, und am nächsten

Tag kam er mit der einen oder anderen zurück. ›Eunuch‹ nennt er mich. Ich bin kein Eunuch. Ich bin ein ganz normaler Mann. Frauen haben mich um meinetwillen geliebt, nicht meines Geldes wegen. Woher sollte ich auch Geld haben? Boris ist verrückt mit Geld. Aber mir ist Freundschaft teurer als die Millionen. Ich arbeite für ihn völlig umsonst, genau wie der Sklave in der Bibel. Es hätte nur noch gefehlt, daß er mich an den Türpfosten geführt und mein Ohr durchbohrt hätte. Ich habe niemals etwas von ihm bekommen außer dem Stück Brot, das ich esse, und dem Bett, in dem ich schlafe. Einmal habe ich ein Mädchen gern gehabt, und es wäre auch gut gegangen mit uns, aber als Boris davon hörte, schlug er einen solchen Krawall, als ob ich ihn hätte umbringen wollen. ›Wie kannst du mir das antun?‹ schrie er. Er versprach, mich als Partner in sein Geschäft aufzunehmen – alles. Er setzte mir so zu, daß ich es mit der Angst bekam. Aus Büchern mache ich mir nichts, aber ich bin immer gern ins Theater gegangen. Ich bin mit ihr ins Jiddische Theater gegangen. Ich habe sie alle gesehen – Adler, Tomaschevsky, Kessler. Sie und ich teilten jeden Gedanken, wie man sagt, aber ich ließ es zu, daß Boris uns trennte. Ich bin ein schwacher Charakter. Er ist so stark, wie ich schwach bin. Er kann bei einem alles erreichen, was er will. Er hat Frauen dazu gebracht, ihre Männer im Stich zu lassen. Er hat Frauen aus guten Familien dazu bekommen, ein Verhältnis mit ihm anzufangen. Diese Perl Leipziger ist nur das fünfte Rad am Wagen. Einige von seinen Freundinnen sind inzwischen alt geworden und gestorben. Andere sind krank. Eine von ihnen hat er in einer Anstalt untergebracht. Er prahlt mit seinem Magen. In Wirklichkeit sind seine Magengeschwüre nie geheilt. Er hat auch hohen Blutdruck. Jeder andere Mensch wäre längst gestorben, aber er ist entschlossen, hundert Jahre alt zu werden, und wenn er etwas will, so muß es geschehen. Da war einmal eine Schauspielerin, sie hieß Rosalia Carp, eine wunderschöne Frau, eine wirkliche Primadonna. Sie hatte eine Stimme, die man die halbe Second Avenue entlang hören konnte. Wenn sie die Bühne betrat und die Kleopatra spielte, verliebten sich alle Männer in sie. Damals erzählte mir Boris alles. Er hatte kein Geheimnis vor mir. Eines Abends kam er aus dem Theater nach Hause und sagte: ›Harry, ich habe mich in Rosalia Carp verliebt.‹ ›Viel Glück‹, sagte ich. ›Das hat dir gerade noch gefehlt.‹ ›Warum?‹ fragte er. ›Sie ist doch für Männer geschaffen, nicht für den Erzengel Gabriel.‹ Damals, wenn Boris sich verliebt hatte, schickte er der Angebeteten Geschenke – riesige Blumenarrangements, große Schachteln Konfekt und sogar Pelze. Natürlich war ich der Mittelsmann, und ich kann Ihnen gar nicht sagen, wie oft mich die Rosalia Carp beleidigt hat. Sie drohte sogar, den Portier zu rufen. Einmal sagte sie zu mir: ›Was will er von mir? Ich mach mir nichts aus ihm.‹ Dann lächelte sie und sagte: ›Wenn ich mit euch beiden auf einer einsamen Insel wäre, raten Sie mal, wen ich wählen würde.‹ Bei dieser Gelegenheit war sie die Liebenswürdigkeit selbst und wendete alle weiblichen Tricks an. Jeder andere an meiner Stelle hätte gewußt, was er zu tun hatte. Aber ich kann nicht aus meiner Haut und kann nicht Verrat üben.«

»Was wurde daraus – hat Boris sie bekommen?« fragte ich.

»Was für eine Frage! Und zwei Jahre später warf er sie weg. Das ist Boris Lemkin!«

Der Wagen hielt vor meinem Haus am Central Park West. Ich wollte aussteigen, aber Harry sagte: »Warten Sie noch einen Augenblick.«

Die Stille der Morgendämmerung hing über New York. Die Verkehrsampeln wechselten, aber kein einziger Wagen fuhr vorbei. Harry saß gedankenverloren da. Er schien auf das Rätsel seines eigenen Wesens gestoßen zu sein und versuchte, es zu lösen. Dann sagte er zu mir: »Wo kann ich mitten in dieser Nacht eine Ente bekommen? Nirgends.«

Fast drei Jahre waren vergangen. Eines Nachmittags, als ich in meinem Büro Korrekturen las, stand Harry plötzlich vor mir. Sein Haar war ganz weiß geworden, aber er sah immer noch jung aus. Er sagte: »Ich wette, Sie erkennen mich nicht wieder, aber –«

»Ich erinnere mich sehr gut an Sie, Harry.«

»Ich nehme an, Sie wissen, daß Boris schon über ein Jahr tot ist?«

»Ja, ich weiß. Setzen Sie sich. Wie geht es Ihnen?«

»Ach, gut. Alles in Ordnung.«

»Ich weiß sogar, daß Boris Ihnen nicht einen Penny hinterlassen hat«, sagte ich und bedauerte es sofort.

Harry lächelte schüchtern. »Er hat niemandem etwas hinterlassen – weder Perl noch irgendeiner anderen. Die ganzen Jahre hat er immer vom Testament geredet, aber nie eins gemacht. Mehr als die Hälfte seines Vermögens nahm sich Onkel Sam, der Rest ging an seine Frau, dieses Stück, und seine Kinder. Der Sohn, der Winkeladvokat, kam am Morgen nach dem Tode seines Vaters und warf mich aus der Wohnung. Er versuchte sogar, noch einige von meinen Sachen zu grapschen. Aber es hat mich nicht umgebracht; ich verdiene mir mein Brot.«

»Was arbeiten Sie?«

»Ja, ich bin Kellner geworden. Nicht in New York. Hier würde mich die Gewerkschaft nicht aufnehmen, aber ich habe etwas in einem Hotel in Catskills gefunden. Im Winter gehe ich nach Miami Beach, und dort bin ich Koch in einem koscheren Hotel. Meine ›Karnatzlech‹ sind berühmt. Was brauche ich sein Geld?«

Wir schwiegen beide eine Zeitlang. Dann sagte Harry: »Sie wundern sich sicher, warum ich gekommen bin.«

»Nein, ich wundere mich nicht. Ich freue mich, Sie zu sehen.«

»Es hat seinen Grund. Boris hat noch immer keinen Grabstein. Ich habe seinen Sohn ein paarmal angerufen, um ihn daran zu erinnern, und er hat es immer versprochen – später, morgen, nächste Woche würde er ihn bestellen. Aber er wollte mich nur loswerden. Ich habe etwas Geld gespart, und ich habe beschlossen, selbst den Grabstein für Boris zu bestellen. Schließlich waren wir doch wie Brüder. Einmal ist ein gelehrter Mann in unsere Stadt gekommen und hat gesagt: ›Was geschehen ist, kann auch Gott nicht mehr ändern.‹ Ist das wahr?«

»Ich glaube schon.«

»Nachdem es einmal einen Hitler gegeben hat, wie hätte Gott die Zeit zurückdrehen können und ihn ungeschehen machen? Boris und ich sind zusammen aufgewachsen. Er war kein schlechter Mensch – nur abergläubisch und selbstsüchtig. Er hat kein Testament gemacht, weil er fürchtete, dann eher zu sterben. Wir waren über vierzig Jahre zusammen, und ich möchte nicht, daß sein Name vergessen wird. Ich bin heute nach New York gekommen, um mich darum zu kümmern. Ich bin zu einem Steinmetzen gegangen und habe ihn gebeten, die Inschrift auf Jiddisch zu machen. Hebräisch kann ich nicht gut, und auch Boris konnte es nicht. Ich wollte, daß er folgende Inschrift machen sollte: ›Lieber Boris, sei gesund und glücklich, wo immer du bist‹, aber der Steinmetz sagte, man könne von einem Toten nicht sagen ›Sei gesund‹. Wir fingen an zu streiten, und ich erzählte ihm von Ihnen – daß ich Sie kenne und daß wir einmal einen Neujahrsabend zusammen verbracht hatten. Er schlug vor, daß ich zu Ihnen gehen sollte, und wenn Sie sagen, daß es in Ordnung ist, er es so machen würde, wie ich es will. Und darum bin ich hier.«

»Ich muß leider sagen, daß der Steinmetz recht hat«, sagte ich. »Man kann einem Toten wünschen ›Sei glücklich‹, wenn man an ein Jenseits glaubt, aber Gesundheit ist eine Eigenschaft des Körpers. Wie kann man einem Körper, der schon zerfallen ist, Gesundheit wünschen?«

»Sie glauben also, daß man nicht das schreiben kann, was ich wollte?«

»Harry, es ist unsinnig.«

»Aber ›gesund‹ heißt ja nicht nur ›gesund‹. Man sagt doch immer, ›In einem gesunden Körper lebt eine gesunde Seele.‹«

Wie seltsam – Harry fing an, mit mir über den Gebrauch der Worte zu debattieren. An seinen Beispielen wurde mir zum erstenmal klar, daß man im Jiddischen oft das gleiche Wort benutzt für ›kräftig‹, ›vernünftig‹ und ›gesund‹ – ›gesunt‹. Ich schlug Harry vor, er solle statt ›gesund‹ das Wort ›zufrieden‹ benutzen, aber Harry sagte: »Ich habe viele Nächte darüber nachgedacht. Diese Worte sind mir eingefallen, und ich möchte, daß die Inschrift so sein soll. Steht es in der Tora, daß solche Worte verboten sind?«

»Nein, es gibt kein Gesetz in der Tora, das sich damit beschäftigt, aber wenn jemand an dem Grabstein vorbeigehen und die Inschrift lesen würde, könnte er darüber lächeln.«

»Soll er lächeln. Das ist mir ganz gleich. Boris hat sich auch nichts daraus gemacht, wenn die Leute über ihn gelacht haben.«

»Sie wollen also, daß ich den Steinmetz anrufe und ihm sage, es sei in Ordnung?«

»Wenn es Ihnen nichts ausmacht.«

Harry gab mir die Telefonnummer des Steinmetzen. Obwohl auf meinem Schreibtisch ein Telefon stand, ging ich zu dem Anruf in ein anderes Zimmer. Der Steinmetz versuchte mir klarzumachen, daß es eine Art von Sakrileg sei, einer Leiche Gesundheit zu wünschen, aber ich entgegnete ihm mit einem Zitat aus dem Talmud, um ihn zu widerlegen. Ich kam mir wie ein Anwalt vor, der einen Fall gegen seine eigene Überzeugung vertritt. Nach einiger Zeit sagte der Steinmetz: »Wenn das Ihre Entscheidung ist, so werde ich tun, was Sie sagen.«

»Ja, ich übernehme die Verantwortung.«

Ich ging in mein Büro zurück, und durch die offene Tür sah ich Harry in Gedanken versunken sitzen, auf die Williamsburg-Brücke starren, die man von meinem Fenster aus sieht, und auf die Straßen der East Side, wo man die meisten Miethäuser abgerissen und wieder aufgebaut hatte und wo andere noch im Bau waren. Ich selbst erkannte die Gegend fast nicht mehr wieder. Goldener Staub fiel auf die zerstörten Häuser, die Gräben, die Bulldozer, die Krane und die Zement- und Sandhaufen. Ich stand und starrte auf Harrys Profil. Wie war er zu dem geworden, der er war? Wie hatte dieser unwissende Mensch jene geistigen Höhen erreicht, die selbst unter Denkern, Philosophen und Dichtern selten sind? Als ich an jenem Morgen nach Perl Leipzigers Silvesterfeier um vier Uhr nach Hause gekommen war, glaubte ich, die Stunden dort seien verschwendet gewesen. Jetzt, fast drei Jahre später, wurde mir eine Lehre zuteil, die ich nie wieder vergessen würde. Als ich Harry sagte, die Inschrift würde seinem Wunsch entsprechend gemacht werden, leuchtete sein Gesicht auf. »Ich danke Ihnen, vielen Dank. Sie haben mir einen großen Gefallen getan.«

»Sie sind einer der großmütigsten Menschen, die mir je begegnet sind«, sagte ich.

»Was habe ich denn schon getan? Wir waren Freunde.«
»Ich wußte nicht, daß es solche Freundschaft noch gibt.«
Harry sah mich fragend an. Er stand auf, reichte mir die
Hand und murmelte: »Nur Gott kennt die ganze Wahrheit.«

JAROSLAV HAŠEK

Abstinenzler-Silvester

Ich weiß nicht, wie es geschah, daß der Präsident des Abstinenzlerbundes, Voráček, sein Vizepräsident Beck und der Geschäftsführer Mašek beschlossen, wie alle Welt Silvester zu feiern, freilich auf eine den Interessen des Bundes und seiner Bedeutung würdige Weise. Man erzählte später, sie seien durch Mitglieder des Bundes aufgefordert worden, auf die Straße zu gehen, um die Ideen der Abstinenzlerbewegung zu propagieren.

Die Mitglieder des Bundes streiten das heute zwar ab, in dem auf der Polizeidirektion aufgenommenen Protokoll in Sachen der drei Abstinenzler steht jedoch, daß sie angäben, sie seien von dem gleichen Gedanken geleitet, nämlich ihre rein alkoholfreien Bemühungen zu propagieren, abends losgezogen, um die ganze Silvesternacht hindurch als Apostel eines aufklärerischen Schlagwortes zu wirken, wie es die Abstinenz sei.

Deshalb fragte gleich zu Beginn, als sie auf die Straße traten, der Herr Präsident Voráček den erstbesten Wachtmeister, ob er nicht so freundlich sein und ihm sagen könne, wo es die meisten und schlimmsten Betrunkenen gebe. Da war es erst sechs Uhr abends.

Der Schutzmann sah ihn an und sagte: »Daß Sie sich nicht schämen, schon vom Morgen an zu saufen.«

»Aber erlauben Sie!« – »Nichts erlaube ich, noch ein Wort, und ich führe Sie ab!«

Die Abstinenzler zogen traurig weiter, und an der Ecke der Korngasse bemerkten sie zwei Männer, die stadteinwärts torkelten. Dem Geschäftsführer kam der Gedanke, sie würden wohl in eine Höhle des Alkoholismus streben, und er schlug vor, ihnen zu folgen.

Sie folgten ihnen nicht lange, die zwei Männer bekamen das spitz und ergriffen die Flucht, nachdem sie ein Paket weggeworfen hatten.

Kopfschüttelnd öffnete Herr Beck das Paket und fand darin zwei Paar Schuhe. Inzwischen hatte sich ringsum allerlei Volk versammelt, und ein vierschrötiger Mann packte mit der einen Hand den Herrn Beck am Ärmel, fuchtelte ihm mit der anderen vor dem Gesicht herum und grölte, er kenne das, sie hätten Schuhe im Überfluß, aber ein Armer bei dieser Kälte...

Der Herr Mašek vernahm dann eine Stimme: »Schmier ihm eine!«, und das war das Zeichen zu einem Sturmangriff auf die drei Apostel, die an die Häuserreihe zurückwichen und sich dann in einen Laden flüchteten, dessen Besitzer geistesgegenwärtig hinter ihnen zuschloß.

Für alle Fälle fragte der Krämer, womit er den Herren dienen könne, bis ein Schutzmann die Leute auseinandergejagt habe.

Sie schauten sich um, und zu ihrem Entsetzen sahen sie, daß sie von kleinen Fäßchen Aufschriften angrinsten wie Teufel; Rum, Korn mit Rum, Sliwowitz, und so weiter.

»Etwas ohne Alkohol«, stieß Herr Mašek als Geschäftsführer des Bundes hervor.

»Für fünf oder zehn?« fragte lächelnd der Besitzer der Schnapsbudike. »Besser für zehn.« Er schenkte allen ein – sie kippten das Zeug hinunter, und Herr Voráček äußerte als erster seine Zweifel, ob darin nicht doch ein bißchen Alkohol gewesen sei.

»Was fällt Ihnen ein, von wegen Alkohol, das war nur ein echter alter polnischer Kontuschowka.« »Erlauben Sie, das ist eine Niedertracht.« »Was heißt hier Niedertracht, verdammter Schnapsbruder, Sie, den ganzen Tag sielen Sie sich schon in den Kneipen herum, daß Ihnen die Leute hinterherlaufen, und jetzt wollen Sie auch noch randalieren. Da fangen Sie ja Silvester schön an, marsch raus!«

Er stieß sie energisch aus dem Laden auf die Straße, wo sich inzwischen die Menge verlaufen hatte.

Der Präsident des Abstinenzlerbundes schwankte auf dem Gehsteig vor dem Spirituosenausschank hin und her, gerade als ein Herr mit einer Dame vorbeiging.

Er hörte, wie dieser Herr sagte: »Sieh mal, Anna, dieser Besoffene da ist ein gewisser Herr Voráček aus der ersten Abteilung unserer Bank. Er war früher ein ganz solider Mensch, und jetzt führt er sich so abstoßend auf.«

»Bitte, mein Herr«, sagte erschrocken Herr Voráček und trat an den Herrn heran, »verzeihen Sie bitte, Herr Direktor, aber das ist ein Irrtum, unser Bemühen ist im Gegenteil darauf gerichtet, überall die Abstinenzlerbewegung zu propagieren, und zwar besonders heute, da sich die Menschheit den Sinn einer Silvesterfeier irrig auslegt.«

Der Schutzmann, der vorhin den Menschenauflauf vor dem Schnapsladen auseinandergejagt hatte, trat an Herrn Voráček heran und sagte streng zu ihm: »Ich beobachte Sie alle drei schon lange; ich fordere Sie zum letztenmal auf, niemanden zu belästigen, sonst werden Sie Ihren Rausch auf einer Gefängnispritsche ausschlafen.«

Wie nasse Hühner gingen sie ohne ein Wort davon, und der Herr Voráček erklärte seinen Gefährten, das sei ein schrecklicher Irrtum, wenn der Herr Direktor zu dem Schutzmann gesagt habe: »Aber einen mächtigen Affen hat er!«

Sie bogen um die Straßenecke, und der Kontuschowka stieg ihnen ein bißchen zu Kopf, und so plauderten sie über Justizirrtümer und Justizmorde, als sie aus einem Restaurant um die Ecke die Klänge einer Harmonika vernahmen.

»Hier ist so ein Nest, das wir bekämpfen müssen«, urteilte der Geschäftsführer. »Wir werden den Leuten vorsichtig erklären, wie die Dinge stehen, wie sie Schritt für Schritt zu Tieren werden.«

Sie traten ein, ließen sich je eine Flasche Sodawasser bringen und schauten sich um. Zwei, drei Frauenzimmer, über die sich die Abstinenzler sogleich ein abfälliges Urteil bildeten, saßen bei zwei Burschen auf dem Schoß, und die sahen gerade so aus, wie es im Text des Liedes hieß, das soeben die ganze Kneipe im Chor sang:

Freier kommen aufgeputzt...

Als die Gäste zu Ende gesungen hatten, stand plötzlich Herr Mašek auf und rief mit fester Stimme, unterstützt von jenem Kontuschowka, zu den Anwesenden: »Erlauben Sie gütigst, aber eigentlich sind Sie Tiere.«

Im ganzen besehen hatte er recht, denn wenn die drei Abstinenzler in einem altrömischen Zirkus den Raubtieren vorgeworfen worden wären, hätten sie in der kurzen Zeit, da sie hier als Apostel der Abstinenz weilten, nicht so ausgesehen, wie sie aussahen.

Ohne Hut, abgerissen wie nach dem Kampf mit einem Löwen, mit geschwollenen Gesichtern, so rannten sie nach dem wenig glorreichen Rausschmiß die Straße hinunter und stürzten in ein Gasthaus, um ihre Toilette notdürftig in Ordnung zu bringen. Sie trafen dort eine ähnliche Gesellschaft wie vor einer Weile an, und aus Angst, es könnte wieder so ausfallen, und um sich nicht anmerken zu lassen, welch edle Bestrebungen sie verfolgten, antworteten sie auf die Frage, was sie wollten: »Vielleicht ein Bier.«

Der Kellner, ein muskulöser Bursche, beriet sich eine Weile mit dem Wirt, der dann an ihren Tisch trat und sagte, er werde ihnen nichts ausschenken, sie seien schon volltrunken.

»Darin besteht der Irrtum, unser Bemühen ist im Gegenteil darauf gerichtet, überall die Abstinenzlerbewegung zu propagieren, insbesondere heute, da die Menschheit...«

Er konnte nicht zu Ende sprechen, denn der Wirt packte ihn am Kragen und zerrte ihn zur Tür. »Machen Sie, daß Sie rauskommen. Das Geschäft laß ich mir von Ihnen nicht verderben!« Als Herr Mašek draußen war, expedierte der Wirt den Herrn Beck vor die Tür, und dann folgte er zusammen mit dem Kellner dem Herrn Voráček in die Küche, wohin dieser sich geflüchtet hatte und nun händeringend schrie:

»Das ist, bitte schön, ein Justizmord!«

Aber auf keinen Fall hätten sie, nachdem sie wieder auf der Straße standen, in diesem Zustand auf die Polizeidirektion gehen sollen, um dort auf den Inspektor einzureden. »Unser Bemühen ist darauf gerichtet, überall die Abstinenzlerbewegung zu propagieren, wir sind Apostel einer neuen Kultur.«

Denn nun richtete der Polizeiinspektor folgende erhabene Worte an den diensthabenden Schutzmann: »Stecken S' die Kerle ins Loch, sollen s' ihren Rausch ausschlafen.«

Und die Tür der Zelle ging auf und wieder zu. Zu Ende war die große Tragödie ihres Apostolats, und es sah sehr rührend aus, als nach dieser lustigen und bewegten Silvesternacht der·

Herr Voráček gegen Morgen auf der Pritsche erwachte und aus den Wanzen, die er zerquetschte, auf die Wand punktierte: ›Der Prophet gilt nichts im eigenen Vaterland.‹

Er hatte recht. Zu allem Überfluß erhielten alle drei nach einer Woche gleichlautende Briefe vom Abstinenzlerbund, worin ihnen kurz mitgeteilt wurde, sie seien wegen Verstoßes gegen die Statuten für immer ausgeschlossen.

In den Statuten steht nämlich nichts von Kontuschowka, Prügeleien und einer Gefängnispritsche.

Wunschloses Neujahr

Der schwitzende, keuchende Postbote, der in jenen auch klimatisch höchst ungünstigen Morgenstunden tonnenschwere Säcke mit Drucksachen durch die Sanddünen unserer Städte schleppt, ist jedem Bürger ein wohlvertrauter Anblick. Daß die Herstellung dieser Drucksachen überdies einen beträchtlichen Teil unseres Nationalvermögens verschlingt und daß die Beseitigung der weggeworfenen Wunsch- und Grußkarten unsere öffentliche Müllabfuhr und andere sanitäre Dienste aufs schwerste gefährdet, sei nur der Vollständigkeit halber erwähnt.

Statistischen Erhebungen zufolge nehmen 60 Prozent der Empfänger die ihnen zugedachten Wünsche überhaupt nicht zur Kenntnis, sondern werfen sie ungelesen in den Papierkorb. Weitere 30 Prozent tun nach einem flüchtigen Blick das gleiche. Die restlichen 10 Prozent der Befragten haben keine Meinung. Und selbst an der Zuverlässigkeit dieser Ziffern muß gezweifelt werden. Ein Geschäftsmann in Jaffa mit einer Versandquote von 400 Neujahrskarten antwortete auf die Frage, warum er so viele Karten verschickt habe:

»Hab ich? Ich kann mich nicht erinnern...«

Offensichtlich handelt es sich bei der ganzen Sache um eine automatische, sinnentleerte Gewohnheit, eine Art Reflexbewegung der Handmuskeln, die einem unkontrollierbaren inneren Antrieb gehorchen. Ein Hobby-Experte hat berechnet, daß die letzte Drucksachenserie von ›Glück und Erfolg im neuen Jahr‹ aneinandergereiht eine Hartpapierkette ergeben wird, die von Tel Aviv bis Bath Jam reicht, die Stadt zweimal umkreist und in einer Ambulanz nach Tel Aviv zurückkehrt.

Natürlich versuchen die Behörden, diesem ökonomischen Unglück entgegenzuwirken:

»Mitbürger!« rief der Postminister in einem dramatischen Fernsehappell, »alle Israeli sind Brüder. Wir müssen uns das nicht jedes Jahr aufs neue durch die Post bestätigen. Die Regierung ist fest entschlossen, diesem Unfug ein Ende zu setzen.«

Eine bald darauf erlassene Verordnung begrenzte die glücklichen und erfolgreichen neuen Jahre auf fünf je Einwohner. Zuwiderhandelnden wurden Geldstrafen bis zu 1000 Pfund oder Gefängnisstrafen bis zu zwei Wochen angedroht. Die Einwohnerschaft kümmerte sich nicht darum. Allein in den beiden Vortagen des Neujahrsfestes brachen in Tel Aviv auf offener Straße 40 Briefträger zusammen, die Hälfte davon mit schweren Kreislaufstörungen und sechs mit Leistenbrüchen. Zwei mußten in geschlossene Anstalten überführt werden, wobei sie ununterbrochen »Glück und Erfolg... Glück und Erfolg...« vor sich hin murmelten.

Das Slonsky-Komitee, eine gemeinnützige Organisation zur Erforschung israelischer Charaktereigenschaften, machte die bemerkenswerte Entdeckung, daß viele Israeli den Regierungserlaß umgingen, indem sie ihre Glück- und Erfolgswünsche nicht als Drucksache, sondern als geschlossene Briefe verschickten, also lieber ein höheres Porto bezahlten, als auf Glück und Erfolg zu verzichten. Um die Kosten einzubringen, fügten sie zum vorgedruckten Glück und Erfolg noch handschriftlich Gesundheit, Frieden, guten Geschäftsgang und Gottes Segen hinzu, was weitere Zeitvergeudung und Verluste an Produktionsenergie mit sich brachte.

Als die Regierung ihre Gegenmaßnahmen verschärfte und gelegentliche Stichproben vorzunehmen begann, protestierte eine Gruppe israelischer Bürger beim Generalsekretär der Vereinten Nationen gegen diese Einschränkung der Gruß- und Wunschfreiheit, verlangte den sofortigen Rücktritt der Regierung und drohte mit der Aufdeckung von Mißständen im Verwaltungsapparat. Die Behörden ließen sich das nicht zweimal sagen und reagierten noch schärfer: In einem mit knapper Stimmenmehrheit durchgebrachten Ausnahmegesetz wurde die Versendung von Neujahrskarten überhaupt verboten und die Strafsätze auf Gefängnis bis zu zwei Jahren erhöht. Überdies wurden speziell ausgebildete Kontrolleinheiten ins Leben gerufen, die verdächtig aussehende Briefe öffnen sollten. Binnen kurzem wurden in Tel Aviv mehrere angesehene Bürger verhaftet, unter ihnen ein Versicherungsagent, der nicht weniger als 2600 Karten mit dem Text ›Glück und Erfolg im neuen Jahr innerhalb sicherer und international anerkannter Grenzen‹ verschickt hatte. Der Verteidiger des Angeklagten stellte sich vor Gericht auf den Standpunkt, daß es sich hier nicht um Neujahrskarten handle, sondern um ein politisches Pamphlet. Daraufhin trat die gesetzgebende Körperschaft abermals in Aktion und ergänzte das Wunschkartenverbot durch einen Zusatz, demzufolge die Worte ›Glück‹, ›Erfolg‹, ›neu‹ und ›Jahr‹ sowie ihre Derivate im Postverkehr mit sofortiger Wirkung untersagt wurden. Zu den interessantesten Versuchen, dieses Verbot zu umgehen, zählten die 520 Barmizwah-Telegramme eines jungen Architekten in Haifa, die er mit ›Jonas Neujahr, Präsident der Firma Glück & Wunsch‹ unterzeichnete.

Der Strafsatz für illegales Glückwünschen wurde auf 15 Jahre Gefängnis hinaufgesetzt, aber es half nichts. Eine Woche vor Neujahr entdeckte die Kontrolleinheit IV – sie galt als die tüchtigste von allen – ein Rundschreiben der ›Landwirtschaftlichen Maschinenbau AG‹, dessen letzter Satz den verdachterregenden Wortlaut hatte: ›Dieses Zirkular ist vor Kälte zu schützen.‹ Man hielt das Blatt über eine kleine Flamme, und zwischen den vorgedruckten Zeilen erschien in fetten Blockbuchstaben der landwirtschaftliche Text: ›Möge die Stärke der Arbeiterklasse im neuen Jahr blühen und gedeihen und möge den Gewerkschaften Glück und Erfolg beschieden sein! Dies ist der aufrichtige Wunsch von Mirjam und Elchanan Groß, Ramat Gan.«

Die über das findige Ehepaar verhängte Freiheitsstrafe lautete auf acht Jahre Gefängnis, verschärft durch Fasten und hartes Lager an jedem Neujahrstag.

Für die Zeit von einem Monat vor bis zu einer Woche nach Neujahr wurden alle öffentlichen Briefkästen versiegelt und von Angehörigen einer eigens geschaffenen ›Wunschkarten-Miliz‹ bewacht. Briefe wurden während dieser Zeit nur auf den Postämtern entgegengenommen, nachdem die befördernde Person sich durch ein amtliches Dokument (Paß,

Identitätskarte, Führerschein) ausgewiesen und eine eidesstattliche Erklärung abgegeben hatte, daß die betreffende Postsendung keine wie immer gearteten Glück- oder Erfolgswünsche enthielt. Ertappte Gesetzesübertreter wurden sofort vor ein Schnellgericht gestellt.

Indessen konnten all diese Maßnahmen nicht verhindern, daß die Glückwunschrate im Vergleich zum Vorjahr um neun Prozent anstieg. Eine Fernseh-Ansprache des Wirtschaftsministers begann mit den Worten: »Beinahe ein Drittel unseres Nationalproduktes...«

Der Bevölkerung hat sich wachsende Empörung bemächtigt. Panzerwagen patrouillieren in den Straßen der größeren Städte. Gerüchte wollen wissen, daß die Regierung ein Dringlichkeitsgesetz erwägt, das die Einführung von drei Schaltjahren hintereinander ohne Neujahrstag vorsieht. Die Situation spitzt sich zu. Es riecht nach Bürgerkrieg. In den Außenbezirken von Tel Aviv sind gelegentlich Schüsse zu hören. Da hat wieder irgend jemand versucht, einem Mitmenschen Glück und Erfolg zu wünschen.

WOLFRAM SIEBECK

Drei Wünsche frei
Ein Silvester-Erlebnis

Schon im Hausflur hatte ich es hüsteln hören, aber nicht darauf geachtet. Es war am Neujahrsmorgen, noch ziemlich früh oder schon ziemlich spät, wie man will. Ich erinnere mich genau, daß meine Frau gefragt hat: »Hast du dem Fahrer auch ein Trinkgeld gegeben?«, worauf ich statt einer Antwort die bekannte Handbewegung machte, die andeutet, man habe ein Königreich verschenkt, aber es käme ja nicht darauf an. In der Silvesternacht gehen wir alle ziemlich großzügig mit den Handbewegungen um.

Ich weiß auch noch, daß der Taxifahrer uns ein gutes neues Jahr gewünscht hatte; was will man mehr.

Ich vermerke das alles so genau, damit es nicht heißt, ich sei volltrunken gewesen und das, was ich danach erlebte, eine Folge meiner Unzurechnungsfähigkeit. Allein die Tatsache, daß ich nach einer Silvesterfeier nicht, wie zu vermuten gewesen wäre, gleich ins Bett ging, sondern ein Glas Buttermilch aus dem Eisschrank holte und mich in mein Arbeitszimmer setzte, mag als Beweis gegen die Trunkenheitstheorie angeführt werden.

Dort saß ich also, als es wieder hüstelte.

Es gibt, vor allem in den frühen Morgenstunden, Momente, in denen man jede Schreckhaftigkeit verliert. Am frühen Abend gehe ich nur ungern in den Keller. Morgens um drei Uhr (oder um eins oder um vier), nach einem guten Abendessen und einem Spättrunk mit netten Freunden, gehe ich pfeifend über jeden Friedhof, mag der Wind noch so durch die Äste heulen.

Jetzt also saß ich in meinem Arbeitszimmer, es war totenstill im Haus, meine Frau schon im Bett, die Buttermilch dämpfte den bereits einsetzenden Nachdurst, und hinter mir hüstelte es. Ganz gelassen drehte ich mich mit dem Schreibtischsessel um und erschrak nicht im mindesten, als ich sie auf dem Sofa entdeckte. Höchstens sagte ich »Nanu« oder etwas Ähnliches.

»Ich bin die gute Fee«, sagte sie, und ich, geistesgegenwärtig, wie ich manchmal bin, entgegnete: »Für mich sehen Sie aus wie Catherine Deneuve.«

»So?« fragte sie und strich sich über das lange Haar. »Bin ich blond?« Heute kommt es mir natürlich merkwürdig vor, daß Feen aussehen wie Filmschauspielerinnen und über deren Haarfarbe Bescheid wissen. Aber damals hätte ich mich auch nicht gewundert, wenn sie ausgesehen hätte wie King Kong und mit einem Empfehlungsschreiben von Dr. Grzimek gekommen wäre.

Sie sah jedoch wirklich aus wie Catherine Deneuve, bloß war ihr Kleid nicht von Balmain, sondern ähnelte eher einem Nachthemd. Wenn man die Tageszeit in Betracht zieht, muß man annehmen, daß es tatsächlich ein Nachthemd war. Wahrscheinlich sind Nachthemden überhaupt so eine Art Dienstkleidung für Feen.

»Sie sind sicher gekommen, um mir drei Wünsche anzubieten«, fragte ich, denn was sonst erwartet man von einer guten Fee.

»Ja«, antwortete sie und strich wieder über ihr Haar.

Es entstand eine Pause, wie oft, wenn man jemanden kennenlernt, von dem man weder die Lebensumstände noch die derzeitigen Interessen kennt. Ich nippte an meiner Buttermilch. Da sie immer noch schwieg und mich nur ruhig ansah, stellte ich eine weitere Frage. »Wie machen wir das nun mit den Wünschen – soll ich mir drei ausdenken?«

»Nein«, sagte sie, und ihre Stimme bekam etwas Belehrendes, als sie mir erklärte: »Es sind nicht drei beliebige Wünsche, die ich dir erfüllen kann, sondern drei Wünsche, die du im vergangenen Jahr hattest und die nicht in Erfüllung gingen.«

Ich fand es fabelhaft, daß sie mich so einfach duzte. Schließlich war sie mindestens zehn Jahre jünger als ich, sah blendend aus und saß im Nachthemd auf meinem Sofa. Da fiel mir ein, daß ich schon die Schuhe ausgezogen hatte und in Socken vor ihr saß. Das beeinträchtigte meine Konzentrationsfähigkeit.

»Was für Wünsche?«

»Ich meine auch keine normalen Wünsche«, fuhr sie fort und sah mir so angestrengt ins Gesicht, daß ich sicher war, sie hatte meine Socken schon bemerkt. »Sondern Wünsche, die du dir eigentlich nicht hättest erlauben dürfen. Wenn du anderen Personen etwas Schlechtes gewünscht hast und es ist nicht eingetroffen, dann hast du jetzt die Möglichkeit, daß diese Wünsche in Erfüllung gehen.«

Ich muß gestehen, ich sah zuerst nur, daß es nun nichts würde mit dem Eselstreckdich und dem Tischleindeckdich, und war enttäuscht. Eine Hochstaplerin, ganz klar. Wäre sie nicht so hübsch gewesen, ich hätte ihr unmißverständlich erklärt, wo der Ausgang war. Ich verschränkte die Arme und machte ein müdes Gesicht. Sie schien meinen Stimmungsumschwung nicht zu bemerken und fuhr gelassen fort: »Zum Beispiel wünschtest du, den Dackel der Nachbarin, der dich durch sein Bellen immer bei der Arbeit stört, möge der Schlag treffen...«

»Zu spät, meine Liebe!« unterbrach ich sie, etwas von oben herab, wie ich hoffte. »Der Schlag *hat* ihn getroffen! Eine Woche vor Weihnachten ist er an Verfettung eingegangen.«

»Oh«, sagte sie und schien erstaunt, daß sie das nicht wußte. Ganz bestimmt eine Hochstaplerin.

»Aber da sind doch noch andere Hunde?«

»Gewiß – kein Nachbar ist hier ohne Dackel!«

Sie nickte zufrieden. »Und da ist dieser junge Bursche in dem Sportwagen, der dich am 3. Juni in den Seealpen vor einer Kurve so leichtsinnig überholt hat. Du wünschtest, er möge sich in der nächsten Kurve den Hals brechen. Nun, er lebt noch; aber wenn du willst...«

»Was habe ich gewünscht? Sie glauben doch nicht, daß ich einem jungen Menschen einfach... also, ich muß schon sagen!«

Sie zuckte die Schultern. »Am 3. Juni jedenfalls hättest du dich gefreut«, sagte sie und strich sich wieder übers Haar. »Aber wie wäre es mit Onkel Hermann?«

»Onkel Hermann?«

»Du hattest dir im Sommer überlegt, wie viele Tanten und Neffen und andere Angehörige verschwinden müßten, damit du Onkel Hermanns Alleinerbe würdest.«

»Mein Gott, man wird sich doch wohl mal ausrechnen können, ob man eine Chance hat, einen entfernten Verwandten zu beerben!«

»Natürlich darf man das, und ich biete dir die Möglichkeit, das Erbe anzutreten. Du brauchst es nur zu wünschen.«

»Was zu wünschen?«

»Wünsch dir die Verwandtschaft weg; ich besorg' das schon.«

Ich trank erst einmal einen gehörigen Schluck Buttermilch.

Machen wir uns nichts vor: Es war ein verlockendes Angebot! Ganz abgesehen vom Vermögen des asthmatischen Onkels, auf das ich normalerweise keine Aussichten hatte. Und dazu noch von der Verwandtschaft befreit! Es war ja erst eine Woche her, daß man die meisten davon gesehen hatte. Fest der Liebe, bah! Allein die Erinnerung an den Besuch bei den Schwiegereltern machte mich ganz kribbelig. Und dann kamen Tante Luise und Onkel Robert zu uns mit ihrem Trottel von Sohn, der Volkswirtschaft studiert. Saßen stundenlang mit blödem Grinsen herum und schienen sich auch noch wohl zu fühlen. Und dann die Schwägerin mit Mann und den unerzogenen Kindern! Das ganze Jahr sieht man sich nur an Omas Geburtstag und findet auch das noch zuviel, aber am zweiten Weihnachtsfeiertag kommen sie alle an, reisen Hunderte von Kilometern, nur um sich hier zu langweilen und mir die Feiertage zu verderben. »Sehr lecker, der Kuchen, hast du den selber gebacken, Irene, also wenn ich da an den Kuchen denke, den Minchen in Pillupönen immer backte, aber daran wirst du dich nicht mehr erinnern, Hubert, du warst ja damals noch so klein, aber deine Mutter, Gott hab sie selig, sagte jedes Mal, wenn sie zu uns nach Ostpreußen kam, am meisten freue ich mich auf Tante Minchens Kuchen, stellt euch vor, 12 Eier und ein Pfund gute Butter und...« Und, und, und. So ging das weiter, den ganzen Nachmittag lang.

Man braucht es nur zu wünschen?

Wie sie da auf dem Sofa saß, hätte sie geradewegs aus einem dieser Filme kommen können. Das lange blonde Haar; das Nachthemd; ob sie nichts darunter trug? Vielleicht sollte ich ihr etwas anbieten. Irgendwo mußte hier noch eine angebrochene Flasche herumstehen.

»Wie bitte?«

»Du erinnerst dich doch an die Party bei Piet, dem Fotografen, wo du das Mannequin Lisa kennenlerntest. Du hast den ganzen Abend mit ihr getanzt, sie war nett zu dir, sehr nett sogar, und du machtest ihr abenteuerliche Vorschläge, von denen du wußtest, daß sie sich nie realisieren lassen würden. Da hattest du ein paar ganz konkrete Wünsche...«

»Nun ja, in so einer Situation wünscht man... ich meine, es ist doch verständlich, wenn man da auf Gedanken kommt... so wie jetzt: Sie sitzen hier bei mir im Nachthemd auf dem Sofa und sehen ganz bezaubernd aus, und wenn Sie nicht so hartnäckig von irgendwelchen Wünschen redeten, die man gelegentlich mal hatte...« Ich lehnte mich etwas vor, als ich das sagte, und mir schien, als wäre sie ein wenig rot geworden. Jedenfalls zog sie ihr Hemd über den Knien etwas zusammen.

»Lassen Sie uns doch diese dummen Wünsche vergessen«, bat ich und reichte ihr ein volles Glas (nein, keine Buttermilch. Ich hatte die angebrochene Flasche inzwischen gefunden). Sie zögerte ein wenig, nahm es aber an, als ich fragte: »Im Dienst trinken Sie wohl nicht?«, und nahm einen großen Schluck. Jawohl, sie trank fast das halbe Glas leer und verzog keine Miene dabei. Es schien, als merke sie überhaupt nicht, daß sie da Schnaps trank, beziehungsweise Cognac, 38prozentig und ein halbes Wasserglas voll. Ich war so verblüfft, daß ich erst gar nicht zuhörte, als sie weitersprach.

»...Lisa noch mehrmals getroffen, immer auf Partys. Ihr spieltet das Spiel der unglücklich Verliebten, die nicht zusammenkommen können. Da hast du häufig gewünscht, Junggeselle zu sein.«

»Hören Sie«, versuchte ich sie vom Thema abzubringen, »wo ich Sie hier so sitzen sehe, wünsche ich das auch!«, und ich ging mit der Flasche auf sie zu, wie um ihr einzuschenken. Aber natürlich war das Glas noch halbvoll, und ich setzte mich neben sie und legte den Arm auf die Rückenlehne. Wie ich ihr aber in die Augen sah – schöne, große Augen –, merkte ich sofort, daß ich einen Fehler gemacht hatte. Kalt, richtig kalt sah sie mich an.

»Ich habe vergessen, dir zu sagen«, redete sie weiter, ganz ruhig, als ob ich weit, weit weg säße, »daß du dir nicht nur etwas wünschen kannst, sondern dir etwas wünschen mußt. Drei bisher nicht erfüllte Wünsche der erwähnten Art«, fügte sie etwas umständlich hinzu und sah mich noch kälter an – wenn das überhaupt möglich war.

Ich seufzte, stand auf und setzte mich wieder an meinen Tisch.

»Und was passiert, wenn ich mir nichts wünsche?«

Sie schüttelte langsam den Kopf. »Du wirst dir etwas wünschen!« Und schwupp, hatte sie die restlichen drei Fingerbreit Cognac runtergekippt. Dann geschah etwas Merkwürdiges. Der Cognac brannte in *meinem* Magen, verbreitete sich in *meinem* Innern und stieg in *mir* wieder hoch bis in den Kopf. Ich mußte husten. Als ich mir die Augen getrocknet hatte, sah ich, wie sie mir das Glas hinhielt. Automatisch schenkte ich ihr wieder ein.

»Nun?« fragte sie. Plötzlich hatte ich Angst.

»Hören Sie zu«, bat ich, »bis jetzt war der Spaß ja ganz lustig, aber ich möchte nun schlafen und...« Da setzte sie das Glas an den Mund.

Ich roch den Cognac, spürte, wie mir das scharfe Aroma in die Nase stieg und machte eine abwehrende Handbewegung. Aber sie trank. Es warf mich fast vom Stuhl. Als ich wieder einigermaßen beieinander war, hab' ich allem zugestimmt, was sie mir vorschlug.

Ich schwöre, daß ich keine Ahnung habe, wohin meine Frau verschwunden ist. Mit Fräulein Lisa bin ich erst Wochen später... was sollte ich denn machen, so allein... ich mußte ja annehmen, und ich glaube das auch heute noch, Hohes Gericht, daß meine Frau mich verlassen hat. Und das mit dem Bootsunglück auf dem Rhein, bei dem alle meine Verwandten – ja, Onkel Hermann war auch dabei –, damit habe ich wirklich nichts zu tun! Ich war damals gar nicht mit auf Omas Geburtstag. Daß es ein tragischer Unglücksfall war, daran besteht doch gar kein Zweifel. Es stand ja auch in allen

Zeitungen. Und was die Tollwut angeht, Hohes Gericht, die grassiert, das wissen Sie ja wohl selbst, nicht nur in meiner Nachbarschaft. Nein, ich bin wirklich unschuldig, glauben Sie mir; das alles hat mir einen großen Schock versetzt. Und ins Kino gehe ich seitdem auch nicht mehr, jedenfalls nicht, wenn es ein Film ist mit Catherine Deneuve.

KURT TUCHOLSKY

Herrn Wendriners Jahr fängt gut an

»'n Morgen, Herr Freutel, warum sind Sie noch nicht da –?
Ach so, hier is keiner ...! Skandal, halbzehne – immer ist man
der erste im Büro! Ach, da sind Sie ja! Wo wahn Sie denn so
lange? Draußen? Ich bezahl Sie nich für draußen – ich bezahl
Sie für drin! Danke. Prost Neujahr, ich Ihn auch. Was is mit
John und Eliasberg? Sie, das muß mir heute noch raus – wir
schreiben 1926 – das wird mir jetzt anders! Herein. Was wolln
Sie? Prost Neujahr. Ja, ich weiß, danke, nein, weiter nichts.
Den Mann wern wir bei nächster Gelegenheit rausschmeißen, Freutel – ich kann das Gesicht schon nicht mehr sehn.
Werfen Sie die Tinte nich um! Herein. Prost Neujahr. Sie mir
auch ... ich Ihn auch. Ja. Danke. Freutel, riegeln Sie die Tür
ab! – die Leute machen mich rein verrückt mit ihrem Prost
Neujahr! Alle komm se am selben Tag damit! Der Kalender
hängt schief, Freutel – ham Sie noch 'n Jammer von gestern?
Da klinkt jemand an der Tür ... Nein, lassen Se! Ach, Sie
sinds, Kipper! Padong! Ich hab abgeriegelt, um ungestört ze
arbeiten ... Prost Neujahr. Danke. Gut amüsiert? Ihre Familie wohlauf? Ja? Na, das freut mich. Nehm Sie Platz! Danke,
wir auch. Nehm Sie ne Zigarre? Ja, lieber Freund ...! Ich hab
Ihnen gesagt, sprechen Sie im nächsten Jahr vor, ich wer
mein Möglichstes tun – gewiß. Was? Was? Bis übermorgen
abend? Kipper, machen Sie Witze? Wo soll ich bis übermorgen abend fünfzehntausend hernehmen? In bar? Lieber
Freund, bin ich Schacht –? Gehn Sie zu dem – der gibt Ihnen
auch nichts, aber er ist wenigstens prima. Ende der Woche?
Ausgeschlossen. Lieber Kipper, gedulden Sie sich – nu hörn
Se, nehm Sie Vernunft an! Ich bitte Sie – was ist das für ne
Einstellung! Hier, ham Sie heute den Artikel im ›Börsen-Courier‹ gelesen? Sehr vernünftig; als ob er uns beide hier sitzen
sieht – der Mann sagt: ›Die wirtschaftspolitische Krise ist ein
Problem ...‹ Sie wollen keine Artikel, Sie wollen Geld? Was
meinen Sie, wie gern möcht ichs Ihnen geben! Aber, lieber

Kipper, wer zahlt mir –? Wir haben jetzt die Weihnachtsgratifikationen ausgeschüttet – auch schon was? Das sagen Sie nicht! Es multipliziert sich. Aber ich kann aus meiner Haut keine Riemen schneiden – ich kann nicht, nu machen Sie was! Kein Mensch zahlt Ihnen heute. Nu – prolongieren Sie schon – wir sind ein Haus von Renommee, das wissen Sie ganz genau, wir lassen keine Wechsel zu Protest gehn – wir prolongieren bloß... Fünfzehntausend...! Na, also gut, zweihundertfünfzig bar. Ende der nächsten – warten Sie mal – übernächste Woche... und den Rest am 30. Juni – nun, ich hab doch gewußt, mit Ihnen kann man reden. Mein erstes Geschäft in diesem Jahr. Noch ne Zigarre? Nu – ich will Sie nicht aufhalten – vielleicht haben Sie noch Gänge... Jeder hat ja heute Gänge. Prost Neujahr! Auf Wiedersehn, Kipper. Freutel! Ist das die ganze Post? Kinder, ihr feiert zu viel. Weihnachten und Neujahr und dann noch der Sonnabend – das ganze Jahr nichts wie Feiertage! Lassen Sies klingeln – na, gehn Se schon ran! Wer is da? Mein Schwager? Gehm Se her. Morgen, Max. Ja, danke. Prost Neujahr! Schon zurück aus Glogau? Was machen die Schwiegereltern? Na, das 's ja fein. Gut bekomm? Danke, wir auch. Ja. Nein. Weihnachten wars sehr gemütlich – wir wahn natürlich bei uns, ang Famiich. Hanni hat sich sehr gefreut. Mir? 'ne sehr aparte Flügeldecke. Ich hab se mir selbst gekauft – aber Hanni hat se mir geschenkt, als Überraschung. Fritz hat sich natürlich 'n Magen verdorben – wir sitzen bei Tisch, auf einmal kommt ihm der ganze Karpfen wieder raus. So 'n teurer Fisch. Ein Jammer. Es geht ihm schon wieder besser. Silvester –? Ich wollt ja zu Hause bleihm, aber Hanni und Lotte wollten ausgehn – sind wir ausgegangen. Erst warn wir im Schauspielhaus, zur Premiere – 'n sehr schöne Aufführung – Fuchsens warn auch da – sag mal, hast du mir nicht neulich erzählt, der Mann is in Schwierigkeiten? Saßen jedenfalls Parkettloge. Vorderplätze. Ja. Hinterher warn wir im Esplanath. Erich hat 'n Tisch reservieren lassen. Sehr elegant. Ja, unverschämte Preise. Die Leute nehm für eine Flasche französischen Sekt fünfundsiebzig Mark. Wir ham nur eine Flasche genommen – den andern deutschen. Gehn Sie aus der Leitung! Sie Ochse, legen Sie doch den Hörer hin! Ungebildeter Lümmel! Ich führe meine geschäftlichen Gespräche, wanns mir paßt! Max! Max! Bist du noch da? Na ja, weiter wär wohl nichts. Ja, grüß schön. Danke. Hach... Was is nu schon wieder? Mojn, Blumann! Bitte, nehm Sie Platz. Prost Neujahr. Danke. Was? Was –? Was wolln Se –? Reden Sie – ohne Umschweife. Was? Ich soll stunden? Ja, sagen Sie mal – das ist mir denn doch noch nicht vorgekommen – in diesem Jahr noch nicht! Sie versprechen mir – Sie versprechen mir, im Jahr 1926 wern Sie zahln, ich hab schlaflose Nächte Ihretwegen, die ganze Silvesterfeier is mir verdorben – gestern hab ich noch zu meiner Frau gesagt, du wirst sehen, Blumann zahlt – das ist ein anständiger Mensch – und jetzt sitzen Sie ganz kalt da und sagen: nicht vor Mai? Ja, lieber Freund, was glauben Sie denn? Meinen Sie, mir gibt einer Aufschub? Eben war einer da, bar aufn Tisch hat er bekomm, so schwers mir auch gefallen ist! Wechsel! Ich will Ihre Wechsel gar nicht sehn! Ich kenn Ihre Wechsel! Da wern Sie nächstens anbauen müssen, für die Prolongationen! Nein, keinen Tag. Was heißt das: Sie ham Frau und Kinder? Ich hab auch Frau und Kinder. Hätten Sie nicht heiraten solln. Nicht eine Minute. Zahln Se. Ham Sie heute den Artikeln im ›Börsen-Courier‹ gelesen? Hier, lesen Sie, was der Mann schreibt: ›Die wirtschaftspolitische Krise ist ein Problem...‹ Nicht eine Sekunde Aufschub! Sie richten mich zugrunde, mich und mein Geschäft mit! Ist das ein Anfang vom Jahr! Wenn ich das gewußt hätte, wär ich überhaupt nicht ins Büro gekommen! Wenn man ne Verpflichtung eingeht, soll man sie halten – sind Sie 'n anständiger Kaufmann oder sind Sie ein Wechselschieber? Also? Hab ich mir gleich gedacht. Wenn ich bis nächsten Freitag mein Geld nicht hab – lassen Sie mich auch mal zu Worte komm – da solln Se sehn! Gut, liegen Sie auf der Straße! Sie wern schon nicht auf der Straße liegen! Mit mir nich, ich sag Ihnen... Nein, ich bin für Sie nicht eher zu sprechen, bis Sie nicht... Atchö. Hast du das gesehn! Was wolln Sie, Freutel? Natürlich hab ich ihn rausgeschmissen –! Wie ich so zu mein Geld kommen werde –? Lieber Freund, ich wer Ihn mal was sagen: Wenn ich nicht prolongier, zahlt er ein bißchen was. So viel hat er. Prolongier ich aber – da zahlt er gar nicht. Ich kenn doch das von mir. Ich bin jetzt nicht zu sprechen! Prost Neujahr. Prosit Neujahr, Frollein Richter, Prost Neujahr! Freutel, machen Sie die Tür zu, zum Himmeldonnerwetter! Ach so, die ›B.Z.‹ Prost Neujahr, Schulz. Prost Neujahr!!! Freutel, ich geh mal raus – man ist doch auch nur 'n Mensch...

Das ist ein neues Jahr... Hier könnt mal gestrichen werden, wie oft hab ich das schon gesagt... So! Jetzt ist mir der Hosenknopp abgesprungen...! Besetzt! Besetzt! Gehn Sie von der Tür weg. Sie könn doch hören, daß besetzt ist! Hach – Locarno-Geist in allen Parlamenten. Paris, den 2. Januar. Wie Havas meldet... Man ist ein geplagter Mensch. Die einzige ruhige Stunde, die man am Tage hat, is hier draußen –!«

Winterlamento

Das kommt vom Schnee, denke ich, vom nassen, in Klumpen herunterfallenden Schnee. Ich sehe, wie die Äste das Zittern bekommen, ohne daß Wind geht, nur vom Schnee erzittern sie, den weißen stillen Batzen. Selbst das Gesicht, auf das man eine Anzahl von Gewehren abfeuern wird, wirkt wie ein Fladen Schnee, so kalt, so blaß, es sind die Vorbereitungen einer Erschießung im Schneetreiben, an die ich mich erinnere, aber was heißt das: erinnere? In den Bergen sitzend, ein Mann ohne Frau und Kind, versuche ich mir gegen meinen Willen jemanden vorzustellen, der mit mir verwandt sein könnte, etwa wie mein Schatten mit mir verwandt ist, aber was heißt das: mit mir? Wer bin ich – abgesehen von jenem Witwer in den Bergen, den ich bereits erwähnte? Hat es etwas zu sagen, daß ich aus einem steinalten Haus hinausblicke in den senkrecht fallenden Schnee, an einem Tag, an dem es nicht richtig hell werden will, an einem mit Krähenschreien?

Der Schatten, den ich meine, müßte Anfang Dreißig gewesen sein. Er versenkt die Füße in Knobelbecher und tritt auf mit Fausthandschuhen, Ohrenschützern, einem Schnellfeuergewehr, Baujahr 42. Jemand mit Frau und Kind. Seine Züge, um genau zu sein, sind mir nur von Bildern oder Spiegelbildern her bekannt. Ja, dessen erinnere ich mich. Da ist schon wieder dieses Wort, um das ich nicht herumkommen kann, nicht werde herumkommen können, das ich nun fraglos stehen lasse, als wäre es ein in den Boden gerammter Pfahl, ein Wegweiser zu allen möglichen Kirchdörfern oder Truppenteilen.

In die großen Auseinandersetzungen verstrickt, jetzt, knapp über dreißig, auf der linken Seite, ich meine: links von der Oder, auf der Seite der Verteidiger und Verlierer – soviel läßt sich sagen, ohne daß ich schon gezwungen wäre, die Konsequenzen zu ziehen. Einen Schritt weiter allerdings müßte ich gestehen, daß es nur wenige gegeben haben dürfte, die in den von Zivilisten geräumten Häusern über Wortfolgen nachdachten, die man, ohne sich viel dabei zu denken, Wort Gottes nennt – doch damit liefe ich Gefahr, ein zweites Ich einzuführen, die alten Fragen aufzurollen, deshalb versuche ich lieber, mich in diesem Fall an die einzige unbestreitbare dritte Person zu halten, grammatikalisch gesprochen, versuche es, obwohl ich nicht will.

Ein noch nicht ausgewachsener Körper, nun gut. Auch er als dritte Person ausgerüstet mit Knobelbechern, Fausthandschuhen, Ohrenschützern usw. Er sagt etwas, wer kann es verstehen? Jemandem gegenübersitzend, erklärt er, daß wir uns auf eine nie wieder gutzumachende Sache eingelassen hätten. Sein Vater, sagt er und beschreibt ihn als einen mit langen, gepflegten Haaren, einen Siegelring an der rechten Hand, als ob er noch am Leben wäre, sein Vater hätte es nicht begriffen, sagt er, daß wir auf der falschen Seite ständen, der gepflegte Flieger habe es wirklich nicht erfaßt. Von seiner Mutter aber ist die Rede wie von einem letzten Argument. Immer, wenn er auf sie zu sprechen kommt, sagt er: Ihr zuliebe.

Er zeigt ihr Bild vor: eine kleine sehnige Frau in schwarzen Kleidern. Sie kann denken, das sieht man. Aber sie denkt einfach nicht weiter, eines Tages, als sie bei der Nachbarin den Wahnsinnigen an der Wand entdeckt, den sie schon hundertmal angeschaut hat, als gebe es ihn nicht, entdeckt den Wahnsinnigen mit dem Schnauz hinter Glas und reißt ihn herunter, reißt das Fenster auf, zerschmeißt ihn samt Glas und Rahmen, gerade vor den Füßen nicht unwesentlicher Leute. Das alles möchte man vertuschen, so gut es geht, denn ihr Mann, der Flieger, wurde heruntergeholt, ihr einziger Sohn steht an der Front. Es geht nicht. Sie bekommt einen Prozeß, verschwindet im Zuchthaus. Jetzt fällt sie weg als Argument, ihr zuliebe kann man nicht Zuchthäuser verteidigen.

Erst heute verstehe ich das auf diese Weise, wohlgemerkt: heute, da die Krähen schreien. Ich habe kalte Füße in meinem Haus, die Gemeinde ist weit verstreut, und wenn es nicht Sonntagnachmittag wäre, ließe man mich kaum in Ruhe aus dem Fenster schauen, in den Schnee. Wieder das Gesicht! Jung, klein, hart, weiß. Woher will ich die Geschichte dieses Jungen kennen, wenn ich nicht zugebe, jener Schatten gewesen zu sein, dem er seine Vorgeschichte erzählte, abends in geräumten Häusern, auf der linken Seite des Flusses? Die alten Fragen. Fragen, die mich niemand fragt, außer dem Schnee. Im Haus riecht es nach hundertjährigem Stein und Bienenwachs, und ich gebe mir einen Ruck und sage: Gib es zu, du Hirt. Gib es wenigstens pro forma zu. Damit wir die Zusammenhänge vereinfachen? Gut, sage ich, sage ja, notgedrungen. Ich, der Hirt einer weitverstreuten Pfarre, bin jenes Ich mit dem Sturmgewehr, mit Frau und Kind gewesen. Doch schon strauchele ich wie in geborgten Schuhen: Ich kann nicht mehr so denken, wie ich gedacht habe. Ausgeschlossen. Wie soll ich die Gedanken so vieler dazwischenliegender Jahre aussieben, auslöschen? Erfahrung läßt sich nicht rückgängig machen. Nicht einmal die vom heutigen Tag, obwohl sie mit weiter nichts verknüpft ist als mit Schritten am Ufer, Betrachtung des Schneegebirges und Blicken durch meine fast leere Kirche.

Ich schleppe all die Jahre herum in Fleisch, Speck und Bein, die leichtsinnigen schweren, die bitteren friedlichen. Manchmal, wenn mich das Läuten weckt, vielleicht auch der Laut einer Kreissäge, wage ich, nicht geheuere vielversprechende Dinge herunterzubeten. Tagsüber verschwinden sie hinter lauter Wörtern, die ich von amtswegen zu gebrauchen habe. Doch nachts, die kalten Füße streckend, kann ich mit Hilfe meiner Ketzereien Schwerwiegendes umstürzen, so daß die wirkliche vor der eingebildeten Freiheit rein zum Vorschein kommt. Das ist viel für mich in den Bergen. Von den Augenblicken zehre ich.

Damals war ich gezwungen zu kämpfen. Ich fühlte mich stark von der Weisheit der Seminare, war aber zu unwichtig, als daß man mich hätte verhaften müssen, ich lief spielend vier Stunden von Nikolassee nach Niederschönhausen, um eine Botschaft auszurichten, irgendwem etwas Geld zu bringen. Wir beugten uns nicht, und doch hielt niemand von uns den Kampf für aussichtsreich. Es war und blieb ein Skandal, daß wir von einem Toten behaupteten, er lebe, und ein Dorn in blauen Augen die Anmaßung eines Hurensohnes, alle göttlichen Vollmachten zu besitzen. Einmal las ich auf einer Toilettenwand:

Gott ist tot. (Nietzsche)

Und darunter:

Nietzsche ist tot. (Gott)

Was habe ich damals gedacht? Wuchtig lag die Hand auf uns, weiter Druck ausübend. Eine Prüfung? Kann ich das ungefähr gedacht haben? In den Ferien radelten wir, drei Vikare, in Knickerbockers an die Seen, die Sonne schien, es passierte nichts. Auf dem vorsintflutlichen Sattel oder im schwarzen Anzug bei Besuchen in einer guten Gegend, oft auch mit Lisabeth und ihrem Bruder: Was habe ich mir wirklich gedacht? Es schien mir darauf anzukommen, daß wir soviel Spielraum behielten, wie nötig war, um zu unserem Bekenntnis zu stehen. Ist das nicht das Allerwichtigste, daß wir uns versammeln dürfen, um uns zu stärken durch mancherlei? Solange wir es in Gottes Namen dürfen, müssen wir uns da nicht verhalten wie andere Bürger und Ehrenbürger auch? Auf unser Bekenntnis kommt es an. So ungefähr?

Eigenartige Zeiten mit immer riesigeren Stadien, Verhaftungen, Freilassungen Schweigsamer, Richtlinien, Gesetzen. Viele Dinge wurden mit Erfolg umgestoßen. Heute hat man es fast vergessen, daß wir die Erfolglosen waren; nicht bloß faule Zauberer, sondern auch total erfolglos. Wie kann man das ertragen mit Dreißig? Du hast einiges gelernt, um das Wort zu ergreifen, aber die Kirchen leeren sich. Du fühlst dich für viele verantwortlich, in einem neuen gewissen Geist, viele zeigen dir den Rücken. Da schleichst du lange herum mit dem Kinn auf dem Herzen. Aber du darfst nicht stumpf werden gegen den Schmerz, wie geschrieben steht. Dabei wirst du mittlerweile hochmütig wie ein Revolutionär und versteifst dich auf den Wert der kleinen Zahl. Sieben Gerechte genügen, fünf, drei, zwei. Die wenigen behalten recht, nicht die vielen. Bah, es wird sich herausstellen, wie es sich immer wieder herausgestellt hat. Nur jetzt nicht zweifeln. Die liebgewonnenen Interpretationen verteidigen, die du letzte Wahrheiten nennst, verteidigen mit Händen und Füßen, in Gottes Namen!

Ja, von der Erfolglosigkeit ist auszugehen. Noch heute hängt sie mit alten Fragen zusammen. Die Mühen, die Gänge, die Nächte, die Wörter, vor allem sie. Noch das Schweigen ist ein Wort und heißt ›Schweigen‹. Du sagst nichts und stiftest etwas. Das Paradox des Schweigens.

Aber dann heißt es: der Staat. Was ist denn das für ein gewaltiges Ding? Gott sah zu, wie ich ihn ins rechte Licht zu rücken suchte. Ich sagte zu Lisabeth und ihrem Bruder ungefähr: Wahlen haben wir, keine Wahl. Man kann sich einiges malen, mit Tatsachen muß man sich abfinden. Weil wir ohne Ordnung nicht leben können, haben wir sie wohl zu respektieren. – Wer bloß für Ruhe und Ordnung ist, sagte Lisabeths Bruder, den soll die Polizei holen. – Wäre es nicht möglich, daß wir wenigen die Aufgabe von Zeugen und Warnern hätten? fragte ich. – Bezahlten Warnern? fragte der Bruder zurück. – Lisabeth blickte hoch. Der Staat hat kein Gewissen, sagte sie. – Läßt er uns leben oder nicht? fragte ich ungeduldig.

Ich rekonstruiere, also erfinde ich. Leicht gerät man ins Schwätzen. Was habe ich wirklich gedacht? Ich wiederhole, daß ich mich für mich nicht verbürgen kann. Was ist entscheidend? Die Worte, die ich gewählt habe? Oder der Anblick eines Taufsteins? Eine gewisse Stimmung auf der Ost-West-Achse? Das Geräusch, wenn jemand klagte? Oder was? Es ist nicht undenkbar, daß die Erinnerung an den heutigen Schnee eines Tages mehr besagen wird als die Erinnerung an mein Lamentieren, all diese Redensarten.

Der Schnee. Den Bauern tut er nicht weh; einer macht mit dem Taktor bergauf einen Sonntagsbesuch, was strafbar ist. In meinem Stall stehen Pferde. Der Stolz des Gastwirts, der sie im Winter überhaupt nicht braucht und deswegen ausquartiert hat. Ich bilde mir ein, sie zu hören, wie sie von Zeit zu Zeit lebenslustig gegen die Trennwand keilen. Aber bestimmt höre ich noch das Tuckern vom Hang. Das alles lenkt mich ab, wie ich merke. Ich stelle mir vor, daß mir der Schnee Augen und Ohren verklebt. Aber mit Schnee ist nichts auszurichten gegen ein wirkliches Gesicht. Kalt, jung, hart, weiß. Letzten Endes zieht man auch die Pfarrer zu den Funkern ein, zieht mich hinein in die große Auseinandersetzung. Erdkampf. Eigenartiges Wort.

Tagsüber hielten wir die Gräben und Schanzen hart am Ufer besetzt. Ich zog die Handschuhe aus, um übers Wasser zu ballern, in eine Richtung, in der nichts zu sehen war. Als es wieder still wurde, vernahm ich, wie das eisige Unkraut einen Ton des Elends erzeugte. Ich brachte die Hände vom Stahl kaum los. Wenn es dunkelte, kam unsere Ablösung nach vorn; wir, die wir erleichtert die Luft ausstießen, gingen im Zickzack durch das zerstörte Dorf zurück bis zu den Siedlungshäusern ohne Licht am Rand der Stadt. Die Nächte verbrachten wir in den Häusern. Hinter den Kellertüren lagen Berge von Kohlen, wir heizten ein, empfingen Kunsthonig, Munition, Lichter, eine halbe Ration Schnaps pro Mann, lange Briefe, aber nächtigen mußten wir wegen Feindbeschuß im kalten Keller. Unsere Betten wurden schwarz. Zuerst lagen wir noch, verzweifelt wie wir waren, eine Weile wach zwischen Gewehren, Hackklötzen, eingemachtem Obst und schrieben zurück auf gelbem Feldpostpapier, das wir einmal falteten und zusammenklebten. Meine Hände bekam ich auch mit warmem Wasser nicht mehr sauber.

Zwei Tage lang schien die Sonne so kraftvoll wie im April, so daß wir alle Mut schöpften. Sogar die Fliegen. Diejenigen, die überwintert hatten, und auch die eben aus den Larven geschlüpften krochen hervor, dick, weich, schwarz oder klein und schleimig, alle noch unfähig, sich in die Luft zu erheben, bald Hunderte, ein Holzkeller voll Fliegen, wälzten sich in breiter Front durch den Gang, stießen sich, schoben sich gierig übereinander, die Sonne zog sie an, eine ganze Armee auf einknickenden Beinen, angeschlagen vom Winter, plötzlich mutig aus einem dunklen Drang, und die mit den noch hauchzarten Adern wild zitternd hinter den Alten, Weichen her, so krochen sie weiter bis in unseren Raum, wo die Nachtkälte sie überraschte. Wir fanden sie halb erstarrt, während wir unsere Hindenburglichter schwenkten, wie schwarzer Auswurf den Boden bedeckend. Jemand preßte die Zähne aufeinander und fing an, methodisch auf dem Geschmeiß herumzutrampeln.

Das war er. Vor dem Spiegel drückte er an seinen Pusteln, rasieren lohnte sich bei ihm nicht. Mann Gottes! sagte er zu mir, wenn wir, Suppe im Kochgeschirr zwischen den Knien, allein auf den Matratzen hockten, ich hau ab, verstehst du? Bei der ersten besten Gelegenheit hau ich ab. Es war nicht leicht, etwas darauf zu erwidern. Du bist in diesem Haufen noch der Feinste, sagte er, aber es hilft dir nichts. Auch du schlägst dich für die Hunde, die meine Mutter im Zuchthaus bewachen. Er hatte einen Ausschlag und Frostbeulen an den Händen. Den Keim des Zweifels hatte seine Mutter gepflanzt, der war hochgeschossen in ihm und stieß Zweige in alle Richtungen, in denen er Erwägungen anstellte. Der Vater abgeknallt, dachte er, das Land abgebrannt, nur der Wahnsinnige lebt einen guten Tag in seinem Bunker und läßt uns hier alle verrecken. So ähnlich dachte er und teilte unsere Welt grob in Schlächter, Heuchler und Tote. Über die andere Seite, auf die er wollte, schwieg er, fuhr uns höchstens über den Mund: Wir wüßten bloß, was uns die Propaganda auftische, lauter Greuel.

Er machte es einem schwer, und doch sprach ich gern mit ihm, sogar noch im Schlaf, denn ich liebte seine Stimme, die Brauen, die er zusammenzog, wenn er etwas gegen mich in seinem Herzen erwog. Ich schoß in die Luft, damit kein Blut durch meine Schuld den Schnee färbte, aber was war damit schon getan! Der Junge hatte recht, wir alle waren Feiglinge. Unerbittlich hätten wir sein müssen gegen diesen Staat, von Anfang an. Jetzt war es zu spät, sich auf die andere Seite zu schlagen, um ihn zu vernichten. Das Ende war da.

Abgekämpft, durchkältet lag ich im Keller, bei ausgepustetem Licht, nur in meinem Kopf wurde es nicht dunkel. Ich hörte die Atemzüge meines Nachbarn. Durchschaute er unsere Lage wirklich? Manchmal fand ich, daß er nicht erfahren genug war und die komplizierten Dinge in ein glattes Ja oder Nein umdachte. Nichts war simpel. Allein schon das Schießen, wohin führte es! Meine Luftschüsse waren unnütz, gewiß, und doch wollte ich, daß eine Art Verteidigung dabei herauskäme. Ich wollte keinen Menschen umbringen, aber entschlossen war ich, den Namen Gottes mit dem Körper zu decken, ich bestand darauf, daß er laut, mit Verehrung, ausgesprochen werden durfte. Diese Freiheit hatten wir unserem Staat abgerungen, nun galt es, ihn auch vor denen in Schutz zu nehmen, die ihn nicht nur leugneten, sondern zu bekämpfen allen zur Pflicht machten, jenen, die jetzt zurückschossen und uns endgültig schlagen würden. Ich hatte die Waffen nicht gesegnet. Dennoch war ich überzeugt, daß wir nicht zusehen durften, wenn Gottes Name einem menschlichen zuliebe vom Boden vertilgt werden sollte.

Der Junge sagte: Du bist nicht ehrlich. Gut, daß du wenigstens darunter leidest. Ich war Funker und unglücklich über das Schnellfeuergewehr in meinen Händen. Ja, ich gehörte zu den Brüdern, die zur Zeit den Teufel hatten, ich wollte sie nicht aufgeben, weil sie mir die Freiheit ließen, Gott für sie zu bitten. Was sollte ich auf der Gegenseite? Dort drüben, wo selbst solche Gedanken strafbar waren?

Soviel kommt heraus, wenn man sich mitten im Winter besinnt. Vorgänge, die man heute kühl als kriegerische Maßnahmen bezeichnen könnte, lassen sich angesichts des Flockenfalls nachempfinden, bis zu einem gewissen Grad. Von heute gesehen ist meine damalige Haltung katastrophal, unverantwortlich. Doch heute wie gestern fällt jeder Schnee nur vorläufig, was ist ein für allemal wahr? Andere Jahreszeiten, andere Wahrheiten, ich sage das nicht leichtfertig, um mich zu schonen. Das Heute kann uns anstarren wie ein Ölgötze, daß uns schwarz vor den Augen wird. Damals ging es ums Leben. Nicht zu vergessen: um das gemeinsame Leben! Ich war ein Mann, der eine Frau und ein Kind hatte, eine Gemeinde, ein Volk, ich war verstrickt, und solange ich lebe, wird sich das nicht ändern, tue ich dem einen wohl, so tue ich dem anderen weh.

Eure Kirchen, prophezeite der Junge, werden immer leerer werden, du wirst es noch erleben, wie sie einfallen ohne einen Stoß. Ich erinnere mich genau, wie wütend er es sagte und daß er keine Erklärung dazu gab. Dachte er an eine neue, alles in den Schatten stellende Verfolgung? Oder ahnte er, was ich heute weiß? Kein Volk hat den Namen Gottes gepachtet. Er steht und fällt auch nicht mit einer einzigen Himmelsrichtung, denke ich. O es ist nicht leicht, das einzusehen. Denn solange es uns Menschen gibt, haben wir ihn abhängig gemacht von unserem Existieren, Überleben.

Klar, daß sich jemand von dem kompromißlosen Geist eines Neunzehnjährigen nicht durch Überlegungen abbringen läßt, wie ich sie damals halb aus Sorge, halb aus Notwehr anstellte. Schließlich versuchte ich mit der reinen Vernunft bei ihm zu landen. Er war so zornig, daß er sich die Lippen blutig biß, um mir nicht seine Verachtung ins Gesicht zu schleudern. Und so hilflos war er als Überläufer, daß er, während sich die Front auflöste, unseren linken Nachbarn für den Feind hielt und erleichtert sein weißes Hemd überm Kopf schwenkte. Man riß es ihm aus der Hand und schleifte ihn umgehend zu uns zurück, mit Ketten eines Pferdegeschirrs gefesselt.

Einen halben Tag saß er bequem im Kommandeurswagen, während die Reste unserer Division sich weiter absetzten, fahrend wurde er verhört, verurteilt. Dann herrschte ein Schneetreiben, das wir ausnutzten, um uns in einem Dorf zwischen vereisten Wasserarmen zu verbarrikadieren. Den ganzen Tag über blieb es dunkel, Wind und Schnee wehten auch über Nacht. Niemand konnte den zuständigen Truppenpfarrer verständigen. Ich bat, mit dem Verurteilten sprechen zu dürfen. Er lag auf einer Ofenbank im Finstern, in das mit Stablampen hineingeleuchtet wurde, weil auch in dieser Gegend die E-Werke nicht mehr arbeiteten. Als der Verurteilte sich aufsetzte, klingelten die Pferdeketten. Man sperrte uns beide in der Finsternis ein, ich hörte draußen das Stampfen von Stiefeln und Waffen, halblaute Flüche, und ich nahm eine Zeitlang nicht viel mehr wahr als einen kleinen schemenhaften Fleck etwa in Augenhöhe.

Was soll man zu einem Leben sagen, das, kaum zu sich selbst gekommen, in einigen Stunden wie ein Hundeleben ausgehen wird? Wem war mit einem solchen Bruchstück gedient? Zwei Sperlinge um einen Pfennig. Er, mir nur noch als Schemen gegenüber, zählte er wirklich mehr als so ein Federbalg? Ruhig begann er zu sprechen, seine Stimme klang zum Verwundern unbekümmert. Ob wir im Verlauf des Tages Verluste gehabt hätten? Ob Briefe für mich angekommen wären? Hinter dem Schneesausen erschütterten die Abschüsse der Geschütze die Nacht. Kann ich dir helfen? fragte ich. Er dachte eine Weile nach. Im linken Stiefel habe ich etwas Geld, sagte er dann. Zieh es heraus, schick es meiner Mutter und grüße sie von mir. Vielleicht kommt die Post noch durch. Er sagte: Ich weiß, du kommst nicht, um mich zu erpressen. Bin ich unbußfertig? Ich danke dir, daß du gekommen bist, aber Erklärungen helfen mir jetzt nicht mehr. Wozu Worte? – Und doch sprach er weiter und erzählte von einem Hügel, auf dem er mit seinem Vater aus Sperrholz und Papier gebaute Modelle sanft in die Luft gestoßen hatte. Einige segelten sehr weit, erzählte er, gingen verloren. Aber gerade die machten uns glücklich.

Ob er recht hatte, daß Worte am Ende tatsächlich nichts ausrichten können? Doch woher bekommt man die Kraft, ruhig zu bleiben? Wie kam es, daß er gerade in diesem Augenblick die Welt nicht verklagte, daß er mich nicht beschwor, seinen Tod zu verhindern? Wie ertrug er den wahnwitzigen Gedanken, morgen um eine bestimmte Uhrzeit nicht mehr am Leben zu sein? Gut, ich schwieg. Es war besser, ihn Gott allein zu überlassen. In meiner Tasche steckten mehrere Riegel Schokolade, ich schämte mich nicht, sie ihm anzubieten. Wirklich, er kaute gelassen ein Stück ums andere, aß die halbe Tafel auf. Ich aber unternahm von neuem den Versuch, zu begreifen, wie es gekommen war, daß er die Sprache Gottes an diesem Punkt ausschlagen konnte – nicht hochmütig, nicht unverfroren, nein, mit einer leichten, gelassenen, am Klingen der Fesselung zu erratenden Handbewegung. Einer seiner Sätze fiel mir ein: Ihr habt schon zu oft den Namen mißbraucht, ihr müßt schweigen. Jetzt sagte er unverhofft: Wenn du ein Streichholz hättest! Ein einziges. Ich möchte noch einmal klar sehen.

Viel bin ich seit jener Nacht wohl nicht klüger geworden. Hier in den Bergen schert es niemanden, schon gar nicht die paar Sommer- und Wintergäste in meiner Kirche. Doch seit sich damals die Nacht aufhellte, die Flocken im Schimmer wie große Fliegen über den totenstillen Gefechtsstand herfielen, seitdem glaube ich, daß die Mißachtung jenes gewissen Namens nicht seinem Träger, sondern allein uns gilt, uns, den Hirten und Lehrern, die wir ihn im Munde führen. Es ist unsere Strafe. Stück um Stück wird uns der Halt entrissen, der Rückhalt dieser Welt, bis wir endlich den Mut finden, uns auf nichts weiter zu verlassen als auf das Wort, das uns gegeben ist.

Wenn eines Tages aber auch das Wort keinen mehr erreichen wird? Gras über unsere Kirchen gewachsen ist? Jesus Christus, wer wagt es sich auszudenken? Kann unsere Schuld wirklich so schwer sein? Ausgerechnet bei dem Gedanken überkommt mich plötzlich eine sonderbare Zuversicht. Dieser furchtbare Morgen vor so vielen Jahren bestärkt mich: der Kommandeur, bei dem ich mich noch einmal melde, um für den Verurteilten zu bitten, und der mich dann mit einem Wink abtreten läßt, ohne auch nur eine Silbe zu erwidern, als wäre ich nicht bei Trost, die Korporalschaft hinter der Scheune beim Fassen von Patronen und Schnaps; der Verurteilte selbst, der jede Begleitung ablehnt und den ich von außen noch mit einem letzten Blick durch die halb von Eisblumen überzogenen Scheiben erreiche. All die Bilder und Fetzen passieren mein steinaltes Haus und verleihen mir Kraft. Ich sehe, sogar die äußerste Verlassenheit läßt sich ohne den Beistand von Worten ertragen. Es muß etwas geben, das wortlos wirkt. Gott ist mehr, als Worte verbürgen. Es wird gut sein, darüber zu schweigen.

Jetzt aber wünsche ich mir einen strengen Frost, der in den pappigen Schnee fährt, sämtliche Bakterien vernichtet und uns alle zum Erröten bringt. Ich bilde mir ein, wieder die Pferde des Gastwirts zu hören, in dem von mir nicht benötigten Stall, ungeduldig trommelnd, weil man ihnen die Straße nicht freigibt. Ja, ins Gebirge verschlagen! Ja, die Sache des Glaubens, denke ich, unsere verfahrene Sache. Und ich hoffe fest, *einer* wird sie zu Ende führen – aber ich will schweigen. Und wirklich, zum Schluß möchte ich nichts anderes als ein leichtes schönes Gespann. Denn es wird weit zu fahren haben, über das Gebirge hinweg, hinaus über diesen Winkel des Weltalls, weit hinaus. Ein feuriger Wagen wird es sein müssen. Ich hätte gern Elias Pferde.

GUY DE MAUPASSANT

Dreikönigstag

»Ah!« sagte der Hauptmann, Graf von Garens, »das will ich
glauben, daß ich mich noch an jenes Dreikönigsmahl während des Krieges erinnere!«

Ich war zu jener Zeit Quartiermeister bei den Husaren und
trieb mich seit vierzehn Tagen rekognoszierend vor einer
deutschen Vorhut herum. Am Abend zuvor hatten wir einige
Ulanen niedergesäbelt und drei Mann verloren, darunter
den armen, kleinen Raudeville. Sie erinnern sich doch, Joseph de Raudeville.

Nun, an diesem Tage befahl mir mein Hauptmann, zehn
Reiter zu nehmen und das Dorf Porterin, in dem wir uns in
drei Wochen fünfmal geschlagen hatten, zu besetzen und es
die ganze Nacht zu bewachen. Nicht zwanzig Häuser blieben
stehen in diesem Wespennest, nicht zwölf Personen blieben
am Leben.

So nahm ich denn die zehn Reiter und brach gegen vier
Uhr morgens auf; in tiefer Nacht erreichten wir die ersten
Mauern von Porterin. Ich ließ anhalten und befahl Marchas,
ihr wißt doch, Pierre de Marchas, der seither die junge Martel-Auvelin, die Tochter des Marquis de Martel-Auvelin, geheiratet hat, ins Dorf zu gehen und mir Auskunft zu bringen.

Ich hatte nur Freiwillige, alle aus guter Familie, ausgesucht. Es macht Spaß, im Dienst keine Schafsköpfe duzen zu
müssen. Dieser Marchas war gewandt wie kaum einer,
schlau wie ein Fuchs und geschmeidig wie eine Schlange. Er
verstand es, die Preußen aufzuspüren, wie ein Hund einen
Hasen, Lebensmittel zu finden, wo wir ohne ihn vor Hunger
umgekommen wären. Er erhielt Auskünfte von allen Seiten,
und zwar immer sichere Auskünfte, die er sich mit unvor-
stellbarer Geschicklichkeit verschaffte.

Nach zehn Minuten kehrte er zurück.

»Es geht gut«, sagte er, »seit drei Tagen ist kein Preuße hier
vorbeigekommen. Es ist unheimlich, dieses Dorf. Ich habe

mit einer barmherzigen Schwester gesprochen, die in einem verlassenen Kloster vier oder fünf Kranke betreut.«

Ich befahl vorzurücken, und wir drangen in die Hauptstraße ein. Rechts und links konnte man Hausmauern ohne Dächer, kaum sichtbar in der finsteren Nacht, wahrnehmen. Da und dort schimmerte ein Licht hinter einer Scheibe. Eine Familie war geblieben, um ihr fast unbeschädigtes Haus zu bewachen, eine Familie braver oder armer Leute. Dann fing es an zu regnen; es war ein feiner, eisiger Regen, in dem wir froren, ehe wir durchnäßt waren, einzig durch sein Niederrinnen an den Mänteln. Die Pferde stolperten über Steine, Balken, Möbel. Marchas führte uns. Er ging zu Fuß vor uns her und zog sein Pferd am Zügel nach.

»Wohin führst du uns?« fragte ich.

Er antwortete:

»Ich weiß ein Nachtquartier, ein feines.«

Bald blieb er vor einem kleinen, bürgerlichen Hause stehen. Es war unbeschädigt; wohlverschlossen stand es an der Straße mit einem Garten auf der Rückseite.

Mit einem großen Stein, den er vor dem Gitter aufgelesen, sprengte Marchas das Schloß, stieg die Vortreppe hinauf, stieß mit Fußtritten und Schulterstößen die Eingangstüre ein, zündete ein Kerzenstümpfchen an, das er immer bei sich trug, und ging uns voran in eine gute, komfortable Wohnung reicher Privatleute. Er führte uns sicher, mit einer so wunderbaren Sicherheit, als habe er in diesem Hause, das er doch zum ersten Male sah, schon gelebt.

Zwei Mann blieben draußen, um unsere Pferde zu bewachen.

Marchas sagte zum dicken Ponderel, der ihm folgte:

»Die Ställe müssen zur Linken sein; ich habe das beim Eintreten bemerkt. Geh und stelle die Pferde ein. Wir benötigen sie nicht mehr.«

Dann wandte er sich mir zu und sagte:

»Gib deine Befehle, *sacrebleu!*«

Ich staunte immer wieder über diesen Burschen. Lachend antwortete ich:

»Ich werde meine Schildwachen am Eingang des Dorfes aufstellen und dich hier wieder treffen.«

Er fragte:

»Wieviel Mann nimmst du mit?«

»Fünf. Die andern werden sie um zehn Uhr abends ablösen.«

»Gut, laß mir vier Mann, um Vorräte einzuholen, die Küche zu besorgen und den Tisch zu decken. Wo der Wein versteckt ist, werde ich schon aufspüren.«

Ich ging die verlassenen Straßen bis an den Rand der Ebene rekognoszieren, um meine Schildwachen aufzustellen.

Nach einer halben Stunde war ich wieder zurück. Ich fand Marchas in einem großen Voltaire-Fauteuil liegen, von dem er aus Luxusbedürfnis den Überzug weggenommen hatte. Er wärmte sich die Füße am Feuer und rauchte eine ausgezeichnete Zigarre, deren Duft den Raum erfüllte. Er war allein; die Ellbogen auf den Armlehnen aufgestützt, den Kopf zwischen den Schultern, mit rosigen Wangen, glänzenden Augen und seligem Gesicht lag er da.

Aus dem anstoßenden Raum vernahm ich das Klirren von Geschirr. Marchas sagte mit glückseligem Lächeln:

»Es klappt alles. Ich habe den Bordeaux im Hühnerhof gefunden, den Champagner unter den Stufen der Vortreppe, den Branntwein – fünfzig Flaschen vom Allerfeinsten – im Krautgarten unter einem Birnbaum, der mir beim Schein der Laterne recht krumm erschien. Als feste Speisen haben wir zwei Hühner, eine Gans, eine Ente, drei Tauben und eine Schwarzdrossel, die wir in einem Käfig entdeckt haben; also nur Federvieh, wie du siehst. Das alles wird bereits gebraten. Ein herrliches Land!«

Ich saß ihm gegenüber; die Flammen im Kamin rösteten mir Wangen und Nase.

»Woher hast du denn das Holz?« fragte ich.

»Prächtiges Holz, vom Herrschaftswagen; die Malerei, ein wenig Punschessenz und Firnis bringen dieses lodernde Feuer zustande. Feines Haus!«

Ich lachte, so drollig fand ich den Jungen. Er fuhr fort:

»Und zu denken, daß wir heute Dreikönigstag haben! Ich habe eine Bohne in die Gans gesteckt. Aber eine Königin haben wir nicht... Langweilige Geschichte!«

»Langweilige Geschichte!« wiederholte ich wie ein Echo.
»Aber, was läßt sich da machen?«

»*Parbleu*, einige auftreiben!«

»Was auftreiben?«

»Frauen.«

»Frauen? Bist du verrückt?«

»Ich habe sogar Branntwein unter einem Birnbaum gefunden und Champagner unter den Stufen der Vortreppe. Dabei hatte ich nicht die geringsten Anhaltspunkte. Für dich jedoch ist ein Weiberrock immerhin ein sicheres Merkmal. Such, mein Alter, such!«

Er machte eine so ernste, so siegesgewisse Miene, daß ich nicht mehr wußte, ob er scherzte.

Ich erwiderte:

»Hör mal, Marchas, du schwatzest Unsinn.«

»Im Dienst schwatze ich nie Unsinn.«

»Aber wo, zum Teufel, soll ich Frauen hernehmen?«

»Wo du willst. Es müssen noch einige im Dorfe sein. Stöbere sie auf und bring sie her.«

Ich erhob mich. Es war zu warm an diesem Feuer. Marchas begann von neuem:

»Soll ich dir eine Idee geben?«

»Ja.«

»Geh zum Pfarrer.«

»Zum Pfarrer? Wozu?«

»Lade ihn zum Abendessen ein und bitte ihn, eine Frau mitzubringen.«

»Den Pfarrer? Und eine Frau? Ha, ha, ha!«

Marchas wiederholte mit ungewohntem Ernst:

»Lach nicht! Geh zum Pfarrer und erkläre ihm unsere Situation. Er muß sich schrecklich langweilen, er wird kommen. Aber sag ihm, daß wir mindestens eine Frau haben müssen; eine anständige Frau selbstverständlich, da wir doch alle Weltmänner sind. Er muß seine Pfarrkinder an den Fingerspitzen kennen. Wenn er eine passende weiß und du es gut anstellst, wird er dich schon auf sie aufmerksam machen.«

»Was fällt dir ein, Marchas? Woran denkst du?«

»Mein lieber Garens, du wirst das schon zustande bringen,

sehr gut sogar. Das wäre wirklich sehr lustig. Wir wissen zu leben, *parbleu!* Und wir werden uns vollendet benehmen, mit äußerster Galanterie. Nenne dem Pfarrer unsere Namen, bring ihn zum Lachen, rühre ihn, verführe ihn, bring ihn dazu, daß er's tut!«

»Nein, das ist unmöglich!«

Er rückte seinen Fauteuil näher, und da der Mensch meine schwachen Seiten kannte, fuhr er fort:

»Stell dir vor, wie fein und amüsant müßte es sein, so etwas zu erleben und zu erzählen. Man würde in der ganzen Armee davon sprechen, und du könntest dir gewaltigen Ruhm erwerben.«

Ich zögerte, schon verlockt von diesem Abenteuer. Er drängte immer mehr:

»Nun, nun, mein Garens, du bist Departementschef, du allein darfst in diesem Dorfe das Oberhaupt der Kirche aufsuchen. Ich bitte dich, geh! Ich werde diese Geschichte in Verse bringen und nach dem Krieg in der *Revue des Deux Mondes* veröffentlichen; das versprech' ich dir. Du schuldest das deinen Mannen, du läßt sie seit einem Monat genug marschieren.«

Ich erhob mich und fragte:

»Wo ist das Pfarrhaus?«

»Du gehst durch die zweite Straße zur Linken, die in eine Avenue mündet; an deren Ende findest du die Kirche und daneben das Pfarrhaus.«

Ich ging hinaus, er schrie mir nach:

»Sag ihm das Menü, damit ihn danach gelüstet.«

Mühelos fand ich das kleine Haus des Geistlichen; es stand neben einer großen häßlichen Kirche aus Backsteinen. Ich schlug mit Fäusten an die Türe, die weder Klingel noch Türklopfer hatte. Aus dem Innern des Hauses ertönte eine laute Stimme:

»Wer ist da?«

Ich antwortete:

»Der Quartiermeister der Husaren.«

Nun vernahm ich, wie der Riegel zurückgeschoben und der Schlüssel gedreht wurde. Ich stand vor einem mächtigen, beleibten Priester, mit dem Brustkasten eines Ringers. Die zurückgekrempelten Ärmel ließen ungeheure Hände frei. Er hatte einen rötlichen Teint und das Aussehen eines braven Mannes.

Ich salutierte militärisch:

»Guten Tag, Herr Pfarrer.«

Er hatte eine Überraschung, vielleicht eine Falle von Herumstreichern befürchtet. Nun sagte er lächelnd:

»Guten Tag, mein Freund, treten Sie ein.«

Ich folgte ihm in ein kleines Zimmer mit roten Fliesen, in dem ein armseliges Feuer – ganz verschieden von dem in Marchas' Kamin – brannte.

Er deutete auf einen Stuhl und sagte:

»Womit kann ich Ihnen dienen?«

»Herr Pfarrer, erlauben Sie zuerst, daß ich mich Ihnen vorstelle.«

Ich reichte ihm meine Karte. Er nahm sie und las halblaut:

»Graf von Garens.«

Dann fuhr ich fort:

»Wir sind hier elf Mann, fünf Kavalleriefeldwachen und sechs Husaren, die bei einem unbekannten Bewohner einquartiert sind. Und diese sechs heißen: Garens – der hier vor Ihnen steht –, Pierre de Marchas, Ludovic Ponderel, Baron d'Etreillis, Karl Massouligny, der Sohn des Malers, und Joseph Herbon, ein junger Musiker. Ich komme in ihrem und in meinem Namen, Sie zu bitten, mit uns zu Nacht zu speisen. Heute ist Dreikönigstag; es wird also ein königliches Nachtmahl sein, und wir möchten es ein wenig fröhlich gestalten.«

Der Priester lächelte und murmelte:

»Mich dünkt, es sei nicht gerade die Zeit, sich zu amüsieren.«

Ich antwortete:

»Wir schlagen uns alle Tage, Herr Pfarrer. Vierzehn unserer Kameraden sind vor einem Monat schon gefallen, und drei sind gestern liegengeblieben. Das ist der Krieg. Jeden Augenblick setzen wir unser Leben aufs Spiel. Haben wir daher nicht das Recht, es fröhlich zu verspielen? Unsere Väter lachten noch auf dem Blutgerüst. Heute abend möchten wir uns ein wenig entspannen wie anständige Menschen, nicht wie Kriegsknechte, wohlverstanden. Haben wir unrecht?«

Er antwortete lebhaft:

»Sie haben recht, mein Freund, und ich nehme Ihre Einladung mit großem Vergnügen an.«

Dann rief er: »Hermance!«

Eine alte Bäuerin erschien, gebückt, verrunzelt, schrecklich anzusehen.

»Was ist los?« fragte sie.

»Ich esse nicht hier, meine Tochter.«

»Wo essen Sie denn?«

»Mit den Herren Husaren.«

›Bringen Sie doch Ihre Haushälterin mit‹, hätte ich am liebsten gesagt, nur um Marchas' Gesicht zu sehen. Aber ich wagte es nicht. So sagte ich:

»Gibt es unter Ihren Pfarrkindern, die im Dorfe geblieben sind, nicht einen oder eine, die ich ebenfalls einladen könnte?«

Er zögerte, überlegte und erklärte:

»Nein, niemand.«

Ich drängte:

»Niemand? ... Denken Sie ein wenig nach, Herr Pfarrer. Es wäre doch sehr galant, Damen dabei zu haben. Ich meine Eheleute! Was weiß ich, vielleicht den Bäcker mit seiner Frau, den Krämer ... den ... den ... Uhrmacher ... den Schuster ... vielleicht gar den Apotheker mit der Apothekerin ... Wir haben ein feines Nachtmahl mit Wein und würden uns freuen, wenn uns die Leute hier in guter Erinnerung behalten würden.«

Der Pfarrer sann lange nach, dann sagte er entschlossen:
»Nein, niemand.«

Ich begann zu lachen:

»*Sapristi*, Herr Pfarrer, das ist schon eine leidige Geschichte, keine Königin zu haben, haben wir doch eine Bohne in die Gans gesteckt. Nun, besinnen Sie sich noch einmal. Gibt es denn keinen verheirateten Bürgermeister, keinen verheirateten Adjunkt, keinen verheirateten Stadtrat oder Lehrer? ...«

»Nein, die Damen sind alle fort.«

»Wie, es gibt in dieser ganzen Gegend keine einzige brave Bürgerin mit ihrem Gatten, denen wir eine Freude machen könnten – denn sicher wäre es unter den gegebenen Umständen eine Freude für sie, und zwar eine große...«

Plötzlich aber begann der Pfarrer zu lachen; es war ein schallendes Gelächter, das ihn ganz schüttelte, und er rief:

»Ha, ha, ha, jetzt weiß ich, was Sie brauchen, Jesus Maria; ha, ha, ha! Wir werden jetzt etwas zu lachen haben, meine Kinder! Ach, wie werden sie lachen, und Sie werden sehr zufrieden sein... Wo logieren Sie?«

Ich beschrieb ihm das Haus, und er begriff.

»Sehr gut, es ist das Besitztum von Monsieur Bertin-Lavaille. Ich werde also in einer halben Stunde mit vier Damen erscheinen!!!... Vier Damen, ha, ha, ha!«

Lachend begleitete er mich hinaus. Als er mich verließ, wiederholte er:

»Gut, in einer halben Stunde also, Haus Bertin-Lavaille.«

Ich kehrte rasch zurück, sehr erstaunt und irgendwie beunruhigt.

»Wie viele Gedecke?« rief Marchas, als er mich erblickte.

»Elf. Wir sind sechs Husaren, plus den Pfarrer und vier Damen.«

Er war verblüfft, ich triumphierte.

Er wiederholte: »Vier Damen, sagst du?«

»Vier Damen, sage ich.«

»Wirkliche Frauen?«

»Wirkliche Frauen.«

»Donnerwetter! Mein Kompliment.«

»Ich nehme es an; ich verdiene es.«

Er erhob sich aus seinem Fauteuil, öffnete die Türe, und ich erblickte ein weißes Tuch über einer langen Tafel, auf die drei Husaren in blauen Schürzen Teller und Gläser verteilten.

»Wir werden Frauen haben!« schrie Marchas, und die drei Männer begannen unter Händeklatschen um den Tisch herumzutanzen. Alles war bereit. Wir warteten; beinahe eine Stunde warteten wir. Ein köstlicher Duft von gebratenem Geflügel erfüllte das ganze Haus.

Ein Klopfen am Fensterladen ließ uns alle zugleich auffahren. Der dicke Ponderel lief hinaus, um zu öffnen, und nach kaum einer Minute erschien eine kleine Frau, eine barmherzige Schwester, unter der Türe. Sie war mager, runzlig, schüchtern und begrüßte die vier bestürzten Husaren, die sie eintreten sahen, einen nach dem anderen. Hinter ihr erscholl das Geklopfe von Krücken und Stöcken auf den Fliesen des Vestibüls. Sobald sie den Salon betreten hatte, bemerkte ich, eine der andern folgend, drei alte Frauen in weißen Häubchen. Schwankend, die eine nach rechts, die andre nach links, näherten sie sich. Schließlich standen drei alte Frauen vor uns, hinkend, ein verkrüppeltes Bein nachschleppend und vom Alter verunstaltet; drei aus dem Dienst entlassene gebrechliche Schwestern, die drei einzigen Pensionärinnen der Anstalt, die noch gehen konnten. Schwester Saint-Benoît, die Leiterin des Krankenhauses, wandte sich nun voller Wohlwollen ihren Invaliden zu. Als sie meine Quartiermeister-Galons entdeckte, sagte sie:

»Ich danke Ihnen sehr, Herr Offizier, daß Sie an diese armen Frauen gedacht haben. Ihr Leben ist arm an Freuden. Sie erweisen ihnen mit dieser Einladung ein großes Glück und eine große Ehre.«

Da erst entdeckte ich im Dunkel des Ganges den Pfarrer, der herzlich lachte. So begann auch ich zu lachen, wobei ich vor allem Marchas' Gesicht anblickte. Danach wies ich der Nonne Stühle an.

»Setzen Sie sich, meine Schwester. Wir sind stolz und sehr glücklich, daß Sie unsere bescheidene Einladung angenommen haben.« Sie nahm drei Stühle von der Wand, stellte sie ans Feuer und führte die drei Frauen hin; sie half einer jeden, sich zu setzen, nahm ihr Stock und Umhang weg und versorgte sie in einem Winkel. Dann deutete sie auf die erste, eine magere Frau mit einem mächtigen Bauch, die bestimmt wassersüchtig war.

»Das ist *Mère* Paumelle, deren Mann von einem Dach zu Tode gestürzt und deren Sohn in Afrika gefallen ist. Sie ist zweiundsechzig Jahre alt.«

Darauf wies sie auf die zweite hin, eine lange Gestalt, deren Kopf von unaufhörlichem Zittern befallen war:

»Und diese hier ist *Mère* Jean-Jean; sie ist siebenundsechzig und beinahe blind; sie verbrannte sich das Gesicht bei einer Feuersbrunst und zur Hälfte auch das rechte Bein.«

Endlich zeigte sie uns die dritte, eine Art Zwergin mit runden, vorquellenden Augen, die sie blöde nach allen Seiten hin rollte.

»Und das ist die schwachsinnige Putois. Sie ist erst vierundsechzig.«

Ich begrüßte die drei Damen, als hätte man mir königliche Hoheiten vorgestellt. Dann wandte ich mich an den Pfarrer.

»Sie sind ein wertvoller Mensch, Herr Pfarrer, wir schulden Ihnen alle großen Dank!«

Alles lachte, außer Marchas, der wütend schien.

»Unsere Schwester Saint-Benoît, es ist serviert!« rief plötzlich Karl Massouligny.

Ich ließ sie vor dem Pfarrer eintreten. Dann hob ich *Mère* Paumelle von ihrem Sitz, nahm sie beim Arm und schleppte sie ins anstoßende Zimmer; nicht ohne Mühe, denn ihr aufgedunsener Leib schien schwerer als Eisen.

Der dicke Ponderel kümmerte sich um *Mère* Jean-Jean, die nach ihrer Krücke jammerte. Der kleine Joseph Herbon geleitete die schwachsinnige Putois in das von Bratenduft erfüllte Eßzimmer.

Kaum saßen wir vor unseren Tellern, klatschte die Schwester dreimal in die Hände, und die Frauen schlugen mit der Präzision von Soldaten, die ihre Waffen präsentieren, ein rasches Kreuz. Dann sprach der Priester langsam die lateinischen Worte des *Benedicete*.

Man setzte sich, und die beiden Hühner erschienen, aufgetragen von Marchas, der servieren wollte, um nicht als Gast an diesem lächerlichen Mahl teilnehmen zu müssen.

Aber ich rief: »Rasch den Champagner her!«

Mit dem Knall eines Pistolenschusses sprang der Zapfen, und trotz des Widerstrebens des Pfarrers und der barmherzigen Schwester zwangen die drei Husaren die an ihrer Seite sitzenden Frauen, ihre gefüllten Gläser zu leeren.

Massouligny, der die Gabe hatte, sich überall zu Hause zu fühlen und mit allen gut Freund zu sein, machte Mère Paumelle auf die drolligste Weise den Hof. Die Wassersüchtige, stets guten Mutes trotz all ihrer Übel, ging darauf ein und antwortete ihm mit ihrer Falsettstimme, die verstellt schien. Sie lachte so laut über die Neckereien ihres Nachbarn, daß ihr großer Bauch bereit schien, sich zu heben und über den Tisch zu rollen. Der kleine Herbon hatte sich vorgenommen, die Schwachsinnige trunken zu machen, und der Baron d'Etreillis, der kein leichtes Gemüt hatte, fragte die Jean-Jean über ihr Leben, ihre Gewohnheiten und die Spitalordnung aus.

Die entsetzte Nonne schrie plötzlich Massouligny zu:

»Oh, oh! Es wird ihr nicht guttun, machen Sie sie nicht so lachen, ich bitte Sie, Monsieur, oh, Monsieur!«

Dann erhob sie sich und warf sich über Herbon, um ihm ein volles Glas zu entreißen, das er jedoch blitzschnell zwischen die Lippen der Putois goß.

Der Pfarrer krümmte sich vor Lachen und sagte immer wieder zur Schwester:

»Lassen Sie doch, dieses eine Mal wird es ihnen nicht schaden, lassen Sie doch!«

Nach den drei Hühnern wurde die mit drei Tauben und einer Schwarzdrossel garnierte Ente gegessen. Dann kam die dampfende goldene Gans an die Reihe, die einen heißen Duft von gebratenem und fettem Fleisch verbreitete.

Die Paumelle, ganz erregt, klatschte in die Hände; die Jean-Jean antwortete nicht mehr auf die zahlreichen Fragen des Barons, und die Putois stieß ein Grunzen der Freude, halb Schreien, halb Stöhnen aus, ähnlich kleinen Kindern, denen man ein Bonbon zeigt.

»Gestatten Sie«, sagte nun der Pfarrer, »daß ich mich um dieses Tier bemühe? Ich verstehe mich wie keiner auf solche Operationen.«

»Gewiß, Herr Pfarrer.«

Und die Schwester sagte:

»Könnte man nicht ein wenig das Fenster öffnen? Sie haben zu warm. Sie werden bestimmt krank werden.«

Ich rief Marchas zu:

»Öffne einen Augenblick das Fenster.«

Er machte es auf, und die kalte Luft von draußen strömte herein, ließ die Kerzen flackern und den Dampf der Gans zu einer Spirale aufsteigen. Der Priester, eine Serviette um den Hals, löste kunstgerecht die Flügel.

Wir schauten ihm zu, gefesselt von dem verlockenden Tun seiner Hände, ergriffen von neuem Appetit beim Anblick des großen golden glänzenden Tieres, dessen Glieder nun eins nach dem andern in die braune Sauce auf dem Grunde der Schüssel sanken.

Da – mitten in die erwartungsvolle Stille erscholl durch das offene Fenster der ferne Knall eines Schusses. Ich fuhr so rasch auf, daß mein Stuhl rücklings umfiel; und ich schrie:

»Zu Pferd, alles zu Pferd! Du, Marchas, nimmst zwei Mann und gehst rekognoszieren. Ich erwarte dich hier in fünf Minuten.«

Während die drei Reiter im Galopp davonsprengten, warf ich mich an der Vortreppe mit den beiden andern Husaren in den Sattel, indes die verstörten Gesichter des Pfarrers, der Schwester und der drei Frauen am Fenster erschienen. Man hörte nichts mehr, nur vom Lande her fernes Hundegebell. Der Regen hatte aufgehört; es war kalt, sehr kalt. Bald vernahm ich wieder den Galopp eines Pferdes, eines einzigen Pferdes, eines einzigen Pferdes, das zurückkehrte.

Es war Marchas. Ich rief ihm zu:

»Nun?«

»Nichts«, antwortete er. »François hat einen alten Bauern verletzt, der sich auf das ›Wer da‹ zu antworten weigerte und trotz dem Befehl anzuhalten, weiterlief. Übrigens bringen sie ihn her. Wir werden ja sehen, was los ist.«

Ich befahl, die Pferde in den Stall zu bringen, und schickte den andern zwei Soldaten entgegen. Darauf kehrte ich ins Haus zurück. Dann holten der Pfarrer, Marchas und ich eine Matratze und brachten sie in den Salon, um den Verwundeten darauf zu betten. Die Schwester zerriß eine Serviette und begann Scharpie zu zupfen, während die drei Frauen in einem Winkel beisammensaßen.

Bald vernahm ich vom Straßenpflaster her Säbelgeklirr. Ich nahm eine Kerze, um den zurückkehrenden Männern zu leuchten. Sie tauchten auf mit ihrem reglosen Etwas, so weich, lang und unheimlich, wie der menschliche Körper eben wird, wenn das Leben ihn nicht mehr stützt.

Man legte den Verletzten auf die für ihn bereit gehaltene Matratze. Ich sah auf den ersten Blick, daß es ein Sterbender war. Er röchelte und spuckte Blut, das ihm aus den Mundwinkeln rann und bei jedem Aufstoßen vom Munde weggespien wurde. Der Mann war ganz davon bedeckt. Seine Wangen, sein Bart, seine Haare, sein Hals, seine Kleider schienen damit eingerieben, in einem Bottich voll roter Flüssigkeit gewaschen worden zu sein. Dieses Blut war auf ihm geronnen, war trüb und mit Straßenkot vermischt; es war furchtbar anzusehen.

Der Greis, in einen wollenen Hirtenmantel gehüllt, schlug ab und zu seine düsteren, erloschenen, gedankenlosen Augen auf; sie schienen stumpf vor Staunen, wie die Augen von Tieren, die vom Jäger getroffen, zu seinen Füßen liegen und ihn, schon halb tot, dumpf vor Verwunderung, anblicken.

Der Pfarrer rief:

»Ach, das ist doch Père Placide, der alte Hirte der Mühlen. Er ist taub, der Ärmste, er hat nichts gehört. Mein Gott, nun haben sie diesen Unglücklichen getötet.«

Die Schwester hatte Bluse und Hemd des Mannes zurückgeschoben und betrachtete mitten auf der Brust das kleine violette Loch, das nicht mehr blutete.

»Da ist nichts mehr zu machen«, sagte sie.

Der Hirte, schrecklich keuchend, spuckte bei jedem seiner letzten Atemzüge immer wieder Blut. Man hörte in seiner Brust und tief in seinen Lungen ein unaufhörliches, unheimliches Gurgeln.

Der Priester, der oben am Lager stand, hob seine rechte Hand, schlug ein Kreuz und sprach mit langsamer und feierlicher Stimme die lateinischen Worte zur Waschung der Seelen. Bevor er sie beendet hatte, wurde der Greis von einem leichten Schütteln ergriffen, als sei etwas in ihm entzweigegangen.

Er atmete nicht mehr. Er war tot.

Als ich mich umwandte, erblickte ich ein Schauspiel, das viel erschreckender war als der Todeskampf des Elenden. Die drei alten Frauen standen, eine häßlicher als die andere, dicht aneinander gedrängt, beisammen; ihre Züge waren verzerrt vor Angst und Grauen.

Ich näherte mich ihnen; da stießen sie gellende Schreie aus und versuchten zu fliehen, als wollte ich sie ebenfalls ermorden.

Die Jean-Jean, deren verbranntes Bein sie nicht mehr trug, stürzte längelang zu Boden.

Schwester Saint-Benoît verließ den Toten und lief zu ihren Schützlingen. Ohne ein Wort für mich, ohne einen Blick, hüllte sie die Frauen in ihre Umhänge ein, reichte ihnen die Stöcke, drängte sie zur Türe und verschwand mit ihnen im Dunkel der Nacht.

Ich begriff, daß ich sie nicht von einem Husaren begleiten lassen durfte, denn schon das Geräusch eines Säbels hätte sie zutiefst verstört.

Der Priester betrachtete immer noch den Toten. Als er sich mir endlich zuwandte, sagte er:

»Ach, wie häßlich ist das!«

13. Januar 1887

JACK LONDON

Das Feuer im Schnee

Der Tag war kalt und grau angebrochen, ungewöhnlich kalt und grau, als der Mann die Hauptschlittenbahn am Yukon verließ und den hohen Hang erkletterte, wo eine undeutliche und sehr wenig benutzte Schlittenbahn ostwärts durch das Land mit den dichten Kiefernwäldern führte. Es war ein sehr steiler Hang, und als er die Kuppe erreichte, blieb er stehen, um Atem zu schöpfen, was er vor sich selber damit entschuldigte, daß er auf die Uhr sah. Es war neun. Es gab weder eine Sonne noch die Andeutung einer Sonne, obwohl nicht eine Wolke am Himmel war. Es war ein klarer Tag, und doch schien ein dunkles Leichentuch über allen Dingen zu liegen, eine Dunkelheit, so unbestimmbar, daß man sie kaum fühlte, die aber doch den Tag dunkel und grau machte. Das kam, weil die Sonne fehlte, aber das störte den Mann nicht. Er war es gewohnt, daß es keine Sonne gab. Viele Tage waren vergangen, seit er die Sonne gesehen, und er wußte, daß noch mehr Tage vergehen würden, ehe der leuchtende Himmelskörper über den südlichen Horizont gucken würde, um gleich wieder seinem Blick zu entschwinden.

Der Mann warf einen hastigen Blick auf den Weg, den er gekommen war. Drunten lag, eine Meile breit, der Yukon, von einer drei Fuß dicken Eisrinde bedeckt. Diese Eisdecke wurde von einer ebenso dicken Schneeschicht bedeckt. Alles war rein und weiß und hob sich in weichen Wellenlinien an den Stellen, wo sich beim Zufrieren des Flusses das Eis gestaut hatte. Nach Norden und Süden, soweit das Auge reichte, erstreckte sich diese ununterbrochene weiße Fläche, nur eine haarscharfe dunkle Linie wand und schlängelte sich weiter im Norden, bis sie hinter einer mit Kiefern bestandenen Insel verschwand. Die dunkle, haarscharfe Linie war die Schlittenbahn – die Hauptbahn –, die fünfhundert Meilen südwärts bis zum Chilcootpaß, nach Dyea und dem Salzwasser, und siebzig Meilen nordwärts nach Dawson und weiter tausend Meilen nordwärts nach Nulato und schließlich noch fünfzehnhundert Meilen bis St. Michael an der Beringsee lief.

Aber alles das – die mystische, haarscharfe, weitreichende Schlittenbahn, der Umstand, daß keine Sonne am Himmel stand, die entsetzliche Kälte und das Wundersame und Unwirkliche, das über allem lag – alles das machte keinen Eindruck auf den Mann. Nicht die Gewohnheit vieler Jahre bewirkte das. Er war erst seit kurzem im Lande, ein Chechaquo, und es war sein erster Winter hier. Ihm fehlte es lediglich an Fantasie. Er hatte eine schnelle und sichere Auffassungsgabe für die Realitäten des Lebens, aber auch nur für eben die Realitäten und nicht für ihre Bedeutung. Fünfzig Grad unter Null bedeuteten für ihn einige achtzig Grad Frost. Es war für ihn gleichbedeutend mit Kälte und Unbehaglichkeit, aber das war auch alles. Es ließ ihn nicht über seine eigene Schwäche als die eines von Temperaturen abhängigen Geschöpfes oder über die Schwäche der Menschen im allgemeinen nachdenken, die ihnen nur erlaubte, innerhalb gewisser Wärme- und Kältegrade zu leben. Und ebensowenig ließ es ihn über die eventuelle Sterblichkeit und den Platz des Menschen im Universum grübeln. Fünfzig Grad unter Null bedeuteten Frostschäden, gegen die man sich durch den Gebrauch von Fäustlingen, Ohrenklappen, warmen Mokassins und dicken Sokken schützen mußte. Fünfzig Grad unter Null waren für ihn eben fünfzig Grad unter Null. Daß es etwas mehr bedeuten könnte – der Gedanke war ihm nie gekommen.

Als er sich anschickte, weiterzugehen, spuckte er nachdenklich aus. Ein knisterndes Geräusch wie von einer kleinen Explosion ertönte, daß er erschrak. Er spuckte nochmals. Und wieder knisterte der Speichel in der Luft, ehe er den Boden erreichte.

Er wußte, daß Speichel auf dem Schnee bei einer Temperatur von fünfzig Grad unter Null knisterte. Aber dieser Speichel hatte in der Luft geknistert. Es war also sicher kälter als fünfzig Grad unter Null – um wieviel kälter, konnte er nicht sagen. Aber die Temperatur war gleichgültig. Er mußte den alten Claim am linken Ufer des Henderson Creek erreichen, wo die Kameraden versammelt waren. Sie waren von jen-

seits der Wasserscheide aus dem Lande am Indian Creek ge-
kommen, während er diesen Umweg gemacht hatte, um zu
sehen, welche Möglichkeiten für einen Transport von Baum-
stämmen von den Inseln im Yukon im Frühling beständen.
Er sollte das Lager gegen sechs erreichen, allerdings erst nach
Einbruch der Dunkelheit, aber die andern waren schon dort
und empfingen ihn mit einem guten Feuer und warmem
Abendbrot. Und was sein Frühstück betraf, so preßte er die
Hand gegen den Packen, den er unter der Jacke, ja unter dem
Hemd, in ein Taschentuch eingepackt und direkt am bloßen
Körper trug. Das war die einzige Möglichkeit, die Keks am
Gefrieren zu hindern. Er lächelte behaglich bei dem Gedan-
ken an diese Keks, die in Fett getaucht und mit einer dicken
Scheibe gebratenen Specks belegt waren.

Er lenkte seine Schritte unter die großen Kiefern. Der Pfad
war sehr undeutlich. Es war ein ganzer Fuß Schnee gefallen,
seit der letzte Schlitten darüber hingefahren war, und er
freute sich, daß er keinen Schlitten hatte, sondern mit leichtem Gepäck reiste. Tatsächlich hatte er nichts zu tragen als
das in das Taschentuch eingepackte Frühstück. Aber er war
erstaunt über die starke Kälte. Es war grimmig kalt, wie er
sich sagte, als er sich die Hand im Fäustling rieb. Er hatte einen dicken, warmen Backenbart, aber der schützte nicht die
vorstehenden Backenknochen und die energische Nase, die
sich draufgängerisch in die eiskalte Luft streckte.

Dem Mann dicht auf den Fersen trottete ein großer Eski-
mohund, ein richtiger grauer Wolfshund, der sich weder
dem Äußern noch dem Wesen nach von seinem Bruder, dem
wilden Wolf, unterschied. Der Hund war ganz niedergeschlagen von der entsetzlichen Kälte. Er wußte, daß jetzt
nicht die richtige Jahreszeit zum Reisen war. Was sein Instinkt ihm sagte, war zuverlässiger als das, was der Verstand
des Mannes ihm sagte. Tatsächlich war es nicht nur kälter als
fünfzig Grad unter Null, es war kälter als sechzig Grad unter
Null, kälter als siebzig Grad unter Null. Es waren fünfundsiebzig Grad unter Null, und da der Gefrierpunkt zweiund-
dreißig Grad unter Null liegt, so bedeutete das hundertundsieben Grad Kälte. Der Hund wußte nichts vom Thermometer. Es war möglich, daß in seinem Gehirn kein klares Be-

wußtsein von sehr starker Kälte wie in dem des Mannes bestand. Aber der Hund hatte seinen Instinkt. Er fühlte eine
unbestimmte, nagende Furcht, die ihn unterjochte und
zwang, auf den Fersen des Mannes zu schleichen und jeder
ungewohnten Bewegung, die der Mann machte, mit großem
Interesse zu folgen, als erwarte er, daß er irgendwo Lager
oder Schutz suchen oder auch nur Feuer machen sollte. Der
Hund hatte gelernt, was Feuer war, und er wollte Feuer haben oder sich unter dem Schnee vergraben und die eigene
Körperwärme bewahren dürfen.

Die geforene Feuchtigkeit seines Atems hatte sich als feiner
Reif auf seinen Pelz gelegt, und namentlich Fang, Schnauze
und Augenbrauen waren ganz weiß von seinem kristallisier-
ten Atem. Der rote Schnurrbart und Backenbart des Mannes
waren gleichfalls mit Reif bedeckt, aber hier hatte die Ablage-
rung die Form einer ganzen Eisschicht angenommen, die jedesmal, wenn der warme, feuchte Atem der kalten Luft begegnete, schwerer wurde. Der Mann kaute auch einen
Priem, und so dicht waren seine Lippen von dem Maulkorb
aus Eis zusammengepreßt, daß er nicht imstande war, das
Kinn sauber zu halten, wenn er den Tabaksaft ausspie. Die
Folge war, daß sich auf seinem Kinn ein durchsichtiger Bart
von der Farbe und beinahe der Festigkeit von Bernstein gebildet hatte, der immer länger wurde. Wenn er fiel, mußte er
wie Glas zersplittern. Aber dem Mann war dieser Zuwachs
gleichgültig. Es war die Buße, die alle, welche Tabak kauten,
in diesem Lande bezahlen mußten, und er hatte schon zweimal richtige Kälte erlebt. Es war zwar nicht so kalt gewesen
wie jetzt, das wußte er gut, aber er hatte das Alkoholthermo-
meter in Sixty Mile gesehen und wußte, daß es fünfzig und
fünfundfünfzig Grad unter Null angezeigt hatte.

Ein paar Meilen wanderte er weiter durch das flache Waldland. Dann schritt er über eine breite Ebene mit Grashügeln,
und von hier aus ließ er sich einen Hang hinab bis auf den gefrorenen Wasserlauf gleiten. Es war der Henderson Creek,
und er wußte, daß er zehn Meilen von der Stelle entfernt war,
wo er sich verzweigte. Er sah auf die Uhr. Es war zehn. Er
konnte vier Meilen die Stunde gehen, und er berechnete, daß
er die Stelle, wo der Bach sich verzweigte, um halb eins errei-

chen würde. Er beschloß, das Ereignis zu feiern, indem er dort frühstückte.

Als der Mann dem gefrorenen Bach zu folgen begann, trabte der Hund wieder dicht hinter ihm her, und seine hängende Rute zeigte deutlich, wie verzagt er war. Die alte Schlittenbahn war sichtbar, aber über den Fährten der letzten Schlittenkufen lagen mehrere Zoll Schnee. Einen ganzen Monat lang war keiner diesen stillen, bis auf den Grund gefrorenen Wasserlauf hinauf- oder herabgereist. Der Mann ging weiter. Er war keine nachdenkliche Natur, und im Augenblick gab es für ihn nichts zu denken, als daß er dort, wo der Bach sich verzweigte, frühstücken und daß er um sechs Uhr bei den Kameraden im Lager sein wollte. Es gab niemanden, mit dem er hätte reden können, und selbst wenn es einen solchen Menschen gegeben hätte, wäre es unmöglich gewesen wegen des eisigen Maulkorbs, der sich um seinen Mund gebildet hatte. Und deshalb fuhr er ganz ruhig in seiner einförmigen Beschäftigung fort: Tabak zu kauen und seinen bernsteinfarbigen Bart immer mehr zu verlängern.

Jeden Augenblick meldete der Gedanke sich wieder, daß es kalt und daß er nie in einer solchen Kälte draußen gewesen war. Im Gehen rieb er sich die Backenknochen und die Nase mit der Rückseite seiner im Fäustling steckenden Hand. Er tat es ganz mechanisch, bald mit der einen Hand, bald mit der andern. Aber sosehr er auch rieb, wurden seine Backenknochen doch im selben Augenblick, wenn er mit Reiben aufhörte, gefühllos, und im nächsten Augenblick wurde auch die Nasenspitze gefühllos. Er konnte ein Erfrieren der Backen nicht vermeiden und bedauerte, daß er sich nicht einen Nasenriemen angeschafft hatte, wie Bob ihn bei richtig kaltem Wetter trug. Ein solcher Riemen schützte und bedeckte auch die Backen. Im übrigen hatte das jedoch nichts zu sagen. Was machte es, wenn er Frost in die Backen bekam? Es war ein bißchen unangenehm, das war alles. Aber es war nichts Ernstes.

So gedankenlos das Hirn des Mannes auch war, so war er doch ein scharfer Beobachter, und er bemerkte alle Veränderungen des Baches, seine Krümmungen und Biegungen und die Stellen, wo die Baumstämme sich aufgehäuft hatten, und besonders achtete er darauf, wo er seine Füße hinsetzte.

Als er einmal um eine Ecke bog, blieb er plötzlich wie ein erschrockenes Pferd stehen, sprang hastig zurück und machte ein paar Schritte auf der Schlittenbahn rückwärts. Er wußte, daß der Bach bis zum Grunde gefroren war – kein Bach enthielt im arktischen Winter Wasser, aber er wußte auch, daß es Quellen gab, die am Hange hervorquollen und unter dem Schnee über das Eis in den Bach liefen. Er wußte, daß diese Quellen selbst im kältesten Winter nie zufroren, und er wußte auch, wie gefährlich sie waren. Sie waren Fallen. Unter ihnen waren große Wasserpfützen im Schnee, die drei Zoll bis drei Fuß tief sein konnten. Zuweilen waren sie von einer halbzölligen Eisrinde bedeckt, die wiederum unter dem Schnee lag. Zuweilen waren es abwechselnd Schichten von Wasser und Eis, so daß man, wenn man einbrach, immer tiefer sackte und zuweilen bis zum Gürtel naß wurde.

Deshalb war er in großem Schrecken zurückgesprungen. Er hatte gefühlt, daß das Eis unter seinen Füßen nachgab, und hatte das knisternde Geräusch einer mit Schnee bedeckten Eisrinde gehört. Und bei einer solchen Temperatur nasse Füße zu bekommen, hieß Mühe und Gefahr. Auf jeden Fall bedeutete es eine Verspätung, denn dann mußte er ein Feuer machen und mit bloßen Füßen daran sitzen, während Socken und Mokassins trockneten. Er studierte den Lauf des Baches und der Hänge an seinen Seiten und gelangte zu dem Ergebnis, daß das Wasser von rechts kam. Er dachte eine Zeitlang nach, rieb sich Nase und Backen und umging dann die Stelle nach rechts. Er trat sehr vorsichtig auf und tastete sich mit dem Fuß auf dem Eis vorwärts, und erst, als er außer Gefahr war, nahm er sich einen neuen Priem und wanderte weiter mit seiner früheren Viermeilengeschwindigkeit.

Im Laufe der nächsten zwei Stunden stieß er auf mehrere ähnliche Fallen. In der Regel war der Schnee über den verborgenen Pfützen kristallisiert und zusammengesunken, so daß er die Gefahr leicht erkennen konnte. Einmal aber wäre er doch beinahe durchgebrochen, und einmal, als er eine Gefahr fürchtete, zwang er den Hund, voranzugehen. Der Hund wollte nicht. Er sträubte sich, bis der Mann ihn schob, und dann lief er hastig über die weiße, ungebrochene Fläche. Plötzlich brach er ein, warf sich nach der einen Seite hinüber und hatte bald wieder festen Boden unter den Füßen. Er hatte sich die Vorderbeine naßgemacht, und fast augenblicklich wurde das Wasser, das von ihm herabtroff, zu Eis. Er bemühte sich aus allen Kräften, das Eis von den Beinen zu lekken, warf sich dann in den Schnee und begann, das Eis wegzubeißen, daß sich zwischen den Zehen gebildet hatte. Er tat das rein instinktiv. Wenn er das Eis sitzen ließ, war das gleichbedeutend mit wunden Füßen. Das wußte er nicht, er folgte nur der geheimnisvollen Stimme, die aus der tiefsten Tiefe seines Wesens zu ihm sprach. Aber der Mann wußte es, seinem Verstand zufolge, und er zog sich den Fäustling von der rechten Hand und half, die Eisstücke abzureißen. Seine Finger waren nur eine Minute lang entblößt, und er war erstaunt, wie schnell er das Gefühl darin verlor. Ja, es war wirklich sehr kalt. Hastig zog er den Fäustling wieder an und schlug die Hand kräftig gegen die Brust.

Um zwölf war das Wetter so klar, wie es werden konnte, aber die Sonne befand sich jetzt auf ihrer Winterreise zu weit südlich, um den Horizont erreichen zu können. Die Krümmung der Erde lag zwischen ihr und dem Henderson Creek, wo der Mann unter einem wolkenlosen Mittagshimmel ging und doch keinen Schatten warf. Genau um halb eins erreichte er die Stelle, wo der Bach sich verzweigte. Er war zufrieden mit der eingehaltenen Schnelligkeit. Wenn er so weiterging, war er sicher um sechs bei den Kameraden. Er knöpfte sich Mantel und Rock auf und zog sein Frühstück heraus. Das dauerte nur eine Viertelminute, aber in diesem kurzen Augenblick waren seine entblößten Finger ganz gefühllos geworden. Er zog sich nicht die Fäustlinge an, sondern schlug statt dessen die Finger ein dutzendmal hart gegen die Beine. Dann setzte er sich auf einen verschneiten Baumstamm, um zu essen. Der brennende Schmerz, den er, als er die Finger gegen das Bein geschlagen, gefühlt hatte, verlor sich so schnell, daß er erschrak. Er ließ sich nicht einmal Zeit, einen Bissen zu essen, sondern schlug die Finger ein über das andere Mal gegen das Bein und zog sich dann wieder den Fäustling an, während er die andere Hand entblößte, um mit ihr zu essen. Er versuchte, von dem Keks abzubeißen, aber sein eisiger Maulkorb hinderte ihn daran. Er hatte es versäumt, ein Feuer zu machen und sich selber aufzutauen. Er lachte über seine eigene Torheit, und während er lachte, bemerkte er, wie die Gefühllosigkeit sich seiner entblößten Finger bemächtigte. Er merkte auch, daß der stechende Schmerz in den Zehen, den er beim Niedersetzen bemerkt hatte, sich schon verzog. Er dachte nach, ob die Zehen warm oder gefühllos waren. Er bewegte sie in den Mokassins und kam zu dem Ergebnis, daß sie gefühllos waren.

Da zog er sich schnell den Fäustling an und stand auf. Er war ein wenig erschrocken. Stampfend ging er auf und nieder, bis er das alte Stechen in den Füßen wieder fühlte. Es ist wirklich sehr kalt, dachte er. Der Mann vom Sulphur Creek hatte also doch die Wahrheit gesprochen, als er erzählte, wie kalt es zuweilen hier im Lande werden könnte. Und damals hatte er ihn ausgelacht. Das zeigte, daß man keiner Sache zu sicher sein konnte. Ein Irrtum war unmöglich – es war kalt. Er wanderte auf und ab, stampfte mit den Füßen auf und schlug die Arme zusammen, bis er zu seiner Beruhigung merkte, daß seine Glieder wieder warm wurden. Dann nahm er die Streichhölzer heraus und begann, Feuer zu machen. Er holte Brennholz aus dem Busch, wo sich beim Hochwasser des letzten Frühlings eine Menge trockener Zweige aufgehäuft hatten. Er begann ganz vorsichtig, und bald hatte er ein mächtiges Feuer, an dem er sein Gesicht auftaute und seine Keks aß. Er hatte die Kälte gefoppt – solange es dauerte. Der Hund genoß das Feuer, legte sich der Länge nach so nahe an die Flammen, daß er Wärme von ihnen bekam, und doch so weit entfernt, daß sie ihm den Pelz nicht versengten.

Als der Mann fertig war, stopfte er sich die Pfeife und ließ sich Zeit, sie zu rauchen. Dann zog er sich die Fäustlinge an, befestigte die Ohrenklappen gut um die Ohren und begann, dem linken Arm des Baches zu folgen. Der Hund war enttäuscht; er sehnte sich nach dem Feuer zurück. Dieser Mann kannte die Kälte nicht. Vielleicht hatten alle die Generationen, die hinter ihm lagen, nichts von Kälte, von wirklicher Kälte, von hundertundsieben Grad unter dem Gefrierpunkt gewußt. Aber der Hund wußte es. Alle seine Vorfahren hatten es gewußt und ihm dieses Wissen vererbt. Und er wußte, daß es nicht gesund war, in so schrecklicher Kälte draußen zu sein. Dann mußte man warm und geborgen in einem Schneeloch liegen und darauf warten, daß eine Wolkendecke den großen leeren Raum, aus dem die Kälte kam, überzog. Andererseits herrschte kein wirkliches Vertrauen zwischen dem Hund und dem Mann. Der eine war der Sklave des andern, er mußte sich für ihn abrackern, und die einzigen Liebkosungen, die ihm je zuteil wurden, waren die mit der Peitschenschnur und die harten Kehllaute, die die Peitschenschnur androhten. Und deshalb gab der Hund sich keine Mühe, seine Sorge dem Manne mitzuteilen. Die Wohlfahrt des Mannes interessierte ihn nicht. Um seiner selbst willen sehnte er sich nach dem Feuer zurück. Aber der Mann pfiff und sprach zu dem Hunde mit dem Laut, der an die Peitschenschnur gemahnte, und er lief ihm nach und trabte weiter dicht hinter ihm her.

Der Mann nahm einen Priem und hatte bald wieder einen neuen bernsteinfarbenen Bart, während sein feuchter Atem weißen Reif auf Schnurrbart, Augenbrauen und Wimpern legte. Es schienen nicht so viele Quellen am linken Arm des Henderson zu sein, und eine halbe Stunde lang sah der Mann keine Spur von ihnen. Dann aber geschah es. An einer Stelle, wo nichts eine Gefahr andeutete, wo es war, als gäbe die weiße, ununterbrochene Schneefläche volle Sicherheit für festen Boden unter den Füßen, brach der Mann ein. Es war nicht tief, aber er war bis zu den Waden durchnäßt, ehe er wieder das feste Eis erreichte.

Er war zornig und fluchte laut über sein Pech. Er hatte gehofft, Lager und Kameraden bis sechs Uhr zu erreichen, und das verspätete ihn jetzt um eine ganze Stunde, denn er war gezwungen, ein Feuer zu machen, um sein Fußzeug zu trocknen. Das war durchaus notwendig bei der niedrigen Temperatur – soviel wußte er, und er ging ans Ufer und begann, den Hang hinaufzuklettern. Auf der Kuppe hatte sich in den niedrigen Busch um ein paar kleine Kiefern viel trockenes Brennmaterial abgelagert, namentlich Zweige und Äste, aber auch trockener Rasen vom vorigen Jahr. Er warf ein paar große Rasenstücke auf den Schnee. Das war eine gute Unterlage und hinderte die zarte Flamme, im Schnee, der sonst schmelzen würde, zu ertrinken. Die Flamme erzeugte er, indem er ein Streichholz an ein graues Stück Birkenrinde hielt, das er aus der Tasche zog, und das schneller als Papier brannte. Er legte es auf die Unterlage und nährte die zarte Flamme mit trockenen Grasbüscheln und winzigen trockenen Zweigen.

Er arbeitete langsam und vorsichtig mit einem lebhaften Gefühl für die Gefahr, in der er schwebte. Als die Flamme allmählich stärker wurde, warf er immer größere Zweige hinein. Er hockte im Schnee, riß die Zweige aus dem Busch, in den sie verfilzt waren, und warf sie auf das Feuer. Er wußte, daß es nicht mißglücken durfte. Wenn die Temperatur fünfundsiebzig Grad unter Null beträgt, darf der erste Versuch, ein Feuer zu machen, nicht mißglücken – das heißt, wenn man nasse Füße hat. Hat man trockene Füße und es mißglückt, so kann man ein Stückchen laufen, um den Blutumlauf auf diese Weise in Gang zu bringen. Aber der Blutumlauf in nassen steifen Füßen kann nicht durch Laufen in Gang kommen, wenn die Temperatur fünfundsiebzig Grad unter Null beträgt. So rasch man auch läuft, werden die nassen Füße doch noch rascher erfrieren.

Alles das wußte der Mann. Der alte Goldgräber am Sulphur Creek hatte es ihm im Herbst erzählt, und jetzt merkte er, daß das ein guter Rat gewesen war. Er hatte schon jedes Gefühl in den Füßen verloren. Um das Feuer anzuzünden, war er gezwungen, die Fäustlinge auszuziehen, und die Finger waren schnell gefühllos geworden. Solange er vier Meilen die Stunde hatte gehen können, hatte sein Herz das Blut an die Oberfläche seines Körpers und in alle Poren gepumpt. In dem Augenblick aber, als er stillstand, hörte diese Pumptätigkeit zum Teil auf. Die Kälte im Weltraum traf die unbeschützte äußerste Spitze des Planeten, und er, der sich auf der äußersten Spitze befand, wurde in vollem Maße von dem Schlage getroffen. Das Blut in seinem Körper floh davor zurück. Das Blut war lebendig wie der Hund, und wie der Hund wünschte es, sich zu verbergen und Schutz vor der fürchterlichen Kälte zu suchen. Solange er vier Meilen in der Stunde ging, pumpte er es ganz unwillkürlich an die Oberfläche, jetzt aber verebbte es und zog sich in die fernsten Winkel des Körpers zurück. Die Außenpunkte waren es, die den Verlust zuerst fühlten. Seine nassen Füße erfroren desto schneller, und seine Finger, die der Kälte ausgesetzt waren, verloren desto schneller das Gefühl, wenn sie auch noch nicht zu erfrieren begonnen hatten. Nase und Backen wollten schon erfrieren, die Haut war an seinem ganzen Körper so kalt, als hätte alles Blut ihn verlassen.

Aber es war keine Gefahr. Zehen, Nase und Backen wurden nur eben vom Frost berührt, denn das Feuer hatte jetzt begonnen, richtig zu brennen. Er warf Zweige darauf, die doppelt so groß wie seine Finger waren. In einer Minute konnte er Zweige von der Dicke seines Handgelenks darauf werfen, und dann konnte er sich das nasse Fußzeug ausziehen und sich, während es trocknete, die nassen Füße am Feuer wärmen – selbstverständlich erst, nachdem er sie mit Schnee abgerieben hatte. Es war ein gutes Feuer, und er fühlte sich ganz sicher. Er erinnerte sich des Rates, den der alte Goldgräber am Sulphur Creek ihm erteilt hatte, und er lächelte. Der alte Goldgräber hatte mit großer Sicherheit behauptet, daß in Klondike niemand allein reisen dürfte, wenn die Temperatur niedriger als fünfzig Grad unter Null wäre. Nun ja, hier saß er nun. Er hatte einen Unfall gehabt, er war allein, und er hatte sich selbst gerettet. Die alten Goldgräber waren im Grunde oft alte Weiber, dachte er. Alles, was man zu tun hatte, war, dafür zu sorgen, daß man nicht den Kopf verlor. Dann ging alles übrige von selber. Man konnte gut allein reisen – wenigstens, wenn man ein Mann war. Aber es war erstaunlich, wie schnell Backen und Nase einem erfroren. Er hatte sich auch nicht gedacht, daß seine Finger in so kurzer Zeit leblos werden könnten. Leblos waren sie, denn er konnte sie kaum dazu bringen, sich auf einmal zu bewegen, um einen Zweig zu greifen, und es war, als hätten sie jede Verbindung mit seinem Körper und ihm selber verloren. Wenn er einen Zweig berührte, mußte er nachsehen, ob er ihn gefaßt hatte oder nicht. Die telegrafische Verbindung zwischen ihm und seinen Fingerspitzen war wie abgebrochen.

Alles das bedeutete nun tatsächlich nichts. Hier war das

Feuer, das prasselte und knisterte und mit jeder hüpfenden Flamme Leben verhieß. Er begann, die Mokassins aufzuschnüren. Sie waren mit einer Eisrinde überzogen; die dicken Wollsocken waren bis zu den Knien so steif wie eine Platte, und die Mokassinschnüre waren wie verbogene Eisenstangen, die im Feuer gewesen waren. Einen Augenblick riß und zerrte er mit seinen gefühllosen Fingern an ihnen, bis ihm aufging, wie töricht das war, und er seinen Dolch zog.

Ehe er aber die Schnüre zerschnitten hatte, geschah es. Es war ein eigener Fehler. Er hätte das Feuer nicht unter der Kiefer machen sollen. Er hätte es im Freien machen sollen. Aber es war leichter gewesen, die Zweige aus dem Unterholz zu ziehen und sie direkt auf das Feuer zu werfen. Der Baum, unter dem er das Feuer gemacht hatte, trug indessen eine gewisse Schneeschicht auf seinen Zweigen. Seit Monaten hatte kein Wind geweht, und jeder Zweig war voller Schnee. Jedesmal, wenn er einen Zweig losgerissen, hatte er den Baum ein klein wenig in Bewegung gesetzt – eine Bewegung, die er selber nicht merkte, die aber genügte, um das Unglück zu bewirken. Hoch oben am Baum befand sich ein Zweig, der seine Schneelast abwippte. Die fiel auf die Zweige darunter und ließ auch sie den Schnee abwippen. Die Bewegung setzte sich fort und bald machte der ganze Baum mit. Es war wie eine Lawine, und sie stürzte ohne Warnung auf Mann und Feuer herab, und das Feuer erlosch! Wo es zuvor gebrannt hatte, lag jetzt eine unebne Schicht neuen Schnees.

Der Mann erschrak. Es war, als hätte er soeben sein eigenes Todesurteil gehört. Einen Augenblick starrte er auf die Stelle, wo das Feuer gewesen war, und dann wurde er sehr ruhig. Der alte Goldgräber am Sulphur Creek hatte also doch recht gehabt. Hätte er nur einen Gefährten gehabt, so wäre keine Gefahr gewesen. Der andere hätte das Feuer gemacht. Nun ja, jetzt mußte er also das Feuer noch einmal machen, und diesmal durfte es nicht mißglücken. Selbst wenn es glückte, verlor er, aller Wahrscheinlichkeit nach, ein paar Zehen. Seine Füße mußten schon sehr erfroren sein, und es würde eine Weile dauern, ehe er das andere Feuer gemacht hatte.

So waren seine Gedanken, aber er blieb nicht sitzen, während er dachte. Er war die ganze Zeit beschäftigt, während die Gedanken ihm durch den Kopf flogen. Er machte eine neue Unterlage für ein Feuer und diesmal im Freien, wo kein verräterischer Baum es verlöschen konnte. Dann sammelte er wieder trockenes Gras und winzige Zweige, die beim Hochwasser angespült waren. Er konnte die Finger nicht zusammenbringen, um die Zweige herauszuziehen, aber er fegte sie mit der ganzen Hand zusammen. Auf die Weise kamen auch viele verfaulte Zweige und Büschel grünen Mooses mit, was ihm nicht lieb war, aber er konnte es nicht hindern. Er arbeitete ganz systematisch und sammelte sogar einen Armvoll von den großen Zweigen, die er später gebrauchen wollte, wenn das Feuer etwas stärker wurde. Und unterdessen saß der Hund dabei und sah ihn mit erwartungsvollem Ausdruck in den Augen an, denn der Mann war für ihn der, welcher das Feuer schaffen sollte, und es dauerte etwas lange, bis das Feuer kam.

Als alles bereit war, steckte der Mann die Hand in die Tasche, um ein neues Stück Birkenrinde herauszuholen. Er wußte, daß die Rinde da war, und wenn er sie auch nicht mit seinen Fingern fühlen konnte, so hörte er sie doch knistern, während er nach ihr suchte; sosehr er sich aber auch anstrengte, konnte er sie doch nicht fassen. Und in all der Zeit hatte er das klare Bewußtsein, daß seine Füße mit jedem Augenblick mehr erfroren. Dieser Gedanke erfüllte ihn mit Schrecken. Er zog sich die Fäustlinge mit den Zähnen an und schwang die Arme hin und her, während er die Hände mit aller Macht gegen die Seiten schlug. Er hatte gesessen und stand jetzt auf, um es zu tun; unterdessen saß der Hund im Schnee, hatte sich den buschigen Wolfsschwanz um die Vorderfüße geschlungen, spitzte aufmerksam die Wolfsohren und beobachtete den Mann. Und während der Mann Arme und Hände schlug und schwang, erwachte in ihm ein heftiger Neid beim Anblick dieses Geschöpfes, das warm und sicher in seiner natürlichen Kleidung neben ihm saß.

Nach einiger Zeit merkte er, wie das zitternde Gefühl von Leben in seine Finger kam. Das schwache Zittern nahm zu, bis es zu einem stechenden, fast unerträglichen Schmerz wurden, den der Mann jedoch mit Befriedigung begrüßte. Er riß sich den Fäustling von der rechten Hand und zog die Birkenrinde heraus. Die entblößten Finger wurden sehr schnell wieder gefühllos. Dann zog er ein Streichholzpäckchen heraus, aber die entsetzliche Kälte hatte seine Finger schon wieder ganz leblos gemacht. Bei der Anstrengung, ein Streichholz von den andern zu trennen, fiel das ganze Päckchen in den Schnee. Er versuchte, es aufzulesen, aber es mißglückte. Die toten Finger konnten weder fühlen noch greifen. Er war sehr vorsichtig. Er verscheuchte den Gedanken an die unvermeidlichen Erfrierungen in Füßen, Nase und Backen und legte seine ganze Seele in die Arbeit mit den Streichhölzern. Er paßte auf, verwendete den Gesichtssinn statt des Gefühls, und als er seine Finger auf beiden Seiten des Päckchens sah, schloß er sie – das heißt, er hatte den Willen, sie zu schließen, aber die telegrafische Leitung war zerschnitten, und die Finger wollten nicht gehorchen. Er zog sich den Fäustling auf die rechte Hand und schlug sie wie ein Rasender gegen sein Knie. Dann legte er mit beiden Händen, die in den Fäustlingen steckten, die Streichhölzer zusammen mit einem ganzen Haufen Schnee auf seinen Schoß. Aber damit hatte er noch nichts gewonnen.

Mit großer Mühe glückte es ihm, das Päckchen in das gebeugte Handgelenk zu klemmen und es dann zum Munde zu führen. Das Eis knirschte und krachte, als er mit gewaltiger Kraftanstrengung den Mund öffnete. Er zog die Unterlippe ein, hob die Oberlippe, daß sie nicht im Wege stand, und ließ die Schneidezähne über das Päckchen gleiten, um ein Streichholz von den andern zu trennen. Es glückte ihm, eines zu fassen, das er in den Schoß fallen ließ. Aber das machte es um nichts besser, denn er konnte es nicht aufheben. Da fand er einen Ausweg. Er nahm das Streichholz mit den Zähnen auf und strich es gegen seine Beine. Zwanzigmal mußte er streichen, ehe es ihm glückte, es anzuzünden. Als es schließlich brannte, hielt er es mit den Zähnen an die Birkenrinde. Aber der brennende Schwefel biß ihn in die Nase und drang ihm in die Lungen, so daß er krampfhaft husten mußte, das Streichholz fiel in den Schnee und erlosch.

Der alte Goldgräber vom Sulphur Creek hat recht gehabt, dachte er in dem Augenblick beherrschter Verzweiflung, der diesem mißglückten Versuch folgte; bei mehr als sechzig Grad unter dem Gefrierpunkt muß man mit einem Kameraden reisen. Er schlug die Hände gegeneinander, konnte das Gefühl aber nicht wieder in ihnen wecken. Plötzlich riß er sich mit den Zähnen die Fäustlinge von den Händen. Dann nahm er das ganze Streichholzpäckchen zwischen sein gebeugtes Handgelenk, und da seine Armmuskeln nicht von der Kälte erstarrt waren, glückte es ihm, das Handgelenk hart um die Streichhölzer zusammenzupressen. Dann strich er das ganze Päckchen gegen das Bein. Es gab ein ganzes Feuer – siebzig Streichhölzer auf einmal! Und kein Wind wehte sie aus. Er beugte den Kopf seitwärts, um dem erstickenden Rauch zu entgehen, und hielt das flammende Bündel gegen die Birkenrinde. Während er das tat, merkte er, daß plötzlich Gefühl in seine Hand kam. Sein Fleisch brannte. Er konnte es riechen. Tief unter der Oberfläche konnte er es fühlen. Das Gefühl wurde zu einer Qual, die fast unerträglich war. Und doch hielt er unbeholfen die brennenden Streichhölzer an die Rinde, die nicht Feuer fangen wollte, weil seine eigenen verbrannten Hände im Wege standen und den größten Teil der Flamme fortnahmen.

Als er es schließlich nicht mehr aushalten konnte, riß er die Hände auseinander. Die brennenden Streichhölzer fielen mit einem zischenden Geräusch in den Schnee, aber die Birkenrinde brannte. Er begann, die Flamme mit trockenem Gras und den winzigsten Zweigen zu nähren. Er konnte nicht wählen, denn er war gezwungen, das Brennholz zwischen seinen gebeugten Handgelenken zu heben. Kleine Stücke fauler Zweige und grünen Mooses kamen mit, und er biß sie, so gut er konnte, mit den Zähnen ab. Schrecklich unbeholfen, aber zugleich mit ungeheurer Sorgfalt nährte er die Flamme. Sie bedeutete für ihn das Leben selbst, und sie durfte nicht sterben. Er hatte angefangen, Kälteschauer zu bekommen, weil das Blut sich von der Oberfläche seines Körpers zurückgezogen hatte, und seine Bewegungen wurden immer unbeholfener. Ein großes Stück Moos fiel mitten in das kleine Feuer. Er versuchte, es mit den Fingern herauszuholen, zitterte aber so stark, daß er es auseinanderriß und den Kern des Feuers zersplitterte. Das brennende Gras und die winzigen Zweige wurden nach allen Seiten verstreut, er versuchte, sie wieder zu sammeln, aber trotz äußerster Anstrengung aller seiner Kräfte war es ihm unmöglich, seine zitternden Glieder zu beherrschen, und die Zweige waren und blieben verstreut. Jeder Zweig sandte eine graue Rauchwolke aus und erlosch dann. Er sah sich schlaff und gleichgültig um, und zufällig fiel sein Blick auf den Hund, der ihm gerade gegenüber auf der anderen Seite des verunglückten Feuers saß, unruhig im Schnee hin und her rückte und bald das eine, bald das andere Vorderbein ein wenig hob, während er ihn erwartungsvoll ansah.

Beim Anblick das Hundes tauchte eine wilde Idee in seinem Kopfe auf. Er erinnerte sich der Geschichte von dem Mann, der von einem Schneesturm überrascht worden war und einen Stier totgeschlagen hatte, in den Kadaver gekrochen und auf diese Weise gerettet worden war. Er wollte den Hund erschlagen und seine Hände in den warmen Körper tauchen, bis die Gefühllosigkeit verschwand. Dann wollte er ein neues Feuer machen. Er sprach mit dem Hunde und rief ihn zu sich. Aber es war ein seltsamer Klang in seiner Stimme, der den Hund, welcher den Mann noch nie so hatte reden hören, ängstlich machte. Gefahr – er wußte nicht, welche Gefahr, aber irgendwo in seinem Hirn erwachte Furcht vor dem Manne. Beim Geräusch der Stimme des Mannes legte er die Ohren flach an den Kopf, hob und bewegte die Vorderbeine immer unruhiger, wollte sich aber dem Manne nicht nähern. Der erhob sich halb und kroch auf Händen und Knien zu dem Hunde hin. Diese ungewöhnliche Stellung erregte dessen Mißtrauen aufs neue, und er zog sich mit affektierten, koketten Bewegungen seitwärts zurück.

Der Mann setzte sich einen Augenblick in den Schnee und kämpfte, um seine Ruhe wiederzugewinnen. Dann zog er sich mit Hilfe der Zähne die Fäustlinge an und kam auf die Beine. Zuerst sah er an sich hinab, um sich zu überzeugen, daß er wirklich aufrecht stand, denn der Umstand, daß kein Gefühl in seinen Füßen war, machte, daß er gleichsam keine Verbindung mit der Erde hatte. Seine aufrechte Stellung verscheuchte gleich etwas von dem Mißtrauen des Hundes, und als er jetzt gebieterisch, mit einer Stimme, die an die Peitschenschnur gemahnte, sprach, zeigte der Hund seinen gewöhnlichen Gehorsam und näherte sich. Als der Mann den Hund so nahe sah, daß er ihn erreichen konnte, verlor er ganz jede Selbstbeherrschung. Seine Arme streckten sich nach dem Hunde aus, und er war aufrichtig erstaunt, als er merkte, daß seine Hände nicht greifen konnten, und daß die Finger weder Biegsamkeit noch Gefühl besaßen. Er hatte im Augenblick vergessen, daß sie gefühllos waren und daß sie mit jedem Augenblick gefühlloser wurden. Alles das dauerte nur einen Augenblick, und ehe der Hund entschlüpfen konnte, hatte er die Arme um ihn geschlungen. Er setzte sich in den Schnee und hielt den Hund fest, der kämpfte und sich winselnd wehrte.

Aber das war auch alles, was er tun konnte: den Hund mit seinen Armen zu umschließen und sitzenzubleiben. Es war ihm klar, daß er das Tier nicht töten konnte. Er sah keine Möglichkeit, es zu tun. Mit seinen hilflosen Händen konnte er weder seinen Dolch ziehen und halten, noch das Tier an der Kehle packen und erwürgen. Er ließ den Hund los, der in wilder Flucht, die Rute zwischen den Beinen und beständig knurrend, davonschoß. In einer Entfernung von vierzig Fuß blieb er stehen und sah ihn mit gespitzten Ohren neugierig an.

Der Mann betrachtete seine Hände, um sich darüber klarzuwerden, wo sie waren, und er sah, daß sie immer noch an den Armen hingen. Es kam ihm höchst sonderbar vor, daß man gezwungen sein konnte, seine Augen zu gebrauchen, um festzustellen, wo die Hände waren. Er begann, die Arme hin und her zu schwingen, während er gleichzeitig die Hände gegen die Seiten schlug. Er tat das fünf Minuten lang mit großer Kraft, und sein Herz pumpte genügend Blut an die Oberfläche seines Körpers, um die heftigen Kälteschauer zum Stillstand zu bringen. Aber es kam kein Gefühl in die Hände, und er hatte den Eindruck, daß sie wie totes Gewicht am Ende der Arme hingen; als er aber versuchte, diesen Eindruck bis zu seinem Ursprung zu verfolgen, konnte er ihn nicht finden.

Ein sicheres Gefühl, daß dies der Tod war, überkam ihn, ein überwältigendes, angstvolles Gefühl, das immer nagender wurde, je mehr ihm aufging, daß es sich nicht nur um das Erfrieren von Händen und Füßen, sondern um Tod und Leben handelte, und daß er keine Chance mehr hatte. Ein wahnsinniger Schrecken packte ihn, und er kehrte um und lief den Bach entlang auf der alten undeutlichen Schlittenbahn zurück. Der Hund lief dicht hinter ihm. Er lief blind weiter, ziellos, so ängstlich, wie er nie im Leben gewesen war. Und wie er so durch den Schnee taumelte, begann er allmählich wieder die Dinge zu erblicken, die ihn umgaben – die Hänge zu beiden Seiten des Baches, die Stellen, wo die Baumstämme sich aufgehäuft hatten, die blattlosen Eschen und den Himmel. Ihm war schon wohler nach dem Laufen. Die Kälteschauer hatten sich verzogen; wenn er weiterlief, tauten seine Füße vielleicht auf, und wenn er nur lange genug lief, erreichte er jedenfalls das Lager und die Kameraden. Er verlor wohl ein paar Finger und Zehen und etwas vom Gesicht, aber die Kameraden würden schon für ihn sorgen und retten, was von ihm übrig war, wenn er hinkam. Gleichzeitig aber sagte ihm etwas anderes in seinem Hirn, daß er nie den Zeltplatz und die Kameraden erreichen würde, daß es viele Meilen bis dorthin sei. Und daß er bald steif und tot wäre. Diesen Gedanken hielt er indessen zurück und weigerte sich, mit ihm zu rechnen. Zuweilen drängte der Gedanke sich vor und forderte Gehör, aber er zog ihn immer wieder zurück und bemühte sich, an andere Dinge zu denken.

Ihm erschien es selber merkwürdig, daß er laufen konnte, obwohl seine Füße so steifgefroren waren, daß er nicht fühlte, wenn sie den Boden berührten und das Gewicht seines Körpers trugen. Es war ihm, als flöge er über die Oberfläche der Erde dahin und hätte keine Verbindung mit ihr. Irgendwo hatte er einmal einen geflügelten Merkur gesehen. Er dachte, ob Merkur wohl dasselbe Gefühl hätte, wenn er über die Erde flog.

Seine Theorie vom Weiterlaufen, bis er Zeltplatz und Kameraden erreichte, hatte einen argen Fehler – ihm fehlte es an der nötigen Ausdauer. Ein paarmal stolperte er, und zuletzt wankte er, brach zusammen und fiel. Als er sich zu erheben versuchte, mißglückte es. Ich muß ein wenig sitzen bleiben und mich ausruhen, sagte er sich, das nächste Mal gehe ich einfach. Und während er dasaß und Luft schöpfte, merkte er, daß er sich ganz warm und wohl fühlte. Er zitterte nicht mehr, und es war gleichsam, als hätte er ein angenehmes Gefühl von Wärme in Brust und Körper. Und dennoch, als er an Nase und Backen faßte, war kein Gefühl darin. Die konnte er durch das Laufen nicht auftauen, und seine Hände und Füße auch nicht. Da kam ihm der Gedanke, daß die Erfrierung in seinem Körper sich ausbreiten würde. Er versuchte, den Gedanken zu unterdrücken, ihn zu vergessen, an etwas anderes zu denken, denn er war sich darüber klar, daß er ihn mit einem vollkommen panischen Schrecken erfüllte. Aber der Gedanke tauchte immer wieder auf und wurde immer unabweisbarer, bis er zuletzt seinen eigenen Körper ganz steifgefroren vor sich sah. Das war zuviel, und wieder lief er in wilder Flucht die Schlittenbahn entlang. Einmal verlangsamte er den Lauf und begann zu gehen, aber der Gedanke daran, daß die Erfrierung sich ausbreitete, ließ ihn wieder laufen.

Und unterdessen lief der Hund immer dicht hinter ihm her. Als der Mann zum zweitenmal stürzte, schlang der Hund die Rute um die Vorderpfoten und sah ihn mit einem merkwürdig forschenden, aufmerksamen Blick an. Es machte ihn rasend zu sehen, wie warm das Tier sich fühlte, wie sicher es war, und er verfluchte es, bis es die Ohren dicht an den Kopf legte, um sich bei ihm einzuschmeicheln. Diesmal wurde der Mann schneller von Kälteschauern gepackt. Er mußte bald seinen Kampf mit der Kälte aufgeben. Die überfiel ihn von allen Seiten. Der Gedanke an sie trieb ihn vorwärts, aber er war nicht mehr als hundert Fuß gelaufen, als er auch schon taumelte und der Länge nach hinfiel. Es war das letztemal, daß der Schrecken Macht über ihn gewann. Als er Luft geschöpft und die Herrschaft über sich wiedergewonnen hatte, setzte er sich auf und begann zu denken, daß er dem Tod würdig begegnen wollte. In dieser Form kam ihm der Gedanke jedoch nicht. Er sagte sich, daß er sich hier lächerlich gemacht hätte, daß er wie ein Huhn mit abgeschlagenem Kopf herumgelaufen wäre – das war das Gleichnis, das ihm einfiel. Nun ja, er sollte also erfrieren, und da konnte er sich ebensogut ordentlich benehmen. Und die Folge dieses neuen Seelenfriedens war ein erstes Gefühl von Schläfrigkeit. Eine gute Idee, dachte er, in den Tod hinüberzuschlafen. Das war, wie betäubt zu werden. Erfrieren war nicht so schlimm, wie die Leute glaubten.

Er sah im Geiste, wie die Kameraden am nächsten Tage seine Leiche fanden. Plötzlich befand er sich unter ihnen und ging die Schlittenbahn entlang, um sich selbst zu suchen. Und immer in ihrer Gesellschaft erreichte er die Stelle, wo die Schlittenbahn abschwenkte und fand sich im Schnee liegen.

Er gehörte sich nicht mehr selber, denn in eben diesem Augenblick war er außerhalb seiner selbst, stand mit den Kameraden da und betrachtete sich, wie er im Schnee lag. Es ist wirklich kalt, dachte er. Wenn er wieder nach den Staaten kam, konnte er den Leuten erzählen, was wirkliche Kälte hieß. Dann verschwand die Vision, und er meinte, den alten Goldgräber am Sulphur Creek zu sehen. Er konnte ihn ganz deutlich sehen, wie er behaglich seine Pfeife rauchte.

»Du hattest recht, Alter; du hattest recht«, sagte der Mann murmelnd zu dem alten Goldgräber am Sulphur Creek.

Und dann schlief er ein, und es war der herrlichste, angenehmste Schlaf, den er je gehabt. Der Hund saß da, sah ihn an und wartete. Der kurze Tag wollte einer langen Dämmerung weichen. Nichts deutete darauf hin, daß ein Feuer gemacht werden sollte, und außerdem hatte der Hund nie erlebt, daß ein Mann so im Schnee saß, ohne Feuer zu machen. Und als die Dämmerung allmählich immer tiefer wurde, überwältigte ihn fast die Sehnsucht nach dem Feuer, und während er eifrig seine Vorderpfoten hob, winselte er still und legte die Ohren ganz zurück in der Erwartung, daß der Mann ihn ausschelten sollte. Aber der Mann saß noch immer schweigend da, und der Hund heulte laut. Etwas später kroch er zu dem Manne hin und spürte den Leichengeruch, die Haare sträubten sich ihm, und er kroch rückwärts fort. Eine kurze Weile noch zögerte er. Er saß da und heulte die Sterne an, die an dem kalten Himmel hüpften und tanzten und hell schienen. Dann wandte er sich um und trottete die Schlittenbahn entlang in der Richtung des Zeltplatzes, den er kannte, und wo andere waren, die ihm Nahrung und Wärme verschaffen konnten.

ALISTAIR MACLEAN

Eine tote Welt

Dies, überlegte ich mir, dieser fürchterliche Todesgriff einer fürchterlichen Welt, muß es gewesen sein, der die Herzen und Seelen unserer fernen nordischen Ahnen erstarren ließ, wenn die letzte Lebensflut langsam verebbte und sie ihr erlahmendes Hirn mit schrecklichen Vorstellungen von einer düsteren und bitteren Hölle ewiger Kälte zermarterten. Aber sie hatten es leicht gehabt, die alten Herren, sie brauchten es sich ja nur einzubilden, während wir es am eigenen Leibe erlebten.

Ausgeschlossen, sich hier auch nur einigermaßen warm zu halten, hier auf der Brücke der *Dolphin,* wo Rawlings und ich eine halbstündige Wache schoben und langsam zu Eisklumpen erstarrten.

Es war zur Gänze meine Schuld gewesen, daß unsere Zähne wie rasende Kastagnetten klapperten. Eine halbe Stunde, nachdem der Funkraum auf der Wellenlänge der Treibeis-Station Zebra zu senden begonnen hatte, ohne auch nur das leiseste Echo einer Antwort oder Empfangsbestätigung auszulösen, wies ich Kapitän Swanson auf die Möglichkeit hin, daß die ›Zebra‹ uns hörte, aber nicht genug Strom besaß, um zu antworten: Vielleicht würden sie sich auf eine andere Weise zu erkennen geben – vielleicht. Ich betonte, daß Treibeis-Stationen meistens mit Leuchtraketen ausgerüstet sind, außerdem auch mit Funksonden und Funkraketen. Die Sonden sind kleine, mit Sendegeräten ausgerüstete Ballons, die bis in eine Höhe von dreißig Kilometern aufsteigen, um Wetterdaten zu sammeln. Die Funkraketen werden aus Ballons abgefeuert und erreichen noch größere Höhen. In einer mondhellen Nacht wie der heutigen müßten diese Ballons, falls man sie losgeschickt hätte, auf eine Entfernung von mindestens dreißig Kilometer sichtbar sein – doppelt so weit, wenn sie mit Leuchtraketen versehen waren.

Swanson hatte sich durch mein Argument überzeugen lassen und Freiwillige für die erste Wache aufgerufen. Unter den gegebenen Umständen blieb mir keine Wahl. Rawlings hatte sich bereit erklärt, mich zu begleiten.

Es war eine Landschaft (sofern man eine finstere, kahle und monotone Einöde als Landschaft bezeichnen darf) aus einer anderen und uralten Welt, unheimlich, fremdartig und seltsam beängstigend. Am Himmel keine Wolken, aber auch keine Sterne: Das konnte ich nicht begreifen. Tief am südlichen Horizont warf ein milchig umnebelter Mond sein mysteriöses Licht auf die schwarze Totenstarre der arktischen Eishaube. Schwarz, nicht weiß. Man hätte erwartet, mondbeglänztes Eis würde leuchten, funkeln und glitzern – aber es war schwarz. Der Mond hing so tief am Himmel, daß die vorherrschende Farbe der Eishaube durch die langen Schatten der fantastisch zerfurchten und buckligen Kruste bedingt war. Und dort, wo der Mondschein unmittelbar auffiel, war das Eis durch die Wucht der tausend Schneestürme dermaßen zerschürft und aufgerauht worden, daß es beinahe das Vermögen eingebüßt hätte, Licht zu reflektieren.

Diese zerfurchte und bucklige Eishaube hatte etwas sonderbar Ungreifbares, Unbeständiges, Flüchtiges: in der einen Minute hart, grell, abstoßend mit dem kalten Kontrast zwischen Schwarz und Weiß – in der nächsten geisterhaft verschwommen, verwischt, geronnen und zuletzt entschwindend, verebbend, erlöschend wie eine schimmernde Fata Morgana der Eiswüste. Aber das war keine Sinnestäuschung und auch kein Spiel der Fantasie, sondern das Resultat einer auf dem Boden dahinrasenden Eisdrift, deren Wirbel stiegen und fielen je nach dem Diktat eines eisigen Windes, der keinen Augenblick lang nachließ und zuweilen Orkanstärke erreichte. Er jagte eine wirbelnde, peitschende Nebelmasse vor sich her, die aus Milliarden spitzer Eisnadeln bestand. Meistens befanden wir uns, da wir auf der Brücke etwa sieben Meter über dem Niveau der Eisfläche standen, oberhalb dieser wogenden Dünung. Gelegentlich aber setzte ein jäher, noch kräftigerer Windstoß ein, die Eisnadeln wurden emporgetragen, trommelten dämonisch gegen die bereits vereiste Steuerbordseite des Segels, trafen die wenigen entblößten

Quadratzentimeter unserer Haut mit der scherzhaft stechenden Wucht eines auf Armeslänge gezielten Sandstrahlgebläses. Anders als beim Sandstrahlgebläse aber war der Schmerz nur momentan, da jeder dieser Wespenstachel sein eigenes schmerzbetäubendes Vereisungsmittel mit sich führte und die Hautnerven sogleich lähmte. Dann legte sich der Wind, das wütende Geprassel ließ nach, und in dem momentanen Kontrast zwischen Sturmgetöse und relativer Stille hörten wir ein verstohlenes Rascheln wie von einer Million dahinhuschender Ratten, das Geräusch der blindlings über die stahlharte Fläche der Polarhaube dahinfegenden Eisnadeln. Das Brückenthermometer zeigte minus 21° Fahrenheit – 53 Kältegrade – mehr als minus 30° Celsius.

Rawlings und ich stampften mit den Füßen auf, wir schlugen die Arme vor die Brust, wir zitterten unaufhörlich, wir duckten uns, so gut es ging, hinter das ausgespannte Segeltuch, das als Windschutz diente, rieben ständig unsere Brillengläser, damit sie nicht anliefen, und hörten nicht auf, sämtliche vier Himmelsrichtungen zu durchforschen. Irgendwo dort draußen in der frostigen Einöde befand sich eine verirrte, vom Tod umwitterte Schar, deren Leben von einer Bagatelle abhängen mochte, zum Beispiel davon, daß unsere Brillengläser sich im unrechten Augenblick trübten. Wir starrten auf die driftenden Eisdünen hinaus, bis uns die Augen weh taten. Aber das war alles, was es uns einbrachte – Augenschmerzen. Nichts war zu sehen, gar nichts. Kein Lebenszeichen weit und breit. Tot...

Die Geier

So wunderbar wohnlich wirkte der niedrige, langgestreckte
Raum. Die dichtgefugten Wände zeigten jeden einzelnen
der schlanken Föhrenstämme, aus denen das große Block-
haus gebaut war. Viele Hirsch- und Elchdecken, auch eine
Anzahl Bären- und Wolfsfelle schmückten, zu Teppichen
oder Behängen verarbeitet (die deutlich indianische Arbeit
verrieten), den Fußboden und die Wände. Schwerfällige
Stühle und Sessel mit Ledersitzen und Lehnen, die wahrhaftig nicht aus einer Fabrik stammen konnten, reihten
sich um einen riesigen Tisch. Über der Tür und dem Kamin
zeigten mächtige Elchschaufeln und Cariboo-Geweihe, daß
das Haus von einem Jäger bewohnt wurde.

Wir lagen mehr als wir saßen in zwei tiefen Armstühlen
und streckten unsere Beine auf ein mächtiges Bärenfell, das
ich mit ehrfürchtigem Staunen als das eines Grizzly, eines
der gefährlichen Graubären des amerikanischen Nordwe-
stens, erkannt hatte. Harzige Scheite prasselten in dem gewaltigen Kamin, in dem ich bequem zur Sommerzeit mein
Bett hätte aufschlagen können (und wo dann noch Platz
für einen Nachttisch gewesen wäre). Es war ein Feuerplatz,
wie man ihn sich für Alaska vorstellt. Die lodernden Flammen erhellten den Raum bis in den hintersten Winkel. Eine
Lampe brannte nicht; sie wäre überflüssig gewesen. Und
die zierliche Frau des Bischofs, durch deren braunes Haar
sich schon silberne Fäden spannen, war sparsam, oben-
drein sicher so geübt im Stopfen der bischöflichen Winter-
strümpfe, steifer Futterale aus ungebleichter, nur wenig
entfetteter Schafwolle, daß ihr dies unsichere Licht genügte.

Sie saß etwas im Hintergrund zwischen uns beiden wohlig und faul die langen Abendstunden verschwatzenden
Männern und beteiligte sich nur gelegentlich am Gespräch,
so zum Beispiel, wenn sie sagte: »Wie ihr beide das aushal-

ten könnt, diese Hitze so dicht am Feuer, das begreife ich nicht. Ich werde schon hier hinten langsam geschmort.«

Der langbeinige, sehnige Bischof (er vertrat eine große US-amerikanische Kirche und stand gleichzeitig einer sehr bedeutenden Indianer- und Eskimomission in Zentral- und Nord-Alaska vor) reckte sich wohlig, streckte seine Hände flach gegen das Feuer.

»Well, dear, mir ist, als müßten wir einen Haufen Wärme in unseren sündigen Gliedern aufspeichern. Ich habe so eine Ahnung, als ob wir sie bald brauchen würden. Wir hatten heute mittag fünfunddreißig Grad unter Null draußen, und es scheint, als wolle es noch kälter werden.«

Wie zur Bestätigung seiner Worte fuhr ein Windstoß in den Schornstein und warf einen Funkenregen auf. Ein paar Glutstückchen sprangen auf die blitzend blanke Kupferplatte, die vor dem Kamin den Fußboden schützte – sie bildete den stolzesten Zierat im ganzen Raum. Mich fröstelte plötzlich; es war, als wenn der jammernde Winterwind, der das Haus umstrich, zu uns ins Zimmer gedrungen wäre.

Die Bischofin seufzte. Die Frauen haben es in Ländern wie Alaska stets am schwersten. Die Männer halten sich am Abenteuer schadlos, an der Aussicht auf Gewinn und Bewährung. Den Frauen bleibt die Sorge. Doch erst durch sie wird die Einöde, wenn überhaupt, zu einer neuen Heimat.

Ich hatte lange Zeit kein Wort gesprochen, genoß nur, wie schon so manches Mal in den Wochen zuvor, die friedliche Geborgenheit dieses Raumes und die freundschaftliche Gemeinsamkeit mit diesen zwei warmherzigen Menschen. Ich konnte dem Schicksal dankbar sein, daß es mich zu ihnen geschickt hatte.

Auf einer Reise, die ich unternommen hatte, um dem großen Goldrausch des Jahres 1898 am Klondike und am Yukon nachzuspüren, war ich auf der Dampferfahrt den Yukon abwärts (damals war an Fliegen noch nicht zu denken) dem Bischof und seiner Frau begegnet. Da wir die einzigen Passagiere waren und viel Zeit hatten (in Dawson, an der Mündung des Klondike in den Yukon, mußte man in ein anderes Schiff umsteigen), ergab es sich von selbst, daß wir Freundschaft miteinander schlossen. Bald entdeckten wir Gemeinsames, vor allem eine geheime Leidenschaft für die große Natur und die Freiheit der weiten Wildnis. Unser Dampfer war der letzte, der vor dem Beginn des Frostes noch einmal die lange Reise stromabwärts bis zur Einmündung des Tanana in den Yukon und weiter zurücklegte. Er biegt nämlich in den Tanana ein und fährt ihn bis Nenana aufwärts; von dort war über den einzigen Schienenstrang von Bedeutung, den Alaska besitzt, entweder die Hauptstadt Fairbanks im Herzen des Landes oder – im Süden – die pazifische Küste bei Seward zu erreichen. Seward ist eisfreier Port, von dem aus auch im Winter eine regelmäßige Schiffsverbindung nach Seattle, der großen Hafenstadt an der amerikanischen Westküste, aufrecht erhalten wurde.

Ich hatte eigentlich Alaska vor Einbruch des vollen Winters verlassen wollen. Aber die herbe Schönheit seines Herbstes, die Fülle merkwürdiger Menschenschicksale, die sich hier dem Beobachter anbot, die ständig wiederkehrende Behauptung, daß der Winter den Zauber des Sommers und Herbstes noch übertreffe und erst das wahre Wesen dieser nordischen Gefilde völlig enthülle – vor allem aber die liebenswürdige Hartnäckigkeit, mit welcher der Bischof und seine Frau mich für beliebig lange Zeit zu Gaste luden: dies und noch einige andere Gründe hatten mich bestimmt, meine Abreise auf den März oder April des nächsten Jahres zu verschieben.

Ich trennte mich zunächst von meinen Freunden, blieb eine Weile in Fairbanks, fuhr dann nach Anchorage und Seward und wieder ins Innere zurück und kehrte schließlich um die Weihnachtszeit bei Anbruch der ersten Periode tiefer Kälte auf der ›Station‹ des Bischofs ein. Das Weihnachtsfest im Kreise der Indianerkinder, die in der Missionschule unterrichtet wurden, und ihrer breitschultrigen, grobknochigen und dunkelhäutigen Eltern (wir zählten insgesamt nur sechs Weiße) verlief eigenartig und schön. Neujahr feierten wir mit stilleren Gesprächen bei einer dampfenden Punschbowle.

Im Januar nahm mich der Bischof zum ersten Male mit ›auf Fahrt‹; er besuchte winterüber der Reihe nach eine Anzahl einsamer Fallensteller-, Goldgräber- und Indianerlager. Das Hundegespann der Station galt als eines der schnellsten von ganz Alaska. Der Bischof stand in dem Rufe, ein kühner und erfahrener Hundeschlittenlenker zu sein. Auf vielen schwierigen Reisen und unter mannigfachen Gefahren hatte er hundertfach seinen Mut, seine Besonnenheit und seine Ausdauer bewiesen. Nur ein Mann seines Schlages vermochte den weißen und roten Männern der Wildnis zu imponieren. Ich hatte oft genug Gelegenheit zu beobachten, wie aufrichtig seine männlichen Tugenden respektiert wurden.

Wenn irgendwo, dann hatte ich hier, bei diesen liebenswürdigen Menschen, den richtigen Ort gefunden, wo sich mir das menschliche Panorama des harten, großartigen Landes Alaska in weitem Umkreis öffnen mochte – und darauf war ich aus.

Der Januar war vergangen, und auch der Februar näherte sich bereits dem Ende; die Tage wurden merklich länger, schon stand die Sonne acht Stunden am Himmel. Wenn sie schien, durfte man nicht ohne Schneebrille ins Freie treten, sonst setzte man sich der Gefahr aus, schneeblind zu werden. Allerdings war der Winter längst noch nicht zu Ende. Die Zeit der allertiefsten Kälte indessen, die in Zentral-Alaska stets mit völliger Windstille einhergeht, war vorüber; das verriet der böige, stoßende Wind, der an jenem Abend im Kamin wühlte und uns die Funken vor die Füße trieb. Es begannen die unbeständigen Wochen, die den Übergang zum Vorfrühling bedeuten, mit wechselnden Temperaturen, aber auch stets noch mit solchen tief unter Null, mit Schneestürmen, Nebeltagen und den hohen Geisterflammen der Nordlichter.

Lange war nichts mehr gesprochen worden. Der Bischof hatte neues Holz aufgelegt. Selbst die ewig geschäftigen Hände der Frau waren für eine Weile in den Schoß gesunken. Plötzlich ließ uns ein Geräusch aufhorchen. Irgendwer klopfte an die Tür der großen Vorhalle des Hauses. Jemand aus der Küche, die am jenseitigen Ende der Halle sich anschloß, eines der Indianermädchen der Station, öffnete, ehe wir uns noch aus unseren tiefen Lehnstühlen aufrafften. Schon tat sich die Tür zu unserem Zimmer auf; herein trat ein Riese von Mann, den das aufrechtstehende Fell der Kapuze seiner Parka, des knielangen Pelzhemdes der Eskimos, noch riesiger erscheinen ließ. Er bot uns zunächst die Zeit und streifte sich dann den dicken Pelzrock über den Kopf. Darunter kamen ein Uniformrock, Reithosen und hohe, geschnürte Reitstiefel zum Vorschein.

Ich kannte ihn schon: es war der nahebei stationierte Polizeisergeant, ein Amerikaner isländischer Abkunft aus North Dakota. Wenn auf irgendwen der Name ›nordischer Recke‹ paßte, und zwar ganz ohne Spaß, dann auf ihn. Das riesige Gebiet, für dessen Sicherheit und Ordnung er verantwortlich war, erstreckte sich vom mittleren Yukon nach Süden bis zum oberen Kuskokwim, nach Norden bis zur Großen Wasserscheide und an die Oberläufe des Koyukuk, des Noatak und des Colville. Er stand wie der Bischof bei Weißen und Indianern ringsum in hohem Ansehen. Von seiner Härte und seiner Unnachsichtigkeit, aber auch seiner unbedingten Hilfsbereitschaft und Kameradschaft erzählte man sich manche Geschichte. Er hieß Hagneson.

Ich kam mir neben ihm stets wie ein kleiner Bruder vor, denn er überragte mich um mehr als Haupteslänge. Er behandelte mich auch stets mit einer gewissen freundlichen Nachsicht, die ihm wohl einerseits von dem Eindruck meiner nur mittelmäßigen Statur, andererseits von meinem etwas windigen Beruf eingeflößt wurde.

Er reichte uns allen die Hand, wobei er sich vor der Frau Bischof mit einer merkwürdig rührenden Schwerfälligkeit verbeugte. Der Bischof sagte: »Zieh dir einen Stuhl ans Feuer, Sergeant!«

Er tat es, blickte fragend zur Frau des Bischofs hinüber, und als die nickte, stopfte er sich seine kurze Pfeife. Hier wurde nichts übereilt, obgleich ihn nur etwas ungewöhnlich Wichtiges zu nachtschlafender Zeit hergeführt haben konnte. Die Uhr ging auf zwölf. Erst als die blauen Rauchwolken durch die Luft zogen und langsam dem saugenden Kaminfeuer zuschwebten, nahm Hagneson das Wort. Er sagte langsam und ohne die geringste Erregung zu verraten, als handele es sich um einen harmlosen Wochenendausflug bei schönstem Sommerwetter: »Ich muß morgen früh zum Koyukuk; etwa fünfzig Meilen oberhalb der Einmündung des Hogazakekat liegt der Platz. Ich möchte gern, daß du mitkommst, Bischof!«

Ich überlegte schnell: Wenn er quer über die schroffen Yukonberge wollte, so waren das mindestens zweihundertfünfzig Meilen; nahm er den bequemeren Weg, den Yukon stromab und dann den Koyukuk stromauf, so hatte er mindestens fünfhundert Meilen zurückzulegen. Auf beiden Routen aber würde er die geschützten Gebiete Zentralalaskas verlassen müssen. Er gelangte westwärts in die öden Gegenden, die von den Schneestürmen aus der Beringsee durchtobt werden. Und das sagte er so ruhig hin: »Morgen früh muß ich zum Koyukuk.«

Der Bischof hatte sich nicht gerührt; er schien genauso träumerisch in die Flammen zu starren wie zuvor. Aber ich merkte eine plötzlich in der Luft liegende Spannung. Seine Frau hielt den Atem an. Sie kannte die Gefahren und Strapazen, die eine solche Schlittenreise um diese Jahreszeit bedeuteten. Aber sie wußte ebenso, daß ihr Mann sich durch nichts auf der Welt von etwas abhalten ließ, was er für seine Pflicht hielt. Nach fünf langen Minuten endlich räusperte sich der Bischof, schob sich ein wenig in seinem Stuhl höher und meinte: »Ich werde das große Gespann nehmen, fünfzehn Hunde und den großen Schlitten. Die Hunde sind ausgeruht. Wenn wir über die Berge gehen, können wir's, glaube ich, in zehn Tagen schaffen. Wie steht's mit deinem Gespann, Sergeant?«

»In Ordnung! Die Hunde haben zwar diesen Winter schon eine gehörige Anzahl Meilen hinter sich, aber ich habe sie kräftig in Futter gehalten und sie noch nicht ein einziges Mal auszupumpen brauchen.«

»Das ist gut!« antwortete der Bischof. »Es handelt sich ja wohl um den alten Mike, nicht wahr, Sergeant? Habe mir schon lange gedacht, daß da mal was schiefgeht. Er ist schon an die Siebzig. Welche von meinen Medizinflaschen soll ich mitnehmen? Hat er sich was gebrochen? Ist er verletzt oder krank?«

Der Bischof war nebenbei approbierter Arzt, was natürlich bedeutend dazu beitrug, sein Ansehen bei den Leuten seines Sprengels zu erhöhen.

»Nimm nur alles mit, was du hast, Bischof. Der Teufel soll wissen, was wir vorfinden. Entschuldige meine Flucherei, Bischof!«

343

»Das klingt wenig erfreulich, Sergeant. Ich meine nicht nicht den Teufel; von mir aus teufle ruhig weiter. Aber was ist mit Mike los? Woher hast du die Nachricht?«

»Ich habe heute von der Straße weg einen Kerl verhaftet, den Sergeant Jacopp und ich bis jetzt verhört haben. Vor einer Stunde hat er endlich klein beigegeben und gestanden. Ich habe mich gleich aufgemacht und bin zu dir gekommen, Bischof, denn Jacopp kann mich nicht begleiten. Ich kann keinen Ersatz von Fairbanks anfordern; ehe der da ist, ist es am Koyukuk vielleicht schon zu spät; Jacopp muß also hier den Posten besetzt halten. Außerdem braucht Mike bestimmt einen Arzt. Nimm aber nicht nur dein Gewehr mit, Bischof, stecke dir auch eine Pistole ein und ein paar Magazine Munition; wir werden es vielleicht mit einem desparaten Burschen zu tun bekommen.«

»Well, gut und schön, Sergeant. Aber jetzt berichte endlich mal im Zusammenhang. Ich bin nämlich kein Hellseher und meine arme Frau ist es auch nicht. Du spannst sie auf die Folter. Hast natürlich kein Gefühl dafür, was es für sie bedeutet, wenn ich morgen für drei oder vier Wochen nach Norden enteile.«

Der breitschultrige Riese errötete tatsächlich bis unter die Haarwurzeln bei diesem Vorwurf und begann stockend: »Mike hat doch im vorigen Sommer neue Besitzrechte eintragen lassen. Kein Mensch wußte genau, wo sie eigentlich lagen; irgendwo nicht allzuweit von der Einmündung des Hogazakekat in einem Seitental. Er betrieb die Sache mit großer Heimlichkeit. Ehe einer recht was begriffen hatte, war er schon mit den beiden Kerlen, diesem George Truckley und dem Henry Palmer, verschwunden. Der alte Esel glaubte natürlich, es besonders schlau anzufangen, als er uns nichts sagte. Er ließ sich viel zu selten in der Stadt sehen. Da hätte ihm jeder Erfahrene verraten können, daß die Biggers-Mining-Leute schon lange scharf auf ihn waren. Er hat sie grob abgewiesen, als sie ihm anboten, sich an seinen Funden zu beteiligen oder ihn auszukaufen. Vielleicht ist der Platz, den er gefunden hat, so reich und leicht zu bearbeiten, daß er erst mit zwei Helfern den Rahm abschöpfen will; es ist ja wahrscheinlich ein Platz, wo er durchs Flußbett gehen kann, sonst hätte er nicht alles für den Winter vorbereitet.

Als ich hörte, daß er allein mit den beiden losgezogen ist, witterte ich sofort Unrat, denn inzwischen pfeifen es längst die Spatzen von den Dächern, daß die zwei von der Biggers Mining Company bezahlt werden; es besteht nicht der geringste Grund anzunehmen, daß dies etwa jetzt nicht mehr der Fall ist.«

Er hatte sich fast in Wut geredet, verschnaufte eine Weile und stopfte sich inzwischen eine neue Pfeife – wobei er diesmal vergaß, die Frau Bischof um Erlaubnis zu fragen. Sie merkte es wohl gar nicht; sie hatte mit ebenso gespannter Aufmerksamkeit zugehört wie ich. Wir hatten so viel zu kombinieren und zu ergänzen, was der Sergeant als bekannt voraussetzte, daß wir für Nebensachen keine Zeit behielten. Schließlich fuhr der Sergeant achselzuckend fort; offenbar kam es ihm so vor, als ob genug erzählt wäre:

»Well, die beiden haben ihn irgendwie hingekriegt. Aber sie haben sich doch verkalkuliert. Mike ist verflixt zäh. Und dann hat er sie hingekriegt, wie, weiß ich noch nicht genau. Irgendwie hat er sich des Henry versichert, als Geisel oder etwas Ähnliches, nachdem er beiden Waffen und Proviant abgenommen hat. Dann hat er den George losgejagt, Entsatz oder Hilfe zu holen, mit so wenig Lachsen als Hundefutter, daß der Kerl knapp bis hierher gekommen ist. Natürlich wollte George das Spiel noch zu seinen Gunsten wenden und nach Fairbanks weiter. Dort hätte er mit seinen Auftraggebern, die man wieder nicht fassen wird, irgend etwas ausgeheckt, was dem alten Mike die Claims und das Leben kosten würde.

Aber George hatte Pech. Ich begegnete ihm eine Viertelstunde vor der Stadt und Jacopp ihm in der Stadt. Es kam mir so verdächtig vor, daß ich sofort umdrehte, ihm zu folgen. Dem Jacopp kam er noch verdächtiger vor. Seine Hunde waren so abgetrieben, daß es einem das Herz brechen konnte; er fuhr bloß noch auf Peitsche. Da packt mich alleine schon die Wut. Außerdem hatte er fast nichts mehr auf dem Schlitten: keinen Proviant, keinen Schlafsack, kein Futter. Eine Waffe trug er auch nicht bei sich. Da stank etwas. Das war doch klar. Und wir nahmen ihn mit und fragten ihm so lange Löcher in den Bauch, bis endlich die Wahrheit herauskam; er war sowieso am Ende seiner Kräfte, knickte einfach in den Knien ein. Jetzt hockt da irgendwo am Koyukuk der todkranke Mike, bewacht den Henry Palmer, wenn er nicht bereits von ihm auf die Seite gebracht ist, und wartet auf Entsatz und Hilfe. Wir haben keinen Tag zu verlieren, Bischof, jede Stunde kann entscheidend sein!«

Überraschend nahm die Frau Bischof das Wort: »Richtig, Sergeant, und damit bis morgen früh um sieben alles fertig ist, mußt du jetzt verschwinden, denn bis dahin ist noch eine ganze Menge vorzubereiten.«

Der blonde Riese erhob sich sofort.

»Ich bitte um Entschuldigung! Morgen früh um sieben bin ich mit meinen Hunden vor der Tür. Schau deinen Schlafsack gut nach und die Pelzstiefel, daß keine Löcher drin sind. Wir werden sicher unterwegs einen Schneesturm bekommen, leider!«

Damit verabschiedete er sich, stülpte sich seine Parka über den Kopf und stapfte zur Tür hinaus.

Ein Indianer, der zur Station gehörte, und noch ein Mädchen waren schnell geweckt. Bald stapelte sich in der Halle alles, was für die Fahrt gebraucht wurde: Schlafsack, Trokkenfleisch, Bohnen, Speck, Mehl, Pelze. Der lange leichte Schlitten wurde der Einfachheit halber gleich in der Halle gepackt. In einer Stunde war alles bereit, war das Geschirr für die Hunde geprüft und bereitgelegt, waren die Schneereifen noch einmal geprobt, ein Ersatzpaar hinten an die niedrige Seitenlehne geschnallt, ein paar Ersatzriemen aus ungegerbtem Elchleder dazu. Ich hatte inzwischen noch einmal die Waffen durchgesehen und die Munition bereitgelegt. Dann war es endlich Zeit, schlafen zu gehen; die Nacht würde ohnehin kurz sein.

Der Abschied am nächsten Morgen ging rasch und ohne viele Worte vonstatten. Punkt sieben Uhr hörte man in der inzwischen stillgewordenen blanken Nacht eine tiefe Stimme »Hoa! Hoa!« rufen. Ein Hund jaulte auf. Der Sergeant war da.

Ein Händedruck des Bischofs: »Sie sind doch noch da, Johann, wenn ich wiederkomme? Und geben Sie auf meine Frau acht, verstanden?«

»Das werd' ich tun! Und natürlich warte ich auf Ihre Rückkehr. Bin viel zu neugierig, wie die Sache ausgehen wird!«

Dann umarmte der hagere Mann seine Frau.

»Leb wohl, Liebe! In drei Wochen sind wir wieder da!«

»God bless you!« flüsterte sie, während er durch die rückwärtige Tür auf den Hof der Station hinaustrat. Dort hielt der Indianer die aufgeregt jappenden Hunde fest. Der Bischof trat auf das Hinterende der Kufen, stülpte sich seine Kapuze hoch, denn es war bitter kalt.

»Mush! Mush, my dogs!« klang der antreibende Befehl, und wenn der Indianer nicht beiseite gesprungen wäre, so hätten ihn die nun nicht mehr zu haltenden Hunde und der Schlitten umgerissen. In einer Wolke stiebenden Schnees verschwand das Gefährt zwischen den mageren Büschen, als hätte es die totenstille Winternacht verschluckt. Als wir wieder im Haus waren, hörten wir auch vor dem Hause den lauten, anfeuernden Ruf: »Mush, mush!« Es war der Sergeant, der gerade abfuhr. Er hatte dem Bischof ein paar hundert Meter Vorsprung gelassen, damit die übermütigen, ausgeruhten Hunde der beiden Gespanne sich nicht in die Haare gerieten. Abends, wenn man haltmachen würde, sollte sich ihre Kampfeslust wesentlich abgekühlt haben...

Am Tag danach erschien uns Zurückgebliebenen das Haus leer – wie stets, wenn jemand abgefahren ist, den man gern dabehalten hätte und der dich nicht mitnehmen konnte.

Natürlich war ich mehr als einmal versucht gewesen, darum zu bitten, mit von der Partie sein zu dürfen. Wenn es möglich gewesen wäre, hätte mich der Bischof von sich aus aufgefordert, denn er wußte sicher, wie ich innerlich darauf brannte. Aber diesmal handelte es sich nicht um eine geruhsame Schönwetterfahrt von zwei, drei Tagen zu einem freundlichen Besuch bei einem Trapper oder Prospektor, der sich freute, ein wenig Gesellschaft zu erhalten, sondern um eine wilde Parforcejagd auf Tod und Leben, zu der man jahrelange Erfahrung, eine schon instinktiv gewordene Vertrautheit mit der arktischen Welt mitbringen mußte. Und über die verfügte ich Anfänger natürlich nicht.

Aber der Versuchung zu widerstehen, die Geschichte so weiterzuerzählen, als hätte ich an ihr teilgenommen, wird hoffentlich nicht von mir verlangt.

Am ersten Tag der Fahrt ließen sich die beiden Männer etwas Zeit, um die Hunde langsam warmwerden und sich das überflüssige Fett abstrampeln zu lassen, das sie vielleicht angesetzt hatten. Am zweiten Tage aber machten sie Ernst. Das Flußeis des Tanana, dem sie zunächst bis zu seiner Einmündung in den Yukon zu folgen hatten, war eben wie ein Tisch, der Schnee nicht verharscht, andererseits aber nicht mehr grundlos locker wie Neuschnee, sondern schon gesetzt, so daß es nicht mehr nötig war, auf breiten Schneeschuhen vorauszulaufen, um eine Bahn für die Hunde festzutreten.

Die Hunde hatten zu zeigen, was sie konnten. Weiter, weiter! hieß die Parole; erst nach vier Stunden gab es die erste kurze Rast und nach weiteren vier wieder eine, und erst nach weiteren fünf, als längst die Nacht wieder eingefallen war, wurde das flüchtige Lager unter einer überhängenden Uferbank bezogen, wo der harte Erdboden freilag und sich leicht ein Feuer entzünden ließ. Ein Zelt schlugen die beiden wildnisgewohnten Männer nicht auf; das hätte zuviel Zeit gekostet. Sie vertrauten darauf, an jedem Abend eine Stelle zu finden, die ihnen ein natürliches Obdach bot oder mit wenigen Handgriffen dazu herzurichten war. So packten sie sich einfach, wenn sie die Hunde gefüttert, die Geschirre geprüft hatten, ihre Bohnen mit fettem Speck und einen Topf Tee im Magen fühlten, in ihren warmen Schlafsäcken an einer windgeschützten Stelle in den weichen Schnee, klappten das Pelzverdeck über dem Kopfende hoch und schliefen bis zum nächsten Morgen. Ehe auch nur die Ahnung des kommenden Tages den östlichen Himmel überschimmerte, waren sie von neuem unterwegs. Das Wetter ließ sich so gut an, wie man es sich nur wünschen konnte; es war nicht sehr kalt, nur um etwa minus zwanzig Grad Celsius.

Allerdings: zwanzig Grad Kälte können zu einer unbeschreiblichen Tortur werden, wenn der Wind weht. Aber die beiden Männer reisten durch völlige Windstille. Ihre Atemluft und die ihrer Hunde blieb hinter ihnen in der unbewegten Luft als silberne Wölkchen hängen, die sich nur zögernd verflüchtigten. Der Himmel war glasklar, am Tag wie in der Nacht. Die Hunde schienen die jagende Fahrt als Vergnügen aufzufassen, denn noch am Abend des vierten Tages, als schon der Yukon nordwärts überwunden und das Gelände unebener und schwieriger geworden war, lieferten sie sich plötzlich eine Schlacht.

Der Bischof war mit seinem Gespann als erster angefahren, und diese Reihenfolge mußte nach alter Regel während der ganzen Reise eingehalten werden. Die Männer waren sich darin einig, ohne daß es lange beredet worden war, daß des Bischofs Gespann das bessere wäre, folglich gebührte ihm der Vortritt. Insbesondere der ›Leader‹, der Leithund seines Gespannes, ein wertvoller Husky vom unteren Makkenzie, war ein wegen seiner pfadfinderischen Eigenschaften berühmtes Tier, dem man einen starken Schuß Wolfsblut anmerkte. King, so hieß der mächtige grauschwarze Hund, hätte es nie geduldet, daß auf gleicher Straße ein anderes Gespann schneller wäre als das von ihm geführte. Mit King waren es fünfzehn prächtige Hunde, die, wie es von edlen Gespannen erwartet wird, niemandem gehorchten als ihrem Herrn, dem Bischof; er hatte jeden seiner Hunde von klein auf großgezogen, ausgebildet und mit all den Feinheiten und Listen an sich gewöhnt, wie sie in der Erziehung der Schlittenhunde von den Indianern, besonders aber von den Eskimos angewendet werden.

Das Gespann des Sergeanten bestand ebenfalls aus vorzüglichen Tieren, siebzehn Malemutes, der von den Eskimos seit alters her gezüchteten Schlittenhundrasse; sie wirken etwas kleiner und zierlicher als die Huskies. Der Leithund des Polizeigespanns war ebenfalls ein berühmtes Tier; er hörte auf den Namen Atka und zeichnete sich nicht so sehr durch hervorragende Stärke als vielmehr durch besondere Intelligenz aus; natürlich mußte er allen Hunden seines Gespannes im Kampfe überlegen sein, er wäre sonst nie von ihnen als ›Leader‹ geduldet worden und hätte sie ja auch nicht strafen können, wenn es sich während der Reise als nötig erwies.

Mit dem riesigen King allerdings konnte es Atka im Ernst nicht aufnehmen, sosehr auch seine stolze Seele unter dieser Überlegenheit des anderen leiden mochte. Er gehörte zu den wenigen Leithunden, die wegen ihrer beinahe menschlichen Klugheit nicht angespannt zu werden brauchen, sondern frei, vor ihrem Gespann, das die Arbeit verrichten muß, herlaufen, den besten Weg aussuchen und darauf achten, daß jeder ihrer Untergebenen eifrig und an seinem richtigen Platz im Gespann zieht, ohne die Leinen zu verwirren. Nur wenn besonders hohe Leistungen von dem Gespann erwartet werden, wenn das Gelände besonders schwierig und unwegsam, das Flußeis brüchig und tückisch ist, wenn es auf höchste Geschwindigkeit und zähestes Durchhalten ankommt, dann wird auch ein solcher ›loose Leader‹ mit angespannt, als Erster des Teams; er wird bis zum letzten Atemzug, vielleicht auf blutigen Läufen, mit jappenden Flanken, das letzte Quentchen seiner Kraft aus sich herausholen, um dem Befehl seines Herrn treu zu bleiben. Denn unbedingte Treue und ein hohes Ehrgefühl, das ist es vor allem, was einen guten Leithund auszeichnet. Er hat, mit einem Wort, Charakter.

Am Abend des vierten Tages also, als die Reisenden schon begonnen hatten, in einem weit ausholenden Bogen die östlichen Ausläufer des Yukongebirges zu überqueren, war die Rivalität der beiden Gespanne plötzlich zum Ausbruch gekommen. Die Männer rechneten damit, daß die Hunde ebenso wie sie selbst an nichts weiter mehr denken würden, als jede Minute der Rast zum Ausruhen zu nutzen. Aber vielleicht hatten der Bischof und der Sergeant, schon allzu sorglos, den Fehler gemacht, die Lager- und Futterplätze der beiden Gespanne dicht beieinander anzulegen. Völlig unvermutet war Atka vor den Augen des Bischofs dem riesigen Husky King an die Kehle gesprungen und wie auf ein lang erwartetes Signal fuhren nun auch die übrigen Hunde der beiden Gespanne aufeinander los; auf dem weißen Schnee; – der bald rote Flecken bekam – tobte, heulte, knurrte, wütete eine Rotte von rasenden Bestien. Es bewies die wilde Furchtlosigkeit der Malemutes, der Eskimohunde, daß sie sich, obgleich kleiner und schwächer, auf die Huskies gestürzt hatten.

Wenn es den beiden Männern nicht gelang, die rasenden Tiere zu trennen, so würden sie sich in wenigen Minuten schwerste Verletzungen zufügen oder sogar, wenn dem einen oder anderen der Kämpfer das Glück günstig war, ihre furchtbaren Wolfsgebisse dem Gegner in die Kehle oder in den Bauch schlagen und das Opfer in Sekundenschnelle töten. Ging gar einer der beiden Leithunde bei dem Streit drauf, so war die Weiterreise gefährdet. Ohne Leithund ist ein Gespann nur die Hälfte wert.

Die beiden Männer griffen sich Prügel und stürzten sich mitten in das Getümmel; sie konnten keine Rücksicht darauf nehmen, daß sie nur der Hälfte der Hunde vertrauen durften, der anderen Hälfte aber fremd, also feindlich waren. Es gelang ihnen, die beiden Leithunde zu trennen. Der Sergeant hatte blitzschnell in das schnappende Knäuel hineingegriffen, seinen Atka bei einem Hinterlauf erwischt, ihn zweimal um den Kopf gewirbelt und schließlich wohl zwanzig Meter weit fortgeschleudert. Ehe sich King von seinem Staunen erholte, daß sein Gegner plötzlich fliegen konnte, war der Bischof neben ihm, packte ihn in die steil gesträubten Nackenhaare und sprach leise und befehlend auf ihn ein. In der Tat war seine Macht über das Tier so groß, daß es nach kurzer Zeit zu knurren aufhörte und sich an die Kette legen ließ, die man für solche Gelegenheiten mitführt. Damit war das Schlimmste verhütet.

Und dann passierte beinahe doch noch ein entsetzliches Unheil. Während der Sergeant sich noch mit dem wölfischen Atka herumbalgte, der sich in seiner Wut nicht an die Kette legen lassen wollte, war der Bischof zwischen die anderen Hunde gesprungen, um auch sie voneinander zu trennen. Dabei fuhr ihm ein vor seinem Angreifer zurückspringender Hund, ein Malemute, zwischen die Beine, der Bischof stolperte und fiel in den Schnee.

Nichts ist gefährlicher, als zwischen die Hunde zu fallen, wenn sie die Wut gepackt hat. Dann bricht das Wolfsblut in ihnen durch: Was auf der Erde liegt, ist gerissen, ist Beute wie ein niedergekämpfter Hirsch und muß zerfleischt und zerfetzt werden – sei es selbst der eigene Herr.

Mit einem wilden Aufheulen stürzten sich die Eskimohunde über den Gefallenen. Wenn auch der dicke Pelz die Bisse abwehrte, wenn auch der Bischof mit dem Knüppel, den er glücklicherweise nicht verloren hatte, wie rasend um sich schlug, wenn auch der Sergeant sofort die Gefahr erkannte und sich mit erbarmungslosen Streichen zu dem wirbelnden Tierhaufen durchkämpfte, der den Körper des Bischofs bedeckte, so bewiesen nach der Rettung eine so gut wie völlig zerfetzte Parka, ein abgerissener Pelzstiefel und eine tiefe Bißwunde am Kinn, was aus dem Bischof geworden wäre, wenn ihn sein Kamerad nicht in Minutenschnelle herausgehauen hätte.

Nach knapp einer Viertelstunde war alles vorbei. Die Hunde hockten mit hechelnden Zungen im Schnee; einige leckten ihre Wunden. Die beiden Leittiere lagen an ihren Ketten, umgeben von ihren getreuen Vasallen, und blickten mit glühenden Augen zu ihren Herren hinüber, die zum zweitenmal damit begonnen hatten, sich die Mahlzeit zu bereiten; denn die Bohnen und der Speck, die sie vor der Schlacht in die Pfanne getan hatten, waren längst verbrannt. Der Bischof hatte seine Wunde desinfiziert und verbunden; er hielt das schmerzende Kinn in der Kante seines Pelzrockes verborgen, denn nichts gibt schlimmere und schlechter heilende Entzündungen, als wenn der Frost in eine offene Wunde dringt. Er sagte: »Deine Malemutes sind viel gefährlicher als Huskies, Sergeant. Es hätte böse ausgehen können!«

»Das ist wahr, Bischof! Sie haben mehr Wolfsblut als die Huskies. Wehe dem, der sich nicht auf den Umgang mit ihnen versteht und zwischen sie fällt. Sie reißen ihn buchstäblich in Fetzen.«

»In der Tat! Aber ich bewundere sie doch. Sie sind zwar wilder, haben aber mehr Schneid als die Huskies!«

Damit war für die beiden Männer der Vorfall erledigt. Die Hälfte des zubereiteten Essens wurde in eine Büchse getan, eine große Blechflasche mit Tee gefüllt und fest verschlossen. Die beiden Gefäße wurden mit in den Schlafsack genommen, sonst würde ihr Inhalt bis zum nächsten Morgen steinhart gefrieren. Auf einer Hetzfahrt wie dieser erspart man sich so das Feueranzünden am Morgen.

Der Bischof hatte seinen Schlafsack abseits unter das aufragende Wurzelwerk einer vom Sturm gefällten Tanne gezogen und seinen King, den Leithund, neben sich gelegt. Es gibt keine größere Belohnung für den Hund, als Seite an Seite mit seinem Herrn die Nacht zu verbringen. King schien zu begreifen, daß er für seinen Gehorsam während des Kampfes belohnt werden sollte; sein freudiges Winseln wollte kein Ende nehmen; am liebsten hätte er seinem schon im Schlafsack liegenden Herrn das Gesicht abgeleckt; aber daran fand der Bischof keinen Gefallen. Schließlich beruhigte sich das riesige Tier und lag, zu einem Berg von Pelz zusammengekuschelt, dicht neben dem Bischof, ihn angenehm wärmend.

Der Bischof vermochte lange nicht einzuschlafen. Noch bebten seine Nerven von der überstandenen Gefahr; er kannte mehr als einen Mann, den die Hunde schrecklich zugerichtet hatten. Er dachte an seine Frau und seufzte. Gut, daß sie nicht all die Gefahren voraussah, die auf einer winterlichen Gewaltreise am Wege lauerten. Ihn überkam das Gefühl, als ob es noch niemals so dumpf unter der Kopfklappe seines Schlafsacks gewesen wäre wie in dieser Nacht, er schlug sie wieder zurück. Der Hund regte sich ein wenig, schlief aber weiter.

Über ihm stand das starre Wurzelgeflecht der gestürzten Tanne, aber seitlich nach Norden konnte er ins Freie blicken. Ein Nordlicht ließ seine seidiggrünen Banner am Himmel dahinwehen.

Zum erstenmal eigentlich, seit er die Reise angetreten hatte, ließ er sich durch den Kopf gehen, weshalb er sie unternommen hatte. Die Gedanken flossen ihm zu dem Satz zusammen:

Auch der alte Mike ist unter die Wölfe gefallen, und wir müssen ihn heraushauen, wenn es noch nicht zu spät dazu ist. Wenn wir aber zu spät kommen, so muß Mike gerächt werden – und ich, der Bischof, würde die Jagd auf den Mörder des alten Mike mitzumachen haben, obgleich das nicht meines Amtes ist. Aber etwas anderes würde der Sergeant, der jederzeit bereit ist, sein Leben aufs Spiel zu setzen, wenn die Pflicht es erfordert, nicht verstehen.

Mike war einer von den Alten, den Allerletzten, die aus der wilden Zeit des Yukon und des Klondike, des Pelly und des Birch übriggeblieben waren. Schon im vorigen Jahrhundert war er in dieses Land gekommen, verlockt wie vor und nach ihm zehntausend andere. Aber er gehörte zu den wenigen, die es verstanden hatten, den Kopf über Wasser zu halten; er geriet weder ans Saufen noch ans Geldverschwenden, wenn er mal irgendwo einen reichen Fund getan hatte. ›Dutch Mike‹ nannten sie ihn, also mußte er deutscher Abstammung sein oder holländischer; bei ›dutch‹ weiß man nie, was von beiden gemeint ist.

Um diese alten Recken, die das Gebirge und die Bachbetten durchwühlen und auf eigene Faust ihre Funde abbauen wollen, ist es heute eigentlich geschehen. Die wenigen, die noch für eigene Rechnung im Lande unterwegs sind, sind entweder abenteuernde Dilettanten, die niemals einen ernsthaften Fund machen, oder es sind die wenigen der alten Garde wie Dutch Mike – und die werden fortwährend von den großen Gesellschaften ausspioniert und sind ihrer Existenz nicht mehr sicher. Man setzt Kreaturen gegen sie an, um ihnen das Eroberte mit allen Mitteln sofort wieder zu nehmen.

Dabei ist es noch die Frage, ob ›sie‹ Mikes Mine ausbeuten werden; wahrscheinlich wird der Claim bloß stillgelegt, um keine Konkurrenz anzulocken und keine Unruhe zu verbreiten. Wer sich den großen Gesellschaften nicht fügen will, der muß früher oder später, so oder so, verschwinden.

Ob der Sergeant von diesen Zusammenhängen etwas ahnte? Ihn interessierte, daß irgendwer in Not war, und er preschte los. Aber er würde keinen Ruhm ernten mit dieser Fahrt. Ach, gäbe es doch noch mehr Männer wie Mike, die zurückschlagen, wenn sie gekränkt werden. Aber die Mikes sind am Aussterben, und übrig bleiben die Mitmacher und Mitverdiener.

»Was willst du, King?«

Eine Bewegung des Hundes hatte den Bischof aus seinen Grübeleien aufgeschreckt. Er wußte nicht, wieviel Zeit inzwischen verflossen sein mochte. Waren es zwanzig Minuten oder zwei Stunden gewesen? Die Dauer nächtlicher Selbstgespräche ist nicht abzuschätzen. Man wacht halb, halb träumt man – und ist nichts weiter mehr als ein winziger Lebensfunke in der stillen Nacht.

Der Hund hob lauschend den Kopf, stand auf, schüttelte sich mit einer heftigen Bewegung den Schnee aus dem Pelz und sprang mit einem lautlosen Satz ins Freie. Der Bischof, der im ersten Augenblick nicht begriff, was das Tier vorhatte, rief leise mahnend: »King, hierbleiben!« Aber es hätte dieses Befehls nicht bedurft. Das mächtige Tier setzte sich wenige Schritte neben dem gemeinsamen Lagerplatz auf die Hinterschenkel, die Schnauze nach Osten gewendet, witterte noch einmal und reckte schließlich den Hals steil in die Luft. Aus seiner Kehle brach ein langgezogenes Geheul.

Der Bischof wußte: im Osten ist der Mond im Aufgehen, er steht im letzten Viertel. Mitten im Schlaf hatte der Hund, wie beinahe jede Nacht, aus der Tiefe seiner Instinkte den Befehl erhalten, das aufsteigende Nachtgestirn auf seine Weise zu begrüßen, und wie stets hatte er den Schlaf abgeschüttelt und würde nun für eine Viertelstunde oder länger seinen wölfischen Jammer zu den Sternen heulen, weiße Säulen von Atemdampf in die Luft hauchend, denn die Kälte lastete schwer zwischen den totenstillen Bäumen.

King hatte ein Signal gegeben. Ohne daß es der Bischof von seinem versteckten Ruheplatz sah, wußte er, daß überall um das Lager sich die Hunde aus dem Schnee hoben, den Schnee abschüttelten, sich hinhockten, ihre Schnauzen halb geöffnet in die Luft reckten und ihre Stimmen ebenfalls – da fiel schon der erste in das Geheul des Leithundes ein. Dann noch einer. Nun ließ sich schon nicht mehr unterscheiden, wie viele dazukamen. Das Geheul der wölfischen Hunde Alaskas hat nichts Tierisches mehr, nichts Hündisches; es ist, als schreie das in tödlicher Kälte erstarrte Land selbst um Erlösung.

Die Welt liegt in Ketten und heult um Gnade, dachte der Bischof, als endlich nach langer Zeit das Gejaul der Hunde abzuebben begann. Erst als King wieder neben ihn gekrochen war, kam endlich der Schlaf, viel zu spät für jemand, der Tag für Tag das Äußerste leisten muß.

Der Sergeant mußte – noch vor dem ersten blassen Frühlicht – den Bischof heftig rütteln, ehe der erwachte. Als der Bischof fragte, ob sein Kamerad das besonders lautstarke Konzert der vergangenen Nacht mit angehört habe, bekannte dieser, nichts gehört zu haben; er sei solche Konzerte so sehr gewöhnt, daß er nicht mehr davon erwache. So müssen wohl die Sergeanten der Polizei von Alaska sein, dachte der Bischof.

Was die beiden Männer befürchteten, trat nicht ein. Als sie die Kette der Yukonberge nordwärts überwunden hatten – als wenn er einen unfehlbaren Kompaß in sich trüge, so genau hielt der Sergeant die gangbarste Route ein –, blieb das Wetter unverändert. Kein erbarmungsloser Schneesturm von der Beringsee, von den Eiswüsten des arktischen Meeres her hielt sie auf. Tag für Tag legten sie ihre dreißig, vierzig und, als es jenseits der Yukonberge weite Strecken bergab ging, sogar ihre fünfzig Meilen zurück, wozu sie allerdings zwölf bis fünfzehn Stunden ununterbrochen auf den Beinen sein mußten. Die Temperaturen bewegten sich jetzt um minus fünfundzwanzig bis dreißig Grad; auch hier war der Schnee gut gesetzt, ohne gefroren zu sein; die Hunde schienen bei der gleichmäßigen Übung nicht müder, sondern immer frischer zu werden.

Am zehnten Tage mündete gegen Abend der Nebenfluß, über dessen glattes, sicheres Eis sie wie über eine Rennbahn dahingeglitten waren, in das breitere Eisband eines Stromes, der an dieser Stelle fast genau aus Norden heranzukommen schien. Der Bischof gab dem Sergeanten, der keine hundert Meter hinter ihm herbrauste, ein Zeichen. Hagneson schrie mit gewaltiger Stimme, daß es über die vereisten Ufer hin dröhnte:

»Koyukuk – Koyukuk!«

Sie hatten den großen Strom erreicht, dem sie zustrebten. Ehe noch das Polizeigespann heran war, fuhr den Hunden, auf die sich die Freude ihrer Herren zu übertragen schien, schon wieder das hetzende »Mush, mush!« des Bischofs in die Ohren. In einem weiten Kreis bogen mit hellem Gebell die Gespanne ein und fegten auf das Eis des mächtigen Stromes hinaus, als spürten sie, daß ihr Ziel nun fast erreicht war.

Am Abend wurde Kriegsrat gehalten. Wenn das Eis weiter so eben und sicher blieb wie bisher, so konnten die Männer, wenn sie um vier Uhr morgens aufbrachen, noch vor Sonnenuntergang des nächsten Tages die Gegend erreichen, in der sich das Lager Mikes befinden mußte. Man würde sich ihm mit aller Vorsicht nähern müssen, denn niemand konnte voraussagen, was sich dort inzwischen ereignet haben mochte.

So geschah es. Die Hunde begriffen, daß es darauf ankam, noch einmal das Letzte herzugeben. Obgleich das Eis sich gegen Mittag verschlechterte, sogar unter dem Gewicht des Bischofs an einer tückischen Stelle plötzlich nachgab und sich der Bischof nur dadurch retten konnte, daß er sich der Länge nach auf den vor ihm hingleitenden Schlitten warf, obgleich die Hunde hinter dem vorsichtig tastenden King zuweilen unvermutet weite Bogen über das Eis beschrieben, weil der Leithund unsichere Bahn witterte, erreichten die unaufhaltsam vorwärtsstrebenden Männer noch vor der errechneten Zeit eine Gegend, die der Sergeant dem Bischof genau beschrieben hatte. Dort bog der Fluß um ein niedriges Vorgebirge aus kahlen schwarzen Felsen fast genau nach Norden. Am Ufer unter diesen Felsen wurde Halt gemacht, den Hunden zur Belohnung die dreifache Portion getrockneter Lachs vorgeworfen. Dann machten die Männer sich nach einem hastigen Mahle auf den Weg. Die Gewehre hingen am Riemen über der Schulter, die Pistolen steckten, um den Pelzrock geschnallt, griffbereit im Halfter. Die Hunde waren sicher angekettet worden.

Auf ihren Schneeschuhen folgten sie dem Ufer des Stroms, jede Deckung ausnutzend, die sich ihnen bot, denn sie wußten nicht genau, wie nahe sie dem Ziel schon waren. Stunde um Stunde verrann. Unter den schweren Röcken lief ihnen der Schweiß den Rücken hinunter. Schon fragte der Sergeant, ob sie das schmale Seitental verpaßt hätten, in dem Mikes Lager zu finden sein sollte; schließlich beruhte ihre Vorstellung von dem richtigen Weg auf den Angaben eines Schurken.

Der Sergeant hatte die Führung übernommen. Plötzlich hielt er inne. Über einem flachen Waldriegel vor ihnen, der den Fluß zu einer Biegung zwang, hing eine kleine blaßsilberne Rauchwolke in der Luft, wie sie entsteht, wenn gefrorenes Holz ins Feuer geworfen wird.

Sie hatten ihr Ziel erreicht. Mit wenigen Worten verständigten sie sich über ihr Vorgehen: der Bischof am Flußufer um die Waldzunge; der Sergeant in einem entgegengesetzten Bogen über die Anhöhe.

Ich will den Bischof selbst berichten lassen, was sich in der darauffolgenden Stunde ereignete:

»Am Ufer zog sich, wie eine Hecke, dichtes Tannen- und Birkengesträuch entlang, in dem sich hohe Schneewehen getürmt hatten. Sie gaben mir gute Deckung. Als diese plötzlich abbrach, weil Mike und seine Männer das Ufer freigeschlagen hatten, bot sich mir völlig unerwartet ein Anblick, den ich bis an mein Lebensende nicht vergessen werde. Ich wußte, daß ich das Lager bald zu Gesicht bekommen mußte, denn auf dem flachen Eis des hier in den Koyukuk mündenden schmalen Flusses war die Ausstiegsöffnung des Eisschachtes zum Flußbett hinunter deutlich zu erkennen; eine Leiter ragte heraus; daneben türmte sich ein verschneiter Haufen von Kiesklumpen, die aus der Tiefe heraufgefördert waren. Mike war offensichtlich mitten in der Arbeit überrascht worden.

Zur Linken öffnete sich ein von Bäumen und Unterholz freigeschlagener Platz. Drei Blockhütten standen dort. Aus dem Schornstein der einen stieg der kräuselnde Rauch, der uns den Weg gewiesen hatte. Gerade als ich die flache Uferbank hinaufsteigen wollte, wurde die niedrige Tür dieser Hütte langsam und wie mit großer Anstrengung geöffnet. Durch den Türspalt zwängte sich auf allen vieren ein Wesen, das nur noch entfernt an einen Menschen erinnerte. Ich stand wie gebannt, rührte mich nicht. Taumelnd richtete sich der Mensch auf; es mußte Mike sein; er lebte also noch. Ich erkannte ihn an dem grauen Bart, der ihm ums Kinn wucherte.

Er trug ein Bündel in der einen Hand, in der anderen etwas, was ich, nach der Art, wie er es hielt, als Schußwaffe erkannte.

Schwankend pflügte er durch den Schnee zu der Nachbarhütte, schob den schweren Holzriegel der Tür zurück, drückte sie auf und warf das Bündel ins Innere. Dann zog er die Tür wieder zu und legte den Riegel wieder vor. Das alles vollzog sich ohne ein Wort. Während ich schon drauf und dran war, mich Mike bemerkbar zu machen, erhob sich in der Hütte ein wüstes Getobe, ein Gebrüll von unflätigsten Beschimpfungen, die um so unheimlicher wirkten, als sie nur dumpf und undeutlich durch die hölzernen Wände drangen.

Dann tauchte plötzlich hinter dem Haus der Sergeant auf. Er kümmerte sich zunächst gar nicht um den davonhumpelnden Alten, stieß die Tür auf, die Pistole in der Faust. Ich höre noch seine ganz sachlich klingenden Worte: ›You are under arrest, Henry! Come out!‹

Aber es kam niemand zum Vorschein. Statt dessen stieß der alte Mike einen wilden Schrei der Freude aus, kam auf mich zugestürzt; ich mußte ihn halten, er wäre sonst gestürzt. Er schrie: ›Bischof, du selbst! Und der Sergeant! Der Himmel steh mir bei! Gerade fünf Minuten vor zwölf seid ihr gekommen, keine Minute zu früh!‹

Ich hatte das Gefühl, daß er vor Aufregung einer Ohnmacht nahe war. Aber darin hatte ich mich getäuscht, denn als der Sergeant mit härterer Stimme seinen Befehl wiederholte: ›Come out!‹ fing der Alte wild zu lachen an und rief hinüber: ›Er kann ja nicht, Sergeant! Ich habe ihn angekettet!‹

Ich erstarrte. Wie hatte dieses wankende Gespenst von einem Mann es fertig gebracht, einen jungen, gesunden Kerl an die Kette zu legen, damit er ihn nicht im Schlafe überfiel und mit den wenigen Hunden, die nach der Abreise des Kumpans George noch im Lager waren, auf und davon ging?

Noch vor der Mitternacht des gleichen Tages hatten wir alles erfahren, was geschehen war. Wir saßen in Mikes Hütte. Das Feuer brannte. Henry, ein breitschultriger, untersetzter Mann mit einem groben, zugleich weichlichen Gesicht, hockte zwischen uns. An Flucht konnte er jetzt nicht mehr denken. Der Sergeant hatte ihn befreit. Ich hatte sein wundgescheuertes Handgelenk, um das sich eng die Stahlkette gespannt hatte, notdürftig verbunden.

Neben uns ruhte Mike auf seiner Pritsche, vom Herdfeuer angestrahlt. Verglichen mit dem Gesicht des jungen Halunken, der ihn hatte beiseite schaffen wollen, zeigte seins, obgleich uralt wirkend und tief eingefallen nach schwerem Fieber und Unheil, doch eine geradezu erschreckende Willenskraft.

Sonderbar erschien es, daß sich Henry gesprächiger zeigte als der Alte. Aber wir hatten ihn ja vor einem sicheren und furchtbaren Tode errettet! Der Alte hatte das freie Ende der Kette unter dem untersten Baumstamm der Hüttenwand durchgezogen. Außerhalb des Hauses war die Kette an einem Pfahl verankert. Ihr anderes Ende war doppelt mit einem schweren Vorhängeschloß um das Handgelenk des Gefangenen geschlungen gewesen, so eng, daß er die Hand hätte abreißen müssen, wollte er sich daraus befreien.

Wenn wir nicht eingetroffen wären, bevor Mike zusammenbrach, so wäre der Gefesselte elend in seiner Hütte verhungert oder erfroren. Der Alte kannte keine Gnade!«

Folgendes ist die Vorgeschichte dieser Rettung zweier verlorener Männer aus den Einöden des Nordens:

Mike kannte das Land vom Mackenzie bis zur Beringstraße und von Point Barrow bis zur Kodiak-Insel. Er war oft auf Gold gestoßen und hatte sich längst ein Vermögen erarbeitet, das ihm einen Lebensabend mit allen Erleichterungen und Annehmlichkeiten der Zivilisation ermöglicht hätte. Aber ihm kam es nicht so sehr auf das Gold an, sondern vielmehr auf das Suchen danach, die große Spannung des Abenteuers, die Freiheit der ungezähmten Wildnis. Diese unstillbare Sehnsucht, die keinen Mann mehr losläßt, der sich erst einmal den Einöden anvertraut hat, beschenkte ihn zu allerletzt, als er eigentlich gar nicht mehr suchte, mit einem besonders reichen Fund, eben jenen Sänden dicht am Koyukuk.

Noch einmal packte ihn das Fieber der Prospektoren. Im Winter schon wollte er mit der Ausbeute beginnen. Alle Angebote der großen Minengesellschaften wies er zurück, ahnte aber nicht, daß er ihnen auf den Leim ging, als er auf

die beiden starken jungen Männer George und Henry her-
einfiel, die ihm eifrig um den Bart gegangen waren und sich
ihm begeistert als Gehilfen angeboten hatten. Und Gehilfen
brauchte er.

Nachdem er seine Rechte in das Minenregister hatte eintragen lassen, wobei er auch den beiden jungen Männern, an
denen er unglückseligerweise Gefallen gefunden hatte, einen kleinen Anteil zusicherte, zog er in aller Heimlichkeit mit
den Gefährten nordwärts. Drei Boote hatte er mit allem Notwendigen für die Winterarbeit beladen, auch ein Gespann
ausgewählter Hunde auf die Kanus verteilt.

Ohne Zwischenfall erreichten die Männer nach etwa drei
Wochen von Fairbanks aus den Ort, wo die Arbeit beginnen
sollte. Die geologisch gut vorgebildeten Begleiter George und
Henry erkannten bald, daß sie von dem Alten auf ein besonders reiches und wertvolles Schürfgebiet geführt worden waren. Ihre geheimen Auftraggeber hatten ihnen hohen Gewinn versprochen, wenn es ihnen gelänge, die Ansprüche
des ursprünglichen Finders ohne viel Aufhebens zum Erlöschen zu bringen und als dessen Rechtsnachfolger aufzutre-
ten. So ungenau (und verhältnismäßig harmlos) waren sie
von den Vertretern der großen Minengesellschaft eingewie-
sen worden.

Die beiden Agenten, Geologen von Fach, deren Sach-
kenntnis dem alten Praktiker Mike Hochachtung abgenötigt
und als Brücke der Beziehung zu ihnen gedient hatte, über-
blickten die wahren Verhältnisse viel klarer als der alte Ein-
zelgänger, der Zeit seines Lebens in der Wildnis gesteckt
hatte und sich immer noch in dem Wahne wiegte, daß sich
seit seinen Jugendjahren nichts geändert hätte. Tatsächlich
war er nur deshalb den großen Minengesellschaften so lange
uninteressant gewesen, weil er lediglich unbedeutende, eng
begrenzte Funde gemacht hatte. Für die Gesellschaften, die
immer genau unterrichtet waren, hatte es sich nicht gelohnt,
einzuschreiten.

Am Koyukuk aber handelte es sich um einen jener seltenen
Funde, wie sie nur alle Jubeljahre einmal besonders Glückli-
chen beschert werden. Das hatten die beiden Agenten
George und Henry schon nach kurzen Gesprächen mit dem

Alten gewittert. – Sosehr sie aber selbst begierig waren, an dem Reichtum teilzuhaben, sowenig gaben sie sich Illusionen darüber hin, daß dies jemals gegen den Willen der mächtigen Gesellschaften möglich sei. Sie wußten, daß ihnen nur so viel zufallen würde, als ihre Auftraggeber nach den Diensten, die sie ihnen leisten würden, für gut befanden.

Es war sogar klar, daß die beiden nicht von dem Gefühl beunruhigt worden waren, verbrecherisch zu handeln. Die Überlegenheit der Gesellschaften wurde nicht einmal in Gedanken von ihnen bezweifelt. Daß das Geld die Welt beherrschte, war für ihren Verstand etwas Gottgewolltes; es kam ihnen nicht entfernt in den Sinn, sich dagegen aufzulehnen; nein, sie zeigten sich vielmehr eifrig beflissen, ihm zu dienen – denn nur für solche Dienste stand eine gerechte Belohnung vom Himmel in Aussicht. Nicht sie hatten das Gesetz von Sitte und Recht beugen wollen, sondern es war der alte Mike, der sich mit verbohrter Hartnäckigkeit dagegen verging. Sie trugen keine inneren Bedenken und fühlten sich von der Vorsehung beauftragt, dem Alten ›seinen Raub abzujagen‹.

Solche Erläuterung gab mir der Bischof nach seiner Rückkehr. Für ihn war es beinahe wichtiger, die inneren Zusammenhänge aufzuklären, als die Halunken zur Strecke gebracht zu haben. Er deutete wohl schon seit langer Zeit daran herum, warum sich für sein geliebtes Land Alaska, eines der großen Zukunftsländer des Nordens, keine wahren Siedler fanden, keine Menschen mehr, die nicht nur auf Gold und Kupfer und schnellen Geldgewinn aus waren, sondern eine neue Heimat suchten. Er glaubte, den Grund in einem Erlöschen des Pioniergeistes, im Verdorren des Glaubens an die Unbesiegbarkeit des mutigen einzelnen gefunden zu haben. Diesen Glauben an die zähe Kraft des furchtlosen und vor keiner Entbehrung zurückschreckenden Einzelgängers hielt er für den wahren Quell des Aufstiegs der Vereinigten Staaten.

So erklärte sich damals der Bischof – zu Recht oder zu Unrecht – den nach seiner Meinung unerfreulichen Zustand seines Vaterlandes; die Handlungsweise Henrys und Georges gab seiner Theorie neue Nahrung. Ich sagte:

»Sie sind ein sonderbarer Bischof! Ich hatte bisher den Eindruck, daß die Kirchen in Amerika Einrichtungen seien, die sich, aufs Ganze gesehen, zur Aufgabe gemacht haben, die bestehenden Zustände, so, wie sie nun einmal sind, zu erhalten!«

Worauf er mich aus seinen tiefliegenden, überbuschten Augen lange ansah und meinte: »Was Sie von den Kirchen sagen, ist im allgemeinen richtig. Ich bin nur deshalb zu größerer Übersicht gelangt, weil ich seit zwei Jahrzehnten in Alaska ein unabhängiges Amt verwalte; ich bin hier noch mein eigener Herr, vor allem auch deshalb, weil sich unter den Jüngeren keiner findet, der mit mir tauschen will; die Älteren sind ohnehin längst etabliert!«

Die drei Männer am Koyukuk verbrachten den Rest der Sommermonate damit, einen größeren Platz von Bäumen und Gesträuch zu befreien, nachdem sie sich als erstes drei kleine, feste Blockhütten errichtet hatten, denn in der langen Dunkelheit des Winters ist es wichtig, daß jeder mit sich allein sein kann, wenn ihn das Bedürfnis danach anwandelt. Die Schwemmkästen für das Auswaschen des Goldes mußten vorbereitet und ein Bach weiter oberhalb abgeleitet werden, um das notwendige Wasser zu liefern. Die goldhaltigen Sände lagen in zehn Meter dicker Schicht unter dem flach strömenden Wasser des Nebenflusses, der einige hundert Meter weiter stromab in den Koyukuk mündete. Den ganzen Fluß abzuleiten, war den drei Männern nicht möglich; sie mußten das Einsetzen des Frostes abwarten, um dann einen Eisschacht anzulegen, der ihnen den Zugang zum Flußbett öffnete.

Mit keinem Zeichen hatten die beiden jungen Geologen dem Alten verraten, daß sie nur auf eine Gelegenheit warteten, ihn außer Gefecht zu setzen. Sie benutzten vielmehr seinen Eifer und seine große Erfahrung, sich eine Menge praktischer Kenntnisse anzueignen, die ihnen bisher fehlten. Vor allem glaubten sie nicht an den Erfolg seiner Pläne, sich mit Hilfe des Frostes einen Weg zu den Goldsänden mitten im Fluß zu bahnen. Erst recht aber taten sie alles, das Vertrauen des alten Mike vollends zu gewinnen, was ihnen auch gelang.

Mitte Oktober fing es an zu frieren. Mitte November hatte sich auf dem Fluß eine solide Eisschicht gebildet, die an keiner Stelle mehr ahnen ließ, daß darunter immer noch Wasser zu Tal floß. Jetzt begann der Alte vorsichtig sein Werk. Mit der Spitzhacke, dann mit einem Spachtel, hob er an drei verschiedenen, fünfzig Schritt auseinanderliegenden Plätzen das Eis aus, jeweils einen Kreis von etwa anderthalb Meter Durchmesser. Jedoch drang er nicht bis zum Wasser vor, sondern nur so weit, daß gerade noch eine zollstarke Eisschicht zwischen dem Lochboden und dem fließenden Wasser stehenblieb. Dieses Loch ließ nun die immer grimmigere Kälte weiter nach unten wirken; und schon am nächsten Morgen hatte sich unter dem dünnen Boden des Loches wieder eine dicke Eisschicht gebildet. Diese konnte abermals bis auf eine zollstarke Schicht abgespachtelt werden. Am nächsten Morgen wiederholte sich das gleiche Spiel, und schon nach vierzehn Tagen war der Grund des Flusses, der etwa anderthalb Meter unter der Eisoberfläche lag, erreicht; denn natürlich hatte sich der Alte vor dem Zufrieren einige besonders flache Stellen im Strom bezeichnet.

Man besaß nun drei Eisschächte bis auf das Flußbett hinunter und konnte damit beginnen, vom Grunde der Schächte den goldhaltigen Kies heraufzuholen und am Ufer aufzuschütten. Stets wirkte der nachdringende Frost als Versteifung der Schachtwände. In den Sänden tief unten entstand mit Hilfe der Spitzhacke allmählich eine geräumige Kammer, deren Boden Eimer für Eimer in Form von vereisten Brocken ans Tageslicht gehoben wurde. Die Arbeit ging eilig vonstatten, denn je tiefer man eindrang, desto reicher erwiesen sich die Sände; und Henry schwärmte nach seiner Gefangennahme immer noch von einer Pfanne, die sie probehalber am ersten Weihnachtsfeiertag über dem Ofen in Mikes Hütte aufgetaut und mit warmem Wasser ausgewaschen hatten; schon nach wenigen Minuten war das schiere Gold aus dem braunen Schlamm zum Vorschein gekommen. Sicher hat dieses Erlebnis den Anlaß geboten, der den beiden Halunken den Entschluß nahelegte, nun Ernst zu machen.

Eines Tages, Anfang Januar, passierte ein Unglück. Während der Alte gerade aus seiner Eisröhre über die primitive

Leiter aussteigen wollte, brach ein Stück der Wand aus, und ein Strahl eisiges Wasser durchnäßte ihn von Kopf bis Fuß. Mike schwor, daß es die Absicht der beiden gewesen sei, ihn unten in seiner Sandkammer zu ertränken, und daß er nur einem Zufall sein Leben verdankte: er sei, von einer unerklärlichen Unruhe getrieben, vor der üblichen Zeit ausgestiegen. Vielleicht hatte sein Unterbewußtsein Verdächtiges wahrgenommen. Natürlich lief die unterirdische Kammer im Nu voll Wasser und konnte nicht mehr benutzt werden.

Die beiden anderen stritten natürlich entrüstet ab, auch nur das geringste mit dem Wassereinbruch zu tun zu haben, wenngleich der Verdacht sehr nahe lag, daß sie irgendwie die Wand des Eisschachtes zum Einsturz gebracht hatten, um sich durch einen ›Unglücksfall‹ des Alten zu entledigen.

Als Mike seine Hütte erreicht hatte, steckte er bereits in einem klirrenden Panzer aus Eis, und ehe er mit fliegenden Händen das Herdfeuer angefacht hatte, war er ausgekühlt bis ins Mark. Seine beiden Gefährten waren nicht zu entdekken gewesen; sie steckten tief in ihren Schächten unter dem Flußeis.

Es war kein Wunder, daß Mike schon am Tage darauf zu fiebern begann; er bekam eine schwere Lungenentzündung. Selbst wenn er in seiner elenden Hütte von Henry und George sorgsam gepflegt worden wäre, hätte es sich bei seinem Alter um ein Spiel auf Leben und Tod gehandelt.

Aber Henry und George dachten gar nicht daran, den Alten zu pflegen. Wenn er nicht in seinem Eisloch umgekommen war, so mochte ihn die Lungenentzündung hinraffen. Dem Kranken wurde es zur schrecklichen Gewißheit, daß man ihm den Tod zugedacht hatte, denn die beiden versahen ihn weder regelmäßig mit Mahlzeiten noch sorgten sie dafür, daß das Feuer in seiner Hütte nicht erlosch. Der glitzernde Reif kroch an der Innenseite der Hüttenwände hoch; der Kranke erstarrte unter seinen Decken.

Vielleicht wäre es mit Mike schnell zu Ende gewesen, wenn er ganz normal versorgt worden wäre, denn er war alt, hatte im Grunde mit dem Leben abgeschlossen und sich nur noch gewünscht, keinen Strohtod zu sterben. Daß sein Tod aber zugleich seine ärgste Niederlage werden sollte, rief alle

seine Lebensgeister zu einer letzten, verzweifelten Anstrengung auf. Noch einmal überwand der harte Wille des
alten Waldläufers das lähmende Fieber und die Anwand-
lungen von Schwäche. Unter seinen Decken ballte er die
abgezehrten Fäuste: Sie sollen mich nicht bezwingen! Ich
will es ihnen heimzahlen! Es kam der Tag, an dem er sich
zum erstenmal stark genug fühlte, nach seinen Waffen zu
sehen, seine Pistole zu laden. Seit Tagen schon hatte er
völlige Apathie vorgetäuscht und auf keine Frage mehr
eine Antwort gegeben. Er wußte, daß der gesamte Proviant
in der Hütte Georges aufgestapelt lag, während Geräte,
Waffen und Munition sich in der seinen befanden; die
Hütte Henrys hatte ihnen für die kälteste Zeit als gemein-
samer Unterschlupf dienen sollen. Sie war besonders stabil
gebaut. Die Tür konnte von außen und innen fest abge-
dichtet und verriegelt werden. Auch war kein Fenster in
die Hüttenwände eingelassen; mag ein Fenster auch noch
so sorgsam eingefügt werden, es bleibt doch immer ein
Einschlupf für die tiefe Kälte. Wenn das Quecksilber im
Thermometer gefriert, was bei Tagestemperaturen unter
minus vierzig Grad geschieht, wird jede Arbeit im Freien
unmöglich; es bleibt nichts anderes übrig, als in enger
Hütte um den glühenden Ofen zu hocken. Henrys Hütte
war mit der Rückwand in einen Erdhang hineingebaut.
Auch ihre Wände und ihr Dach waren von einem dicken
Erdwall geschützt.

Der Alte versicherte sich der Aufrührer auf eine sehr ein-
fache Weise. Während sie dachten, daß er in tiefer Schwäche und Teilnahmslosigkeit dahindämmerte, beobachtete
er durch einen Ritz seiner Tür, wo er das eingestopfte
Moos entfernt hatte, wie sich seine beiden Feinde bewegten. Und als sie sich am Abend eines Tages mit einer Whis-
kyflasche unter dem Arm in Henrys Hütte zusammenfan-
den, humpelte er leise hinüber und schob von außen die
schweren, klobigen Holzriegel vor die Tür. Dann stemmte
er noch ein paar feste Balken dagegen. Er ließ die beiden
Gefangenen drei Tage hungern. Durch die Wände oder das
Dach konnten sie nicht brechen; das verhinderte die solide
gefrorene Eisschicht ringsum; außerdem saßen sie nach

wenigen Stunden in völliger Dunkelheit. Als sie an der klobigen Tür zu rütteln wagten, jagte er zur Warnung einen Schuß hinein.

Langsam, unendlich mühselig räumte er Georges Hütte aus und schleppte allen Proviant zu sich hinüber. Er brachte auch die Hunde, die Schlitten und alles Gerät, das ihm hätte gefährlich werden können, in seiner Hütte unter. Am dritten Tage endlich, als er meinte, daß die beiden Gefangenen weich geworden wären, ließ er sich auf Verhandlungen ein. Einen von beiden wollte er nur mit einem Schlafsack, mit knappem Proviant und Futter und ohne Waffe mit dem halben Hundegespann davonschicken, um in Tanana oder Fairbanks die Polizei oder seine Freunde zu benachrichtigen; der andere aber sollte als Geisel dableiben und mit ihm zugrunde gehen, wenn keine Hilfe kam. Denn der Alte fühlte sich unendlich schwach, nur sein eiserner, zäher Wille hielt ihn halbstundenweise aufrecht. Er wußte, daß er nicht mehr lange leben würde, aber er wollte nicht als Unterlegener sterben.

Er hatte die zwei Kisten Dynamit, über die er verfügte, in seiner Hütte so verteilt, daß er mit einem Handgriff sich und die Hütte, das heißt also auch die Hunde, den Proviant und die Waffen, in tausend Fetzen sprengen konnte. Er ließ keinen Zweifel darüber, daß er jeden Versuch einer Auflehnung mit einer solchen Tat beantworten würde. Das hätte auch für die beiden Verräter das sichere Ende bedeutet, denn ohne Hunde, Waffen und Proviant waren sie rettungslos verloren. So furchtbar muß die unerbittliche Entschlossenheit des Alten gewirkt haben, so gewiß müssen die beiden Gefangenen daran geglaubt haben, daß er sie erbarmungslos vernichten würde, daß sie am vierten Tage, geschwächt vom Hunger, zitternd vor Kälte, halb verrückt von der ewigen Dunkelheit in ihrem Verlies, auf alles eingingen. Der Alte bestimmte George als denjenigen, der mit der Hälfte der Hunde Entsatz holen sollte, während er den gefährlicheren Henry bei sich behielt. Er brachte es schließlich auch fertig, daß George den anderen in der dunklen Hütte ankettete.

»Die ganze Zeit über«, soll Henry erzählt haben, »nachdem er uns endlich ins Freie gelassen hätte, hielt er uns mit der Pistole stets mindestens fünfzig Schritte entfernt; er stand mit einem brennenden Scheit Holz neben den Dynamitpatronen, mit denen er sich und all unsere Habe, von der unser Leben abhing, in die Luft sprengen konnte. Ich wurde von George angekettet. George mußte die Tür von außen schließen, hatte sich sofort auf den bereitstehenden Schlitten zu schwingen und ohne Verzug abzufahren. Zur Warnung, nicht vorzeitig wiederzukommen, ließ der Alte ihm eine Kugel hinterherpfeifen. Aber ich wußte, daß er nie wiederkehren würde, denn er fürchtete den Alten wie den Teufel, und das mit Recht; stieß doch Mike kurz nach Georges Abfahrt die Tür zu meiner Hütte auf, und während mich das helle Schneelicht zunächst völlig blendete, schoß er auf mich. Ich sprang natürlich vor Angst umher wie ein Wahnsinniger, aber die Kette hielt, schon damals riß ich mir die Haut vom Gelenk. Nachdem ich der Länge nach hingeschlagen war – er hatte mir vier Schüsse um die Ohren gejagt –, hörte er endlich mit der Knallerei auf und sagte ganz ruhig: ›Ich wollte bloß sehen, ob die Kette hält! Ihr traut euch gegenseitig nicht über den Weg, wie ich erwartet habe! Der George hat dich tüchtig festgelegt.‹ Und dann brachte er mir endlich Feuerholz und Proviant.«

George erreichte die Missionsstation und lief den Sergeanten in die Arme, die sofort witterten, daß dieser matte Reisende etwas zu verbergen hatte. Ob George wirklich, wenn er nicht abgefangen worden wäre, die Freunde des Alten benachrichtigt, ob er sich nicht statt dessen heimlich aus dem Staube gemacht (was ihm aber dort, wo jeder jeden kennt, schwer genug gefallen wäre), ob er nicht seine Auftraggeber mobil gemacht hätte – darüber lassen sich nur Vermutungen anstellen. Bevor er noch das eine oder andere versuchen konnte, saß er hinter Schloß und Riegel. Der alte Mike hatte zum letzten Male mit seinem eigenen Leben und dem der andere va banque gespielt und hatte gewonnen.

Wenn der Bischof und der Sergeant das einsame Lager am Koyukuk nur einen oder zwei Tage später erreicht hätten, wäre der Alte wohl nicht mehr imstande gewesen, seinem Gefangenen Henry einmal am Tage Feuerholz und Nahrung durch den Türspalt zu schieben. Denn er fühlte sich bereits furchtbar schwach. Aber noch immer hielt sein unbezwinglicher Wille den Körper aufrecht. Er wäre am liebsten gleich am nächsten Tag aufgebrochen, um dafür zu sorgen, daß die Namen der beiden Schurken im Minenregister gelöscht würden. Er wollte seine Rechte zu gleichen Teilen dem Staat und der Kirche des Bischofs übertragen, denn, sagte er, ein Sergeant und ein Bischof haben mich gerettet. Nur schwer gelang es dem Bischof, den Kranken zu überreden, sich erst ein paar Tage pflegen zu lassen, ehe die Rückfahrt angetreten wurde.

Um Henry brauchte man sich nicht zu kümmern; wohin und womit hätte er fliehen sollen? Außerdem schien er sich darauf zu verlassen, daß seine Auftraggeber ihn irgendwie entlasten würden. Dennoch warnte der Alte den Sergeanten im geheimen immer wieder: »Paß auf Henry auf, Sergeant! Der ist von einem anderen Schlag als der weichliche George; der birst vor Wut, daß er unterlegen ist. Ich fühl' es in der Luft!«

Aber der Sergeant zuckte nur mit den Achseln.

Endlich war der Tag gekommen, an dem die Schlitten beladen wurden: der des Bischofs, der des Sergeanten und der des alten Mike. Dem Alten hatte der Bischof auf seinem Schlitten ein weiches, warmes Lager bereitet. In der Mitte des Zuges fuhr Henry den nur mit wenigen Hunden bespannten Schlitten; den Beschluß machte der Sergeant mit seinem Gespann. Auch diese beiden Schlitten waren schwer beladen, denn von der Einrichtung des Lagers war soviel wie möglich mitgenommen worden. Man nahm denselben Weg, den die beiden Männer auf ihrer Anfahrt benutzt hatten. Da es inzwischen nicht geschneit hatte, waren die Spuren noch deutlich zu erkennen, war schon eine Straße vorbereitet, und die kleine Karawane kam ziemlich schnell voran. Als sie aber den Koyukuk verließen, um südwärts über die Yukonberge zu ziehen, trübte sich der bis dahin seidenblaue Himmel ein. Ein grauer Schleier verhüllte ihn, aus dem sich schließlich jagende Wolkenfetzen lösten. Die Reisenden erkannten: ein Schneesturm zog herauf; auch die plötzlich wärmer werdende Luft zeigte es an. Es war Zeit, daß sie sich mit dem

Kranken ein Obdach suchten. Die Hunde, die längst witterten, daß Gefahr nahte, zeigten sich unlustig zur Arbeit. Kaum war hinter einem überhängenden Felsenriegel Halt gemacht worden, kaum hatten sie gierig die ihnen in doppelter Menge vorgeworfene Portion Trockenlachs verschlungen, so drängten sie sich in einer langen Reihe unter die Felswand, ohne auch nur einen Augenblick lang zu versuchen, sich wie sonst zu balgen. Sie kringelten sich zu runden Pelzkugeln zusammen, indem sie ihre buschigen Ruten über Nase und Augen deckten, und ließen sich bewegungslos einschneien.

Denn es hatte aus dem Grau des Himmels zu schneien begonnen. Die Männer besaßen kein Zelt. Es blieb ihnen nichts anderes übrig, als noch eine kräftige Mahlzeit zu sich zu nehmen, sich dann in ihre Schlafsäcke zu packen, die Kopfverdecke hochzuschlagen und sich auf gut Glück ebenso wie die Hunde einschneien zu lassen. Denn wenn der Schneesturm über das Land rast, durch die Luft heult, brüllt, wenn die peitschenden Schneekristalle jedem in wenigen Minuten Augen, Ohren, Nase und Mund mit scharfen Eisnadeln verstopfen, dann kann auch der Mensch nichts weiter tun als sich ducken und ergeben warten, bis der Sturm vorbei ist.

Der Bischof legte sich dicht neben den Alten, um ihm im Notfall nahe zu sein, und der Sergeant befahl dem Gefangenen, seinen Schlafsack neben dem eigenen auszubreiten. Denn wenn der Gefangene fliehen wollte, so bot ihm der Schneesturm, oder vielmehr die Zeit gleich danach, die einzige Chance; allerdings mußte er sein Leben dabei riskieren! Solange der Schneesturm tobt, ist das Reisen unmöglich, weil sich in der unbändigen Luftbewegung niemand auf den Füßen zu halten vermag und schon nach wenigen Schritten jede Orientierung verlorengeht. Aber auch noch nach dem Schneesturm wird die Weiterreise manchmal tagelang verzögert, weil dann die Temperatur fällt und fällt und die Kälte jede körperliche Anstrengung, die zu tiefem Atmen zwingt, mit dem Erfrieren der Lungen bestraft; die abgetöteten Lungenbläschen vereitern, und nach wenigen Wochen stirbt der Unvorsichtige eines qualvollen Todes. Er erstickt langsam unter schrecklichen Hustenanfällen.

Wie viele Stunden oder Tage es waren, die die Männer in

ihren warmen, dunklen Schlafsäcken verdämmerten, konnten sie hinterher kaum angeben; man verliert in der lichtlosen, lautlosen Wärme jedes Zeitbewußtsein. Schnell bildete sich über ihren Schlafsäcken und über den Hunden eine dichte Schneewehe, durch die sich nur die warme Atemluft einen schmalen Ausweg offenhielt; der Schnee schirmte alle Geräusche der Außenwelt ab.

Vergeblich versuchten der Bischof und der Sergeant die lähmende Müdigkeit abzuwehren, die sich über sie breitete. Die Strapazen der vergangenen Tage, der Licht- und Luftmangel machten sich bald geltend. Wenn sie auch die Absicht gehabt hatten, dem Schlaf möglichst zu widerstehen, er überwältigte sie dennoch. Im Grunde ist dies ja auch die beste Art, den Schneesturm zu überstehen: man verschläft ihn.

Der Sergeant war der erste, den die nach dem Schneesturm einfallende durchdringende Kälte weckte. Mühselig, an allen Gliedern wie zerschlagen, bahnte er sich durch den Schneehaufen, den der Sturm über ihm aufgetürmt hatte, einen Weg ins Freie. Aber die Benommenheit fiel sofort von ihm ab, als er mit einem Rundblick erkannte, daß er in Wahrheit doch nicht der erste gewesen war, der sich aus dem betäubenden Schlaf gerissen hatte. Er sah sofort, daß der leichteste Schlitten, der des Bischofs, fehlte, daß das gesamte Hundefutter und die besten, stärksten Hunde, auch die des Bischofs, und fast alle Waffen (glücklicherweise hatte der Sergeant seine Revolvertasche mit in den Schlafsack genommen) verschwunden waren. Henry war geflohen! Er hatte das Ende des Schneesturmes nicht abgewartet, hatte sich irgendwie wachgehalten, war bei abflauendem Wetter, während die anderen am tiefsten schliefen, aufgestanden, hatte die besten Hunde angespannt und war mit den erreichbaren Waffen, dem größten Teil des Proviants und dem gesamten Hundefutter auf und davon. Er hatte, wie zu erkennen war, versucht, die beiden anderen Schlitten zu zerstören; aber das war ihm in seiner Aufregung nur unvollkommen gelungen. Die Schneeschuhe allerdings hatte er zerschnitten. Nach menschlichem Ermessen hatte er damit die drei anderen dem Untergang überantwortet. Ohne Hundefutter, ohne Waffen, ohne Schlitten, ohne Schneeschuhe würden sie in dem nun von hohem Neuschnee bedeckten Lande bewegungsunfähig und mußten früher oder später verhungern und erfrieren.

Für andere hätte dies wohl gegolten, nicht aber für diese drei Männer, für welche die arktische Wildnis längst zur Heimat geworden war. Sie brauchten sich nicht darüber zu verständigen, was zu geschehen hatte. Sie wußten, daß nur schonungsloser, unverzüglicher Angriff Erfolg und Rettung versprach; es war zwecklos, sich den Kopf darüber zu zerbrechen, wie man mit dem verbliebenen Proviant hätte nach Fairbanks oder Tanana gelangen können. Henry mußte unter allen Umständen eingeholt werden, koste es, was es wolle. Von Mikes Hunden wurden drei geschlachtet; das gab Futter für das Malemutegespann des Sergeanten und Riemen zum Flicken der Schlitten und der Schneeschuhe. Die in kurzem steinhart gefrorenen Hundekadaver wurden aufgeteilt, ein Schlitten mit ihnen und dem geringen Rest des Proviants beladen. Der Sergeant rief: »Mush-mush!«, und die wilde Jagd fegte davon. Knapp zwei Stunden waren vergangen, seit er noch halb benommen aus seinem Schlafsack ins Freie gekrochen war. Der Alte und der Bischof mußten sich inzwischen behelfen; wenn nicht anders, so waren noch zwei Hunde übrig, die geschlachtet werden konnten.

Die Frage war, wohin Henry flüchten wollte. Aber der Sergeant hatte nicht einen Augenblick lang gezweifelt, daß Henry, ohne sich um den bequemsten und ratsamsten Weg zu kümmern, schnurstracks die Richtung auf Fairbanks genommen hatte. Dort allein konnte er erwarten, Unterstützung zu finden, dort allein konnte er mit einem Flugzeug das Weite suchen.

Gewisse Anzeichen ließen den Sergeanten vermuten, daß der Flüchtling nicht viel mehr als einen Tag Vorsprung besaß. Die Höhe der Schneewehe über dem Platz, wo das Hundefutter gelegen hatte, lieferte einen Maßstab dafür, wie lange Zeit vergangen war, seit sie sich zu bilden begonnen hatte. Der Sergeant konnte sich auf die Kraft und Ausdauer seines Gespannes und auf seine eigene verlassen. Ob Henry mit den fremden Hunden ebenso fertig wurde, war zu bezweifeln. Wenn der Sergeant einen weit ausholenden Bogen nach Osten schlug, um dann nach Südwesten einzuschwenken, so mußte er irgendwo in Yukonnähe die Spur des Verfolgten anschneiden; denn dort würde sie, wie er ausrechnete, wieder sichtbar geworden sein, weil ja dann auch dort der Schneesturm aufgehört haben mußte.

Der Sergeant wußte, daß Schnelligkeit alles bedeutete; er mußte den Fliehenden erreichen, ehe noch seine Hunde und er den Mangel an kräftiger und ausreichender Nahrung spürten. Der weite Bogen nach Osten zwang ihn ohnehin zu einem bedeutenden Umweg. Aber der war unvermeidlich. Er ließ den Hunden keine Zeit zum Nachdenken. Der Leithund Atka war mit angespannt worden. Das allein genügte schon, um die klugen Tiere zu überzeugen, daß die Eile, zu der sie von ihrem Herrn angetrieben wurden, grimmig ernstzunehmen war. Der Schlitten trug fast keine Last; von Zeit zu Zeit, wenn ebenes Gelände die Fahrt erleichterte, konnte der Sergeant sich schnell über die weißen Flächen ziehen lassen. Der Leithund sorgte dafür, daß ein gleichmäßiges Tempo unvermindert beibehalten wurde, und wenn einer der Hunde zu trödeln begann und seine Zugleine nicht richtig straff hielt, so fegte Atka schließlich mit einem wilden Knurren so plötzlich herum und strafte ihn mit einem kräftigen Biß in die Schenkel oder in das Ohr, daß der Faulenzer aufjaulte und wieder sein Bestes hergab.

Wohl an die sechzig Meilen legten sie am ersten Tage der Verfolgung zurück. Mitten in der mondlosen Nacht – noch immer konnte der Sergeant sich nicht zum Rasten entschließen – belehrte ihn ein wildes Geheul des Leithundes, daß an der Spitze des Gespannes etwas Aufregendes entdeckt worden war. Im selben Augenblick schwenkte der Hundetrupp so scharf nach Süden ein, daß dem Sergeanten fast die Leitstange am Hinterende des Schlittens aus den Händen geglitten wäre. Er wußte sofort, was geschehen war: Atka hatte die Schlittenspur des flüchtigen Gespannes entdeckt und war, ohne zu zögern, in sie eingebogen. Das Tier mochte bisher geglaubt haben, daß es diesmal allein durch die Wildnis zöge; nun war es der Witterung des alten Rivalen begegnet; wieder war ihm der andere voraus, was sein stolzes Herz schon auf der langen Ausreise gekränkt hatte. Nun würde das ganze Gespann, ohne daß es angetrieben werden mußte, das Äußerste hergeben, nur um die Vorläufer einzuholen. Der Sergeant wußte: Ich habe richtig gerechnet, er entgeht mir nicht! Und er schickte einen wilden Triumphruf zum sterndurchglitzerten Himmel.

Erst um Mitternacht zwang er sein Gespann zur Rast. Die Hunde waren so ins Fieber der Verfolgung geraten, daß sie weitergeprescht wären, bis sie irgendwo auf der Spur, zu Tode ermattet, mit blutigem Schaum vor den Schnauzen, umgesunken wären.

Als sie endlich zur Ruhe kamen, stellte sich heraus, daß sie bereits zu abgehetzt waren, um noch zu fressen; sie rollten sich sofort zusammen, um zu schlafen. Dem Sergeanten ging es nicht viel anders. Widerwillig kaute er einen Streifen Pemmikan, an der Luft getrocknetes rohes Elchfleisch, und schlief schon, ehe noch der Rest verzehrt war. Aber noch vor dem Morgengrauen, zur Stunde der tiefsten Kälte, raffte er sich aus seinem Schlafsack hoch, weckte die Hunde und verteilte die Hälfte des Futters unter sie.

Auch der Sergeant spielte va banque. Wenn es ihm nicht gelang, den Flüchtling schon am dritten Tage zu fassen, so besaß er für den vierten kein Futter mehr; den vierten hätte er sicher noch überstanden, aber vom fünften Tage ab hätten seine eigenen Kräfte und die der Hunde schnell abgenommen.

Der Sergeant überwand den breiten Yukon; die Spuren verrieten ihm, daß er dem Fliehenden schon dicht auf den Fersen war. Der Mann frohlockte, denn die stets wiederkehrenden Spuren rechts und links vom Wege zeigten deutlich, daß der Fliehende seine Hunde erbarmungslos mit der Peitsche antrieb. Dreimal schon bewies ein großer Fleck zerwühlten Schnees, daß die Hunde des Flüchtigen in einer wüsten Beißerei den Schlitten, die Zugleinen und sich selbst in ein schwer entwirrbares Chaos verwickelt hatten. Der Sergeant knurrte, während er sein eigenes, in gestreckter, scharfer Ordnung dahineilendes Gespann überblickte, das er nur mit wenigen freundlich-strengen Worten anzufeuern brauchte: »Treib du nur die Hunde des Bischofs, mein Junge! So kommst du nicht schneller voran; du machst sie nur rasend!«

Denn der Bischof benutzte nie eine Peitsche; seine Tiere gaben für ihn freiwillig das Letzte her.

Am Mittag des vierten Tages merkte der Sergeant, wie die Hunde schneller wurden, sich streckten und in langen, hetzenden Sprüngen den Schlitten schier hinter sich herreißen wollten. Zugleich stieß Atka ein paar heisere Laute aus, die er genau kannte; das Tier witterte Beute in unmittelbarer Nähe. Und schon trieb der Sergeant den bremsenden Stachel tief in den Schnee, da sich der Schlitten aufbäumte, stemmte sich selbst mit aller Gewalt gegen den Zug der Hunde. Zugleich gab er in schärfstem Befehlston das Haltzeichen: »Hoa, hoa!« Tatsächlich bewies sich in diesem Augenblick seine Gewalt über die Tiere. Nach hundert Schritten stand der Schlitten. Atka hatte, gegen seinen Instinkt, gehorcht. Der Sergeant band ihn fest und folgte der Spur allein, die Waffe schußbereit.

Kaum aber war Stille um ihn eingetreten, kaum hatte er die winselnden und jelpenden Hunde hinter sich gelassen, so vernahm er vor sich fern und noch gedämpft das Heulen, Jaulen und Knurren einer anderen Hundemeute. Er riß sich einen Prügel aus dem Birkengestrüpp am Wege und hastete weiter; er ahnte Furchtbares. Vielleicht kam er noch nicht zu spät.

Aber als er einen Felsen umrundete, der ihm den Blick voraus versperrte, wußte er, daß nichts mehr zu retten war.

Henry, der in seiner Flucht die Hunde immer heftiger angetrieben hatte, war das Opfer ihrer wölfischen Wut geworden. Wenn es auch ein besonderes Talent bewies, daß er sie überhaupt hatte einspannen können, so waren ihm schließlich doch die Nerven durchgegangen. Anstatt sich auf den guten Willen der Tiere zu verlassen, trieb er sie mit der Hetzpeitsche schonungslos an. Das weckte ihre bestialischen Instinkte; zunächst hatte sich ihre Wut in wilden Beißereien Hund gegen Hund Luft gemacht. Die Tatsache, daß der gewaltige King, der Leithund, sich nicht mehr um Zucht und Ordnung in seinem Gespann kümmerte, sondern nur noch vorwärts strebte, als könne er dem hetzenden Kerl in seinem Rücken entfliehen, hätte Henry warnen sollen.

Als er sich, um eine neue wilde Beißerei zu beenden, zwischen die kämpfenden Tiere wagte, verstrickte er sich in die Zugleinen, stürzte – und schon fiel die Meute über ihn her. In wenigen Minuten war er nur noch ein zuckender Haufe zerfetzter Muskeln.

Der Sergeant trieb die Hunde auseinander. Er erzählte später, daß sich der große Leithund King nicht an dem Menschenmord beteiligt hatte. Weit abseits habe er gesessen, die Schnauze steil in die Luft gehoben, und ein Geheul in den kalten, stillen Himmel geschickt, als ertrüge er es nicht, daß alles verraten war, wozu ihn der Bischof von klein auf mit Freundlichkeit und Geduld erzogen hatte.

Es bleibt noch übrig zu berichten, daß, nachdem der Sergeant wieder zu den anderen gestoßen war, die kleine Karawane ohne weiteren Zwischenfall Fairbanks erreichte, wo der alte Mike ins Krankenhaus eingeliefert wurde. Tatsächlich brachte er noch die Kraft auf, alle Formalitäten zu erfüllen, seine Minenrechte zur Hälfte auf die Kirche und zur Hälfte auf den Staat zu übertragen, denn ein Sergeant der Polizei und ein Bischof in Person hätten ihn gerettet.

Erst als er ihn begraben hatte, kehrte der Bischof auf die Station zurück, wo seine Frau und ich ihn erwarteten. Dort erfuhren wir an langen Abenden all das, was ich hier berichtet habe, und noch mancherlei mehr. Ich wollte natürlich wissen, was aus dem anderen Schurken, George, werden würde. Der Bischof antwortete müde: »Nichts! Was soll ihm geschehen? Ihm ist nichts nachzuweisen. Und die beiden anderen Zeugen sind tot. Die Minengesellschaft machte gegen den alten Mike sofort ein Verfahren wegen Freiheitsberaubung und Mordversuch anhängig. Wenn er am Leben geblieben wäre, hätte er schwerlich das doppelte Zeugnis der beiden anderen entkräften können; er wäre verurteilt worden!«

Ich meinte: »Wenigstens ist er letzten Endes Sieger geblieben. Er hat das, was er eroberte, gegen eine große Übermacht behauptet und darüber verfügt, wie er es für richtig hielt.«

Der Bischof zuckte mit den Achseln, als hätte er manches zu dieser Bemerkung zu sagen.

Ich mußte Abschied nehmen; die für Alaska bestimmte Zeit war schon weit überschritten. Wir schieden als Freunde und versprachen, einander regelmäßig Nachricht zu geben. Zunächst nahmen wir es auch – wie es gewöhnlich zu geschehen pflegt – recht genau damit. Dann schlief die Korrespondenz langsam ein. Ein Absatz aber aus einem der letzten Briefe des Bischofs gehört noch hierher; er lautete:

»Sie meinten damals, wenige Tage bevor Sie abreisten, daß der alte Mike als Sieger aus seinem letzten großen Kampf hervorgegangen sei. Ich hatte schon damals meine Zweifel. Nun sind sie bestätigt. Meine vorgesetzte Behörde, die schließlich in Alaska keine Goldmine betreiben will, hat die ererbten Rechte an die Biggers-Mining Comp. verkauft, nachdem schon vorher der an den Staat gefallene Anteil von der Gesellschaft erworben worden war; sie hat politische Beziehungen springen lassen und schließlich, um die Tragikomödie vollzumachen, die Minenrechte zu einem viel geringeren Preis erstanden, als sie dem alten Mike hätte bezahlen müssen. Mike ist also doch noch matt gesetzt worden.

Meine Frau meint zwar, ich sähe, wie gewöhnlich, zu schwarz. Das gebe Gott! Aber ich glaube es nicht!

Ich bleibe der Ihre!

Bischof T.«

MURIEL SPARK

»...und für den Winter eine traurige Geschichte«

Am Friedhof wohnte einmal ein Mann. Er hieß Selwyn Macgregor und war der netteste Junge, der je die Sünde des Whiskytrinkens begangen hatte.

»Selwyn, an was für einem Ort leben Sie nur!«

»Nehmen Sie noch einen Schluck, bevor Sie gehen, mein Lieber.«

»Oh, Selwyn!«

»Ich bekomme morgen meinen Brief. Morgen bekomme ich meinen Brief.«

»Also, Selwyn Macgregor!«

»Er kommt immer am Ersten des Monats. Immer pünktlich an jedem Ersten.«

»Macgregor, Sie sind unverbesserlich. Also gut, aber nur einen kleinen.«

»Na, wissen Sie, ist doch für unterwegs!«

»Mac, ich muß jetzt los. An was für einem Ort Sie nur leben, dieser Friedhof und diese mickrige alte Kirche und rundherum Stacheldraht, als ob es jemanden danach verlangen könnte, unaufgefordert da hineinzugehen!«

»Auf Ihr Wohl, prost!«

»Ihr Wohl, Mr. Macgregor. Ich müßte schon ein ganz heruntergekommener alter Tramp sein, wenn ich da drinnen für die Nacht Zuflucht suchen sollte. Den Stacheldraht kann ich nicht verstehen, einfach nicht verstehen.«

»Das Geld kommt am Ersten.«

»Jetzt muß ich aber los, Selwyn, die Nacht bricht herein.«

So ging es dreizehn Jahre lang, und während dieser Zeit wurde Selwyn, der zu Beginn fünfundzwanzig war, achtunddreißig. Mit fünfundzwanzig war er als Invalide aus der Armee entlassen worden, und mit achtunddreißig lebte er

immer noch in der verfallenen Hütte im Garten des einge-
stürzten Pfarrhauses. Hier, dicht am Friedhof, empfing er
weiterhin am Ersten eines jeden Monats seinen Brief aus
Edinburgh mit dem Scheck, den er unverzüglich kassieren
ging.

»Guten Abend, Mr. Macgregor.«

»Kommt herein, ihr zwei, nur auf ein Gläschen.«

»Mr. Macgregor, wir möchten Sie fragen, ob Sie beim Konzert das Klavier spielen wollen?«

»Ach, das ist doch erst um die Monatsmitte.«

»Mac, spielen Sie ein Stück für uns.«

»Mitte des Monats muß ich über den Sinn des Lebens nachdenken.«

»Für mich bitte nichts mehr – also gut, einen kleinen
Schluck... das reicht, Mr. M...«

»Zum Wohle!«

»Wir werden Sie also aufs Programm setzen, Selwyn.«

»Ach, lieber nicht«, sagte er.

»Mr. Selwyn, Sie werden vor Melancholie noch ganz verrückt werden. Was für ein Ort zum Leben!«

»Auf euer Wohl!«

Um die Mitte des Monats ging Selwyn regelmäßig das Geld
aus. Dann hörte er auf zu trinken und öffnete niemandem in
dieser Zeit die Tür, selbst wenn er ein Tablett mit herrlichen
Speisen in der Hand hielt. Er lebte von dem, was er sich beschaffen konnte, von gelben Rüben und manchmal auch von
Broten und Mahlzeiten, die seine Besucher auf der Türschwelle zurückließen. Am fünfundzwanzigsten des Monats
öffnete er wieder seine Türen, lieh sich bis zum Ersten etwas
Geld, empfing Besucher und brachte die Flasche zum Vorschein.

Doch in jenen stillen zehn Tagen zwischen der Mitte des
Monats und dem Fünfundzwanzigsten pflegte Selwyn Mac-
gregor an seinem Fenster zu sitzen und über den Gräbern der
Toten zu grübeln.

Selwyns Tante lebte in einer Mietwohnung im Warrender-
Bezirk von Edinburgh. Die Häuser in dieser Gegend wurden
einst von sehr wohlhabenden Leuten bewohnt, und auch

heute noch verbirgt sich hier und dort unerhörter Reichtum hinter ihren unauffälligen Mauern.

»Die Gegend wird immer schlechter«, sagte Selwyns Tante nun seit zwanzig Jahren. Aber wehe, wenn jemand anders zu ihr kam und sagte: »Mit dieser Gegend geht's bergab.«

»*Ich* merke davon jedenfalls nichts!« pflegte sie dann zu antworten.

Es war Selwyns Tante Macgregor, die ihm in Anbetracht der Tatsache, daß seine Mutter aus Wales stammte, monatlich einen Scheck sandte; denn schließlich war es ja nicht Selwyns Schuld, daß er eine Waliserin zur Mutter gehabt hatte, die verrückt oder doch zumindest stinkfaul gewesen war. Was jemandem im Blut liegt, kann er nicht unterdrücken.

Es hätte nicht viel Sinn, nähere Einzelheiten über Tante Macgregor zu berichten, wie sie in ihrem Marineblauen aussah, und wie ihre Augen, ihre Nase und ihr Mund sich zwischen den geplatzten Äderchen ihres feinen, strengen alten Gesichtes ausnahmen; denn ihre Züge fielen, wie Selwyn sagte, der Fäulnis unter der Erde anheim, und das Marineblaue bekam ihre Pflegerin.

Je nun, sie starb. Ein paar Monate zuvor jedoch, müssen Sie wissen, besuchte sie Selwyn dort in der Hütte neben dem Friedhof. Sie trug ihr Braunes, denn das Marineblaue hütete sie sehr. So also zog sie aus zu Selwyn Macgregor. Er meditierte gerade nicht, daher standen seine Türen offen.

»Tantchen Macgregor! Einen kleinen Tropfen, Tantchen, komm schon, nur einen winzigen Tropfen. Sei ein braves Mädchen.«

»Selwyn«, sagte sie, »du treibst es immer schlimmer.«

»Schlimmer als was?« fragte Selwyn, obgleich er wußte, daß sie damit das Trinken meinte.

»Schlimmer als was? Schlimmer als was? Schlimmer als we-ee-eer?« sang Selwyn, und seine Tante begann zu lachen. Sie hatte nun einmal eine Schwäche für Selwyn.

Je nun, sie starb und hinterließ ihm einen schönen Batzen. An einem bitterkalten Tag reiste Selwyn zu ihrer Beerdigung. Bitter kalt war's, und natürlich hatte er seine Flasche in der Tasche. Sie müssen nämlich wissen, daß Selwyn fest an die Auferstehung glaubte; wer will's ihm da verdenken, daß er

Vorsorge gegen die Kälte am offenen Grabe traf, denn keineswegs wollte er Tante Macgregor damit beleidigen, wie Sie sicher verstehen werden – wenn er auch recht wackelig auf den Beinen war und die Leute redeten.

»Staub zu Staub...«

»Das ist niemals Miß Macgregors Neffe! Ganz gewiß kann der's nicht sein!«

»Das ist der Hauptleidtragende, ihres Bruders Sohn. Was mag er um Gottes willen nur im Sinn haben?«

Selwyn hob eine Handvoll Erde auf. Doch dann, dann stand er da und sah sie mit seinem Lächeln an. Der Sarg und all die Leute warteten. Und als der Pfarrer nickte, als wollte er damit sagen: ›Nur zu, wirf sie auf den Sarg‹, warf Selwyn die Erde mit elegantem Schwung über seine linke Schulter, wie er das zu Hause mit dem Salz zu tun gewohnt war. Danach blickte er strahlend in die Runde und lächelte den Trauernden zu, als riefe er: ›Zum Wohle!‹ oder ›Gesundheit!‹ oder etwas Ähnliches.

»Arme Miß Macgregor. Der einzige Verwandte. Arme Seele.«

Kurz darauf erhielt Selwyn von einem der Nachlaßverwalter einen Brief über das Testament seiner Tante. Der Inhalt war sehr kompliziert, und deshalb schrieb Selwyn zurück: »Besuchen Sie mich bitte nach dem Fünfundzwanzigsten.« Bis zu diesem Datum beschäftigte er sich mit seinen Meditationen. Am Sechsundzwanzigsten stand, mit gesunder Gesichtsfarbe und in einem schwarzen Umhang, der Nachlaßverwalter vor Selwyns Tür. ›Was für ein netter kleiner Nachlaßverwalter‹, dachte Selwyn, ›das läßt hoffen, daß er Bargeld mitgebracht hat.‹

»Fühlen Sie sich wie zu Hause«, sagte Selwyn und stellte ein zweites Glas hin.

»Danke«, sagte der Mann.

»Auf die Hoffnung!« sagte Selwyn.

Und schließlich brachte der Nachlaßverwalter sein Anliegen vor. »Sie kennen die Bedingungen in Miß Macgregors letztem Willen?«

»Mir ist da etwas aufgefallen«, erklärte Selwyn, »in dem

Brief, den Sie mir geschickt haben, aber ich war damals sehr beschäftigt.«

Der Mann las ihm also das Testament vor, und als er bei der Stelle angelangt war: ». . . für meinen Neffen Selwyn Macgregor . . .«, unterbrach er sich und sah Selwyn an, ». . . vorausgesetzt«, fuhr er fort, »er kümmert sich um seine Gesundheit.«

»Das sieht meinem Tantchen ähnlich«, meinte Selwyn und füllte die Gläser bis zum Rand. »Eine wunderbare Frau, Mr. –?«

»Brown«, sagte der Mann. »Mr. Harper, mein Partner, ist der zweite Nachlaßverwalter. Sie werden gut mit ihm zurechtkommen. Wann ziehen Sie hier fort?«

»Nicht, bevor ich tot bin«, antwortete Selwyn.

»Aber, Mr. Macgregor, das hier ist doch kein gesunder Ort. Der Wille der Verstorbenen –«

»Zur Hölle mit diesem Willen«, sagte Selwyn und klopfte Mr. Brown dabei auf die Schulter, so daß Mr. Brown ihn unwillkürlich sympathisch finden mußte; mit dem wärmenden Whisky im Magen und bei dem angenehmen walisischen Tonfall von Selwyn, mit dem er die l's über die Zunge rollen ließ, als er ›zur Hölle mit diesem Willen‹ sagte, konnte er gar nicht anders.

»Meine Arbeit hält mich hier fest«, fügte Selwyn hinzu.

»Was ist denn Ihre Arbeit, Mr. Macgregor?«

»Das Meditieren über die Korruption.«

»Also wirklich, Mr. Macgregor, das ist keine gesunde Beschäftigung. Ich möchte Ihnen ja keine Schwierigkeiten machen, aber mein Partner, Mr. Harper, nimmt seine Pflichten als Nachlaßverwalter sehr ernst. Miß Macgregor war eine alte Klientin von uns, und sie hat sich unentwegt Sorgen um Ihre Gesundheit gemacht.«

»Einmal gehen wir alle kaputt, prost!« sagte Selwyn.

»Danke gleichfalls, Mr. Mac. Ihr Wohl, Sir!«

»Erzählen Sie Harper«, schlug Selwyn vor, »daß Sie mich bei bester Gesundheit und sehr beschäftigt angetroffen haben.«

»Sie sehen ein wenig mager aus, Mr. Macgregor. Das scheint mir hier doch keine gesunde Gegend zu sein.«

Selwyn begann zu spielen und sang ihm ein Lied vor. »O Mutter, Mutter, mach mein Grab«, sang er. »Oh, mach es weich und schön...«

»Sehr hübsch«, sagte der Nachlaßverwalter, als Selwyn geendet hatte. »Ein seltener Genuß.«

»Ich bin Musiker«, erklärte Selwyn. »Meine andere Arbeit brauchen Sie Harper gegenüber ja nicht zu erwähnen.«

»Ha, Sie wollen mich wohl bestechen, wie? Das wird Ihnen nicht gelingen. Sagten Sie nicht, daß Korruption Ihr Spezialgebiet sei?«

»Nein, nein. Ich meditiere über die Korruption, den allgemeinen und physischen Verfall«, erklärte Selwyn. »Das ist etwas ganz anderes, Höheres. Trinken Sie doch aus!«

»Ich wünsche Ihnen alles, was Sie sich selbst wünschen«, sagte Mr. Brown, »aber Sie werden mich nicht bestechen, merken Sie sich das!«

»Entweder besteche ich Sie, oder Sie bestechen mich«, stellte Selwyn fest und fuhr fort, seine Hauptbeschäftigung zu erklären, und sie diskutierten über den Sinn der Worte, bis sie jedes Gefühl für Zeit verloren hatten und aus bestechen ›bezechen‹ geworden war.

»Wer bezecht wen?« fragte Mr. Brown. »Wer ist hier bezecht?«

Schließlich konnte Selwyn vor Husten nicht lachen und dann wieder vor Lachen nicht husten. Als er sich wieder beruhigt hatte, schenkte er die Gläser voll und stellte tiefgründige Betrachtungen über das Verbum ›bezechen‹ als eine korrupte Form von ›bestechen‹ an.

»Ich, meiner, mir, mich; du, deiner, dir, dich«, sang er lauthals, »ich bezech' dich oder du bezechst mich!«

»Auf ein kurzes und fröhliches Leben!« rief Mr. Brown.

Nun, Selwyn bestach den Nachlaßverwalter. Sein monatlicher Scheck, höher denn zuvor, ging weiterhin regelmäßig ein. Den ganzen Winter hindurch behielt er seine Gewohnheit bei, am Fünfundzwanzigsten für Besucher weit die Türen zu öffnen, sie am Fünfzehnten wieder zu schließen und in der Zwischenzeit am Fenster zu sitzen und über den Gräbern der Toten zu meditieren.

Er starb im folgenden Frühjahr. Zwei Jahre zuvor, als er ge-
röntgt wurde, hatte Selwyn noch gesagt: »Ah, zur Hölle mit
meiner Brust! Ich habe zu arbeiten. Prosit!«

Mr. Brown sagte zu seinem Partner: »Von seiner Brust hat
er mir nie etwas erzählt. Wenn ich etwas davon gewußt
hätte, würde ich ihn in ein warmes Haus und in neue Kleider
gesteckt haben. Ich würde ihm eine Haushälterin beschafft
und dafür gesorgt haben, daß er sofort in ärztliche Behandlung kommt.«

»Diese Musiker«, sagte Mr. Harper, »fühlen sich einfach
zu sehr ihrer Kunst verpflichtet. Man muß sie einfach bewundern.«

»Oh, muß man das? Muß man das?« fragte Mr. Brown irri-
tiert, denn er konnte sich nicht dazu durchringen, mit besonderer Hochachtung an Selwyn zu denken, der gemeiner-
weise ausgerechnet sterben mußte, nachdem er mehr oder
weniger versprochen hatte, nur noch zu meditieren.

»Eine traurige Geschichte«, sagte Mr. Harper verträumt.
»Auf seine Weise war Macgregor ein Held.«

»Oh, war er das? War er das?« In diesem Augenblick ver-
achtete Mr. Brown seinen begriffsstutzigen Partner fast noch
mehr als den Verstorbenen. Doch späterhin, als er zufällig
wieder einmal in die Gegend kam, wo Selwyn gelebt hatte,
konnte Mr. Brown nur denken: ›Oh, Selwyn Macgregor, was
für ein nobler Mensch du doch warst!‹ Und als er sah, daß
man den alten Friedhof eingeebnet hatte, um einen Kinder-
spielplatz daraus zu machen, meditierte er lange Zeit über
Selwyns Korruption.

Der Gesang der Toten
(Die Meeresstraße)

»Die Meeresstraße war damals breiter«, erzählte Stella Flanders ihren Urenkeln im letzten Sommer ihres Lebens, dem Sommer, bevor sie Gespenster zu sehen begann. Die Kinder schauten sie mit großen fragenden Augen an, und ihr Sohn Alden drehte sich nach ihr um. Er saß auf der Veranda und schnitzte. Es war Sonntag, und sonntags fuhr Alden nie mit dem Boot hinaus, ganz egal, wie hoch der Hummerpreis auch sein mochte.

»Was meinst du damit, Oma?« fragte Tommy, aber die alte Frau gab keine Antwort. Sie saß schweigend in ihrem Schaukelstuhl neben dem kalten Ofen, und mit ihren Pantoffeln streifte sie leise über den Fußboden.

»Was meint sie damit?« fragte Tommy seine Mutter.

Lois schüttelte nur lächelnd den Kopf und schickte die Kinder mit Milchkannen zum Beerenpflücken.

Stella dachte: Sie hat es vergessen. Oder hat sie es nie gewußt?

Die Meeresstraße war früher breiter gewesen. Wenn jemand das wissen konnte, so war es Stella Flanders. Sie war 1884 geboren, sie war die älteste Bewohnerin von Goat Island, und sie war in ihrem ganzen Leben nie auf dem Festland gewesen.

Liebst du? Diese Frage quälte sie jetzt oft, und dabei wußte sie nicht einmal, was sie eigentlich zu bedeuten hatte.

Der Herbst kam, ein kalter Herbst ohne den notwendigen Regen, der den Bäumen erst ihre herrlichen Farben schenkte. Es regnete weder auf Goat Island noch auf Raccoon Head jenseits der Meeresstraße auf dem Festland. Der Wind blies in jenem Herbst lange, kalte Töne, und Stella spürte, wie jeder dieser Töne in ihrem Herzen widerhallte.

Am 19. November, als der erste Schnee von einem Himmel fiel, der die Farbe weißen Chroms hatte, feierte Stella ihren Geburtstag. Die meisten Dorfbewohner kamen zum Gratulieren. Hattie Stoddard kam, deren Mutter 1954 an einer Brustfellentzündung gestorben und deren Vater 1941 mit dem ›Dancer‹ untergegangen war. Es kamen Richard und Mary Dodge – Richard, der von schwerer Arthritis geplagt wurde, humpelte mühsam am Stock den Pfad zu ihrem Haus empor. Natürlich kam auch Sarah Havelock; Sarahs Mutter Annabelle war Stellas beste Freundin gewesen. Sie hatten gemeinsam die Inselschule besucht, von der ersten bis zur achten Klasse, und Annabelle hatte Tommy Frane geheiratet, der sie in der fünften Klasse an den Haaren gezogen und zum Weinen gebracht hatte, ebenso wie Stella Bill Flanders geheiratet hatte, der einmal alle ihre Schulbücher – sie hatte sie unter den Arm geklemmt gehabt – mit einem kräftigen Stoß in den Dreck befördert hatte (aber sie hatte sich die Tränen verbissen). Jetzt waren sowohl Annabelle als auch Tommy tot, und von ihren sieben Kindern lebte nur noch Sarah auf der Insel. Ihr Mann, George Havelock, den alle nur Big George genannt hatten, war 1967 – jenem Jahr, als man vom Fischfang nicht leben konnte – drüben auf dem Festland eines gräßlichen Todes gestorben. Ihm war versehentlich die Axt ausgerutscht, es hatte Blut gegeben – zuviel Blut! – und drei Tage später war er auf der Insel beerdigt worden. Und als Sarah zu Stellas Geburtstagsfeier kam und weinend »Herzlichen Glückwunsch, Oma!« rief, nahm Stella sie fest in ihre Arme und schloß die Augen.

(liebst du?)

aber sie weinte nicht.

Es gab einen riesigen Geburtstagskuchen. Hattie hatte ihn zusammen mit ihrer besten Freundin, Vera Spruce, gebakken. Die ganze Gesellschaft sang ›Happy Birthday to you‹, so laut, daß sie sogar den Wind übertönte... zumindest für kurze Zeit. Sogar Alden sang mit, obwohl er normalerweise nur ›Onward Christian Soldiers‹ und die Doxologie in der Kirche sang und ansonsten nur die Lippen bewegte, mit gesenktem Kopf und hochroten Henkelohren. Auf Stellas Kuchen brannten 95 Kerzen, und trotz des Singens hörte sie den Wind, obwohl ihr Gehör nicht mehr so gut wie früher war.

Sie hatte den Eindruck, als riefe der Wind ihren Namen.

»Ich war nicht die einzige«, hätte sie Lois' Kindern erzählt, wenn sie gekonnt hätte. »Zu meiner Zeit gab es viele, die auf der Insel lebten und starben. Damals gab es noch kein Postboot; Bull Symes brachte die Post mit. Es gab auch keine Fähre. Wenn man auf Raccoon Head etwas zu erledigen hatte, brachte der Ehemann einen mit dem Hummerfangboot hin. Wenn ich mich recht erinnere, so gab's bis 1946 auf der Insel kein Wasserklosett. Es war Bulls Sohn Harold, der das erste einbauen ließ, ein Jahr, nachdem Bull beim Netzeauslegen an einem Herzschlag gestorben war. Ich erinnere mich noch daran, wie sie Bull nach Hause trugen. Ich erinnere mich daran, daß sie ihn in eine Plane gehüllt rauftrugen und daß einer seiner grünen Stiefel herausragte. Ich erinnere mich...«

Und die Kinder hätten gefragt: »Woran, Oma? Woran erinnerst du dich?«

Was hätte sie ihnen geantwortet? War da sonst noch etwas gewesen?

Am ersten Wintertag, etwa einen Monat nach der Geburtstagsfeier, öffnete Stella die Hintertür, um Brennholz zu holen, und entdeckte auf der Veranda einen toten Sperling. Sie bückte sich schwerfällig, hob ihn an einem Bein hoch und betrachtete ihn.

»Erfroren«, murmelte sie, und etwas in ihrem tiefsten Innern sagte ein anderes Wort. Es war 40 Jahre her, seit sie einen erfrorenen Vogel gesehen hatte – 1938. In jenem Jahr, als die Meeresstraße zugefroren war.

Sie schauderte, hüllte sich fester in ihren Mantel und warf den toten Sperling im Vorbeigehen in den alten rostigen Verbrennungsofen. Es war ein kalter Tag. Der Himmel war klar und tiefblau. Am Abend ihres Geburtstages war Schnee gefallen, aber er war kurz darauf getaut, und seitdem hatte es nicht mehr geschneit. »Jetzt wär's aber langsam Zeit«, sagte Larry McKeen vom Kaufladen der Insel weise, als wollte er den Winter herausfordern, doch fernzubleiben.

Am Holzstapel angelangt, nahm Stella sich einen Armvoll Scheite und trug sie zum Haus. Ihr klar umrissener Schatten folgte ihr.

Als sie die Hintertür erreichte, wo der Vogel gelegen hatte, sprach plötzlich Bill zu ihr – aber der Krebs hatte Bill vor 12

Jahren dahingerafft. »Stella«, sagte Bill, und sein Schatten fiel neben sie; er war länger als ihr eigener, aber ebenso scharf umrissen. Der Schirm seiner Mütze war fröhlich seitwärts gedreht – sie sah es an seinem Schatten. So hatte er die Mütze immer aufgesetzt. Stella spürte, wie ihr ein Schrei in der Kehle steckenblieb. Er war zu gewaltig, um ihr über die Lippen zu kommen.

»Stella«, sagte er wieder. »Wann kommst du rüber zum Festland? Wir holen uns Norm Jolleys alten Ford und fahren nur so zum Spaß zu Bean's in Freeport. Was hältst du davon?«

Sie drehte sich abrupt um und hätte dabei fast ihr Holz fallen gelassen – niemand war da. Ihr Hinterhof erstreckte sich ein Stück hügelabwärts, unten war die wilde weiße Grasfläche und dahinter, ganz am Ende, lag klar umrissen die Meeresstraße, die ihr heute breiter als sonst erschien... und dahinter das Festland.

»Oma, was ist eigentlich eine Meeresstraße?« hätte Lona sie fragen können... obwohl sie es nie getan hatte. Und Stella hätte ihr die Antwort gegeben, die jeder Fischer auswendig hersagen konnte: Eine Meeresstraße ist ein Wasserstreifen zwischen Land auf zwei Seiten, ein Wasserstreifen, der an beiden Seiten offen ist. Es gab einen alten Witz der Hummerfänger, der so ging: Wißt ihr, was es bringt, Jungs, bei dichtem Nebel den Kompaß abzulesen? Man stellt dabei fest, daß zwischen Jonesport und London eine mächtig breite Meeresstraße verläuft.

»Meeresstraße – das ist das Wasser zwischen der Insel und dem Festland«, hätte sie näher ausführen können, während sie ihnen Sirupkuchen und heißen Tee mit Zucker gab. »Soviel weiß ich genau. Das weiß ich so gut wie den Namen meines Mannes... und wie er seine Mütze aufzusetzen pflegte.«

»Oma?« hätte Lona weiterfragen können. »Wie kommt es, daß du nie auf der anderen Seite der Meeresstraße gewesen bist?«

»Liebling«, hätte sie dann geantwortet, »ich habe nie einen Grund dafür gehabt.«

Im Januar, zwei Monate nach der Geburtstagsfeier, fror die Meeresstraße zum erstenmal seit 1938 zu. Über den Rundfunk wurden Insel- und Festlandbewohner gewarnt, dem Eis nicht zu trauen, aber Stewie McClelland und Russell Bowie holten nach einem langen Nachmittag, den sie mit Apfelweintrinken verbracht hatten, trotzdem Stewies großes Schneemobil raus, und natürlich brach es im Eis ein. Stewie gelang es, das Ufer zu erreichen (obwohl ihm dabei ein Fuß abfror). Doch Russel Bowie verschlang die Meeresstraße und trug ihn davon.

Am 25. Januar fand ein Gedächtnisgottesdienst für Russell statt. Stella ging am Arm ihres Sohnes Alden hin, und er formte lautlos die Worte der Hymnen und brummte kräftig mit seiner mißtönenden Stimme die Doxologie vor dem Segen. Danach saß Stella mit Sarah Havelock und Hattie Stoddard und Vera Spruce im Schein des Holzfeuers im Untergeschoß der Gemeindehalle, wo ein Leichenschmaus für Russell stattfand, bei dem es Punsch und hübsche kleine dreieckige Käsesandwiches gab. Die Männer gingen natürlich öfter mal hinaus, um etwas Stärkeres als Punsch zu kippen. Russell Bowies Witwe saß wie betäubt mit roten Augen neben Ewell McCracken, dem Geistlichen. Sie war im siebenten Monat schwanger – es würde ihr fünftes Kind sein –, und Stella, die in der Wärme des Holzofens halb vor sich hindöste, dachte: *Sie wird die Meeresstraße schon bald überqueren, nehm ich an. Vermutlich wird sie nach Freeport oder Lewiston ziehen und dort als Kellnerin arbeiten.*

Sie wandte sich wieder Vera und Hattie zu, um zu hören, worüber gerade geredet wurde.

»Nein, ich hab's nicht gehört«, sagte Hattie. »Was hat Freddy denn gesagt?«

Sie sprachen von Freddy Dinsmore, dem ältesten Mann auf der Insel (*aber zwei Jahre jünger als ich,* dachte Stella befriedigt), der 1960 seinen Laden an Larry McKeen verkauft hatte und jetzt im Ruhestand war.

»Er hat gesagt, er hätte so 'nen Winter noch nie erlebt«, sagte Vera und holte ihr Strickzeug hervor. »Er sagt, dieser Winter würde die Leute krank machen.«

Sarah Havelock schaute Stella an und fragte, ob sie schon einmal so einen Winter erlebt hätte. Immer noch war kein

Schnee gefallen; die Erde war nackt und braun und gefroren. Am Vortag war Stella etwa 30 Schritt weit übers hintere Feld gegangen und hatte ihre rechte Hand in Oberschenkelhöhe waagrecht gehalten, und mit einem Geräusch wie von zerbrechendem Glas war das Gras klirrend abgeknickt.

»Nein«, sagte Stella. »Die Meeresstraße ist '38 schon einmal zugefroren, aber damals gab es Schnee. Erinnerst du dich noch an Bull Symes, Hattie?«

Hattie lachte. »Ich glaub, ich hab immer noch die blauen Flecken von der Neujahrsfeier '53, als er mir auf meinen Allerwertesten schlug. Er hat *so* fest zugeschlagen. Was war mit ihm?«

»Bull und mein Mann haben in jenem Jahr einen Ausflug aufs Festland gemacht«, sagte Stella. »Im Februar 1938 war das. Sie sind auf Schneeschuhen bis zu Dorrit's Tavern auf Raccoon Head gelaufen, haben dort jeder 'n Whisky getrunken und sind dann wieder zurückgekommen. Sie wollten, daß ich mitgehe. Sie waren wie zwei kleine Jungs, die sich aufs Schlittenfahren freuen.«

Sie schauten Stella an, tief bewegt von diesem Wunder. Sogar Vera schaute sie mit großen Augen an, und Vera hatte die Geschichte bestimmt früher schon mal gehört. Wenn man den Gerüchten Glauben schenken wollte, so hatten Bull und Vera einmal was miteinander gehabt, obwohl es, sowie sie jetzt aussah, schwerfiel zu glauben, daß sie jemals so jung gewesen war.

»Und du bist nicht mitgegangen?« fragte Sarah, die vielleicht die weite Fläche der Meeresstraße vor ihrem geistigen Auge sah, so weiß, daß sie in der kalten Wintersonne bläulich schimmerte, das Funkeln der Schneekristalle, das näher rückende Festland – hinüber*gehen*, ja, über das Meer zu wandeln wie Jesus über den See, die Insel einmal, ein einziges Mal im Leben *zu Fuß* verlassen...

»Nein«, sagte Stella. Sie wünschte mit einem Mal, sie hätte auch ihr Strickzeug mitgebracht. »Ich bin nicht mitgegangen.«

»Warum denn *nicht?*« fragte Hattie fast entrüstet.

»Es war Waschtag«, antwortete Stella ziemlich barsch, und dann brach Missy Bowie, Russels Witwe, in lautes Schluchzen aus. Stella blickte hinüber, und da saß Bill Flanders in seiner rot-schwarz-karierten Jacke, die Mütze schief auf dem Kopf, und rauchte eine Herbert Tareyton, während er sich eine zweite für später hinters Ohr gesteckt hatte. Einen Moment lang stand ihr fast das Herz still.

Sie stöhnte leise auf, aber genau in diesem Augenblick zerbarst ein Knorren im Ofen mit einem Geräusch wie ein Gewehrschuß, und keine ihrer Freundinnen hörte ihr Stöhnen.

»Armes Ding«, sagte Sarah fast zärtlich.

»Sie sollte froh sein, diesen Taugenichts los zu sein«, knurrte Hattie. Sie suchte nach den richtigen Worten, um den verstorbenen Russell Bowie zu charakterisieren, und drückte die bittere Wahrheit schließlich folgendermaßen aus: »Der Mann war doch im Grunde genommen ein richtiger Luftikus und Liederjan. Keine Träne würde ich dem Kerl nachweinen.«

Stella hörte kaum hin. Da saß Bill, so dicht neben Reverend McCracken, daß er ihn ohne weiteres hätte in die Nase zwicken können, wenn ihm der Sinn danach gestanden hätte. Er sah nicht älter als vierzig aus; die Krähenfüße um seine Augen herum, die sich später so tief eingegraben hatten, waren kaum zu sehen, und er trug seine Flanellhose, seine Gummistiefel und darunter die grauen Wollsocken, die sorgfältig um die Stiefelschäfte umgeschlagen waren.

»Wir warten auf dich, Stel«, sagte er. »Du mußt rüberkommen und dir das Festland anschauen. Dieses Jahr wirst du nicht mal Schneeschuhe brauchen.«

Da saß er in der Gemeindehalle, so groß wie eh und je, und dann explodierte wieder ein Knorren im Ofen, und er war plötzlich verschwunden. Und Reverend McCracken fuhr fort, Missy Bowie zu trösten, so als wäre nichts geschehen.

An jenem Abend rief Vera Annie Phillips an und erwähnte im Laufe des Gesprächs, daß Stella Flanders nicht gut aussehe, gar nicht gut aussehe.

»Alden hätte bestimmt 'nen ganz schönen Kampf auszufechten, um sie von der Insel wegzubringen, wenn sie krank würde«, sagte Annie. Annie mochte Alden, weil ihr eigener Sohn Toby ihr erzählt hatte, daß Alden nichts Stärkeres als Bier trinke. Annie selbst war strikte Antialkoholikerin.

»Er würde sie überhaupt nicht von hier wegkriegen, es sei denn, sie läge schon im Koma«, sagte Vera. »Wenn Stella ›Frosch‹ sagt, hüpft Alden. Weißt du, mit Aldens Verstand ist's ja nicht allzu weit her. Stella sagt ihm immer, was er zu tun hat.«

»Tatsächlich?«

In diesem Moment setzte ein metallisches Knacken in der Leitung ein. Sekundenlang konnte Vera Annie Phillips noch hören – nicht die Worte, nur die Stimme im Hintergrund des Knackens –, und dann war die Leitung tot. Ein besonders heftiger Windstoß hatte die Telefonkabel runtergefegt, vielleicht in der Godlin's Pond, vielleicht auch unten in die Bucht. Möglicherweise waren sie auch auf der anderen Seite der Meeresstraße, auf Raccoon Head, runtergekommen... und manche Leute sagten vielleicht sogar (und das halb im Scherz), daß Russell Bowie eine kalte Hand emporgereckt und das Kabel heruntergerissen hatte, um den Inselbewohnern einen Streich zu spielen.

Keine 700 Fuß entfernt lag Stella Flanders unter ihrer Steppdecke und lauschte Aldens Schnarchkonzert im Nebenzimmer. Sie tat es, um nicht dem Wind lauschen zu müssen... aber sie hörte den Wind trotzdem, o ja; er fegte über die gefrorene Fläche der Meeresstraße, anderthalb Meilen Wasser, das jetzt mit Eis überzogen war, Eis, unter dem sich Hummer und Barsche verbargen und vielleicht auch die gespenstisch tanzende Leiche von Russell Bowie, der jedes Jahr im April ihren Garten umgegraben hatte.

Wer wird ihn diesen April umgraben? fragte sie sich, während sie zusammengerollt und fröstelnd unter der Steppdecke lag. Und wie im Traum, den man in einem Traum sieht, antwortete ihre Stimme ihrer Stimme: *Liebst du?* Der Wind heulte und rüttelte am Winterfenster. Es kam ihr so vor, als spräche das Winterfenster zu ihr, aber sie wandte ihr Gesicht ab. Und weinte nicht.

»Aber, Oma«, hätte Lona sie vielleicht weiter bedrängt (sie gab nie auf, Lona nicht; sie glich darin ihrer Mutter und ihrer Großmutter), »du hast uns immer noch nicht erklärt, warum du nie die Meeresstraße überquert hast.«

»Nun, mein Kind, ich hatte immer alles, was ich wollte, hier auf Goat Island.«

»Aber die Insel ist doch so klein. Wir wohnen in Portland. Dort gibt's Busse, Oma!«

»Ich sehe im Fernsehen zur Genüge, was in den großen Städten los ist. Nein, ich bleibe lieber, wo ich bin.«

Hal war jünger, aber einfühlsamer. Er hätte sie nicht so bedrängt wie seine Schwester, aber seine Frage wäre näher an den Kern der Sache herangekommen. »Wolltest du nie das Festland sehen, Oma? Nie?«

Und dann hätte sie sich vorgebeugt und seine kleinen Hände in die ihrigen genommen und ihm erzählt, wie ihre Eltern kurz nach der Hochzeit auf die Insel gekommen waren, und wie Bull Symes' Großvater Stellas Vater als Lehrling auf sein Boot genommen hatte. Sie hätte ihm erzählt daß ihre Mutter viermal schwanger gewesen war, aber einmal davon eine Fehlgeburt gehabt hatte; ein zweites Baby war eine Woche nach seiner Geburt gestorben – ihre Mutter hätte die Insel verlassen, wenn man das Kind im Krankenhaus auf dem Festland hätte retten können, aber bevor ihr dieser Gedanke überhaupt kam, war schon alles vorbei.

Sie hätte den Kindern erzählt, daß sich Bill bei ihrer Großmutter Jane als Geburtshelfer betätigt hatte, aber sie hätte ihnen verschwiegen, daß er hinterher ins Badezimmer gegangen war und sich zuerst übergeben und dann geweint hatte wie eine hysterische Frau, die besonders starke Menstruationsbeschwerden hat. Jane hatte dann natürlich schon mit vierzehn die Insel zum erstenmal verlassen, um auf dem Festland die High School zu besuchen; damals heirateten die Mädchen nicht mehr so früh, und als Jane mit dem Boot abgefahren war – in jenem Monat war Bradley Maxwell an der Reihe gewesen, die Kinder zum Festland und zurück auf die Insel zu bringen –, hatte Stella schon tief im Herzen gewußt, daß ihre Tochter zwar noch eine Zeitlang zurückkommen, dann aber die Insel für immer verlassen würde. Sie hätte den Kindern erzählt, daß Alden zehn Jahre nach Jane auf die Welt gekommen war, als Bill und sie die Hoffnung schon aufgegeben hatten, und als wollte er seine verspätete Ankunft wettmachen, lebte Alden immer noch; er war Junggeselle geblieben, und in mancher Hinsicht war Stella froh darüber, denn Alden war nicht der Hellste, und es gab schließlich genügend Frauen, die einen Mann mit schwerfälligem Verstand und weichem Herzen nur aus-

nützen wollten (natürlich hätte sie das den Kindern auch nicht er-
zählt).

Aber sie hätte sagen können: »Louis und Margaret Godlin zeug-
ten Stella Godlin, die Stella Flanders wurde; Bill und Stella Flanders
zeugten Jane und Alden Flanders, und Jane Flanders wurde Jane
Wakefield; Richard und Jane Wakefield zeugten Lois Wakefield, die
Lois Perrault wurde; David und Lois Perrault zeugten Lona und
Hal. Das sind eure Namen, Kinder: ihr seid Godlin-Flanders-Wake-
field-Perraults. Auch ihr könnt diese steinige Insel nicht verleug-
nen, und ich – ich bleibe hier, weil das Festland unerreichbar weit
entfernt ist. Ja, ich liebe; jedenfalls habe ich geliebt oder zumindest
versucht zu lieben, aber die Erinnerungen sind so weit und so tief,
und ich kann nicht auf die andere Seite gelangen. Godlin-Flanders-
Wakefield-Perrault . . .

Es war der kälteste Februar, seit der Nationale Wetterdienst
Aufzeichnungen über die Temperaturen machte, und Mitte
des Monats war das Eis auf der Meeresstraße einbruchsicher.
Schneemobile summten und heulten und kippten um, wenn
sie die Eisberge nicht richtig anfuhren. Kinder versuchten,
Schlittschuh zu laufen, stellten aber fest, daß das Eis dazu
viel zu holperig war und kehrten zum Godlin's Pond auf der
anderen Hügelseite zurück, doch erst nachdem der kleine Justin McCracken, der Sohn des Pfarrers, mit seinem Schlittschuh in eine Eisspalte geraten war und sich den Knöchel gebrochen hatte. Er wurde ins Krankenhaus auf dem Festland
gebracht, wo ein Arzt ihm sagte, das Bein würde in Kürze
wieder so gut wie neu sein.

Freddy Dinsmore starb ganz plötzlich drei Tage nach Justin
McCrackens Beinbruch. Er hatte im Januar eine Grippe bekommen, wollte aber keinen Arzt zu sich lassen und erzählte
allen, es wäre ›nur eine Erkältung, weil ich ohne meinen
Schal rausgegangen bin, um die Post zu holen‹; und dann
legte er sich ins Bett und starb, bevor man ihn aufs Festland
bringen und an all jene Apparaturen anschließen konnte, die
in den Krankenhäusern für Leute wie Freddy bereitstanden.
Sein Sohn George – ein Säufer ersten Ranges im zumindest
für Säufer fortgeschrittenen Alter von 68 Jahren – fand
Freddy mit den ›Bangor Daily News‹ in einer Hand und seiner

ungeladenen Remington neben der anderen. Offenbar hatte der Alte sie gerade reinigen wollen, als der Tod ihn ereilte. George Dinsmore begab sich auf eine dreiwöchige Sauftour, die von jemandem finanziert wurde, der wußte, daß George die Lebensversicherung seines Vaters bekommen würde. Hattie Stoddard ging überall herum und erzählte jedem, der es hören wollte, dieser alte George Dinsmore sei ein Luftikus und Liederjan, und sein Benehmen sei eine einzige Schande und Sünde.

Überall kursierte die Grippe. Die Schule schloß für zwei Wochen und nicht wie sonst üblich für nur eine, weil soviel Kinder krank waren. »Ohne Schnee gibt's jede Menge Bazillen«, sagte Sarah Havelock.

Gegen Ende des Monats, gerade als die Inselbewohner anfingen, trügerische Hoffnungen in den März zu setzen, bekam auch Alden Flanders die Grippe. Fast eine Woche lief er damit herum, dann legte er sich mit sehr hohem Fieber ins Bett. Wie Freddy, so wollte auch er keinen Arzt haben, und Stella pflegte ihn, gönnte sich keine Ruhe und machte sich große Sorgen. Alden war zwar nicht so alt wie Freddy, aber der Jüngste war er ja auch nicht mehr.

Schließlich fiel dann doch noch Schnee. Sechs Zoll am Valentinstag, weitere sechs am 20. Februar, und am 29. bei starkem Nordwind gleich zwölf Zoll. Ungewohnt war der Blick auf die verschneite Fläche zwischen Bucht und Festland, wo um diese Jahreszeit seit Menschengedenken nur graues tosendes Wasser gewesen war. Viele Leute gingen zu Fuß zum Festland und zurück. Man brauchte nicht einmal Schneeschuhe, weil der Schnee zu einer festen, glitzernden Kruste gefroren war. Stella dachte, daß vielleicht auch sie auf dem Festland einen Schluck Whisky tranken, allerdings nicht in Dorrit's Tavern, denn die war 1958 abgebrannt.

Und sie sah Bill viermal. Einmal sagte er: »Du solltest bald kommen, Stella. Wir werden tanzen gehen. Was hältst du davon?«

Sie konnte nichts sagen. Sie hatte sich die Faust in den Mund gesteckt.

»Hier gab es alles, was ich jemals wollte oder brauchte«, hätte sie ihren Urenkeln sagen können. »Wir hatten das Radio, und jetzt haben wir auch das Fernsehen, und das ist alles, was ich von der Welt jenseits der Meeresstraße will. Ich hatte jahraus, jahrein meinen Garten. Und Hummer? Nun, wir hatten hinten auf dem Herd immer einen Hummereintopf stehen, und wenn der Pfarrer uns besuchen kam, stellten wir den Topf in die Speisekammer, damit er nicht sah, daß wir die ›Arme-Leute-Suppe‹ aßen.

Ich habe gutes und schlechtes Wetter erlebt, und wenn es je Zeiten gab, wo ich mich fragte, wie es wohl sein mochte, wirklich im Sears herumzuschlendern anstatt nur nach dem Katalog zu bestellen, oder wie es sein mochte, in einen jener Supermärkte zu gehen anstatt im hiesigen Laden einzukaufen oder Alden aufs Festland rüberzuschicken, wenn etwas Besonderes wie ein Weihnachtskapaun oder ein Osterschinken benötigt wurde . . . oder wenn ich mir je wünschte, einmal, nur einmal auf der Congress Street in Portland zu stehen und all die Leute in ihren Autos und auf den Gehwegen zu sehen, mehr Leute auf einen Blick als die Insel heute Bewohner zählt . . . wenn ich mir solche Dinge je gewünscht habe, so habe ich dies hier doch stets vorgezogen. Ich bin nicht seltsam. Ich bin keine Ausnahme. Für eine Frau meines Alters bin ich nicht überspannt. Ich glaube eben mit ganzer Seele, daß es besser ist, tief zu pflügen als viel.

Dies ist meine Heimat, und ich liebe sie.«

Eines Tages im März, als der Himmel so weiß und so beängstigend war wie ein Gedächtnisverlust, saß Stella Flanders zum letzten Mal in ihrer Küche, schnürte zum letzten Mal ihre Stiefel über ihren mageren Waden und wickelte sich zum letzten Mal ihren leuchtendroten Wollschal (Hattie hatte ihn ihr vor drei Jahren zu Weihnachten geschenkt) um den Hals. Unter ihrem Kleid trug sie eine Garnitur von Aldens langer Unterwäsche. Das Taillenband der Unterhose ging ihr bis zu den schlaffen Brüsten, das Unterhemd fast bis zu den Knien.

Draußen kam wieder stärkerer Wind auf, und im Radio wurde für den Nachmittag Schneefall angesagt. Sie zog ihren Mantel und ihre Handschuhe an. Nach kurzer Überlegung zog sie darüber noch ein Paar von Aldens Handschuhen. Alden hatte sich von der Grippe erholt, und an diesem Vormittag waren er und Harley Blood drüben bei Missy Bowie, um eine Wintertür wieder einzuhängen. Missy hatte ein Mädchen zur Welt gebracht. Stella hatte es gesehen, und das arme kleine Würmchen hatte eine verblüffende Ähnlichkeit mit seinem toten Vater.

Stella stand einen Augenblick am Fenster und blickte auf die Meeresstraße hinab, und dort war Bill, wie sie schon vermutet hatte; er stand etwa auf halbem Weg zwischen Insel und Festland, stand auf dem Wasser wie Jesus und winkte ihr zu, und mit seinem Winken schien er ihr sagen zu wollen, daß es höchste Zeit war, wenn sie die Absicht hatte, noch in diesem Leben einen Fuß aufs Festland zu setzen.

»Wenn du's unbedingt willst, Bill«, murrte sie. »Weiß Gott, *ich* will's nicht.«

Aber der Wind sprach andere Worte. Sie *wollte*. Sie wollte dieses Abenteuer erleben. Es war ein schmerzhafter Winter für sie gewesen – die Arthritis, die sich von Zeit zu Zeit bemerkbar machte, hatte sie mit besonderer Heftigkeit überfallen und ihre Finger- und Kniegelenke mit rotem Feuer und blauem Eis gemartert. Ein Auge war trüb geworden, so daß sie damit nur noch verschwommen sehen konnte (und ausgerechnet am nächsten Tag hatte Sarah – mit einigem Unbehagen – festgestellt, daß Stellas Feuermal, das sie seit über 30 Jahren hatte, plötzlich sprungartig größer zu werden schien). Am schlimmsten war aber, daß die heftigen Magenschmerzen wieder eingesetzt hatten, und vor zwei Tagen war sie um fünf Uhr morgens aufgestanden, über den kalten Fußboden ins Bad gewankt und hatte einen großen Klumpen hellrotes Blut in die Toilette gespuckt. Und an diesem Morgen hatte sich der Vorfall wiederholt. Das Blut war ekelhaft und stank nach Fäule.

Die Magenschmerzen waren in den letzten fünf Jahren immer wieder gekommen und gegangen, manchmal schwächer, manchmal heftiger, und sie hatte fast von Anfang an gewußt, daß es nur Krebs sein konnte. Er hatte ihre Mutter und ihren Vater dahingerafft, und ebenso auch den Vater ihrer Mutter. Keiner von ihnen war älter als siebzig geworden, und so konnte sie eigentlich ganz zufrieden sein – sie hatte allen Wahrscheinlichkeits-Berechnungstabellen der Lebensversicherungen zum Trotz ein sehr hohes Alter erreicht.

»Du ißt wie ein Scheunendrescher«, hatte Alden grinsend gesagt, kurz nachdem die Schmerzen begonnen hatten und sie zum erstenmal Blut im Morgenstuhl bemerkt hatte. »Weißt du denn nicht, daß alte Leute wie du angeblich nur noch wenig Appetit haben?«

»Halt den Mund, oder es setzt was!« hatte Stella geantwortet und gegen ihren grauhaarigen Sohn die Hand erhoben, der sich zum Spaß geduckt und gerufen hatte: »Nicht, Ma! Ich nehm's ja zurück!«

Ja, sie hatte herzhaft gegessen, nicht weil sie soviel Appetit hatte, sondern weil sie glaubte (wie viele Menschen ihrer Generation), daß der Krebs sie in Ruhe lassen würde, wenn sie ihn gut fütterte. Und vielleicht funktionierte das tatsächlich, zumindest eine Weile; das Blut in ihrem Stuhl kam und ging, und manchmal war lange Zeit überhaupt keines zu sehen. Alden gewöhnte sich daran, daß sie meistens eine zweite Portion aß (und auch eine dritte, wenn die Schmerzen besonders schlimm waren), aber sie nahm nicht ein Gramm zu.

Jetzt schien der Krebs aber schließlich doch dahin vorgedrungen zu sein, was die Franzosen ›pièce de résistance‹ nennen.

Sie ging zur Tür und sah an einem der Holznägel im Flur Aldens Mütze hängen, die mit den pelzgefütterten Ohrklappen. Sie setzte sie auf – der Schirm rutschte ihr bis zu den buschigen, einstmals dunklen Augenbrauen, die nun aber schon größtenteils weiß waren – und blickte sich dann ein letztes Mal um. Sie wollte sich vergewissern, daß sie nichts vergessen hatte. Im Ofen brannte ein schwaches Feuer, und Alden hatte die Abzugsklappe wieder zu weit geöffnet – sie hatte es ihm unzählige Male erklärt, aber er vergaß es immer wieder.

»Alden, du wirst jeden Winter einen Viertelklafter Holz mehr verbrauchen, wenn ich nicht mehr da bin«, murmelte sie und öffnete die Ofentür. Sie warf einen Blick hinein und stieß einen leisen entsetzten Schrei aus. Sie warf die Ofentür zu und stellte mit zitternden Fingern die Abzugsklappe richtig ein. Einen Moment lang – den Bruchteil einer Sekunde – hatte sie in der Kohlenglut das Gesicht ihrer alten Freundin

Annabelle France gesehen. Es war haargenau ihr Gesicht gewesen, bis hin zu dem Grübchen in ihrer Wange.

Hatte auch Annabelle ihr zugewinkt?

Sie überlegte, ob sie Alden einen Zettel schreiben und ihm erklären sollte, wohin sie gegangen war, aber dann dachte sie, daß Alden es vermutlich auch so verstehen würde. Auf seine eigene langsame Weise würde er schon den richtigen Schluß ziehen.

Während ihr Verstand immer noch Sätze für diesen Zettel formulierte – *Seit dem ersten Wintertag habe ich mehrmals deinen Vater gesehen, und er sagt, sterben sei nicht so schlimm; zumindest glaube ich, daß es das ist, was er mir sagen will...* – trat Stella in den weißen Tag hinaus.

Der Wind stürzte sich sofort auf sie, und sie mußte Aldens Mütze noch etwas tiefer ziehen, damit der Wind sie ihr nicht stehlen und nur so zum Spaß davontragen konnte. Die Kälte schien durch jede kleinste Ritze ihrer Kleidung tief in sie einzudringen; feuchte Märzkälte, die nassen Schnee ankündigte.

Sie ging den Hügel hinab, in Richtung Bucht. Behutsam setzte sie ihre Füße auf die Ziegel, mit denen George Dinsmore in Abständen den Pfad ausgelegt hatte. Einmal hatte George auf dem Festland Arbeit gefunden: er sollte für die Stadt Raccoon Head mit dem Motorpflug pflügen, aber während des großen Sturms im Jahre '77 hatte er sich mit Whisky so vollaufen lassen, daß er dann nicht nur einen, auch nicht zwei, sondern gleich drei Strommasten über den Haufen gefahren hatte. Fünf Tage lang hatten die Leute drüben in Raccoon Head kein Licht gehabt. Stella erinnerte sich jetzt wieder daran, wie sonderbar es gewesen war, über die Meeresstraße hinweg zu blicken und auf der anderen Seite nur Dunkelheit zu sehen. Man war so sehr daran gewöhnt, drüben die kleine tapfere Lichtergruppe zu sehen. Jetzt arbeitete George nur noch auf der Insel, und nachdem es hier keine Motorpflüge gab, konnte er nicht viel Unheil anrichten.

Als Stella an Russell Bowies Haus vorbeiging, sah sie die totenblasse Missy aus dem Fenster schauen. Stella winkte ihr zu. Missy winkte zurück.

Sie hätte ihren Urenkeln erzählen können: »Auf der Insel haben wir uns immer selbst um alles gekümmert. Als Gerd Henreid sich damals den Blutgefäßriß in der Brust zugezogen hatte, aßen wir alle einen ganzen Sommer lang zum Abendessen nur einfachen Eintopf, um seine Operation in Boston bezahlen zu können – und Gerd kehrte lebendig auf die Insel zurück, Gott sei Dank. Als George Dinsmore jene Strommasten über den Haufen fuhr und die Stromwerke sein Haus pfänden wollten, sorgten wir dafür, daß sie ihr Geld bekamen, und daß George genügend Arbeit hatte, um sich Zigaretten und Schnaps kaufen zu können... warum auch nicht? Nach Feierabend taugte er sowieso für nichts anderes, aber wenn er erst einmal angekurbelt war, schuftete er wie ein Ackergaul. Daß er jenes eine Mal in Schwierigkeiten geraten war, hatte nur daran gelegen, daß er abends arbeiten mußte, und der Abend war für ihn eben die Zeit zum Trinken. Sein Vater hat ihn jedenfalls immer durchgefüttert. Und jetzt ist da die arme Missy Bowie, die mit fünf Kindern allein zurückgeblieben ist. Vielleicht wird sie doch hierbleiben und ihr Geld von der Fürsorge und von der Hilfsorganisation ADC bekommen; es wird höchstwahrscheinlich nicht ausreichen, aber sie wird hier jede Hilfe erhalten, die sie braucht. Vermutlich wird sie weggehen, aber wenn sie auf der Insel bleibt – verhungern wird sie hier auf gar keinen Fall... und hört gut zu, Lona und Hal: Wenn sie hier auf der Insel bleibt, wird sie vielleicht imstande sein, etwas von dieser kleinen Welt mit der schmalen Meeresstraße auf der einen Seite und der unendlich breiten Meeresstraße auf der anderen Seite zu bewahren, etwas, das sie nur allzu leicht verlieren könnte, wenn sie in Lewiston mit Essenstellern oder in Portland mit Kuchen oder im ›Nashville North‹ in Bangor mit Drinks herumhasten muß. Und ich bin alt genug, um nicht wie eine Katze um den heißen Brei herumzuschleichen, was dieses Etwas sein könnte: eine besondere Existenzform, eine ganz bestimmte Lebensweise – ein ungewöhnlich starkes Gefühl der Zusammengehörigkeit, der Solidarität.«

Sie hatten hier auf der Insel die Dinge immer selbst in die Hand genommen, auch in anderer Hinsicht, aber das hätte sie ihren Urenkeln nicht erzählt. Die Kinder hätten es nicht verstanden, auch Lois und David nicht – Jane hatte allerdings die Wahrheit noch gekannt. Da war Norman und Ettie Wilsons Baby gewesen; es kam mongoloid auf die Welt, die armen winzigen Füßchen nach innen abgewinkelt, das kahle Köpfchen plump und deformiert; zwischen den Fingerchen hatte es Schwimmhäute, so als hätte es zu lange und zu tief geträumt, während es in jener Meeresstraße im Mutterleibe herumgeschwommen war. Reverend McCracken kam damals, um das Baby zu taufen, und am nächsten Tag erschien Mary Dodge, die schon zu jener Zeit bei über hundert Geburten als Hebamme dabei gewesen war, und Norman ging mit Ettie den Hügel hinab, um Frank Childs neues Boot anzuschauen, und obwohl Ettie kaum laufen konnte, ging sie ohne zu klagen mit ihm, auch wenn sie auf der Türschwelle noch einmal stehenblieb und zu Mary Dodge hinüberschaute, die ruhig neben der Wiege des Kindes saß und strickte. Mary blickte kurz auf, und als ihre Augen sich trafen, brach Eddie in Tränen aus. »Komm«, sagte Norman tieftraurig, »komm, Eddie, komm mit.« Und als sie eine Stunde später zurückkamen, war das Baby tot, und war es nicht eine Gnade Gottes, daß es so schnell gestorben war, ohne leiden zu müssen? Und viele Jahre vor diesem Ereignis, noch vor dem Krieg, zur Zeit der großen Depression, waren drei kleine Mädchen auf dem Heimweg von der Schule belästigt worden, nicht allzu schlimm belästigt – sichtbare Narben hatten sie zumindest nicht zurückbehalten. Alle drei erzählten von einem Mann, der gesagt hatte, er würde ihnen ein Kartenspiel zeigen, wo auf jeder Karte eine andere Hunderasse abgebildet wäre. Er würde ihnen diese herrlichen Karten zeigen, sagte der Mann, wenn die kleinen Mädchen mit ihm in die Büsche gingen, und in den Büschen erklärte der Mann dann: »Aber erst müßt ihr das da anfassen.« Eines der kleinen Mädchen war Gert Symes, die später – 1978 – für ihre Arbeit in Brunswick High zur ›Lehrerin des Jahres von Maine‹ gewählt worden war. Und die damals erst fünfjährige Gert erzählte ihrem Vater, daß dem Mann an einer Hand ein paar Finger gefehlt hätten. Eines der beiden anderen Mädchen bestätigte das. Das dritte konnte sich an nichts erinnern. Stella wußte noch genau, wie Alden an einem gewittrigen Tag in einem Sommer wegging, ohne ihr zu sagen wohin, obwohl sie ihn gefragt hatte. Sie blickte ihm aus dem Fenster nach und sah, daß am Ende des Pfades Bull Symes auf ihn wartete, und dann stieß Freddy Dinsmore zu ihnen, und unten an der Bucht sah sie ihren eigenen Mann, der morgens wie gewöhnlich mit seinem Eßgeschirr unter dem Arm zur Arbeit gegangen war. Andere Männer gesellten sich zu ihnen, und als sie sich schließlich auf den Weg machten, zählte Stella elf Männer, unter ihnen auch den Vorgänger von Reverend McCracken. Und an jenem Abend wurde ein Bursche namens

Daniel am Fuße von Slyder's Point tot aufgefunden, wo die Felsen aus dem Meer ragen wie die Fangzähne eines Drachen, der mit offenem Maul ertrunken ist. Dieser Daniels war ein Mann, den Big George Havelock eingestellt hatte, damit er ihm helfen sollte, neue Fußböden in seinem Haus zu verlegen und in seinen Lastwagen einen neuen Motor einzubauen. Daniels stammte aus New Hampshire, und er war ein wahrer Meister im Reden und hatte genügend andere Aushilfsjobs gefunden, nachdem die Arbeit bei den Havelocks beendet war... und wie herrlich er immer in der Kirche gesungen hatte! Offensichtlich, so hieß es, war Daniels oben auf Slyder's Point herumspaziert, ausgerutscht und hinabgestürzt. Er hatte sich das Genick gebrochen, und sein Schädel war zertrümmert. Da er, soviel bekannt war, keine Familie hatte, wurde er auf der Insel beerdigt, und der Vorgänger von Reverend McCracken hielt die Grabrede und sagte, dieser Daniels sei ein guter Arbeiter gewesen, der richtig zupacken konnte, obwohl ihm an der rechten Hand zwei Finger gefehlt hätten. Dann spendete er den Segen, und die Leute gingen in die Gemeindehalle, wo sie Punsch tranken und Käsesandwiches aßen. Stella hatte ihre Männer nie gefragt, wohin sie an jenem Tag, als Daniels von Slyder's Point abstürzte, gegangen waren.

»Kinder«, hätte sie sagen können, »wir haben immer alles selbst in die Hand genommen. Wir mußten es tun, denn die Meeresstraße war damals breiter, und wenn der Wind heulte, und die Brandung toste, und es früh dunkel wurde, kamen wir uns sehr klein vor, winzige Stäubchen in den Augen unseres Schöpfers. Deshalb war es ganz natürlich, daß wir einander die Hände reichten und eine enge Gemeinschaft bildeten.

Wir reichten einander die Hände, Kinder, und wenn es Zeiten gab, wo wir uns fragten, was für einen Sinn das alles hätte, oder ob es so etwas wie Liebe überhaupt gäbe, so kam das nur daher, weil wir in langen Winternächten den Wind und die Brandung gehört hatten und uns fürchteten.

Nein, ich hatte nie das Bedürfnis, die Insel zu verlassen. Hier war mein Platz, hier war mein Leben. Damals war die Meeresstraße breiter.«

Stella erreichte die Bucht. Der Wind blähte ihre Kleidung auf wie eine Fahne. Sie blickte nach rechts und links. Wenn jemand zu sehen gewesen wäre, wäre sie noch ein Stück am

Ufer weitergegangen und hätte ihr Glück bei den umgestürzten Felsen versucht, obwohl sie vereist waren. Aber kein Mensch war in der Nähe, und so ging sie den Pier entlang, vorbei am alten Bootshaus. Am Ende angelangt, blieb sie einen Moment lang mit erhobenem Haupt stehen und lauschte dem Heulen des Windes, das durch die pelzgefütterten Ohrenklappen nur gedämpft zu hören war.

Dort draußen stand Bill und winkte. Hinter ihm, jenseits der Meeresstraße, konnte sie drüben auf Raccoon Head die Congo Church sehen; nur die Kirchturmspitze hob sich vom weißen Himmel kaum ab.

Stöhnend setzte sie sich auf die Kante des Piers und ließ sich dann auf die Schneekruste hinabgleiten. Ihre Stiefel sanken dabei ein wenig ein. Sie rückte Aldens Mütze wieder zurecht – wie sehr der Wind sie ihr doch vom Kopf reißen wollte! – und begann, auf Bill zuzugehen. Einmal dachte sie daran, einen Blick zurückzuwerfen, aber dann ließ sie es lieber bleiben. Sie glaubte das nicht ertragen zu können.

Sie bewegte sich stetig vorwärts. Ihre Stiefel knirschten auf der Schneekruste, und die Eisfläche vibrierte leicht unter ihren Füßen. Dort war Bill – er stand jetzt ein Stück weiter hinten, aber er winkte immer noch. Sie hustete und spuckte Blut auf den weißen Schnee, der das Eis bedeckte. Jetzt dehnte sich die Meeresstraße nach allen Seiten zu weit aus, und zum erstenmal in ihrem Leben konnte sie ohne Aldens Fernglas das Schild ›Stanton's Bait and Boat‹ drüben am anderen Ufer lesen. Sie sah auf der Hauptstraße von Raccoon Head Autos hin- und herfahren und dachte mit Staunen: *Sie können fahren, so weit sie wollen... Portland... Boston... New York City. Stell sich das einer vor!* Und sie konnte es sich fast vorstellen, konnte sich fast eine Straße vorstellen, die immer weiterführte, der die Welt weit offenstand.

Eine Schneeflocke wirbelte an ihren Augen vorbei. Noch eine. Eine dritte. Gleich darauf schneite es leicht, und sie ging durch eine herrliche weiße, sich ständig verändernde Welt. Sie sah Raccoon Head wie durch einen dünnen Schleier, der manchmal fast verschwand. Wieder rückte sie Aldens Mütze zurecht, und von deren Schirm fiel ihr Schnee in die Augen. Der Wind wirbelte den Neuschnee zu nebelhaften Figuren auf, und in einer davon sah sie Carl Abersham, der zusammen mit Hattie Stoddards Mann mit dem ›Dancer‹ untergegangen war.

Bald schneite es aber heftiger, und alle Konturen verschwammen. Die Hauptstraße von Raccoon Head wurde immer unwirklicher und verschwand schließlich ganz. Eine Weile konnte sie noch das Kreuz auf der Kirche sehen, aber dann entschwand es ebenfalls ihren Blicken. Als letztes verschwand das leuchtend gelbe Schild mit der schwarzen Aufschrift ›Stanton's Bait und Boat«, wo man auch Motorenöl, Fliegenfänger, Sandwiches und Budweiser bekommen konnte.

Dann ging Stella durch eine völlig farblose Welt, einen grauweißen Schneetraum. *Genau wie Jesus, der auf dem Wasser wandelte,* dachte sie, und nun warf sie doch einen Blick zurück, aber inzwischen war auch die Insel verschwunden. Sie sah ein Stück weit ihre eigenen Fußspuren, deren Umrisse immer undeutlicher wurden, bis zuletzt nur noch die Halbkreise ihrer Absätze ganz schwach zu erkennen waren... und dann nichts mehr. Überhaupt nichts mehr.

Sie dachte: *Es ist eine richtige Waschküche. Du mußt aufpassen, Stella, sonst kommst du nie ans Festland, sondern läufst immer im Kreis herum, bis du erschöpft bist, und dann erfrierst du hier draußen.*

Ihr fiel ein, wie Bill ihr einmal erzählt hatte, wenn man sich im Wald verirre, müsse man so tun, als wäre das rechte Bein – wenn man Rechtshänder war, sonst das andere – lahm. Andernfalls würde dieses kräftigere Bein selbständig die Führung übernehmen, und man würde im Kreis gehen und das nicht einmal bemerken, bis man wieder bei seinen eigenen Fußspuren anlangte. Stella glaubte nicht, daß sie sich so etwas leisten konnte. Schneefall heute, in der Nacht und morgen, hatte es im Wetterbericht geheißen, und in dieser konturenlosen weißen Welt würde sie nicht einmal wissen, ob sie wieder bei ihren eigenen Fußspuren angelangt war, denn der Wind und der Neuschnee würden sie schon lange vorher einhüllen.

Trotz der zwei Paar Handschuhe spürte sie ihre Hände nicht mehr, und ihre Füße waren schon seit einiger Zeit taub vor Kälte. In gewisser Weise war das sogar eine Erleichterung, denn dadurch nahm sie auch die Arthritis nicht mehr wahr.

Stella begann künstlich zu hinken und zwang ihr linkes Bein zu größerer Leistung. Die Arthritis in ihren Knien war nicht eingeschlafen, und die Schmerzen wurden immer heftiger. Vor Anstrengung bleckte sie die Zähne (sie hatte immer noch ihre eigenen, und nur vier fehlten), blickte starr geradeaus und wartete darauf, daß das gelbschwarze Schild aus dem umherwirbelnden Weiß auftauchen würde.

Aber es tauchte nicht auf.

Etwas später bemerkte sie, daß das strahlende Weiß zu einem eintönigeren Grau zu verblassen begann. Es schneite immer dichter und heftiger. Sie spürte zwar noch die feste Schneekruste unter ihren Füßen, aber jetzt mußte sie durch fünf Zoll hohen Neuschnee stapfen. Sie schaute auf ihre Uhr, doch sie war stehengeblieben. Stella dachte, daß sie zum erstenmal seit zwanzig oder dreißig Jahren vergessen haben mußte, die Uhr aufzuziehen. Oder war sie einfach endgültig stehengeblieben? Die Uhr hatte früher ihrer Mutter gehört, und Stella hatte sie zweimal Alden aufs Festland mitgegeben, wo Mr. Dostie in Raccoon Head sie zuerst gebührend bewundert und dann gereinigt hatte. Zumindest ihre Uhr war auf dem Festland gewesen.

Etwa eine Viertelstunde, nachdem sie das Abnehmen des Tageslichtes bemerkt hatte, fiel sie zum erstenmal hin. Einen Augenblick blieb sie so, auf Händen und Knien, und dachte, wie leicht es doch wäre, einfach hierzubleiben, sich möglichst klein zu machen und dem Wind zu lauschen, aber dann gewann ihre Entschlossenheit, mit deren Hilfe sie soviel schwierige Lebenssituationen gemeistert hatte, wieder die Oberhand, und sie richtete sich mit schmerzverzerrtem Gesicht auf. Sie stand im Wind, blickte geradeaus und strengte ihre Augen an... aber sie konnten nichts sehen.

Bald wird es dunkel sein.

Nun, sie mußte vom richtigen Weg abgekommen sein, nach rechts oder links, andernfalls hätte sie inzwischen schon das Festland erreicht. Sie glaubte jedoch nicht, sich so total verirrt zu haben, daß sie sich jetzt parallel zum Festland oder gar wieder in Richtung Goat Island bewegte. Ein innerer Kompaß in ihrem Kopf sagte ihr, daß sie das Hinken übertrieben hatte und zu weit nach links geraten war. Bestimmt ging sie immer noch auf das Festland zu, aber jetzt in einer zeitraubenden Diagonale.

Jener innere Kompaß wollte, daß sie sich rechts hielt, aber sie hörte nicht auf ihn. Statt dessen ging sie geradeaus weiter, stellte aber das künstliche Hinken ein. Ein Hustenanfall schüttelte sie, und wieder färbte sich der weiße Schnee rot mit ihrem Blut.

Zehn Minuten später (das Grau nahm eine immer dunklere Schattierung an, und sie war jetzt umgeben vom gespenstischen Zwielicht eines dichten Schneesturms) stürzte sie erneut, und diesmal gelang es ihr erst beim zweiten Versuch, wieder auf die Beine zu kommen. Sie stand schwankend im Schnee, konnte sich im Wind kaum noch aufrecht halten und spürte, wie Schwächewellen sie überkamen und ihr abwechselnd ein Gefühl von Schwere und Leichtigkeit verliehen.

Vielleicht rührte das dumpfe Brausen in ihren Ohren nicht nur vom Wind her, aber es war mit Sicherheit der Wind, dem es endlich gelang, ihr Aldens Mütze vom Kopf zu reißen. Stella versuchte vergeblich, sie zu erhaschen – der Wind wirbelte sie außer Reichweite, ließ den leuchtend orangefarbenen Tupfen durch das dunkle Grau tanzen; dann rollte er sie ein Stückchen durch den Schnee, hob sie wieder auf und blies sie so weit weg, daß Stella sie nicht mehr sehen konnte. Gleichzeitig fegte er durch ihr Haar und zerzauste es kräftig.

»Macht nichts, Stella«, sagte Bill. »Du kannst meine aufsetzen.«

Sie schnappte nach Luft und schaute sich nach allen Seiten um. Sie hatte sich mit den behandschuhten Händen unwillkürlich an die Brust gegriffen, und sie spürte, wie scharfe Fingernägel sich in ihr Herz krallten.

Zunächst sah sie nichts als das dichte Schneegestöber – und dann kam aus der grauen Kehle dieses Abends, durch die der Wind mit der Stimme eines Teufels in einem Schneetunnel heulte, ihr Mann auf sie zu. Zuerst sah sie nur tanzende Farben im Schnee: Rot, Dunkelgrün, Hellgrün; dann verdichteten sich diese Farben zu einer Flanelljacke mit hochgestelltem Kragen, Flanellhosen und grünen Stiefeln. Mit einer fast absurd ritterlichen Geste hielt er ihr seine Mütze hin, und sein Gesicht war Bills Gesicht, wie es ausgesehen hatte, bevor es vom Krebs gezeichnet wurde (war das alles, wovor sie Angst gehabt hatte? Daß ein ausgemergelter Schatten ihres Mannes sie erwarten würde, eine Gestalt wie aus dem Konzentrationslager, mit überstraffer, durchscheinender Haut über den Backenknochen und tief in die Höhlen eingefallenen Augen?), und eine Woge der Erleichterung erfaßte sie.

»Bill? Bist du es wirklich?«

»Klar.«

»Bill!« sagte sie noch einmal glücklich und machte einen Schritt auf ihn zu. Ihre Beine ließen sie im Stich, und sie dachte, da sie stürzen würde, mitten durch ihn hindurch – schließlich war er ja ein Geist –, aber er fing sie auf mit Armen, die so stark und kraftvoll waren wie einst, als er sie über die Schwelle des Hauses getragen hatte, in dem sie zuletzt nur noch mit Alden gelebt hatte. Er stützte sie, und einen Augenblick später spürte sie, wie die Mütze ihr fest auf den Kopf gedrückt wurde.

»Bist du's wirklich?« fragte sie wieder und blickte in sein Gesicht empor, betrachtete die Krähenfüße um seine Augen, die sich noch nicht tief in seine Haut eingegraben hatten, betrachtete den Schnee auf den Schultern seiner Jacke, betrachtete sein dichtes braunes Haar.

»Ich bin's«, sagte er. »Wir alle sind hier.«

Er vollführte zusammen mit ihr eine halbe Drehung, und sie sah die anderen aus dem Schnee auftauchen, den der Wind in der sich verdichtenden Dunkelheit über die Meeresstraße fegte. Ein Schrei – halb vor Freude, halb vor Angst – kam aus ihrem Mund, als sie Madeline Stoddard, Hatties Mutter, in einem blauen Kleid erblickte, das der Wind glockenförmig bauschte, und ihre Hand hielt Hatties Vater, kein vermodertes Skelett irgendwo auf dem Meeresgrund, sondern jung und unversehrt. Und dort, hinter den beiden...

»Annabelle!« rief sie. »Annabelle Frane, bist du's?«

Es *war* Annabelle; sogar in diesem Schneegestöber er-

kannte Stella das gelbe Kleid, das Annabelle bei Stellas Hochzeit getragen hatte, und als sie an Bills Arm auf ihre tote
Freundin zutaumelte, glaubte sie, Rosenduft wahrzuneh-
men.

»*Annabelle!*«

»Wir sind jetzt fast da, Liebes«, sagte Annabelle und nahm
ihren anderen Arm. Das gelbe Kleid, das seinerzeit als ›gewagt‹ bezeichnet worden war (das aber zum Glück für Annabelle und zur allgemeinen Erleichterung doch kein ›Skandal‹
gewesen war), ließ ihre Schultern frei, aber Annabelle schien
die Kälte nicht zu spüren. Ihr langes weiches kastanienbrau-
nes Haar wehte im Wind. »Nur noch ein kleines Stückchen.«

Sie bewegten sich wieder vorwärts; Bill und Annabelle
stützten Stella. Andere Gestalten tauchten aus schneeiger
Nacht auf (denn es *war* inzwischen Nacht geworden). Stella
erkannte viele von ihnen, aber nicht alle. Tommy Frane hatte
sich zu Annabelle gesellt; Big George Havelock, der in den
Wäldern eines so gräßlichen Todes gestorben war, ging hinter Bill; da kam der Mann, der fast zwanzig Jahre lang Leucht-
turmwärter von Raccoon Head gewesen war und der zu den
Scribbage-Turnieren, die Freddy Dinsmore jeden Februar
veranstaltete, immer auf die Insel zu kommen pflegte – sein
Name lag Stella auf der Zunge, fiel ihr aber nicht ein. Und da
war auch Freddy selbst! Etwas seitlich von Freddy ging ganz
für sich, mit verwirrtem Gesichtsausdruck, Russell Bowie.

»Sieh mal, Stella«, sagte Bill, und sie sah etwas Schwarzes
aus der Dunkelheit emporragen wie die zerschellten Buge
vieler Schiffe. Es waren aber keine Schiffe, es waren zerklüf-
tete Felsen. Sie hatten das Festland erreicht. Sie hatten die
Meeresstraße überquert.

Sie hörte Stimmen, war aber nicht sicher, ob sie wirklich
sprachen:

Gib mir deine Hand, Stella...

(liebst)

Gib mir deine Hand, Bill...

(oh, liebst)

*Annabelle... Freddy... Russell... John... Ettie... Frank...
gebt mir die Hand... gebt mir die Hnad... die Hand...*

(liebst du)

»Willst du mir deine Hand geben, Stella?« fragte eine neue Stimme.

Sie schaute sich um, und da war Bull Symes. Er lächelte ihr freundlich zu, und doch spürte sie, wie Angst sie überkam, als sie es ihm an den Augen ablas, und einen Moment lang wich sie etwas zurück und umklammerte Bills Hand noch fester.

»Ist es . . .«

»Zeit?« fragte Bill. »O ja, Stella, ich glaub schon. Aber es tut nicht weh. Zumindest habe ich nie etwas davon gehört. All die Schmerzen – die hat man *vorher*.«

Plötzlich brach sie in Tränen aus – in all die Tränen, die sie nie geweint hatte – und legte ihre Hand in Bulls Hand. »Ja«, sagte sie, »ja, ich werde lieben, ja, ich liebte, ja, ich liebe.«

Sie standen im Kreis, die Toten von Goat Island, und der Wind heulte um sie herum und trieb den Schnee vor sich her, und eine Art Lied entrang sich Stellas Brust. Es stieg in den Wind empor, und der Wind trug es fort. Und dann sangen sie alle, wie Kinder mit ihren hohen lieblichen Stimmen singen, wenn ein Sommerabend in eine Sommernacht übergeht. Sie sangen, und Stella spürte, wie sie zu ihnen und mit ihnen ging, endlich jenseits der Meeresstraße angelangt. Ein bißchen tat es weh, aber nicht allzusehr; ihre Entjungferung war schmerzhafter gewesen. Sie standen im Kreis in der Nacht. Der Schnee wirbelte um sie herum, und sie sangen! Sie sangen, und . . .

. . . und Alden konnte es David und Lois nicht erzählen, aber im Sommer nach Stellas Tod, als die Kinder wie jedes Jahr für zwei Wochen auf die Insel kamen, erzählte er es Lona und Hal. Er erzählte ihnen, daß während der großen Winterstürme der Wind mit fast menschlichen Stimmen zu singen scheint, und daß es ihm manchmal so vorgekommen war, als könnte er sogar die Worte verstehen: »Praise God from whom all blessings flow, Praise Him, ye creatures here below . . .« / »Preiset Gott, von dem alle Gnaden kommen, Lobpreiset IHN alle Geschöpfe hienieden . . .« /

Aber er erzählte ihnen nicht (man stelle sich nur einmal den langsamen, fantasielosen Alden Flanders vor, der so etwas laut sagt, wenn auch nur zu Kindern!), daß er manchmal diese Töne hörte und ihn dann fröstelte, auch wenn er dicht am Ofen saß; daß er dann seine Schnitzarbeit oder das Netz, das er flicken wollte, beiseite legte und dachte, daß der Wind mit den Stimmen all jener sang, die verstorben waren... daß sie irgendwo draußen auf der Meeresstraße standen und sangen wie Kinder. Er glaubte ihre Stimmen zu hören, und in solchen Nächten träumte er manchmal, daß er – ungesehen und ungehört – bei seiner eigenen Beerdigung die Doxologie sang.

Es gibt Dinge, die sich einfach nicht anderen mitteilen lassen, und es gibt andere, die zwar nicht direkt geheimnisvoll sind, über die man aber doch nicht spricht. Einen Tag, nachdem der Sturm sich ausgetobt hatte, hatten sie Stella erfroren auf dem Festland gefunden. Sie saß auf einem natürlichen Felsstuhl, etwa 100 Yards südlich der Stadtgrenzen von Raccoon Head. Der Arzt äußerte sein Erstaunen. Stella hatte einen Weg von mehr als vier Meilen zurückgelegt, und die bei unerwarteten, außergewöhnlichen Todesfällen gesetzlich vorgeschriebene Autopsie hatte Krebs in fortgeschrittenem Stadium ergeben – die alte Frau war davon ganz zerfressen gewesen. Hätte Alden David und Lois sagen sollen, daß die Mütze auf Stellas Kopf nicht die seinige gewesen war? Larry McKeen hatte diese Mütze wiedererkannt. Ebenso John Bensohn. Er hatte es in ihren Augen gelesen, und vermutlich hatten sie es in seinen Augen gelesen. Er war noch nicht so alt, daß er die Mütze seines toten Vaters vergessen hätte, ihre Form oder die Stellen, wo der Schirm eingerissen gewesen war.

»Das sind Dinge, über die man langsam nachdenken muß«, hätte er den Kindern gesagt, wenn er dafür die richtigen Worte gefunden hätte. »Dinge, über die man lange nachdenken muß, während die Hände ihre Arbeit verrichten und der Kaffee in einer stabilen Porzellankanne neben einem steht. Vielleicht sind es Fragen der Meeresstraße: singen die Toten? Und lieben sie die Lebenden?«

In den Nächten, nachdem Lona und Hal mit ihren Eltern in Al Currys Boot aufs Festland zurückgefahren waren und die Kinder zum Abschied gewinkt hatten, dachte Alden über diese und andere Fragen und über die Sache mit der Mütze seines Vaters nach.

Singen die Toten? Lieben sie?

In jenen langen einsamen Nächten, als seine Mutter Stella Flanders zu guter Letzt in ihrem Grabe lag, kam es Alden oft so vor, als täten sie beides.

Quellenverzeichnis

ROBERT WALSER: *Winter,* aus: *Das Gesamtwerk.* © Suhrkamp Verlag, Zürich/Frankfurt am Main 1978. Abdruck mit Genehmigung der Inhaberin der Rechte, der Carl-Seelig-Stiftung, Zürich.

CONRAD AIKEN: *Stiller Schnee, heimlicher Schnee,* aus: Conrad Aiken, »Fremder Mond«, Erzählungen. Aus dem Amerikanischen von Marguerite Schlüter. © by Limes Verlag, München 1963.

LEO N. TOLSTOJ: *Der Schneesturm,* aus: *Sämtliche Erzählungen.* Band 2. Übersetzt von Gisela Drohla. © Insel Verlag, Frankfurt am Main 1966.

MARK TWAIN: *Kannibalismus auf der Eisenbahn.* Übersetzt von Günther Klotz, aus: Mark Twain, *Gesammelte Werke in fünf Bänden.* Herausgegeben von Klaus-Jürgen Popp. © 1965 Carl Hanser Verlag, München, Wien, Aufbau Verlag, Berlin.

CARLO MANZONI: *Der Schnee,* aus: Manzoni, *Die Lügengeschichten.* Übersetzt von Maria Kern. Mit freundlicher Genehmigung des Albert Langen Georg Müller Verlags, München.

SIEGFRIED LENZ: *Duell in kurzem Schafspelz,* aus: *So zärtlich war Suleyken, Masurische Geschichten.* © Hoffmann und Campe Verlag, Hamburg 1955.

ERNEST HEMINGWAY: *Schnee überm Land,* aus: Ernest Hemingway »49 Stories.« Übersetzt von Annemarie Horschitz-Horst. © 1959 by Rowohlt Verlag GmbH, Hamburg.

D. H. LAWRENCE: *Winterlicher Pfau.* Übersetzt von Elisabeth Schnack, aus: D. H. Lawrence, *England, mein England, Sämtliche Erzählungen II.* © 1975 by Diogenes Verlag AG, Zürich.

UTTA DANELLA: *An diesem Tag war Schnee gefallen,* aus: *Der dunkle Strom.* Roman. © Hoffmann und Campe Verlag, Hamburg 1977.

ALFRED POLGAR: *Der Hase,* aus: Alfred Polgar, *Gestern und heute,* in: *Kleine Schriften,* Band 2 – Kreislauf. © 1983 by Rowohlt Verlag GmbH, Reinbek.

KNUT HAMSUN: *Weihnachtsschmaus.* Übersetzt von Ernst Brausewetter, aus: *Siesta, Sämtliche Romane und Erzählungen,* Bd. 5. Mit freundlicher Genehmigung des Albert Langen Georg Müller Verlags, München.

ADALBERT STIFTER: *Gletschernacht*, aus: Stifter, *Bergkristall*, 1853.

CHARLES DICKENS: *Gespensterweihnacht*, aus: Dickens, *Die Pickwickier*, Leipzig o. J.

O. HENRY: *Tscherokis Weihnachtsbescherung*, aus: Alan Wood (Hg.), *Weihnacht der Neuen Welt*. © 1969 by Verlags AG Die Arche, Zürich.

ALPHONSE DAUDET: *Die drei stillen Messen*, aus: Daudet, *Ausgewählte Erzählungen*. Übersetzt von Fritz Meyer, Leipzig o. J.

W. SOMERSET MAUGHAM: *Die Winter-Kreuzfahrt*, aus: W. Somerset Maugham, *Schein und Wirklichkeit*. © Diana Verlag, Zürich.

HEINRICH BÖLL: *Nicht nur zur Weihnachtszeit*, aus: *Erzählungen 1950–1970*. © 1972 by Verlag Kiepenhauer & Witsch, Köln.

HERMANN HESSE: *Auf dem Eise*, aus: *Gesammelte Erzählungen*. Band 6. © Suhrkamp Verlag, Frankfurt am Main 1982.

MAX FRISCH: *Davos*, aus: *Tagebuch 1946–1949*. © Suhrkamp Verlag, Frankfurt am Main 1950.

ÖDÖN VON HORVÁTH: *Wintersportlegendchen*, aus: Horváth, *Gesammelte Werke*. Band 5. © Suhrkamp Verlag, Frankfurt am Main 1970/1971.

ERICH KÄSTNER: *Drei Männer im Schnee*, aus: Erich Kästner, *Drei Männer im Schnee*, (9. Kap.). © Atrium Verlag, Zürich.

HERBERT ROSENDORFER: *Schlittenfahrt*, aus: Rosendorfer, *Eichkatzelried. Geschichten aus Kindheit und Jugend*. © Nymphenburger Verlagshandlung, München 1979.

A. J. CRONIN: *Die Erzählung des Bürgermeisters*, aus: Cronin, *Traumkinder*. Übersetzt von Luise Wasserthal-Zuccari. © Paul Zsolnay Verlag Gesellschaft m. b. H., Wien/Hamburg 1972.

ISAAC BASHEVIS SINGER: *Die Silvesterfeier*, aus: Isaac B. Singer, *Leidenschaften. Geschichten aus der neuen und der alten Welt*. Aus dem Amerikanischen von Ellen Otten. © 1977 Carl Hanser Verlag, München, Wien.

JAROSLAV HAŠEK: *Abstinenzler-Silvester*, aus: Hašek, *Abstinenzler-Silvester und andere vergnügliche Geschichten*. Übersetzt von Gustav Just. © Verlag Neues Leben, Berlin 1983.

EPHRAIM KISHON: *Wunschloses Neujahr*, aus: *Das große Kishon Karussell*. Übersetzt von Friedrich Torberg. © Nymphenburger Verlagshandlung GmbH., München 1983.

WOLFRAM SIEBECK: *Drei Wünsche frei: Ein Silvester-Erlebnis*, aus: *Wolfram Siebecks beste-Geschichten*. © Nymphenburger Verlagshandlung GmbH., München 1983.

KURT TUCHOLSKY: *Herrn Wendriners Jahr fängt gut an*, aus: Tucholsky, *Gesammelte Werke* Band II. © 1960 by Rowohlt Verlag GmbH, Reinbek.

HEINZ PIONTEK: *Winterlamento*, aus: *Feuer im Wind*, Band 3 der sechsbändigen Gesamtausgabe. © 1985 by Franz Schneekluth Verlag, München.

GUY DE MAUPASSANT: *Dreikönigstag*, aus: Charles du Gard (Hg.): *Das Jesuskind in Frankreich*. © 1964 by Verlags AG Die Arche, Zürich.

JACK LONDON: *Das Feuer im Schnee*, aus: London, *Beste Geschichten*. Übersetzt von Erwin Magnus. © Universitas Verlag, Berlin 1972.

ALISTAIR MACLEAN: *Eine tote Welt*, aus: MacLean, *Eisstation Zebra*, Roman. Übersetzt von Paul Bandisch. Mit freundlicher Genehmigung des Kindler Verlags, München.

A. E. JOHANN: *Die Geier*, aus: Johann, *Abenteuer der Ferne. Die schönsten Reisegeschichten*. © Bertelsmann Verlag, München 1978.

MURIEL SPARK: »...*und für den Winter eine traurige Geschichte*«, aus: Spark, *Portobello Road*. Erzählungen. Übersetzt von Peter Naujack. © 1963 Diogenes Verlag AG, Zürich.

STEPHEN KING: *Der Gesang der Toten*, aus: King, *Der Gesang der Toten. Unheimliche Geschichten*. Übersetzt von Alexandra v. Reinhardt. Wilhelm Heyne Verlag, München 1986 (Heyne Taschenbuch Nr. 01/6705).